新潮文庫

櫂

宮尾登美子著

新潮社版

5792

櫂《かい》

第一部

一

　喜和は、朝、出がけの岩伍《いわご》からいいつけられていた夏物を出すために、押入れから支那鞄《しなかばん》を引張り出したとき、ふと、あ、もう間《ま》なしに楊梅《やまもも》売りの姐《ねえ》さんが出て来るよ、と思った。

　去年も確か夏冬の入替えの日、上から畳み込まれて底の一、二枚は柳行李《やなぎごうり》の編目が凸《でこ》凹《ぼこ》についた岩伍の帷子《かたびら》や、絽《ろ》の飛ばしを部屋のなかに掛け連ねていたとき、階下《した》から菊が跳ね上って来て、

「来ました、お母さん。十市《とおち》の楊梅《やまもも》が」

と、うわずった声で知らせて来た。

　去年は、行李の底の衣類についた小波《さざなみ》のようないちめんの皺《しわ》は火熨斗《ひのし》をかけても俄《にわか》に

取れなくて岩伍に叱《しか》られ、そのあと、隣の仕立屋のお竹さんに教えられて男衆《おとこし》の亀《かめ》を連れ、種崎《たねざき》町へまで支那鞄というのを買いに行った。それは昔の長持を小さくしたような木の箱型で、内部は更紗《さらさ》模様の紙を、外側は青い金巾《かなきん》を貼《は》ってあり、いいことには蓋《ふた》がかっちりと閉って、ぴちんと小気味よい音をたてて錠のかかる事だけれど、ひとつ都合の悪いのは、行李のように際限もなしの詰め込みが利《き》かないのである。

それでも長着など二つ畳みに、平らに寝かせられるのは便利であった。今年は衣紋竿《えもんざお》に掛けて夕方まで風を通せば樟脳《しょうのう》の匂《にお》いも散り、いつ、さあと岩伍にいわれてもすぐ差出せる、と喜和は安堵《あんど》の思いで支那鞄の底に落ちこぼれている、箆《へら》の先のように薄くなった去年の樟脳を拾い上げた。

喜和がいま坐《すわ》っている二階の東窓からは、往来を一目に見下ろすことが出来る。軒の詰んだ狭い往来にはいつも殆《ほと》ど一日中もの売りの声が流れ、絶える間もない賑《にぎ》やかさだけれど、毎年、夏の初めにやって来る楊梅売りだけは、この緑町《みどりちょう》四丁目に限って呼び声を上げない。十市の姐さんは地下足袋を真白にして二丁目、三丁目を通り抜け、まっすぐ富田《とみた》の格子戸《こうしど》を入って天秤《てんびん》で担《にな》った楊梅籠《かご》を下ろすのである。

富田では楊梅の走りを、毎年、この十市の姐さんから一度に二斗余りも買う。土間に据《す》えた楊梅の籠から、微《かす》かに潮の香の混った甘さが辺りに流れ始めると、喜和が声を掛けるまでもなく、待ち兼ねていた富田の家の者はわーっと籠の廻《まわ》りに集って来る。

底にたっぷりと厚く青い裏白《しだ》を敷いた竹籠の中は、紫蘇《しそ》いろに濃く熟れた、あん玉ほどの太さのまるいやわらかな実が、深い光沢《つや》を見せながら平らに積み重なっている。なかに、天秤に揺られて潰《つぶ》れたいくつかの実も見え、それから出た汁はよく醸《かも》された酒のように芳醇《ほうじゅん》な香りを立てる。

十市の姐さんは皆に取巻かれ、自信ありげな振舞いで一升枡《ます》を取出すと、楊梅の実を掻《か》き分けて籠の中に枡を据え、丈夫至極な、躊躇《ためらい》ない手付きで入れ始める。枡の中へ初めはそっと転がし、次第に盛り上げ、やがて指先はよく出来た髪のおくれ毛を掻き上げるように叮寧《ていねい》に、高く高く三角の山形に築《つ》き上げる。かたわらでは若い衆《し》がかねて洗っておいたむろ蓋を差出していて、十市の姐さんは枡の二辺に掌をあてがいながら、その中にそろりと、ころころと、どっぷりと空けるのである。

そのたびに富田の家の者は「ひとーつ、ふたあつ」と声を揃《そろ》えて数え、姐さんは姐さんでちゃんと心得て、

「そら、よう熟れちょります」

やら、

「そら、実は太いが、核《さね》は小《こ》んまい」

やら、

「品は保険付き、亀蔵桃の飛切り」

やら、景気をつけるのであった。

楊梅《やまもも》は、土佐の海岸地方に生《な》る特有の果実で、思わず頰《ほお》を絞るほどの美味《うま》さがある代り、これほどに傷《いた》み易《やす》いものもないといわれている。朝捥《も》いだ実は昼下りにもう汁が滲《にじ》んで饐《す》え始め、じき蚊つぼが立って夕方には異臭を放ち出す。出盛りの季節もまた極く短いもので、ぱっといちどきに木が黒むほど熟れたと思うと、僅《わず》かな風にもぼたぼたと首を振って落ちてしまう。桃には黒い亀蔵と白桃とがあり、富田では岩伍がとくに黒桃の太いものを好む関係から、十市でもこの姐さんの家の木のものばかりを買うのであった。楊梅は隔年毎《ごと》の結実といわれるけれど、不作の年でも、十市の姐さんは富田の分だけは何とか籠に充《み》たして届けてくれるのである。

その桃を、もう五、六年も前から富田ではまだ走りの季節に、町内の殆ど全部へ配っている。下町では季節の初物を、七十五日命が延びる、と有難がる慣《なら》わしがあり、とりわけ捥ぎ立ての楊梅は夏病み除《よ》けとして大仰《おおぎょう》に喜ぶ。

十市の姐さんから荷を受取るなり、喜和は先《ま》ず貝皿に入れて家中の神棚《かみだな》に祀《まつ》り、ついで岩伍の分を風通しのよい釜屋《かまや》の軒先へ吊《つ》ってから町内へ配る段取りをする。味噌漉《みそこ》しの底に奉書を敷き、表通りは世帯《しょたい》の人数によって目分量で二合入れたり三合入れたり、裏長屋は均《な》らしで皆二合見当を入れ、若い衆たちが、

「さ、初物じゃ。いっときも早う食べてつかはれ」

と手分けして配り歩くのである。

味噌漉しの底の奉書が楊梅の汁でどっぷりと紫に染められ、表通り十八軒、裏長屋四十軒を洩《も》れなく配り終えると、若い衆たちは互いに肩を扱《こ》き合うようにして釜屋へなだれ込んで来る。

甘い汁をたっぷり含んだやわらかな楊梅の実は、決して水で洗ってはいけない。粒を重ねないようにむろ蓋に粗く並べ、喜和が指の股《また》からパラパラと塩を振ると、若い衆がむろ蓋を持ち上げて水平に揺する。楊梅はむろ蓋の中でころころと転がり、ぶつかり合いながら塩に馴染《なじ》んでいっそう甘味を増す。先ず、いまにも弾《はじ》けそうに黒く膨らんだ大粒から先に手が出て、「楊梅の選《よ》り食い」が始まり、ときには口の中に三粒も四粒も詰め込んで逸《はや》り、やがて若熟れのやや小粒のものまでも悉《ことごと》く食べ終る頃《ころ》、かたわらの丼《どんぶり》鉢《ばち》には、嚙《か》み捨てられた果肉が赤い古綿のようにくっついた、小さな核が堆《うずたか》く積み上げられる。

「楊梅食うに、核《さね》を出す馬鹿《ばか》があるか」

という通もいるにはいるけれど、核を吞《の》み込めば便通が苦しくなるのは焦《いら》れの大食いたちが誰しも経験していることで、やはり、舌の先で核を弄《もてあそ》ぶようにしながら果肉だけを食べるのが安心なのであった。

十市の姐さんは喜和にミカン水などを振舞われ、暫《しば》く休んで行くこともある。若い衆たちは、姐さんが女ながらも十市村の木遣《きや》りの名人であることを知っていて、

「姐さん、あの楊梅はえーえ、というのを一丁やってや。呼び声を聞かんことには食ったらしゅうないわえ」

と頼むと、姐さんは羞《はにか》みながらも嬉《うれ》しげに目を細め、被《かぶ》っている手拭《てぬぐい》の前をちょっと摘《つま》んで下げてから、

「はあ、はあ、その筈《はず》ですらあね」

と咳払《せきばら》いして声を張り上げる。

「ええーえ、楊梅はえーえ、
今朝採りの十市の楊梅、
潮風によう吹けた桃はえーえ、
亀蔵桃の粒揃い、一番《いっち》ええがー」

と、ここまで引伸ばし唱《うた》ってから、あと、濁《だ》み声《ごえ》で捨科白《すてぜりふ》を吐くように、

「早う買わんと饐えるが」

と早口で呟《つぶや》くのである。

それが効いて、前半まことに朗々とした節廻《ふしまわ》しに聞き惚《ほ》れていた誰も、あとのいいぐさの可笑《おか》しさに吊り込まれて思わずにっこりしてしまう。

十市の楊梅が入ると、岩伍は外に出ていても必ず早く帰った。喜和が使いを走らせることもあり、自分から、

「今日辺り、もう来るかも知れんと思うて」

といい当てて帰って来ることもある。

喜和に、

「豆腐屋の茂八ちゃんには丈夫に（たんと）入れてやったか」

「イービーの先生は忘れざったの？」

「羅宇屋《ラオや》の松さんには？」

と日頃気に掛けている家をいちいち糺《ただ》し、喜和が、

「はあ、まあ皆えらいこと喜んで……

大将によろしゅうにといいよりましたと」

――棒堤の硝子《ガラス》工場へ通っているポペン吹きの兼やんは、先ず仏壇《ぶつたん》に供えたし、歯替屋の姐さんは涙ぐんで押戴《おしいただ》き、車力引《ひき》のどん平さんは、「これ、これ」といいながら飛び付いてその場であっという間に食べてしまい、欲深で通っているメリヤス行商の浜田の姐さんは、三合の桃に何と大きなえび笊《ぞうけ》を出して来て受けたそうな、と若い衆たちに聞いたとおりを告げると、岩伍は、「そうか」「そうか」と頷《うなず》き、それから、かたわらに手拭《てふ》きの濡布《ぬれぶ》きんを喜和に持たせ、さも旨《うま》そうにときどき舌を鳴らしながら、好物の

楊梅をつまむのであった。

喜和は、今年は十市の姐さんにいつもより多めに買い、上町《うわまち》の吉沢《よしざわ》医院の先生にもこの楊梅を届けてあげてはどんなものであろう、と思った。

十七になる長男の龍太郎《りゅうたろう》が今年正月から長い風邪を引いていて、もうずっと先生にお世話になっている。十七ともなれば女親の喜和ではとかく楫《かじ》が取り難《にく》いし、それに生来気随者《きずいもの》である龍太郎を、先生は宥《なだ》めたり賺《すか》したりしながらまことに親身によく診て下される。楊梅も十市の亀蔵の走りなら先生もさぞ喜んでつかされるであろう、と思いついて、すぐまた、

「下町でこそ喜《うげ》るものじゃけんど、上町の上品《じょうび》た暮しの先生が楊梅など口になさるろうか、矢庭《やにわ》に持《も》て行《い》て却《かえ》って迷惑なさりはすまいか」

と考えるとちょっと気懸りになり、こういうときはこの界隈《かいわい》で一番古顔の、角《かど》の安岡の姐さんに聞くに限る、と思った。

喜和は、支那鞄から取出した縮《ちぢみ》や麻や、帷子の単衣《ひとえ》を衣紋竿に掛け分けてから階下へ下りた。今朝菊にいいつけ、石水《いしみず》の髪結《かみい》さんの番を取るよう手配してから髪を洗っていたので、いまから安岡へ寄って暫く談義《どうぎ》してゆけば恰度《ちょうど》の時刻になる。この近辺の事なら、一言安岡へ声を掛けておいたほうが安心なのであった。

階下では裏長屋の為吉《ためきち》やら勇やら新太などいつもの顔が三、四人見えていて、皆で菊

と絹を嫌《いや》がらせては笑い声を立てているところであった。

毎度の事ながら、飯刻《めしどき》を過ぎると富田の釜屋では大抵こういう按配《あんばい》になる。閑《ひま》な男たちが集って来ては他愛《たわい》もない談義に耽《ふけ》り、若い娘の嫌がる話にまで落ちては、それを水仕場のふたりに浴びせかけては婾《たの》しむのである。普段から無口な絹が相変らずむすっとしているかたわらで、菊は二人分を引受け、顔を真赧《まつか》にして懸命で応酬している。土間に踏張《ふんば》って立っている菊の足の指の、水仕履《みずしば》きの濡横緒がいまにも切れそうなほど、力んで開いているのを喜和は上から目に留めて、

「若い娘のくせに、知らん顔しておればええものを」

と胸の内で心配する。日頃近所の子供たちが何かにつけて、

「八金八鷹《はちきんはつたか》、富田のお菊」

と囃《はや》し立てているのが、こういう場合喜和は必ず思い出されて来る。

八金とは、女子《おなご》のくせに男のお宝を八つも着けているようなお転婆《てんば》を土佐ではそういい、普通、女の子は八金と呼ばれただけで恥じ入るものなのに、菊のはその下にまだ鷹を八つも飛ばせたように猛々《たけだけ》しいという超《はつたか》が付いている。菊は恥じて縮こまるどころか、それをいわれるといっそう燃え上って見境もなくやり返し、止《と》どまるところを知らないようなふしがあった。それでも、お母さんと呼んでいる喜和にだけは従順で、決して刃向って来ないのは、菊は菊なりに自分の弁《わきま》えを持っているものであろう。

釜屋に下りて来た喜和を見て、菊は喧嘩《けんか》の続きのような途方もない大声を上げた。

「いやっ、お母さん。私《あて》、大事なこと忘れちょった。どうしよう」

この子が困ったときに出る癖は、はし、はし、はし、と濃い眉《まゆ》を小刻みに寄せること
で、なお困ればその上に忙《せわ》しない瞬《まばた》きまでする。

「なに？」

と喜和はおおよそは察しがついて、

「石水の番は取ってくれたろうねえ」

「番は取りました。けんど……」

「けんど、なに？」

「あの、あの」

菊は瞬きしながらしきりに目を泳がせていい澱《よど》んでいたが、

「あの、髪道具をまだ届けちょりません」

と小さな声でいった。

「髪道具ならええわね。重いもんじゃなし。私《あて》が自分でいま持《も》て行くきに」

喜和はいってから、水屋のわきの、油の染《し》みた糸引のたとうを見た。

今朝髪を洗う前、菊を呼んで握鋏《にぎりばさみ》で元結《もっとい》を切らせたが、そのとき、汚れの来た絞りの

手絡《かざり》を揮発油で洗うことを教え、序《ついで》に櫛《くし》も笄《こうがい》もよう拭《ふ》いてから石水へ届けておいてつかはれ、と頼んであったのに、たとうは朝広げたそのままの姿でいる。石水へ届ける前にいいつけた事もはや忘れちょる、と思ったが、喜和は黙って水屋の前に膝《ひざ》をつき、自分で髷《まげ》の型、根かもじ、毛たぶ、手絡《かざり》、櫛笄、と順に揃えた。

この家では、喜和が気付いた事をひとつひとついいたてれば限《き》りがない。風に吹き寄せられたような人間ばかり多勢いるのだから、三つ頼んで一つしか守って貰《もら》えないのは承知だけれど、菊が真っ正直でないものいいをすることや、絹がふくれてものをいわなくなることや、或《あるい》は喜和が知らないとばかりに、男衆《おとこし》の亀《かめ》が手荒い扱いしてよく鉋《かんな》や鑿《のみ》の刃をこぼすことや、米《よね》が頻繁《ひんぱん》に摘《つま》み食《ぐ》いをすることなど、喜和の胸ひとつに畳んでおくにはあまりに多すぎる日常の出来事について、喜和はいつの間にか、見ても思っても今はもう口には出さなくなっている。

べつに覚悟というほど大袈裟《おおげさ》なものでもない。真実《まつこと》を話してみよ、とたとえ岩伍に詰め寄られたとしても、前を繕って小利巧に口を割らぬのではなく、「話してもどうなるもんじゃなし」と思える。真実のところ、気に入らぬ事を拾い上げれば際限もないし、岩伍と喜和は別としても、家中難癖のつかぬ人間は一人もいないといっていいのであった。では岩伍にいちいちいい上げて、その威令でよくなるかといえば、始終出勝ちの岩伍ではあとの見届けが利かず、喜和だけではとてもおぼつかない。人間が多勢集れば、そこに余程小うるさい年寄りの宰領でも常時居《お》らぬ限り、ある程度は家の中の締りのなさも仕様がないもの、とは喜和が此《こ》の頃《ごろ》覚えた了簡《りようけん》のひとつだともいえる。長い年月のうちには、いろいろな事を見ても聞いても喜和の胸の波立ちはずっと少くなり、今は大抵のことなら心に引掛からず、さらさらと滞りなく過ぎて行くようであった。

喜和は片手を後に廻して根深帯のかたちをちょっと直し、素足にゴム付きの直履《じきばき》を履いて家を出た。

広くもない往来の向い廂《びさし》から、盲《めくら》の茂八ちゃんの吹くかすれた尺八の音が流れて来る。年取ってから目をわるくした茂八ちゃんは、一日中殆ど何もせず、往来の窓に凭《もた》れて尺八ばかり吹いているが、一向にその尺八も上達するでなく、唯一《ゆいいつ》の楽しみは、料理屋のおちょぼに出している娘が父親の好物の、立て絞《しぼ》の入った薄塩のうるめを提げて、折々顔を見せに（声を聞かせに）戻ることだという。

かたわらでは、赤子の手首を見るような、きっかりといせの入った太い手の姐《ねえ》さんが、亭主のことを、「この極道されが」「このただ飯食いが」と口汚なく罵《ののし》りながらもくるくると体を使ってまことによく働く。家業は豆腐屋だけれど、朝二時起きで豆腐を挽《ひ》いたあと、夏は掻氷を売り、冬になると氷台の脇《わき》の竈《かまど》に火を入れて焼芋を売っている。二つの素焼の竈は、吉沢医院の壁にある人体の血管図のようなこまかい亀裂《きれつ》が入っているものの、とても巌丈《がんじよう》に出来ており、寒い日などこの店の前を通っただけで、煖《あたた》かい竈の温《ぬく》みがおんおんと往来にまで伝わって来る。

喜和は、青海苔《あおのり》を振り掛けた香ばしい切焼も好きだけれど、姐さんが熱い小砂利の中から丸焼芋を木杓子《きじやくし》で掻き出す、ちゃり、ちゃり、ちゃり、ちゃり、というあの音を、秋口になると待ち兼ねるように思うのであった。姐さんの、焦《こ》げて指先の出た軍手で掻き出されるおいらん芋は水飴《りようせん》のように甘く、縦にほろほろと割れる栗芋《くりいも》は咽喉《のど》に詰まるように美味《おい》しい。一銭で買えばおまけに小指ほどのびんつけ芋まで添えてくれて、菊と絹と女三人、昼下りの腹拵《ごしら》えには恰度の量になるのであった。

緑町四丁目では、この界隈に一軒だけ二階建ての富田が町内のほぼ真中に当っている。上《かみ》の方角に向かってすぐ隣は半間《はんげん》の路地を置き、天井からぶら下げた躾糸《しつけいと》の束の廻りにいつも二、三人の縫子が群がっている、仕立物請負《うけお》いの足のわるいお竹さん家《く》、その上隣が喜和とはよく往来《ゆきき》のある煎餅屋《せんべいや》の坂本である。

坂本の兄さんは気合のいい人で、夏冬通じていつも赤褌《あかふん》一本の素っ裸、炭火のよく熾《おこ》った煉瓦《れんが》の炉の前に坐《すわ》って、柄《え》の長い煎餅焼機をしっしっしっと吹きながら手品師《てづまし》のような早さで操り、焼けた煎餅をしゅっと剝《は》いでは姐さんに投げて寄越《よこ》す。しっしっしっと吹き、ほいほいほいと投げて寄越す兄さんの傍《そば》で、姐さんはしっとりと黙ったまま、鈴だの腰付けだの指環《ゆびわ》だのの景品を煎餅の中に包み込んでは三角に口をつまみ、封をしてフクトクを作り上げてゆく。姐さんは無口だけれど気が置けず、これも数口《かずくち》を叩《たた》かない喜和とはどこか通じるものがあって、喜和は此処《ここ》と安岡へはときどき気晴しの談義《どうぎ》に出掛けるのであった。ポペン吹きの兼やん家《く》はその坂本の隣、それから電信工夫をしている奥内などを過ぎて、三条通りと行き交う角の左は質屋の松村で、右は枳殻《からたち》の垣《かき》を廻《めぐ》らせた甕屋《はんどや》の小松になる。

　喜和は、楊梅《やまもも》に限らず町内に配り物をするとき、この甕屋だけは配るまいか、と毎度躊躇《ためら》う。一家が郷《ごう》の出で、根っから下町人ばかりのこの緑町とは少しく肌合《はだあい》の違うこともあるけれど、後妻だと聞く姐さんに愛嬌《あいきょう》のあの字もないのが妙に小癪《こしゃく》に障る折もないではない。

　ど太い車力に甕《かめ》やら土管やらを山に積み、兄さんが引いて姐さんが後押ししながら遠い安芸《あき》の町から運んで来た翌日は、往来いっぱいに藁屑《わらくず》や縄《なわ》の切端《きれはし》が散らばり、風が吹くと高く舞い上って富田の庭まで降って来ることもある。姐さんはそのことを皆に断りもしないし、今度会ったときでも白粉《おしろい》っ気のない顔の怒り肩を振って、黙って擦れ違うだけなのである。その代り、町内の談義いいの仲間には加わらないから蔭口《かげぐち》をきかれる心配はないけれど、同じ無口でも、甕屋のは貝殻《かいがら》の固さがあり、坂本の姐さんのはこちら側までやんわりと丸く包み込んでくれる、芯《しん》からの温みがあるように思える。

　荒物雑品の安岡は甕屋とは反対側、お稲荷《いなり》さんの坂から新道へ繋《つな》がる緑町との四つ辻《つじ》にあり、赤いペンキでのり、と書いた、中天の満月ほどの丸いブリキ板が軒にふらりふらり揺れているのが目印になっている。

喜和は茂八ちゃんの家の前を過ぎ、将棋集会所、味噌屋《みそや》、薪屋《まきや》、羅宇屋など、それぞれをちょっと覗《のぞ》きながら、のりの看板を頭で除《よ》けて安岡へ入った。この店は雨合羽《あまがっぱ》やら油紙など梁《はり》に吊《つる》してあるから、入るとぷんと油の匂《にお》いがする。上町の傘屋《かさや》も桐油《とうゆ》が匂うけれど、あれは塗り立てでやや強《きつ》く、こちらは塗って日数《ひかず》の経《た》っている品だからか、こなれたいい匂いである。

「姐さん居りますか」

と声を掛けると、箒《ほうき》や炭籠《すみたご》や杓子や鍋《なべ》まで思い出し放題に積み重ねてある奥からにゅっと顔を出したのは兄さんのほうで、

「あれはいんまさっき、紺屋町《しこみ》に出ましたが……」

といっておいてすぐ追いかけ、

「何も彼《か》も自分がやらんとこの店が立っていかん、とやかましゅうにいうて……」

と言訳めいた気弱な微笑を泛《うか》べた。

口八丁手八丁と人も評判し自分もいい、町内の交際《つきあ》い万端は私《あて》に聞いて知らん事は一つもない、という姐さんは、話の序《ついで》に必ず、

「うちのは糞《くそ》役にも立ちゃあせんきに」

と付け加えるのを忘れない。兄さんは体格のいい男なのに、姐さんにやり込められて

ばかりいるせいでだんだん縮まって小さくなった、と町内が噂《うわさ》する。今日も、大きな図《ず》体《たい》の兄さんがうろうろするのを小柄《こがら》な姐さんが押除《おしの》け、風呂敷《ふろしき》抱えてさっと小敏《こさと》く飛び出したさまが目に見えるようで、やがてその重い荷を負うて、四方八方大声で賑《にぎ》やかに鳴き渡りながら戻って来る姐さんを思うと、喜和はひとりでに笑いがこみ上げて来るようであった。

茂八ちゃん家《く》や安岡に限らず、この町内では人前でも平気で連合《つれあ》いを扱《こ》き下ろす、分《ぶん》立《た》ちの女房が多い。それでいて男が手を振上げる様子もないところを見ると、あれはあれで惚気《のろけ》のうちなのだと裏を知っていう人もある。喜和などそう聞いても、岩伍《いわご》に向って口答えひとつ返した覚えのない者は、矢張り男の気弱な微笑を見ると少しばかり気の毒でもあった。

兄さんには、急いだ用事じゃないきにまた寄ります、といい、お稲荷さんの大銀杏《おおいちょう》が影を落しているだらだら坂を、道の脇に寄りながらゆっくりと登った。

坂の上は大川だけれど、潮が来ているか引いているかは登りながらでも水の音で判《わか》る。たっぷんたっぷんと重く石垣に当る音は満潮で、蒸気船が丸い輪を吐きながら通った後でもぴたぴた、としか音が響いて来ないのは、遠く干《ひ》ているときなのである。岩伍の釣《つり》舟《ぶね》はここに舫《もや》ってあり、大潮のときなど、道すれすれにまで浮き上っては隣の舟と舷《ふなばた》が擦れ合うのが、坂の下にいても聞くことが出来るのであった。

お稲荷さんの片側は赤いポストのある煙草屋《たばこや》で、石水はその隣にある。

喜和が石水美粧院、と書いた刷硝子《すりガラス》の戸を押すと、仕上台でお師匠《つしゃ》んの手に掛かっているのは上町の唐津屋の姐さん一人、下梳《しとど》きの子二人は所在なげに鈍い手付きでかもじの手入れをしているところであった。

「おいでやっす」

とお師匠んは手を休めず賑やかに迎えてくれ、喜和は、

「今日はまあ珍しいこと空いちょりますの」

といいながら自分の下駄《げた》を揃《そろ》える。

石水では、板の間を四角に落してそこに客の足を入れ、腰掛けた姿勢で髪が結えるよう工夫してある。喜和は下梳きの子に、いつもの金蜘蛛《きんくも》印のびんつけと、斜鹿の子《ななめかこ》の藤色の手絡《かざり》とをおろしてくれるよう頼み、それから、

「ざっとふけを落して貰おかねえ」

といって鏡の前に足を入れた。ふけ受けの黒いセルロイド板を両手に持ち、下梳きのひとりに頭を任せた途端、喜和は飛び上って、

「あっ痛っ。そない荒《がい》にせんと、そろそろやってつかはれや」

といってしまってから、あ、気が付かなんだと思った。案の定お師匠んは、櫛を固く握り締めている下梳きに向って、

「ちいやん、あれほどいうちゃあるろ。ふけ落しは櫛を寝さして軽うに。お前《ま》さんみたよに櫛を立てて髪の根を掘ったら、お客さんが痛《いと》うて堪《たま》らんがね。力入れるはびんつけ付けて梳《す》き上げるときだけ」

喜和への申訳もあって、威勢よく叱《しか》りつけるお師匠んの前で、郷から出たての頰《ほお》の赤い下梳きは黙ってうなだれる。

喜和が石水の手に髪を預け始めてからもう長い月日になるけれど、このお師匠んは年々、内弟子に口うるさくなり、年々、自分の身装《みなり》も構わなくなってゆくように思える。ちいやん、まあやん、そのやり方は、その手付きはどういうこと！と口を休めず咎《とが》め立てている自分の装《なり》はといえば、起き抜けの紐帯《ひぼおび》姿に前のどっぷりと汚れたエプロンを着け、いつの昔梳《と》かしたかと思う櫛巻は老人の髪のように油が切れてそそけ立っている。エプロンの黒いのは常時客の髪を腹に抱え、躰《からだ》ごと梳き上げるせい、手の百姓よりごついのは熱い手拭《てぬぐい》で客の髪を湯のしするせい、と思いやってみても、そんならあの衿《えり》の分厚い汚れは、芯のはみ出た腰紐《こしひも》は、とあまり癇症《かんしょう》ではない喜和にして折々は気にも掛かる。それでいて番を取らねば、と客に気を揉《も》ませるほどいつも混《こ》み、内弟子たちにも押しが利《き》くのは何といってもお師匠んの腕の確かさだと喜和は思っている。石水の髪は根が緩み難いゆえ日持ちがする、と皆がいう。びんつけを付けて梳き上げられるときの、と、きりりきりりと締め上げて貰うと、却《かえ》って薄荷《はっか》を垂らしたように爽《さわ》やかで涼しい。

喜和はその上、石水のお師匠んが人を見て髪の形を結い分けることにも安心していた。緑町界隈《かいわい》は、上下《かみしも》の色街とは大分隔っているけれど、それでも上町にある二、三軒の小料理屋の女たちは石水へ来るし、そのひとたちのは髱《つと》の長い、鬢《びん》をぐっと張らせた派手な玄人風《くろうと》に結い上げる。喜和のは何も注文もつけないのに、昔から全体をちんまりと地味に結ってくれるのである。一時、玄人風が素人《しろうと》の間に流行《はや》ったときでも、それが喜和には根っから似合わないのを、お師匠んのほうがよく知ってくれているようであった。

唐津屋の姐さんはいつもの廂髪《ひさしがみ》で、手鏡を使って前後《まえうしろ》とっくりと眺《なが》めたあと、

「富田の姐さんは今日も本髪《ほんがみ》ですの。そんならまあ、ごゆっくりと」

と挨拶《あいさつ》して帰って行った。

喜和の席が一つ繰り上ると、お師匠んは可愛《かわい》がっている大切な生きものを受取るようにして喜和の髪の束を抱え上げる。

「姐さんの髪はようけあって、黒うて」

といいながら肩を大きく前後に揺らせ、目の細かい両歯の梳櫛《すきぐし》に毛たぶを挟《はさ》んで叮寧《ていねい》に梳き始める。

「いんま、唐津屋の姐さんがいいよりましたがねえ」

と、手も休めない代りに口もまめな動かしようで新しい話の種の披露《ひろう》になり、

「今年《こんねん》の秋の豊栄座は、上方《かみがた》の娘義太夫《ぎだゆう》が掛かりますと。娘義太夫はいま上方でえらい人気じゃが、これが高知へ初めて来るとなると、何事も飛び付き易《やす》い土佐の人間《にんげ》のこと、えらい騒動になるろうといいよりました。

ひょっとすると三月《みつき》や半年、豊栄座へ引留めることになるかも知れませんねえ。こりゃあ富田の大将あたり、一番先に胴元を引受けられるがじゃありますまいか」

「まあ、そうかね」

町内の噂話は八分通り石水から先に出る、とされているものの、その中身は折々根も葉も無いものがある。おおかたは、客の髪を扱う間中、寸時もしゃべりやめぬお師匠んの口の勢いから歪《ゆが》められたり輪を掛けたりのものだと思われるが、それはそれで客への愛嬌のひとつでもあった。いまの話は日頃《ひごろ》堅いといわれる唐津屋の姐さんの口から出たことではあるし、満更の作り話とは考えられないけれど、喜和は岩伍からまだ何も聞かされてはおらず、これが初耳なのであった。

「私《あて》ねえ。昔、上方へ髪結の弟子に行《い》ちょったとき、たった一遍じゃけんど、娘義太夫というもんを見た事があります。それはそれは綺麗《きれい》で面白うて、いつまでも見飽《た》りませざった……」

お師匠んは娘義太夫を「聞く」とはいわず「見る」といい、人の心を摑《つか》むその不思議な魅力は何に譬《たと》えようもないほどのものだけれど、無理に較《くら》べるとしたら、恰度《ちょうど》とんとんりゅうりゅうの花台を生き身で飾ったようだと口を極めていう。

高知で花台が出るのは御大典の折か、景気のいい年の秋の御神祭で、喜和など子供の頃、花台の噂を聞いただけでいつもそぞろ心を煽《あお》られたものであった。

手古舞い姿の芸者衆が引く緋毛氈《ひもうせん》の花台には、下段にとんとんりゅうりゅうの太鼓胡弓《こきゅう》が乗り、上段には所作のついた等身大の人形が飾られている。息せき切って駈《か》けつけた目抜通りで、人垣をかいくぐって見る「阿古屋《あこや》の琴責《ことぜめ》」やら、「妹背山《いもせやま》のお三輪」やら、諏訪法性《すわほっしょう》の兜《かぶと》を捧《ささ》げた「八重垣姫」やらの人形たちは、夥《おびただ》しい造花や提灯《ちょうちん》の明りの中にさんらんと燦《きら》めき揺れ、哀《かな》しいほどもの静かに目の前をゆっくりと過ぎてゆくのであった。女の歔欷《すすりな》きに似た胡弓の音に阿古屋の青ざめた固い頰は小刻みに顫《ふる》えて、喜和はいまでもそれらの情景を心躍る懐《なつか》しさで目に泛べることが出来るのであった。

頭を預けている喜和が頷《うなず》きもならず聞いているのへ、お師匠んは声を低めて、

「ねえ、姐さん。真実《まつこと》大将が胴元をなされるがじゃあったら、すまんが私《あて》に一枚、札《ふだ》を貰《もろ》うてはつかされまいか」

と弾んだ息を押えるような声音で、鏡の中の喜和に問いかけた。

「私《あて》、一生の内もう後《あと》一遍でええ、どうぞして娘義太夫を見たいと思いよったところ、

と涎《よだれ》の垂れそうな口でさんざん聞かされた後の頼まれ事だけれど、喜和は咄嗟《とっさ》に答えが出来ず、此《こ》の頃すっかり癖になってしまった、

「はあ」

という曖昧《あいまい》な頷きかたで受けておいてから、心の中で忙《せわ》しく思案する。

この話が本当であれば、芸事の好きな岩伍は肌脱《はだぬ》ぎで乗出すであろうし、そのときは札の一枚や二枚、喜和から石水へ廻《まわ》すくらい、何の造作もない事のように思える。ただ、まだはっきりしない話をここで安請合いする危うさに気懸りがあり、そういってすげなく断る事から起る面倒さとを胸のうちで天秤《てんびん》に掛けていて、

「秋というならまだ先のことやしねえ。ま、去《い》んだら早速に岩伍に聞《う》いてみることにしますらあ」

と片足遁《に》げたかたちで答えた。たかが木戸札一枚の話に、と人は笑うかも知れないけれど、どんな小さな頼まれ事でも、受け答えというものに喜和はずい分と気を使っている。この場合の返答はこれでまずまず、と喜和は鏡の中の自分の顔を眺め、ほっとするのであった。

富田の家では、日頃から商売に関係のあるなしに拘《かかわ》らず、人あしらいというものが混み入っていて難しい。とくに留守を預かる喜和の応対の仕方には岩伍の顔が掛かっており、

「今、岩伍《うち》が居りませんきに」

「私では判りませんきに」

の、その場限りの逃げ口上ばかりでは勤まらないと判って来たのは、喜和が数え切れないほどの失敗《しくじ》りを重ねての上の事である。判ってはいてもまだ、

「人には、顔を見てものをいえ」

「日頃を考えて請合え」

と繰返しいわれる岩伍の思惑通りにはなかなか運ばないけれど、それでも最初の頃の、改まって人にものをいおうとするときの、咽喉《のど》に小骨の刺さっているような戸惑いともどかしさは大分薄らいで来ているのであった。こっちにこういい、あっちにああいいの嚙《か》み分けが出来なくて岩伍によく叱据《ずきす》えられ、ほとほと寝込んでしまいたかった頃を思うと、これは年月が付けてゆく甲羅《こうら》の功徳《くどく》ででもあろうか。

人は今でもまだ喜和のことを、無愛想だの気が利かんだのと蔭口を聞いているのを満更知らないわけではないけれど、富田ではいま、こんな喜和を軸に据えた家のかたちがやっと定まって来たところなのだと喜和は考えている。日常うろたえる事が少くなって気持も漸《よう》く落着いて来たし、これが年寄りたちのいう、「底が入った」というものなのかと時折しみじみと思うこともあった。

石水のお師匠《つしゃ》んからの頼まれ事でも、以前の喜和なら考えもなしに、「はい、はい」

とすぐ首を縦に振るか、後の波紋も思わずに、「私は知りません」とにべもなく断っていたことであろう。打てば響くような巧者な応答はまだ程遠いものの、考えれば年月の流れとは早いもので、この暮しも繰ってみればもう足掛け八年もの時が積み重なっている。

二

此の緑町《みどりちょう》に越して来たのは、大正七年一月の寒い日であったことを、喜和は今も忘れず鮮かに胸に刻みつけている。

宿替え屋の車力も雇わず、その頃もう尋常に上っていた龍太郎《りゅうたろう》健太郎のふたりが二、三度往復して荷を運んだらそれで引越しは終り、夜はまるで空家のようなだだっ広い部屋に初めて寝て、何やら他国に来たような不安に顫えたものであった。

それまでは廻りに家の無い常盤《ときわ》町の、杉皮で葺《ふ》いた一間限《き》りの家にずっと住んでいたから、詰んだ町並のなかの大きな構えは、喜和にとって俄《にわか》に馴染《なじ》み難いものに見えた。その感じかたのせいばかりでもあるまいけれど、喜和は引越した当座は毎日のように常盤町の狭家《せばや》を懐しみ、今でもその思いはときどき胸に還《かえ》って来る。

常盤町では、飯を日に三度、満足に口に入れるのは年の内数えるほどで、子供達にせがまれると米櫃《こめびつ》の底を掌《てのひら》でこすり、隅《すみ》を小指の先でほじっては米粒を漁《あさ》り出して粥《かゆ》を炊《た》くといった暮しかたをしていた。

この家は、氷会社の敷地の中に居家《おりや》としては一軒だけ建っており、もとは倉庫の番小屋であったという。氷会社の倉庫は高い屋根と広い吹抜けがあって、喜和たちは倉庫の廻りにいつもこぼれている、濡《ぬ》れた鋸屑《おがくず》を踏んで家に出入りをするのであった。鋸屑は土の肌を斑《まだ》らに見せて厚く薄くいちめんに撒《ま》かれていて、有難いことにこれを掬《すく》って乾かしておけば、薪《まき》の切れたときの重宝な燃料となった。会社の事務所の裏にある古い榎《えのき》の下で小枝を拾い、その小枝を焚付《たきつ》けに両手で掬った鋸屑を振り掛ければ、行平《ゆきひら》一杯くらいの粥は充分炊くことが出来る。

鋸屑は扱いようにこつがあり、気短な手付きで一度にどっさりと振り掛けると小枝の火は忽《たちま》ち消えてしまう。ほっかりと握った拳《こぶし》のなかから少しずつ軽く揉み出すようにして掛けているうち、鋸屑は次第に短い炎となってちろちろと揺れ、やがては赤い粉の燠《おき》に変り、行平の重い蓋《ふた》をことことと鳴らすのであった。

喜和は、鋸屑が作る赤い粉の燠を、とても綺麗だといつも思った。燠は風の加減でキラキラと呼吸し、その息づきかたは子供の頃よく通った「畳屋」の店先の、玩具《おもちゃ》のルビー玉の瞬《またた》きによく似ていると思い、火は生きているだけ、贋《まが》いもののルビー玉より烈《はげ》しく鮮かなものだと見入ったりした。

この家で、喜和の一日一日は傍《はた》から見ればまことに屈託なく、のどかに流れて行くようであった。家の中は年中見事に散らかり放題になっており、子供達は母親の飯の支度の遅さにいつも焦《じ》れて泣き、岩伍《いわご》は喜和の手許《てもと》の捌《さば》きの悪さに始終腹を立てては怒鳴りつけた。小まめで手敏《てさと》い岩伍が見兼ねて代りに雑巾を持てば、家中舐め尽したように綺麗になるのに、喜和が額に玉の粒を浮べて家事廻しをやっても、一向にものが捗《はかど》らないのである。

喜和は、ときに岩伍に平手ではたかれることもあったし、

「そういう要らん事ばっかりしよるきに、年中家の中が片付かん」

と、それを指差して、今すぐ捨てて来い、と蹴飛《けと》ばされることもあった。

それ、というのは、喜和が子供達のために集めて来る彼岸花や猫花や相撲取草などのことで、それで遊び始めると、ただでさえ片付かない一間の家はますます散らかり、時《じ》分刻《ぶんどき》が来ても竈《かまど》の下を焚きつけることも忘れてしまう。

しーれー《しーれー》は、蕗《ふき》の薄皮を剝《む》くように、五分《ごぶ》刻みに茎をポキンポキンと折りながら左右に分けてゆくと、医者の聴診器の形が出来る。茎の両端を耳に差し、

「ホラ、お医者さんみたいやろ？」

と、ほんわり開いた赤い花の先を子供達の腹へ当てると、龍太郎も健太郎も、擽《くすぐ》ったさもあってか声を挙げてよく笑った。

猫花は首から捥《も》ぎ、並べておいて廻りを掌で叩《たた》くと、ぼわぼわした毛が畳を弾《はじ》いて前後左右に動き出す。相撲取草は引結んで互いに引掛け、両方から引張ると、一方が千切れて勝負がつくのであった。

喜和はそれを、玩具の買ってやれない子供達のための遊び物、と思っているけれど、岩伍から見れば喜和自身が子供相手に楽しんでいるかのように映る。そういわれると喜和はむきになって打消そうとするけれど、若い母親が我が子を遊ばせるには、それがたとえ男の子であろうと、自分の幼い頃に習い覚えたものでしか方法を知らないのであった。小さいときは龍太郎も健太郎も、喜和が黍《きび》の皮で拵《こしら》える姉様人形や、色の木綿糸を合せて縒《よ》った糸取や、花の汁を絞って作る色水遊びなどを殊《こと》のほか喜んだし、喜和もそうやって遊びながら、まだ娘から脱け切れない自分をいとおしみ、宥《なだ》めているような感じもあった。

喜和が生れた鉄砲町は、水の豊かな江の口川に沿っていて、土堤《どて》には春秋を通じて面白い草花がさまざまに咲いた。しーれーや猫花だけでなく、口の欠けた湯呑《ゆの》みなどに挿《さ》せばよく似合う露草や、野菊や蓼《たで》や、食べられるものには節の赤い虎杖《いたどり》や、白い山羊《やぎ》の毛を縦巻にしたような茅花《つばな》や、すぐぷちぷちと潰《つぶ》れる兎《うさぎ》の目のような野苺《のいちご》など、重なり合う雑草を指先で分けながらそれらを捜し出すのは喜和の楽しみであった。少し川下になるけれど、一文橋《いちもんばし》の袂《たもと》の栴檀《せんだん》の木の下にまで行けば、秋は黄色く萎《しぼ》んだ梅檀のまるい実を前掛いっぱい拾うことも出来る。

この一文橋はやや勾配《こうばい》を帯びた欄干のない土橋で、橋の両縁《りょうふち》から萌《も》え出た雑草が上にも伸びられず、仕方なし水面に向ってふらふらと垂れ下っているのは、見ていて勢いのない、弱い軍人の髯《ひげ》のようだと喜和はよく思った。

何時《いつ》頃から誰がいい出したのか、一文橋には日が暮れると首無し馬のお化けが出るという噂《うわさ》があり、喜和は家の者から、

「暗《くろ》うなるまで土堤で遊んだら不可《いけ》んぞよ」

と日頃、きつくいい渡されている。

夏場になると、梅檀の木蔭《こかげ》には葭簀《よしず》囲いの店を出して年寄り夫婦が心太《ところてん》を売っていたし、この頃では川向いに製材所が出来、太い丸太が棕櫚縄《しゅろなわ》に繋《つな》がれて水面いっぱいに浮いていることも多かった。紺の法被《はっぴ》を着た若い衆《し》が、鋭く光る鳶口《とびぐち》を手捌きよく操りながらその上をぽんぽんと跳び、土堤を行く娘たちをからかっては賑《にぎ》やかな笑い声を立てているのが水面に響いたりしている。

あれは喜和のいくつのときであったろうか。

多分、日露戦争が終ってまだそう久しくはない時分で、幾度か話に聞いた二〇三高地総攻撃とやらの凄《すさま》じさを、どういうわけかそのとき喜和は、目に見るように生々しく思

い出しているのであった。目の前には紺屋《こうや》の藍壺《あいつぼ》のように深い色をした江の口川があり、首無し馬の一文橋も、喜和の立っている位置から上手《かみて》に見える。

こんなにうららかに、陽《ひ》も隈《くま》なく照っている一文橋に、首無し馬などの気味悪いお化けが本当に出るものであろうか、と喜和はしきりに思った。首が無いとすれば馬は定めし血塗《ちもつ》れに違いない、ひょっとするとその馬は、二〇三高地で敵の露助とやらに斬《き》られたのではあるまいか、乗っていた人は軍人さんであろう、その人も馬と一緒に死んでしもうたのか、とつぎつぎ考えているあいだ、耳許では、此の頃子供達が弱い者を囃《はや》す、「またも負けたか八聯隊《れんたい》」という声が虻《あぶ》の羽音のようにうるさく鳴り続けている。喜和は手を挙げてその声を振り払おうとしたが声はいっかなやまらず、それがひょっと首無し馬の亡霊を招くのではあるまいか、と恐々《こわごわ》顔を上げたときであった。

何時の間にそうなったのか空いちめん、お不動様の口の中のようにどっぷりと朱《あけ》に染まって燃え上っており、めらめらと揺れる炎を背に、一文橋の上では漆黒の馬が前足で虚空《こくう》を掻《か》いて跳ね上っている。

「いやあっ、首無し馬じゃあっ」

喜和は息が止まるかと驚《おとろ》き、おお怖しや、早う逃げにゃあ、と身を捻《よ》じながら見る足許もかあーっと炎が燃え拡《ひろ》がり、さっきまで丸太を浮べていた青い水面も余すところなく朱《あか》い炎が這《は》い、どうどうと音を立てている。

——裾《すそ》に火が付くっ、五体が焼けるっ——

誰ぞっ、誰ぞっ、と呼ぼうにも怖しさに声が出ず、平手で着物の裾をはたきながら、あっちへ逃げ惑いこっちへ追いかけられ、命からがら土堤を駈け上ったのであった。

あのあと、喜和は夜になると、黒い首無し馬と赤い炎に追いかけられる夢に暫《しばら》くは魘《うな》され続けたが、土堤のことは家中の誰にも話さなかった。夢のなかで、炎に炙《あぶ》られている熱い自分の躰《からだ》があり、苦し紛れに踠《もが》いているうち、不意に谷間に陥《お》ちたようにほっこりと醒《さ》める。そんなときの安堵《あんど》の中に一抹《いちまつ》、恐《こわ》くて堪《たま》らないくせに何時までも夢の続きを追っていたい不思議な思いの在るのを、喜和は自分で気付いているのであった。

あの夕方、土堤は決して火事ではなかったこと、躰が熱くなる夢はどうやら女の躰の羞《はずか》しい秘密に繋がるのではないかという、ぼんやりとした畏《おそ》れを感じ取っており、それは決して人に話す事でも、口に出すべき事でもないように思えた。喜和はかなり長い間、それを、親のいいつけを聞かず遅くまで土堤にいた罰なのだと強《きつ》く考えて自分の心を締めつけ、昼間でも土堤へは足を向けないよう心掛けた。

その後、怖しさが次第に躰から引いていった頃、今度ははっきりと醒めている自覚があって、あの首無し馬と劫火《ごうか》のさまをもう一度したたかに見極める機会があった。

それは岩伍と夫婦になる日も近い十五の歳《とし》の秋で、西の空には手を翳《かざ》しただけで焼け爛《ただ》れそうな朱の塊りがさも重そうに、ずしん、ずしんと屋根の上に落ちてゆく時刻であった。江の口川を下《しも》から上《かみ》に向って歩いている喜和の心は弾んでいて、土堤の道をまるで小さい子供のように、しんしんこやら兎飛びやらしながら駈けてゆきたいほどの思いになっている。

——間もなく越してゆく岩伍の家の常盤町からも夕焼空の見えないことはあるまいが、あそこは氷会社の屋根に遮《さえぎ》られて景の見通しが利《き》かないし、近くには水の綺麗《きれい》な川も土堤もない。天気のよい夕方には、この鉄砲町の土堤から下知《しもじ》一帯にかけ、赤い透かしのじゃら紙をこっぽりと被《かぶ》せたような、目の廻りそうな夕焼を見るのはもうこれが終りになるかも知れん——と、喜和は首を廻して空を仰いだ。うるうると廻りながら落ちてゆく灼熱《しゃくねつ》の火照《ほて》りは喜和の頭の後まで拡がっていて、振向くと境目に一刷《ひとは》け白い雲を残して東はもう夜になっている。

喜和は西の空の朱色を見、東の闇《やみ》の気配を見、そして水を見、水際《みずぎわ》までの土堤の斜面を見た。ひとつひとつきっかりと目に留めながら、いつかの日、ここで首無し馬を見、火事に出会った事、そのあとの心の昂《たか》ぶり、夢の中の躰の火照りなどまざまざと思い起す。あの折の自分の状態は恰度《ちょうど》、咽喉の乾きに似たもの欲しさがあったのだと今は思える。これといった理由もないのに何となく涙が溢《あふ》れて来たり、自分ほど不仕合せな者もないと考え込んだり、誰かにこの淋《さび》しさを訴えて慰めて貰《もら》いたいと思うのに、家の中の誰もが自分に対して薄情すぎると僻《ひが》んだり、毎日心の中では身を揉《も》むようにして苦しがっていたのだと今は判《わか》る。女子《おなご》の躰は一生に三度変るというけれど、あのときが最初の変り目だったのだと喜和は思った。そういう事が判って来たのも、あの何となく飢《ひも》じかった日々の思いが、今は岩伍という相手を得たことですっかり満されたせいなのであろう。

十五という歳の嫁入りは廻りを見渡してもべつに早いことはないものの、母の梅も兄の楠喜《くすき》も決して進んでおらず、喜和ひとりが弾んでいることの大きな理由は、当の岩伍が仕事らしい仕事を持たず、渡世人のような暮しかたをしている事にあった。

喜和はこの夏、お多賀様の夏祭で、十人抜きの青年相撲にひとり勝ち抜いている岩伍を見て以来、自分は岩伍と夫婦になるものと思い決めてしまっていた。何故《なぜ》そう決めたのか、と訊《き》かれても答えようがないほどの、まるで子供染《じ》みた一途《いちず》な思い込み様で、十五年間、母にも兄にも逆らわず、何事のいい張りもせず、世間とも殆《ほとん》ど交際《つきあ》いのなかった喜和が生れて初めて、「心にこうと決めた事」は必ずそうするべきものだし、そうなるべきもの、と信じ切っていて疑いもしないのであった。

幸い、仲立ちする人もあり、喜和よりは十も年上の岩伍もそろそろ身を固めていい時期に来ていて、当人同士のあいだでは話は思いのほか纏《まと》まり易《やす》かった。縁組みに就いての無用な顧慮を持たぬ真直《まっす》ぐな喜和の様子が、却《かえ》って岩伍の心をそそったともいえたであろう。兎《う》の年の女子《おなご》は常に心優しく、滅多な事では怒らないが、一旦《いったん》こうと決めたら脇目《わきめ》もふらず全速力で跳んでゆく、と易占いなどでいう通り、喜和にも生れつきそういうところがあった。

小笠原《おがさわら》の家は、喜和がもの心ついてからずっと、兄の楠喜が流行《はや》らない古物商を営んでおり、母の梅は、これも喜和の記憶の一番古い昔から、前歯の抜け落ちた暗い洞穴《ほらあな》のような口もとと、瘤《こぶ》のように曲った背中の、老い歪《ゆが》んで疲れ切った母親であり、淋しいほどに静かな家族三人だけの暮しであった。梅が生れつき無口なたちの上、男の楠喜はそれに輪を掛けて口数が少かったから、この家はいつも家中に漾《ただよ》っている古物の匂《にお》いに似てうっそりと暗く、もの蔭に居るように冷んやりとしていた。家が北向きだったせいもあろうけれど、家中で一番明るいのは、隣と仕切って半分ずつ使っている井戸端で、この縁《ふち》にしゃがむと、屈折して入って来る西陽が水に反射し、金色の後光が眩《まぶ》しく眺《なが》められるのであった。

喜和の十歳のとき里江が嫁入って来、当座は家の中が沸き立つ折もときどきはあったのに、里江もやがて同化されてしまって、姑《しゅうとめ》や夫の先越す口など構えてきかなくなっている。

喜和は、この懶《ものう》い空気のなかで、口説《くぜつ》めいた言葉は誰からも聞かされることなしにおおきくなった。梅が後家の覚悟を口にする事などなかったし、父親の無い家のありようを子に説いて聞かせることなど、更になかった。十三も年上の楠喜と喜和との間に、兄弟は生れなかったか、父親はどういう病《やま》いで死んだのかさえ、喜和は二人から改まって聞かされた憶《おぼ》えがない。

手草紙を習うは嫌《きら》い、縫うことも苦手と来ている喜和の唯《ただ》ひとつの手遊びは、ほんのときたま、古物がいい値で売れたとき兄から貰う一厘《りん》銭を貯《た》めておいては菜園場《さえんば》の「畳屋」でリリヤンを買い、それを編むことであった。

喜和は畳屋にやって来ると、ひとりでに頰《ほお》の火照るのが自分でもよく判る。ちんまりと丸髷《まるまげ》に結った老婆《ろうば》が猫のように丸く坐《すわ》っている店先には、この店の本職の新畳が仰山立てかけられてあるかたわらに、固い糯米《もちごめ》の五色のはじき、当ると高い音の出る白い唐津のはじき、飴玉《あめだま》のように透徹《すきとお》った硝子《ガラス》のはじき、薄いおすべ紙、模様のじゃら紙、縮れたちりめん紙、箱入の南京玉《ナンキンだま》、吊《つる》しの福徳、土の人形《いちま》からセルロイドのビリケンまで、どれもこれも喜和の買いたいものばかり、溢れるほど並べられてある。

リリヤンは小指の廻《まわ》りくらいの繰房一綛《くりぶさひとかせ》が一色ので二厘、暈《ぼ》かしでは三厘であった。

リリヤン編みの簡単な器具は五厘、編棒は二厘するけれど、これは以前に買って編みかけの糸をまだ掛け残してある。三寸ほどの小さな瓢簞《ひょうたん》形をしたこの器具は、穴の廻りに丸釘《まるくぎ》を五本打ってあり、蜘蛛《くも》が糸を張り廻《めぐ》らすようにこの釘に二重にリリヤンを掛け、目打の先を撓《たわ》めたような銀色の針で釘を跨《また》がせながら編んでゆく。編み上ったものは、直径《さしわたし》三分ほどの丸い袋の紐《ひも》となって穴の底から出て来るのだけれど、腰紐には繊細《かぼそ》過ぎ、頭の飾りには子供染みていて殆ど使いものにはならなかった。

喜和は井戸の傍にしゃがみ、射《さ》して来る陽に透かすようにしながら、桃色の暈かしのリリヤンを編むときが一番好きであった。一綛のリリヤンで、紐はものの一尺編めたであろうか。左手で握っている丸い木の編機の底から少しずつ編み出される紐が、いつとはなし膝《ひざ》の上にとぐろを巻いて重なっていくとき、喜和には自分だけのひそやかな心の満足を覚えるのであった。

今、江の口川の土堤に立っている喜和はもう一度、空を見、水を見、土堤の斜面を見た。喜和の足許《あしもと》から丸太を浮べてある水際まで、土堤はいちめんの彼岸花《しーれー》であった。背の高低こそあれ、すぽんと真直ぐな茎の先に開いた蛇《へび》の舌のような赤い花は、そのままめらめらと燃え立つ炎になり、夕陽の朱を照り返して沸《たぎ》り立っている。夕陽が燃えるのか花が燃えるのか、天も焼け水も焼け、土堤も焼けていた。立っている喜和の帯の真向いほどに一文橋があり、夕焼空にきっかりと線を刻んで、下知《しもじ》辺りの百姓が馬を引きながらゆっくりと土橋の上を帰ってゆくところであった。

解《ほど》き目をつけた重い帯がひとりでにほどけ落ちるように、喜和の胸の中で長い間の蟠《わだかま》りがするすると今解けてゆくようであった。

首無し馬は黒い切紙細工に似た橋の上の農家の馬、絡《から》みつかれた炎はいちめんのしーれー、あの頃《ころ》の得体の知れぬ怯《おび》えと焦立《いらだ》たしさは、その後不意にやって来た初めての月のものと深い関《かか》わり合いがあったのだと今にして思える。そういえばあの頃、喜和は常にも増して井戸端で熱心にリリヤンを編んだ。絶えず心が空中に揺れているように儚《はか》なく頼りなく、いったい何時の日、誰がこの沼底に沈んでいるような暗い家から自分を引上げてくれるのだろうか、と考え込んだりした。

女子《おなご》は年頃になれば、誰に教えられたわけでもないのに、生れた家が己の死場所ではないことが、ひとりでに判って来るように喜和には思える。他家から入って来た里江がこの家に馴染《なじ》み切ってゆくのと入替りに、この家の娘は此処《ここ》から出てゆくのが、それもなるべく早く出るのが親孝行なのだと躰からして弁《わきま》えが出来上って来るように喜和には感じられる。

それだけに、岩伍との約束が出来た当座は心が浮き立つように嬉《うれ》しくて、喜和は思うことをよく何でも口にした。一度、釜屋《かまや》に母と二人でいたとき、喜和は、

「岩さんは父《とと》さんみたいな人じゃねえ」

といったことがある。梅はそれを聞いて驚き、いおうかいうまいかと暫く迷った様子でいて、

「喜和、岩さんは父《とと》さんとは違うぞよ。岩さんは喜和の連合《つれあ》いになる人じゃ。そこを間違《まちご》うちゃ不可《いけ》ん」

といった。喜和にはその意味が呑み込めず、

「ええ？」

とすぐ聞き返したが、梅はいつものように堅く口を噤《つぐ》んでしまって何もいわなかった。

喜和の、父さんみたいな人、という岩伍へのなつき方はその後もずっと心の中で動かず、それはいい替えれば誰かに縋《すが》りたい甘えを、岩伍《いわご》ならどっぷりと受留めてくれる確かさなのであった。母親の梅にしてみれば、十三も年嵩《としかさ》の兄が万事父親代りをして育てて来たのに、何をもの欲しげにこの子はまあ、とも歯掻ゆがり、男に仕える心得もなくて、ただ甘えるばっかりで嫁入ることの危うさを、しかといい渡しておきたい思いもあったのだと思われる。

それを梅は具《つぶ》さにいわず、兄の楠喜にしても意見らしい意見としては、

「岩さんと一緒になったら、喜和は苦労することが目に見えちょるがのう」

といっただけであった。

勢《きお》い立っていたその頃の喜和には、兄の言葉が実際の話としてよく解《わか》らず、ずっと後になって喜和が子も生み、世間への目もすこし展《ひら》けて来てから、ときどき二人のいった事が耳に甦《よみがえ》る折もあった。

乏しいは乏しいなりに手堅く、囲いの中でちんまりと育てて来た喜和が、日夜、山坂を駈《か》け登り駈け下りするような張り手の渡世人などに、どこが好《よ》うて惹《ひ》かれたのか、真実《まこと》に困ったものよのう、という兄の吐息が喜和の耳に聞えて来る。梅は梅で、牛は牛

連れ、馬は馬連れというけれど、喜和の気質の中にああいう岩さんと何処《どこ》ぞ性《しょう》の合うものがあったのじゃあろ、と首をかしげているさまが思われる。

喜和は振返って、あの折、「苦労することは見えちょるがのう」と呟《つぶや》きながらも、正面切って強い反対も唱えなかった楠喜のありように、苛立《いらだ》たしく歯掻ゆく、強い不満を抱いたことも思い出す。

「岩伍はすっぱりと思い切れ。喜和には俺《おれ》がええ相手を必ず見つけて来ちゃる」

と、胸を叩《たた》いていえなかったような兄だからこそ、喜和は一途に岩伍に傾いていったのだと思うのであった。

あの家ではもう、頼りない思いを養いながらも、ひとり井戸端でリリヤンを編むしか過しようのなかったのを思えば、たとえ日々が苦労であろうと、常盤《ときわ》町の今の暮しのほうが遥《はる》かに落着いていて、喜和の気持もふくふくとあたたかなのであった。

三

喜和は、嫁入った明くる年すぐ龍太郎《りゅうたろう》が生れ、そのまた翌年には年子で健太郎が生れた。

兄のいう苦労というのがそれを指しているとするなら、渡世人の日常は喜和にとって恐しいものであった。岩伍はいつも出歩いてばかりいて家に落着く日など殆ど無く、たまに風のように遽《あわただ》しく戻って来るかと思えば、乏しい箪笥《たんす》を片端から攫《さら》えて子供の物まで博奕《ばくち》のかたに取出してゆく。殺気立った男たちがときどき現れては、執拗《しつこ》く岩伍の行先を喜和から聞き出そうとする。知っていて教えると、怒り狂った岩伍にあとで顔が捻《ねじ》れるほど打《し》でられ、知らないといえば男たちは喜和を嚇《おど》しながらいつまでも粘るのであった。

岩伍の阿漕《あこぎ》な仕打を見れば、喜和だって涙の滾《こぼ》れぬこともない。岩伍の権幕に怯える子供たちと抱き合ってはえっえっとしゃくり上げては泣くけれど、其処《そこ》には、どこかで血を分けた父親の酔態をでも見ているときのような、約束された安心がなくもなかった。

岩伍には堅く止められていたものの、二人の子が餓《かつ》えて泣き喚《わめ》き、手に負えなくなると喜和は仕方なく鉄砲町へ行くことがあった。母の梅も嫂《あによめ》の里江も何にも聞かず、喜和と子供達を見るとすぐ立って黒い麦飯の膳《ぜん》を構えてくれる。

そんなとき、ふたりの目尻《めじり》がじんわりと霑《うる》んでいるのを喜和は知らないわけではないけれど、それが胸に辛《つら》く響いて来ないのは、岩伍を頼り切っている気持の強さが喜和にあるせいかと思える。鉄砲町から見れば子供を大切にするでなし、女房に優しい言葉ひとつ掛けるでない岩伍を、喜和が小揺ぎもせず信じ切っていて愚痴ひとつこぼさないのは、いっそ健気《けなげ》を通り越して哀れとさえ映るらしく、「明日をも知れんあのような暮しが、何時《いつ》まで続くものやら」と蔭《かげ》でいい合っているであろう事は、喜和にも察しがつかないでもない。

喜和は、実家《さと》だとはいえ折々は麦飯の饗応《もてなし》になっていていえた義理ではないけれど、飢えを怖れ、つましさを徳として年中真黒な麦飯で食い延ばしている鉄砲町の、こんな囲い廻した暮しは今更自分にはもう窮屈にさえ思える。常盤町に暮し馴《な》れたせいか、それとも梅のいうようにもともと岩伍とは気質が合うのか、いくらよくして貰ったところで鉄砲町は喜和にとってもう、全く他人《よそ》の家になっているのであった。

岩伍も、たまには円札をどっさり持って帰る日もあり、家賃、米屋、醤油屋《しょうゆや》、雑品屋と滞ったものを片端から歯切れよく払ったあと、

「さ、これはお前と子供らの小遣いじゃ」

と膝の上にふわりと円札を載せてくれるとき、喜和は心が蕩《とろ》けるように嬉しい。この金は誰に気兼もなく好きなように使える、と思うと、それだけで心が伸びやかになり、餓《ひも》じい日の辛さなどすぐ忘れてしまえるのであった。

円札の一枚もあれば、喜和の日頃欲しいと思うものは大抵買えた。二人の子供に小ざっぱりした絣《かすり》も買ってやれたし、喜和のガス縞《じま》の着物も匂いのいいヘチマ水も、それから蒲団《ふとん》の綿の打直しも障子の貼替《はりか》えも出来た。喜和が一度、嫌《いや》になるほど食べてみたいと思っていた茹《ゆ》で立ての「巻子《まいご》」も、長浜の魚売りのお治恵さんから五合枡《ます》に山盛り買

う事も出来たし、残った小銭で子供達と畳屋へ行くことも出来た。同じ一厘の銭でも鉄砲町のは畳み込んだ重苦しさがあって使い辛く、常盤町のは、たとえいっときにしろ、心を浮き立たせる効き目があるように思えるのであった。

常盤町のこんな暮しは、今思えばずい分と長かったようでもあり、子供の成長から見ればほんの僅《わず》かな間だったようにも感じられる。

喜和が自分も慰み、子供をも遊ばせた着せ替えの人形やお手玉《いちま》や飯事《じゃみ》など、兄弟《ままごと》とも

に次第に見向きもしなくなり、そのうち麻裏草履の裏のゴムが擦り切れるまで外を駈け廻りだし、軈《やが》て相次いで第五尋常小学校に上って、常盤町の家を畳むときには上の龍太郎がもう十一歳になっているのであった。

喜和は緑町《みどりちょう》に越した当座、何かにつけて常盤町と較《くら》べては考えたものだったけれど、その一番大きな違いは日常の心構えなのだと思っている。

米櫃《こめびつ》を逆さにして幾日陽《ひ》に干していようと、着る物のすべてが質屋の蔵で眠っていようと、近所隣に対して何の気兼も要らなかった向うとは違い、こちらでは針一本落した話でも、一丁目の角から四丁目の端まで伝わるのにものの小一時間とかからない、耳敏い世間というものがある。岩伍の留守に、子供達と枕《まくら》を並べていつまで昼寝をしていようと、見ているものは氷会社の倉庫ばかりだった常盤町に較べ、ここでは毎日、表の格子戸《しど》の開け閉《た》てが絶間ないほど客の往来も激しい。その上商売柄《がら》もあり、こちらの日常

は家の内外の目配りにも気構えにも、決して油断というものがならないのであった。

昔、岩伍は娘の喜和を揶揄《からか》って、

「青竹が着物を着たような娘《こ》よのう」

と譬《たと》えたものであったが、それは繊細《かぼそ》く青白い外見のみならず、丸いいい廻しの出来ぬ真直ぐなもののいいかたや一本気な気質までも指しているのであった。喜和のように、無口な人間ばかりの家に育つと多弁はまるで罪悪のようにも思えるもので、殊更《ことさら》に取繕ったいい廻しや世辞追従《ついしょう》などを、臆面《おくめん》もなしちゃらちゃらと口にするのはみっともなく下品に見える。岩伍は、こんな喜和を以前はいっそ潔《いさぎよ》いと笑って恕《ゆる》していたのに、こちらに来てからは、木で鼻を括《くく》ったようなものいいは客に対して無愛想だから直せといい、ものいいばかりでなく、万事人の先に廻り気を利《き》かせて動け、とやかましくいうようになっている。女房の客あしらいの上手下手が商いに響くのは喜和にも判《わか》らぬではないけれど、長い常盤町の気儘《きまま》な慣《なら》わしと、元来商売向きでない喜和の気質とを一挙に矯《た》め直そうとするのは、当人にとっては苦しい骨折りなのであった。

常盤町時代、男の渡世に女子《おなご》が口出しするのを固く戒めていた岩伍が、打って変ったように喜和に協力を求めている今度の仕事というのは、芸妓《げいぎ》娼妓《しょうぎ》を料理屋遊廓《ゆうかく》などに世話する紹介業で、昔風にいえば女衒《ぜげん》とも呼ばれている稼業《かぎょう》のことである。

七年前の暮、喜和は岩伍の口から、

「俺もいよいよ紹介人の鑑札が下りたきに、緑町のもっと広い家へ宿替えして商売を始めることにする」

と告げられたときの、その言葉の躰中《からだ》に沁《し》みた痛さをまだありありと憶えており、痛みは小さな棘《とげ》となって喜和の胸の奥に刺さったまま、その後もずっと養い続けている。岩伍が博奕打の足を洗って紹介人になる話は、これまでにも本人から幾度か聞かされてはいたが、喜和はそれを信じたくなさもあって真剣には考えず、よし本当だとしてもまだまだ先の遠い話だとばかり思い込んでいた。今思えばこの話が決して苟且《かりそめ》のものでない証拠には、家の内で仕事の話など口にした事もない岩伍が、今度ばかりはつい噴き溢《こぼ》れるといえるほどの調子で喜和にまで語り聞かせており、最初から並々ならぬ熱の入れようではあった。

話の序《ついで》などにでも、ふと、

「喜和、お前も紹介人の女房となるからには、よう肚括《はらくく》って掛かれよ」

と岩伍から覚悟を問われる事もあり、そういわれても喜和には皆目見当もつかず、岩伍ひとり先に何を見て逸《はや》っているのかと、取り残される心細さを思ったものであった。出来る事なら、時折斑気《むらき》なところを見せる岩伍の今更の心変りを、と密《ひそ》かに念じてもいたのに、警察からの鑑札が下りたとなればこれはもう何をいう暇もなく開業の運びとなるに違いないし、また、正月三日《さんが》の明けるを待ち兼ねての慌《あわただ》しい宿替えとなった。

博奕打というものは、お天道様《てんと》を真面《まとも》に仰げぬ無法者《あぶれもの》だと人はいうけれど、喜和は今まで、渡世人の女房として格別世間に肩身の狭い思いをした憶えはない。人と接触《かかわり》の少い暮しだったせいもあろうし、喜和が若くて呑気《のんき》だった故《ゆえ》もあろうけれど、風呂屋《ふろや》に行っても店屋に行っても皆普通に付合ってくれたし、廻りからとくに見下げた扱いを受けた事などは一度もなかった。それだからというのではないが、岩伍が今回思い立っている紹介人の仕事ばかりは、遠い昔からとりわけ嫌らしいものに思い描いていた為《ため》もあって喜和はどうしても気が進まず、ひとりでうじうじと考え詰めた挙句は、家中、世間に顔向けのならぬ人間に堕《お》ち果てるほどみじめな感じがやって来る。

喜和の小さいとき、鏡川のほとりの柳原に曲馬団《きょくばだん》という小屋が掛かり、客寄せに鳴らす楽隊の音が風に乗ってときどき鉄砲町の土堤《どて》の上まで聞えて来たりした。

店に来る客たちの話では、

「曲馬団の子等は皆、小《こ》んまい折人攫《ひとさら》いに攫われて売られて来たげな。家へ帰ろうにも帰れず、びゅうびゅう撓《しな》う長い鞭《むち》で叩かれ叩かれ、泣く泣く綱渡りやら玉転がしやらを覚えるそうな」

それじゃきに子供は決して一人で彷徨《うろつ》くまいぞ、と喜和は兄からも強《きつ》くいい渡されるのであった。

鞭で叩かれ叩かれ、泣く泣く芸を覚えるそうな、という言葉は、そのとき喜和の耳に悲しい谺《こだま》を引いて陥込んでいった。それ以来喜和はずっと、実際に人攫いはいるものと思い込んでいたし、曲馬団の来高後、急に人の口に上るようになった「子盗《と》り」という言葉も、女衒というものと皆一つと考えていたのであった。

成長してゆくに従い、逭《さす》がに、女衒が即《すなわ》ちその「子盗り」ではない事くらい、喜和にも判っては来たけれど、幼い頃したたかに刻まれた思いは容易《たやす》く拭《ぬぐ》い去れるものではなかった。むしろ、女郎屋とは何を為《す》る所なのか大凡察《おおよそ》しのつく歳《とし》になってからなお、そんな場所へ女子を世話する女衒というものは、「子盗り」などよりもっと酷《むご》い仕業故《ゆえ》、世間から人間うちの人間として扱われないのだと喜和は自分なりに頑固《がんこ》に思い決めてしまっていた。

今は御時世も進み、喜和が昔、幻に怖れた人攫いの女衒と、岩伍のいう紹介人とは多少違って来ているであろうけれども、女子の身売りを世話する稼業である限りにおいては、あの忌《いま》わしい女衒の姿が今も矢張り喜和の目にはまざまざと泛《うか》んで来る。

喜和は、鉄砲町の皆には此《こ》の話は決してすまい、と固く胸に思った。

鉄砲町では、昔から水商売などと縁遠く暮して来ているせいか、他の素人《しろうと》と同様に、玄人衆《くろうと》を特殊な目で見る癖がついている。玄人社会で年季を経た人は皆、内に毒針かなんぞを隠し持っているように思っており、うっかり近付いては危いと楠喜たちは頑《かたく》なに考えていて、客の中でも玄人衆には強い警戒心を抱いているのであった。その玄人もまだ女衒にまで岩伍が成り下るなどと、喜和はどうして自分の口から打明けられようと思う。それを話したときの皆の驚きと、分けても、堅いだけが取柄《とりえ》の母の梅の嘆きを考えると、思っただけでもう心が萎《な》えて来るのであった。

かといって、喜和は岩伍の今の稼業を決して快しとはしていないけれど、さりとて男の渡世に口出しするなという岩伍からの禁を破ってまで、とやかくいおうとは思ってもいない。稼業そのものに限らず、常盤町の暮し全般、口に出していうほど突き詰めて考えた事はなかったし、また考えないでも今までは格別誰に不都合もなく過して来られたように思う。

昔、喜和がお多賀様の夏祭で岩伍を見染めたのは、兄の楠喜《くすき》などかけらも持ち合わさない烈《はげ》しさが岩伍には見るからに溢《あふ》れており、それを男の勇みというならば、女子の喜和の胸の奥底にある深い憧憬《あこがれ》を掻《か》き立てずにはおかないものであった。鉄砲町の家では、素人の娘が渡世人に惹かれる事を家にそぐわぬ人間のようにいわれたけれど、勇み駒《ごま》の凜々《りり》しさに酔う思いがあったからこそ、喜和は今まで黙って岩伍に蹤《つ》いて来られたのだと思っている。

喜和はしかし、これから先の事を考えると、鉄火場の喧嘩《けんか》の挙句、岩伍が匕首《あいくち》を呑《の》んだ躰《からだ》で家の敷居を出入りしたり、サーベルを鳴らせた巡査《ほぼ》さんが胡散《うさん》臭げに家の中を窺《うかが》いに来るのを見れば、飯も咽喉《のど》へ通らぬほどの心配を、この先続けることの心細さが思われる。実刑こそ未だ無いものの、罰金の金の工面に岩伍が目を血走らせているのもたびたびだし、その危うさはいつも監獄と紙一重の座にいるようなものであった。この稼業を続けている限り、岩伍に若《も》しもの場合がないとは誰も保証はしてくれず、子供達も次第に大きくなる事を思えば不安が波立ち、矢張りともすれば人並に安穏な暮しへ思いは走ろうとする。

喜和はしかし、それだからといってこれから先、一家が紹介人に成り下って女子の売買の上前を刎《は》ね、それで太平無事に暮してゆこうとするのは、とても悲しい事だと思うのであった。

御法度《ごはっと》だとはいえ、博奕は双方納得ずくなのだから、勝って巻き上げた相手の金が、寒夜に一枚限りの煎餅蒲団《せんべいぶとん》を質に入れて工面して来たものであろうと、女房を淫売宿《いんばいやど》に叩き売って拵《こしら》えたものであろうと、負ければこちらもお互いだといえる胸の軽さがある。が、紹介人の金というのは、生き身の女子を地獄へ突き落した手でせしめる汚れた報酬のような感じがあり、それを承知でこれから先、子供二人の学校《がっこ》行きの要用《いりよう》を買い、夏冬の着類を整え、一同餓《ひも》じい目に会わぬよう食べてゆこうとするのは、喜和にとってなかなか気の重いことでもあった。

岩伍の話では、数ある紹介人の中には昔話の人攫いと一つ言葉で片付けられてしまうほどのえげつない人間もいないわけではないが、岩伍の思い立っているのは自分の利益の為ではなく、裏町の惨《みじ》めな暮しの人達を少しでも救い上げたいつもりがあってやるのだという。

「お前は知るまいが、裏町の長屋には今日《こんにち》の口過ぎにも困る人間がどっさり居《お》る。親の困窮を見て、娘が我が身を売ってでも助けるのはこれは当然の事。そういうとき、紹介人の働きが無《の》うては貧乏人は浮び上れまい。いうてみりゃこれは人助けの仕事かも知れん」

と岩伍に聞かされ、その言葉の意外さに思わず、喜和は、まあ、そうであろうか？とふと疑いが過《よぎ》った。それは夫婦になって以来、岩伍の言葉に初めて喜和が抱いた疑問であった。

喜和は、鉄砲町の貧乏をひどいものだと今でも思っており、商売枯れの時期など、朝飯は麦の粥《かゆ》に醤油《しょい》の実《み》だけがずっと続いたことを不思議といまだによく覚えているが、そんなときでも喜和は、自分が身売りして家を救おうなどと考えた事もなかったし、甲斐《か》性《いしょう》無しの親だとはいえ、梅もそういう親孝行の望みを喜和に抱いた事は恐らくなかったであろう。岩伍はよく喜和の世間の狭さを笑うけれど、紹介人が無理強《じ》いするのでなく、娘自身から親孝行の為に進んで身売りするなど喜和には信じ兼ねる話なのであった。

岩伍のおいおいの説明ではまた、こうなる運びの裏には陽暉楼《ようきろう》の大将の一方ならぬ肩入れがあるのだといい、紹介人鑑札申請の推輓人《すいばんにん》はもとより、緑町の家を借りる仲立ちも開業後の仕事も、一切を引受けてくれているのだという。

　玄人社会の入り組んだ話は喜和にはよく判《わか》らないが、博奕《ばくち》の盆は素人家では開けないから、博奕打と水商売の関《かか》わり合いは切っても切れぬ縁に深く繋《つな》がっているのであろう。そういえば博奕打も紹介人も、女房は殆《ほとん》ど例外なく玄人上りだし、遊廓といい料理屋といい、何処《どこ》も用心棒めいた男の一人や二人養っている事を考えれば、岩伍と陽暉楼の結び付きにしても頷《うなず》けぬ話ではない。それにしても紹介人としての出発に際し、数ある博奕打の中から岩伍が陽暉楼の楼主に見出《みいだ》された事は稀《まれ》な運だと廻《まわ》りでは皆いい合ったが、陽暉楼にしても、信頼出来る紹介人を自分の手許《てもと》に据《す》えておきたい事情もあったことであろう。度胸といい気性といい、岩伍のほうにも陽暉楼の大将の眼鏡に叶《かな》う幾つかの点を持っていたのだろうけれど、岩伍はそれを思わず、律義《りちぎ》一方に陽暉楼の恩顧をいうのであった。

　紹介人の鑑札というのは普通、長いもぐりの期間を経て格別の不届きがなかった時に初めて下りるものであり、岩伍のような未経験者にいきなり許可が下りるのは、殆ど例外に近い事だという。その裏には、推輓人である陽暉楼の力が与《あずか》っているのは、明らかな事実であり、それがどういう伝手《つて》から拡《ひろ》がって行ったのか、鉄砲町でも早くからこの話は聞き知っていたようであった。

　喜和は、岩伍の商売はともかく、宿替えを実家《さと》へ知らせずには済むまいと考え、よう

やっとの思いで鉄砲町へ話しに行ったところ、喜和を迎えた楠喜が上機嫌《じょうきげん》でいうことには、

「喜和、岩さんには陽暉楼の大将が後楯《うしろだて》じゃそうなが、大したもんよのう。今に出世もしょうぞ、のう」

出来るなら自分もあやかりたい、とばかりなその口調を喜和は聞いて、昔、女衒は人間うちの人間じゃない、と塩を撒《ま》いて追払ったその口で、今ようも抜け抜けそんな事がいえたもの、と呆《あき》れて兄の顔を熟視《みつ》めたものであった。が、考えようによっては、玄人嫌《ぎら》いで通っている楠喜にこんな臆面もないことをいわせるだけの、陽暉楼の力というものを改めて思わずにはいられなかった。

陽暉楼は谷干城《たてき》が命名、南海随一の料亭といわれ、海岸通りの本店では、地の下に掘った隧道《トンネル》で別邸とのあいだを往《ゆ》き来する話や、浦戸町の中店《なかみせ》は沢山の梅鉢《うめばち》が見事で、高知公園の中の出店は丹精したつつじの庭園が自慢だということをかねて喜和も聞いており、芸妓の抱えは一口に三百人とも五百人ともいわれている。

喜和は子供の時分に一度だけ、夕刻に中店の前を通り掛かり、芸者衆の出というものを見た事がある。

門から玄関の式台まで、霞《かす》み渡るほど遠い距離の敷石に水を打って廻る法被《はっぴ》姿が往来からちらちら見え、其処《そこ》へ横付けの人力車《りんりきしゃ》から下り立った芸者は、まるで今刷り上った

絵草紙の、まだ絵具がぽたぽたと滴《したた》っているような鮮かさであった。喜和は一瞬見惚《みと》れ、次に、あの人達は毎日さぞ旨《うま》いものを食べ、どっしりした絹物を仰山持ってはあれこれ着換えて楽しんでいる事であろう、と思った。未《いま》だにビラビラの簪《かんざし》一本買って貰《もら》えぬ喜和は、羨《うらやま》しさにほんのいっとき、胸が揺ぎ立ったのを憶《おぼ》えている。

それは、今の喜和が思い起しても、女ならば矢張り心そそられるような情景ではあった。

城ほどもある構えの店を市内に三つも持ち、高価な衣裳《いしょう》や装身具の類《たぐい》を夥《おびただ》しく蓄え、数多《あまた》の抱え妓《ご》と使用人とを養う陽暉楼の財力というものは、身売りの何のと考える前に、女子供の目など容易《たやす》く蕩《とろ》かしてしまうだけの魔力を備えているものなのであろうか。喜和はあのとき、兄に似て玄人嫌いの日《ひ》頃《ごろ》の自分をすっかり忘れてしまっており、まして人攫《ひとさら》いの女衒の話など思い出しもしなかった。思い出したところで、あの袘《ふき》の厚いお座敷着の美しい芸者が、鬼のような女衒の手で泣く泣く身売りさせられた因果は到底考えつきもしなかったに違いない。

喜和は、楠喜でさえ陽暉楼の名を聞いただけで日頃とは打って変ってすぐ岩伍《いわご》の出世をいい出し、岩伍もまた、

「陽暉楼あたりへ奉公すりゃあ、女子《おなご》でも心掛け次第で出世が叶う」

などというのを聞いていると、玄人社会の出世とはいったい何であろうか、と不審に

思えて来る。苦界《くがい》に堕ちていてまだ出世を夢みる余地などあるのだろうか、と喜和には合点のいかない事であった。

のちに喜和は、この世界にも踏込んでみれば、一からげに玄人衆という見かたばかりで一概に片付けられないさまざまの世渡りの方法がある事を知り、運不運も絡《から》んで、上は素人の上流夫人も及ばぬほどの深い教養を身に着けて、偉い人の正妻に納まる者や、下は、悪い情夫などの為に次第に借金を増やして堕ちてゆき、遂《つい》には駆梅院で野垂れ死したり、一船いくらの束で海外の阿片窟《アヘンくつ》に買われて行ったりするのを実際に見聞きするわけだけれど、このときはまだ何も判ろう筈《はず》はないのであった。判っているのは身売りする身の不仕合せであり、その悲しみは決して男になど判りはしまいもの、と喜和はひとり自分の胸に畳み込んでいる。

四

地味で平坦《へいたん》な喜和の生れとは逆に、岩伍の生い立ちはその気性に似て烈しいものであった。

浦戸町と種崎《たねざき》町を結ぶ土佐橋の元に、今は紙商中谷と金文字の看板が出ている三階建ての土蔵造りがあり、岩伍は明治十五年、ここで剪《つ》みこ屋「富田屋《とんだや》」の七男として生れている。

剪みこ屋とは床屋の別称で、新しいもの好きだった岩伍の父親直吉は、断髪令と共に材木商であった父祖の財を注ぎ込《つ》んでこの店を開いたが、三階建ての剪みこ屋は一時高知市の名物になりはしたものの、商売不振に直吉の急死が重なり、開店後僅《わず》か四年という呆気《あっけ》なさで潰《つぶ》れてしまったのであった。このときの店はその後二、三度人手を経て後、富田屋とは何の関わりもなかった中谷が買取って今も昔のままに残しており、銅の窓枠《まどわく》や錺《かざり》を打った戸、障子、中庭の植込みまで往来からも眺《なが》められるようになっている。

喜和は岩伍が、廻り道をしてでもこの中谷の前を決して通らないのを最近知り、人間の生い立ちがその生涯《しょうがい》に関わって来る重さをつくづく思い知らされた感じがした。殊《こと》に今回、岩伍が紹介人の仕事を親孝行の一助にもと信じ、勢《きお》い立っているその胸のうちも、よく考えれば岩伍の育ちが未だに深い影を投げかけているせいだともいえるようであった。

直吉はこの家の床にいちめん鹿皮《しかがわ》を敷いた客待ち所を作り、東京から散髪技師を招いて髪を当らせたといわれているが、辺鄙《へんぴ》な高知の町で、高い散髪料を払って剪みこ屋へ人力車を乗りつける客が幾人いたことであろうか。その頃を知っていた年寄りたちの話によれば、富田屋の前は毎日黒山の人集《ひとだか》りであったものの、それは皆、市内ではここだけの三階建ての剪みこ屋の内部を見せて貰いたくて集った弥次馬《やじうま》たちなのであった。主《あるじ》

の直吉は時折往来に出て来ては、

「さあさあ、見たい人はなんぼでもお入り。帰りには茶も饅頭《まんじゆう》も振舞いますぜよ」

とにこにこしながら呼び入れたといい、終《つい》には〝剪みこ屋饅頭のただ食い〟のほうが有名になったくらいだというから、店の潰れるのは当然のなりゆきであったろう。

富田屋ではどういうわけか生れた子が次々と死に、七番目の岩伍だけがやっと育っていたが、その岩伍が母親の延と共に家の終りの日に立会ったのはまだ七歳のときであった。家の明渡しは前後三日に渡って行われ、糶落《せりおと》された家財道具がつぎつぎに運び出されるのを黙って睨《にら》み据《す》えていた岩伍は、不意に債権者の一人の足に武者ぶりついて咬《か》みつき、こっぴどく殴り返されたという話が残っている。このときの疵痕《きずあと》は今でも頤《あご》の下に斜めに歪《ゆが》んで残っており、岩伍が熱など患《わずら》うと赤黒く皮膚の下から滲《にじ》みあがって来る。

直吉も延も、七人目にやっと得た岩伍をいいたい放題にさせて育てており、ハイカラ好きの直吉が東京から取寄せて着せる洋服と、高い三階建ての部屋で町並を見下ろしながら女子《おなご》仕相手に遊ぶのが、幼い頃岩伍はとくに好きだったという。その子供の頃の思いは、のちの岩伍の苦しい時代にさまざまなかたちで生き、心の支えとも苦い良薬ともなったようであった。

家の始末が終ると延は今の常盤《ときわ》町の家を借りて移り、人の家の台所の下働きなどでやっと暮しを支えたが、岩伍は自分が連れず、入学したばかりの下知《しもじ》の簡易小学校を止《や》めさせて親戚《しんせき》うちを順廻しで預って貰う事になった。まだ七歳になったばかりの岩伍を延が何故《なぜ》手許から離したか、ということについて、喜和は嫁入りして後、聞くともなしいろいろの人の口から伝え聞いている。

名物だった富田屋の身代限りに就いては、母の梅などもよく憶えていて、
「母様《かかさま》のお延さんという人はただ人の善いばっかしの人で、皆に女子じゃと見くびられ、寄って集《たか》って飯櫃《めしびつ》の蓋《ふた》までも取られてしもうたそうな」

と話してくれたこともある。少し事情を知る人は、剪みこ屋の商売が招いた借銭《しゃくせん》なら、富田屋が持っていた種崎町界隈《かいわい》の地所を売れば充分償える程度であったといい、こうなったはお延さんのしっかりしていなさがすべての原因なのだという。どちらにしても、そ延が岩伍と二人の口過ぎもおぼつかないまでに零落し果てていたのは確かであるし、そういう暮し振りから考えて、自分の手許よりも親戚うちで預って貰うほうが岩伍の為《ため》にもなる、と推し測ったのではなかろうか。家の終りの際には、赤の他人よりも血を引いた親戚のほうが却《かえ》って冷たいものだとは往々にある話なのだけれど、富田屋釜破《かまわ》りの時も、お蔭《かげ》で肥《ふと》ったのはすべて延の実家方の親戚ばかりだという噂《うわさ》を、岩伍は長いあいだ信じていたようであった。噂ばかりでなく、これは後に岩伍が一つ一つ調べ上げては裏付けを取ったというから、かなり真実でもあったのだろう。

岩伍の、母親に対する沸《たぎ》り立つほどの憤《いきどお》りはすべて、騙《だま》されて分取られた当の親戚に

まだ七つの自分を差出した延のやりかたにある、と岩伍はその後人前も憚《はばか》らず、ずっと口にし続けた。噂ではまた、岩伍は借銭のかたに親戚一統が丁稚《でっち》代りに取上げたのだという人もあり、そんな話を聞くと岩伍は手のつけられないほど荒れ狂い、子供ながらもありたけの憾《うら》みを込めて母親に突っ掛かって行くのであった。

岩伍はその後、十の歳《とし》に自分から望んで親戚の家を出、新町の米屋〝山元〟の丁稚に住込んでいる。

親戚うちの岩伍に対する扱いが噂通り丁稚同然であったのか、岩伍の暴れように向うのほうが手を焼いたのか、岩伍が話さない限り今では誰にも判《わか》らないけれど、日頃恩義を口にしている筈の岩伍が、その後一切、この親戚うちとの交りを断っているのを見ると、喜和にはその辺りの事情が想像出来ぬ事もない。米屋の丁稚時代、読み書きを教えて貰った松永弁護士には、今以《いまもっ》て盆暮の挨拶《あいさつ》を欠かさないところを見ると、親戚うちの暮しにはよくよくの思いがあった事であろう。

岩伍は小学校へは僅か二十七日しか通わせて貰えなかったから、字は殆ど出来なかった。米屋の集金に行って受取りひとつ書けないでは、「どもならんよッ」と叱据《ずきす》えられる口惜《くや》しさから一人で思い立ち、町なかの看板の文字を帳面につけて戻っては夜毎《よごと》手習いをしているのを隣家の松永弁護士が知り、読み書きを教えてくれる事になったのだという。

岩伍の手は割合筋が良く、その気性に似て勢いのある字を書いた。たとえ字引学問にしろ、喜和のように仮名しか読めない人間の多い時代に、読み書きの力を備えていてしかも筆まめである事は一つの強みであった。

岩伍は延の躰《からだ》が弱ってから常盤町に戻り、莨切《たばこき》りの職人になって生計を支え、この家から検査も受けにゆき、日露戦争では朝倉四十四聯隊《れんたい》に所属し看護卒として旅順にも出征した。

手慰みを覚えたのは莨切りの職人時代だから、十六、七か或《あるい》はもっと前かと思われる。此《こ》の頃《ころ》の若い衆《し》の密《ひそ》かな娯《たの》しみといえば、夜這《よば》いか小博奕《こばくち》遊びくらいなものであったのに、岩伍は最初から、花骨牌《はなガルタ》には度胸の据わった賭《か》けかたをして人目を引いたという。その頃まだ民営であった莨屋羅漢堂《らかんどう》で岩伍はかなり腕のいい職人だったといわれていたが、貰ったばかりの一ヵ月の手間賃をポンと張り、負けても顔色ひとつ変えない代り、汚ない勝負をする相手には匕首《あいくち》で渡り合っても譲らなかった。この世界の水が性に合ったのか、小若い衆《し》の頃から早くも「火の玉の岩」などと呼ばれて玄人《くろうと》の組の者でさえ道を除《よ》けて通るほどになっており、下町界隈の大きな喧嘩《けんか》には必ずといっていいくらい、岩伍の力を借りにやって来るのであった。

よく鞣《なめ》された良質の皮のような靭《しな》やかな肌《はだ》とバネの利《き》いた敏捷《びんしょう》な手足、早撃ち鉄砲のように弾《はじ》け返る小気味よい啖呵《たんか》など、二人の子の父親になった今でも駻馬《かんば》の嘶《いなな》きを思わせる荒々しい力は少しも衰えてはいないのに、その岩伍が昔からずっと、どんなに強く勧められても如何《いか》なる渡世人の組にも入らず、一人で頑張《がんば》り続けているのはどういうわけか、と喜和は以前から不審なことに思っている。

この世界にもいろいろな派や何々組といった勢力があるらしくて、中でも下町一帯を仕切っている矢藤組からは、役付きで迎えるという約束でいつも執拗《しつこ》いほど請《こ》われているると聞いているのに、岩伍はまるで受付けもしないのであった。組の人間になれば、家中餓《かつ》える心配をしなくて済む、と喜和は折々その気になるのだけれど、それを喜和からいい出したときの岩伍の権幕は、考えただけで恐しい思いがする。それは女子の指図を怒る以上に、人に触れられたくない嫌《いや》な箇所を突っつかれる痛さの為の、苦しい怒りのようにも見えた。

喜和が常盤町へ嫁入ったとき姑《しゅうとめ》の延は疾《と》っくに亡《な》くなっており、親戚との付合いは一切断っていて、岩伍は自分を天涯孤独だなどと笑って嘯《うそぶ》いていた頃であった。

ある日、押入れの隅《すみ》で何かを捜していたとき喜和はふと、埃《ほこり》だらけの、使い古した金蒔絵《まきえ》の大ぶりな針匣《はりばこ》をひとつ見付けた。全体がやや歪み、角の漆がくるりとめくれているものの、蒔絵の細工の細かさといい漆の丹念な厚みといい、喜和など日頃手にする事も出来ぬほどの値打ちからして、これは延が富田屋の「奥の母様《かかさま》」でいた頃の愛用品であったものだと思われた。引出しの金具などすっかり取れてはいたが、代りに木綿糸を縒《よ》って取手を拵《こしら》えてあった。引出しには何か引掛かっているのかなかなか開かず、指先で中の物を押えつけるようにしながらやっと引出して見て、喜和は思わずにっこりした。浅い引出しの箱の中は奥までぎっしり糸が詰っており、解《ほど》き物の屑糸《くずいと》が繭玉《まゆだま》のようにふわふわと丸く固まっているなかに、新しい縫糸の繰《く》りが真中で断ち切れていくつも押込んである。

女子は針匣を見れば気質がよう判る、と昔の人はいうけれど、ここの母さんはよくよく大雑把《おおざっぱ》なひとじゃったと見える、と喜和は思った。

鉄砲町の家では嫂《あによめ》の里江がそういう事はきちんとしていて、買って来た糸はその場ですぐ糸巻に巻き取り、端は糸巻の切込みに挟《はさ》み込んで解《ほつ》れぬよう縺《もつ》れぬよう、整頓《せいとん》して針匣に蔵《しま》う。糸を繰りのまま断ち切るのは躾糸《しつけいと》だけで、その場合でも両端を少し残して紙でくるみ、縛って使うものであった。糸巻に巻き取る手数を省いて繰りのままぶった切って使い、しかもそれを毛羽立った屑糸の中に突っ込んであるような針匣の持主は、誰が見ても倹約《しまつ》な人ではないし、また針仕事を大切にする人でも針の腕の立つ人でもない。同様に、ときどきこれに似た物臭《ものぐさ》をやらかす喜和には、一度も会わず終《じま》いだった姑の延と自分とがとても近しいものに思われ、同時にふと、何かが判ったような気がした。

岩伍は、博奕打の自分を、「お母の一番嫌《きろ》うておったものをしてみせたさ」にわざと関《かか》わり合っているうち、何時《いつ》の間にかのめり込んでいったのだといい、それについては、七つの自分を手離した事への仕返しだと未《いま》だに悪《あ》しざまにいい続ける。喜和は、岩伍の語る姑の悪口を、ときには自分のそれに似ぬ箇処を見付けては纔《わず》かな自惚《うぬぼ》れに浸る事もあったけれど、また、ときには屍馬《しば》に鞭打《むちう》つほどのその口調の烈《はげ》しさに相槌《あいづち》も打てず、黙って俯《うつむ》いてしまう事もあった。喜和のように、今思い返しても親との間に格別の蟠《わだかま》りを持たぬ人間にとって、岩伍と延の関係は同じ血を引く男の子を持つ母親として何やら空恐しくさえ思われる事もある。

母一人子一人でありながら、この親子くらい不仕合せな間柄《あいだがら》もあるまいに、と思い続けて来た喜和には、姑の残した針匣を見てからというもの、延という一人の女の身の上の酷《むご》さが身に沁《し》みて思われるようであった。

このひとはきっと、ものを疑う事を知らぬ鷹揚《おうよう》な善人であり、ずっと破綻《はたん》なく富田屋の奥の母様でいたなら、一人息子との間も互いに劬《いた》わり劬わられながら温かく保ち合っていた事であったろう。針の腕の立たぬという事は、この時代に、取りも直さず女子一人の口でさえ養い難い事であった。日頃針匣を磨《みが》くほどの甲斐性《かいしょう》者であったら、何度も逃げ帰って来る岩伍を、母も子も泣きながら、また親戚に送り返すような仕打はしなかったに違いない。夜《よ》の目も寝ずに縫物を貰い集めては、曲りなりにでも手許で岩伍を育てていた事であろう。針仕事が苦手で、未だに子供達の四つ身一枚に幾日も掛かるような喜和は、子供を抱えて身一つで世間に放《ほう》り出される怖さがよく判る気がするのであった。

岩伍は、そういう延を誰よりも一番よく知っていた事であろう。どんなに烈しく突き当ったところで母親が無力なのは解《わか》り切っており、そのどうしようもなさにいっそう荒れ狂ってはそれがまた母親を悲しませ、脅《おびや》かすもととなるのを、よく判っていながら、どうにも制御出来なかった岩伍の切なさが思われる。常盤町に延と一緒に住んで後も岩伍は用事以外母親には口もきかず、死ぬまで遂に優しい言葉ひとつ掛けてやらなかったというから、実の母子でも一旦《いったん》食い違えば何処《どこ》まで離れ去って行くか、つくづく難しいものだと喜和は思う。いや、考えようによっては母一人子一人の、それも格別慈《いつく》しんで育てた情の濃い繋《つな》がりであったからこそ、胸の内を互いに明かす含羞《がんしゅう》に堪《た》えられず、思いばかりを積み上げたままで終ってしまったものであろう。

喜和は、岩伍が博奕は打っても頑として矢藤組へ入らない理由も、延への密かな孝心にあるのではないか、と思うのであった。博奕の手初めは、なるほど母親への反抗であったかも知れないけれど、それを嫌い抜いていた延へのせめての心尽しとしていまもなお、組などに縛られて抜差しならず本職となる事を拒み続けているというのが、岩伍の心の奥底にある真実なのであろう。

喜和は、世渡りの下手な善人の母様に向って、奥歯を咬み締めながら反抗し通した岩《いわ》伍《ご》の遺瀬《やるせ》なさが判るように思えた。陽暉楼《ようきろう》の大将の肩入れがあったにせよ、岩伍が此の度紹介人を思い立ったについては、娘の身売りを親への孝行と岩伍が信じている限り、その行為の一端を自分が担《にな》えるという気負いが大いに働いていたことであろうと思われる。昔、岩伍が延の為に成し得なかったことの、今思い返しても詮《せん》ないそれらの悔いを少しでも軽くしようとする思いも、岩伍の胸に深く根ざしていた念願の一つであったに違いない。

それを思えば、親の嫌い抜いていた渡世からやっと足を洗えた上に、自ら信じる人助けの仕事に今乗出そうとしている岩伍は、自分自身、さぞや多くの期待に力を漲《みなぎ》らせているであろうとまでは、喜和にも推察は出来る。

五

緑町《みどりちょう》へ落着くと間をおかず、陽暉楼の大将から岩伍に看板の贈物が届けられた。赤樫《あかがし》の一寸五分板を尺五寸に挽《ひ》いた大きな吊《つり》看板で、高さは人の背丈ほどもあり、どんな強風にも決してふらつかぬ重みと、力ずくで押しても容易に動かぬ貫禄《かんろく》が備わっているのを岩伍はとても喜び、以後叮寧《ていねい》に扱《わ》って長い年月、この看板は破れも反りもせず傷もつかず、ずっと富田の家の入口を飾る事になった。

木肌の上には名の通った字書きの手で、上に並んで「芸妓」「娼妓」と中位の太さに、真中には字配りよく「紹介業」と大きく、脇《わき》に小さく岩伍の名を、表は楷書《かいしょ》裏は行書体で墨色濃く書かれてある。朝夕の上げ下ろしは家に居る限り必ず岩伍がやり、留守の時は男衆《おとこし》たちが替りにやる事になっていて、女子は余程の場合でない限り、看板に手を触れてはならないと最初からいわれていた。看板は富田の顔であり、いい替えれば岩伍の躰と同じものだから、月の不浄を持つ女子の手で触ると汚《けが》れるという意味があるらしかった。

この家の往来に面した入口は素通しの格子戸《こうしど》で、その格子戸と土間を隔てた取付きの六畳を岩伍は店と呼び、店には早速に、緑色の羅紗《らしゃ》を張った事務用の机を隅に置き、真中に瀬戸物の火鉢《ひばち》を据え、客用の八反の座蒲団《ざぶとん》も五枚揃《ぞろ》いを買って体裁を整えた。普通、紹介人の家は三味線の一、二挺《ちょう》も掛け、暖簾《のれん》やら繭玉やらを小粋《こいき》に飾り立てるのが慣《なら》いだけれど、富田では岩伍の好みもあり、必要もないところから、これだけの簡素な店構えとなった。

看板も掲げ、店の構えも出来たら、忽《たちま》ちにその道の人達の賑《にぎ》やかな出入りが始まるであろうと喜和は少し緊張していたが、商売上の客というのは思いのほか少くて、喜和は最初一寸《ちょっと》肩透しを喰《く》わされたような感じであった。それは、岩伍のほうから得意先へまめに出向いたせいもあったし、陽暉楼の大将の口利きで、店で取引するような改まった商売をしなくても済んだせいでもあった。それでも相手によってはたまに店で顔見世をする事もあり、最初に此処《ここ》を使ったのは、裏長屋のお巻さんの娘豊美《とよみ》を、陽暉楼の仕込《しこ》みに世話をしたときであった。

当日、喜和は岩伍に、「茶を出したらそれでええ。女子は店に出て来るな」といわれ、その日は朝から気を張って七輪に火をどっさり熾《おこ》し、薬罐《やかん》の湯を鳴らして客を待ち続けたが、立会ってみると顔見世というのはまことに呆気《あっけ》ないものだと思った。

家の前にゴム輪が横付けになり、小柄な陽暉楼の大将がせかせかと下りて来て店に上ると間もなく、離室《はなれ》の裏木戸を押してお巻さんが十二、三の女の子を連れて入って来、別に悪びれもせず店へ通って行った。お巻さんは別としても、相手が初めての陽暉楼の大将だと思うと、喜和は手が震えて立居に大袈裟《おおげさ》な音を立てて二度も薬罐を取落し、やっと茶道具を捧《ささ》げて座敷へ通ろうとすると、もうざわざわと皆帰り支度なのであった。

子を売るお巻さんはどんな思いであろう。親と別れる娘もさぞ辛《つら》かろう、と初めての顔見世に自分から先に胸を重くしていた喜和は、座敷の内の意外にからりとした、むしろ軽い燥《はしゃ》ぎさえ感じられる空気に触れて、信じていた者に見事に裏切られたような、苦い味が胸に残った。人扱いに馴《な》れた陽暉楼の大将が、母子の愁嘆を避ける為に、わざと気を引立たせているというなら判らぬ事はないが、年に似合わぬ派手なセルロイドの櫛《くし》を挿《さ》したお巻さんが、歯齦《はぐき》を出してはしきりと笑っているのを見ると、喜和は、まあ、このひとは我が子を売って嬉《うれ》しいのであろうか、と呆《あき》れ、ひとりでに詰《なじ》るような目付きでお巻さんを凝視《みつ》めてしまう。

陽暉楼の大将は、喜和が揃えた籐《とう》表に鰐皮《わにがわ》横緒の駒下駄《こまげた》を再び穿《は》き、皆にそつなく言葉を掛けながら待たせてあった人力車で帰って行ったが、続いてお巻さんも岩伍に礼をいい、

「ほんなら、豊美は何時でも連れに来て頂戴《ちようだい》や。待ちよりますきに」

と浮々した調子でまた裏木戸から二人して帰って行った。

喜和はそのあと、今日店に集った人の中で、感情を露《あら》わにして一番おろおろしていたのは、無関係な自分であったと思うと、気分がとても重かった。顔見世が修羅場でなかったのは救いだったけれど、それにしてもあの手馴れた話の運びようはまるで遊山《ゆさん》か何その打合せのように楽しげに見え、ここで豊美という子の生涯《しようがい》が定まってしまうとは思えないほど、すらすらと淀《よど》みがなかった。

手馴れた感じといえば、お巻さんは着物の着様からして其道《そのみち》上りは明らかなのだから、こういう場は幾度も踏んでいようし、従って娘の顔見世にも前借の高以外、格別の思いが湧《わ》く道理も無い、と思える。

陽暉楼の大将にしても同じ事で、娘っ子など始終買付けていて、今日の顔見世なども、腰紐《こしひも》一本選ぶよりもっと容易《たやす》い買物であったかも知れぬと思える。玄人衆は皆、世間並の神経が麻痺《しび》れているに違いない、身売りの相談など笑いながら平気でやってのける、

と喜和の思いは詰まるところ、そこへ行き付くのであった。

お巻さんの身の上については、岩伍は詮索するなというけれど、その後喜和の耳にひとりでに入って来る噂《うわさ》によれば、あの豊美という子は、お巻さんが昔酌婦《しゃくふ》をやっていた頃《ころ》に生んだ父親の知れない子だといい、此の町内に越して来た当時、お巻さんが近所へ亭主だと触れていたのは揉《も》み上げの青い、まだほんの小若い衆《し》だったと聞いている。豊美が学校へも行かず、早くから刺繍《ししゅう》工場へ通って家を助けていたのは近所も皆知っており、今度陽暉楼へ行く機《しお》になったのは、母親の相手の若い男がさんざん放蕩《ほうとう》の挙句とうとう逐電《ちくでん》してしまった時であった。まるで大風の後のように家中鍋釜《なべかま》まで無くなっている上、その男との間に出来た乳呑子《ちのみご》を抱いて母親が困《こう》じ果てているのを見、豊美は涙ひとつ滾《こぼ》さず身売りを承知したという。

喜和は、自分が初めて立会った顔見世の故《ゆえ》もあって、この母子のことはその後も長い間忘れられず、とりわけあの日の豊美のしんと澄んだ静かな瞳《ひとみ》や、少し縮れた額の生際《はえぎわ》など、ときどき哀れに思い出すのであった。岩伍の話では、豊美は陽暉楼での評判もよく、なかなか健気《けなげ》な勤め様だとのことだったが、そう聞くと逆に、何故《なぜ》か母親のお巻さんは憎体《にくてい》にも見えて来る。己もさんざんに嘗《な》めた辛い苦界《くがい》に娘を沈めた金で、お巻さんは旨《うま》いものでも買って、平気でそれを食べているのであろうか、などと差出た想像までされるのであった。

喜和がその次にお巻さんに会う折があったのは、あの猛烈なスペイン感冒《かぜ》が高知市一帯を襲った時の事である。

この流行性感冒《はやりかぜ》の悪辣《あくらつ》さと来たら、今も知る人達が一つ話の種にしているほどで、罹《かか》った人は数知れず、死んだ人は高知市だけでも六百人を超えたといわれている。この感冒は、とくに貧乏人と年寄りと妊《はら》み女を狙《ねら》い打ちにするのだと皆がいい、またほんとうに熱の為に頭がおかしくなって狂い死にした人や、咳《せき》の為に気を失ったり手足が引吊ったまま元に戻らない話など、貧乏人や年寄りの多い裏町辺りからより多く聞えて来る。妊婦の死亡や死産流産も相次ぎ、後にこの年生れの子供が小学校へ上る時、生徒は例年の半分にも充《み》たなかったといわれている。

この緑町一帯の町内会長は、皆が「金歯の谷川」と呼んでいる質屋の隣の物持で、同時に緑町表通り裏町殆《ほとん》どの家の家主でもあった。二階建ての富田も谷川の持家だが、家賃は月末に向うの男衆が取立てに来るので、喜和などこちらから谷川へ出向いた事もなければ、無論当の金歯には会った事もないのであった。

町内会長というのは、役所からの伝達を下へ取次ぐ役目なのだから、町内に対して別に責任の何のという立場ではないわけだけれど、この緑町のように町全体が一家同様に出来合っている所では、自分達の町内会長を一家の長とも頼みたい気持が大いにある。しかし金歯の谷川は、今まで一度だって町内を見廻《みまわ》った事はないし、町民の相談に乗ってやった事もなく、人伝てに聞けばそういう面倒な話は一切除《よ》けて通りたい気質の人のようであった。それ故に、金持と灰吹は溜《たま》るほど汚ない、などという町内からのさんざんな悪評は、喜和も以前から聞き知ってはいる。

流行性感冒《はやりかぜ》というのは暴風雨《しけ》と一緒よ、と誰かがいったけれど、スペイン感冒のやって来方はなるほどそんな風であった。

町内にぽつりぽつりと患者が出始めた話を聞いたら、一両日のうちにはもう全体に拡《ひろ》がり、普段陽気な表通りでさえ昼間から雨戸を閉じたままの家や、半開きの陰気な家が多くなっている。北風の中を、毎日のように鈴《りん》を鳴らしてやって来た熱い飴湯《あめゆ》売りや、焼餅《やきもち》売りの団扇《うちわ》太鼓もぴったり姿を見せなくなったし、まして夜など、丸に加の字の夜泣き饂飩《うどん》も按摩《あんま》のピイも絶えてしまって、町は水底《みなそこ》に沈んだように暗く静まり返っているのであった。

感冒が拡がってしまってから、町内会長の谷川は男衆に命じ、愛宕《あたご》不動の風邪除けの札を全戸に配って来た。札には、風の袋を担《かつ》いだ一角鬼が不動明王の赤い火焰《かえん》と強い眼力に射《い》竦《すく》められ、ほうほうの態《てい》で逃げ出してゆく絵が刷られてあり、吹けば飛ぶほど薄い紙であったが、喜和は何となく有難い思いがして早速にそれを門口の戸袋に飯粒で貼《は》りつけた。

岩伍がそれを見て、

「御祈禱《きとう》札もええが、ここらで今直《すん》ぐに要りたいものは医者と銭じゃがのう」

と呟《つぶや》いているのを喜和は聞いた。

表通りではまだ免《まぬか》れている家はない事もないが、裏長屋では例外なく家毎《やごと》の重い病人で、もう葬式を出した家もあると聞いている。

一日、外から戻って来た岩伍が喜和に、そんな最中《さなか》の裏長屋へすぐ使いに行け、という。それも流行性感冒《はやりかぜ》で親子共寝付いているお巻さんの家へ、家中のありったけの米をすぐさま届けてやれ、という。喜和は胴震いが来るほどの恐《こわ》さを覚え、

「伝染《うつ》るきに、恐《こお》うて……」

と小さな声で思わず呟いたところ、それが岩伍に聞え、

「何をいうか。俺《おれ》を見よ。伝染るものなら疾《と》うから伝染っちょる。そんな心掛けで紹介人の女房が勤まるか、よう考えて見よ」

と激しい権幕で怒鳴り据《す》えられた。

紹介人の女房、といわれ、喜和は一瞬背をとんと突かれた思いがしたが、それですぐ出掛ける決心がついたというわけでもなかった。喜和に仕事のことは未《ま》だ何も判《わか》らないけれど、岩伍が何かの決意を持って口にする「紹介人の女房」という言葉は、喜和に対して何かを嗾《け》しかけるような、いいようのない焦《あせ》りを与える。それは喜和の気分とは別に、否《いや》も応もなく腰を上げねばならないという思いに繫《つな》がっているのであった。

喜和はしぶしぶ米櫃《こめびつ》の蓋《ふた》を開け、枡《ます》に米を入れてみてから一升足らずのその量を岩伍に示すと、

「それでええ。逸《へん》しも届けてやれ。

俺は銭と薬の手を打つ」

といい捨てるなり、凩《こがらし》の唸《うな》っている表へまた遽《あわただ》しく飛び出して行った。

喜和は米の入った味噌漉《みそこ》しを抱え、ちょっとのあいだ土間に立ってお巻さんのことを思った。豊美を売った金であのひとはさぞ楽をしよることじゃあろ、と喜和は一時憎体《にくてい》に思ったものであったのに、その後の話では、金は放蕩者の若い亭主が残していった借金で右左と消えてしまい、その後は以前にも増して貧乏している話をつい先頃、誰かに聞《き》いたばかりであった、そういう心掛けの悪いお巻さんに、この米櫃あり限りの米を持《も》て行《い》てやる筋があるろうか、と思う。

米について喜和は以前から強い執着を持っており、糠《ぬか》だらけの屑米《くずごめ》を五合買いしていた常盤町のとき、米屋の丁稚《でっち》がよろけながら俵を担いで行くのを見て、

「俵一俵とはいわん。せめてメリケン袋一斗の上米をああも景気よう、家へ運び込んで貰《もら》いたいもんよ」

としみじみ思ったものであった。

この緑町に来て、岩伍から最初に円札を渡され、「これで水仕《みずし》を賄《まかな》え」といわれたと

き、喜和は真先に三丁目の米屋へ走りつけて、

「メリケン袋で一斗、四丁目の富田へ持って来てつかはれ」

と一息にいってのけると、嬉しくて目尻《めじり》に涙が滲《にじ》んだのを、今でも決して忘れてはいない。越して来てまだ日は浅いものの、此処に来てまでもう米に見捨てられとうはない、と思っているだけに、米櫃の底の一升はなかなかに未練が残る。これをお巻さんにやった後、すぐ家の米が買えるかどうか、喜和は岩伍の財布にもまだ不安があった。

富田の家では皆が空腹を抱えているのに、お巻さん家だけが母子《く》してこの米で満腹するのは、喜和は少し理屈に合わない事のように思える。それに、まだ一度も足を踏入れた事のない裏長屋の奥まで、わざわざ届けに行くについても、喜和にはかなり強い躊躇《ためらい》があった。

「俺を見よ」という通り、岩伍は流行性感冒《はやりかぜ》に関《かか》わりなく以前からたびたび足を向けているのだけれど、実をいえばこの地区は「緑町の裏町」の名で聞えている、高知市一という札付きの貧民長屋なのであった。

鉄砲町からは予《あらかじ》め、

「緑町の広い家へ宿替えするのは結構な話じゃが、裏町へはのう、間違《まちご》うても入るまいよ。怖《おとろ》しい所じゃげなと人がいうぞよ」

と、梅からも楠喜《くすき》からもくどいほどに念を押されている。

緑町は皆、一家のように通じ合っているとはいってもそれは表通りだけの話で、表通りの人間は先《ま》ず裏町へは入らないし、頭から入るような用事を作らないのであった。安岡の姐《ねえ》さんにいわせると、

「裏の連中の貧乏は、皆々、己の根性の捻《ねじ》れから出た事よね。年中借銭《しやくせんもつ》絡れで、借った銭は払わんわ、嘘《うそ》は吐《つ》くわ、喧嘩《けんか》は仕掛けるわ、それに病《やま》い持ちばっかり。第一、普段の心掛けが悪い。五体満足な人間が昼からぶらぶら遊びよる。裏の連中に取合《とりお》うたら碌《ろく》な事がない」

という話になるのであった。

喜和は、この米を長屋の病人に恵むのが紹介人の女房というものの役割なのであろうか、と気持はまだしきりとそれに引掛かってはいたが、岩伍のいいつけ通りやっておかなかった後のことを考えると、ここで手間取ってはいられなかった。それでも出掛けに、門口の風邪除けのお札にちょっと手を合すと、戦《おのの》いていた先程からの気分はいくらか落着いて来たようであった。

裏町は、駄菓子《だがし》屋《や》の沢村と将棋集会所の東条との間の低い坂を、暫《しばら》く北へ下りる。東条の裏手は、皆が「喰合《くいあわ》し屋《や》」と呼んでいる、家よりも大きい犬小屋を建てて闘犬を飼っている末長で、此処までは表町とされていた。喜和も末長までは、下知《しもじ》で開かれる闘犬大会のあと、闘犬横綱の高力号の晴姿を覗《のぞ》きに一度来たことはあったが、そのとき、

末長の後《うしろ》の長屋のことなど頭の隅《すみ》にもありはせず、あったとしても他の表町の連中に習って、決して踏込みはしなかったことであったろう。

末長の塀《へい》を過ぎると、喜和は急に息苦しく思えて立止った。ものの饐《す》えたような、肥《こえ》溜《だめ》のような、垢《あか》と汗のような嫌《いや》な匂《にお》いがどんよりと重く辺りに立罩《たちこ》めていて、それが目の奥と咽喉《のど》とをちりちりと刺すのであった。

末長の家の裏には、それが境だと思える詰まった溝《しず》があり、溝に掛かっている半ば腐った溝板《どぶいた》を越してじゅくじゅくと臭い汚水が溢《あふ》れ出している。この辺り一帯は、作物の出来ぬ湿田《はるた》を埋めてぞんざいに拵《こしら》え上げた埋立地だと聞いた事があるから、水捌《みずは》けも極めてよくないものであろう。

喜和は、この匂いはあの真鍋《まなべ》の爺《じい》さんの匂いだと思った。新聞売りの爺さんは毎朝毎夕、古いお釜帽《かまぼう》を被《かぶ》って東条の角から現われ、必ず大きな屁《へ》を七《なな》、八《やっ》つ続けざまに落しながら町内へ新聞を配って歩く。子供達が囃《はや》し立てると、

「こら、お前ら、『真鍋の角を曲って大曲り小曲り』と一口でいうてみよ。早うにいうてみよ。そらいえまいが」

と胡麻《ごま》塩鬚《しおひげ》の奥の咽喉をかっと開けて、「真鍋の角を曲って大曲り小曲り」と声高らかに繰返しながら、慌《あわ》てるふうもなくゆっくりゆっくり配ってゆく。

喜和は、新聞が土間に投げ入れられるとき、爺さんが起して行く風の得もいえぬ臭さ

を、きっと、いつも着たきりの汚れたナッパ服のものとばかり思っていたけれど、あの臭さは汚れだけではなく、この長屋全体のものだと判った。そういえば、顔見世のときの豊美《とよみ》の頭にも気になる臭さがあったようだけれど、この匂いは少々洗ったくらいで取れるものではなさそうであった。

溝《しず》を跨《また》ぐと、そこからもう長屋は始まっている。除けて通ったつもりでも汚水の溜りは至る所にあって、喜和の別珍の色足袋の裏も日和下駄《ひよりげた》の鼻緒ももうじっとりと湿っていた。

長屋の真中と見える小広い場所に掩《おお》いのない低い井戸があり、その廻りでものを洗っていた女がふうっとこちら向いたのを見て、喜和は思わず持っていた味噌漉しを取落しそうになった。顔がずるりと真白ののっぺらぼう……と見たのはいちめん腫物《はれもの》が吹いているせいらしく、額に掛かっている髪も枯草のように薄く宙になびいている。いつか安岡の姐さんがいっていた、「裏の女子《おなご》」とはこの人の事だったのか、と喜和はこちらから目を伏せた。

長い棟割長屋は、この野天井戸を中心にして拡がっているらしく、低い軒が乱杭歯《らんぐいば》のように黒く不揃《ふぞろ》いに奥の方へ重なり合っている。この長屋には、いったい人が居《お》るのか居らんのか、と喜和は思った。葬式のときのように、沈んだうちにもざわざわした気配が感じられるとも思うし、大風の後のようながらんどうの空《うつ》ろさも感じられる。

見廻すと、野天井戸の脇《わき》の雨曝《あまざら》しになっている壊れた車力の蔭《かげ》には、綿が簾《すだれ》のようにはみ出しているそうたを着た年寄りが風を除けて蹲《うずくま》っているし、破れた家の雨戸に背中をくっつけたまますり落ちた、という恰好《かっこう》で、じゅくじゅくに草履を濡《ぬ》らした子供達がいる。子供達は男も女も下に猿股《さるまた》も腰巻も着けておらず、拡げた前を露《あら》わに見せて何の恥らいも感じないらしい。人が通っても目も動かさない子供達を薄気味悪いと思いながらも、一方では、米を提げた喜和が通ってゆくのを、低い軒の重なり合った暗い奥から、数え切れないほど沢山の光った目がじいっと窺《うかが》っているようにも思える。

喜和は思わず襟元《えりもと》を掻《か》き合わせた。

自分でも知らないうちに前掛の端で鼻と口を掩っている。この狭い家々に溢れるほど人が居ると思えるのに、それがちっとも賑《にぎ》やかでないというのはどういう事だろうか。流行性感冒《はやりかぜ》のせいなのだろうか。そういえば空の竹筒を吹くような咳があちこちから聞えて来る。その声が地の底に浸み透っていくようにも、また広い野原を吹き過ぎてゆく風のようにも、寂しく不気味に聞かれるのであった。

お巻さん家は、一番奥の棟のその一番奥の端じゃと岩伍に聞いていた通り、喜和は暗い路地を掻い潜《くぐ》るようにしてその棟に取付き、足を踏入れてみて、

「これが、まあ」と、思った。

野天井戸から此処《ここ》まで、通りすがりに目を止めた家はどれもさんざんに破れてはいる

けれど雨戸や障子を閉めていたのに、この棟の家は皆、入口を掩う戸も障子も無いのである。破れ果てた夏の簾を吊下《つりさ》げてあるのはいい方で、多くは通路から一間限《ひとまき》りの家の隅々まで見え渡り、その一間には大抵落ちた壁に身を寄せて、こんもりと襤褸《ぼろ》を盛り上げたように人間が一人二人臥《ふせ》っている。通路の片側の、前の棟の裏に当る場所には、各家毎に荒土で築いた竈《かまど》と便壺《べんつぼ》とが一尺と離れず並んでおり、その便壺にも竈にも蓋も掩いもないのであった。

「此処の人らはまあ、雨でも降ったらどうするつもりやろう？」

と喜和は思ったが、雨が降らなくても、ずらりと奥まで並んでいる便壺はどれももういっぱいになっているのであった。

喜和が息を詰めている目の前で、そのとき、一軒の門口から病み呆《ほう》けているらしい老《ろう》婆《ば》がよろよろしながら出て来たが、そこに立っている喜和に目をくれる気力もないのか、真直《まっす》ぐ便壺の前に進んで行って、足を踏んばり用便の構えになった。便壺の傍《そば》の竈には真黒な鋳物鍋《いものなべ》が掛かっており、その下には枯れた小枝が白く枝なりに灰を残して通路にまで燃え退《しさ》っている。

老婆は、年寄りらしい力ない小水の音をたてると、大儀そうに竈の下の火を繕ってからまた家の中へ蹌踉《よろ》けながら入って行った。

喜和は、裏の姐さんには思わず目を伏せたけれど、今度はその場に釘付《くぎづ》けになったまま、きっかり目を瞠《みひら》いていた。

蟇疣《ひきあざ》のいっぱい浮いた、痩《や》せた老婆の足のあいだから滴《しずく》のように断続して落ちる小水、滴はその下の溢れた便壺から四方へ飛び散り、煮物の鍋にも細かいしぶきになって降りかかった。用の終り、たらたらと老婆の腿《もも》から脛《すね》を伝わった小水は、便壺から溢れ出た溜りの汚水に流れ込み、狭い通路を大雨の後のように濡らしている。老婆が紙の代りに尻を振って着物を下ろしたとき、垂れた股《もも》の肉が縮緬《ちりめん》の袖《そで》を振るように小刻みに震えたことや、老婆がそのままの手で小枝を竈の奥へ突っ込み、さらには小水の散りかかった鍋の木蓋を摘《つま》んで、その丸い縁で鍋の中の煮物を均《な》らしたことや、通路を引摺《ひきず》って入る老婆の、べっとり濡れた着物の裾《すそ》が若布《わかめ》のように裂け千切れていたことなど、それらのひとつひとつが退引《のっぴき》ならぬしたたかさでもって、喜和は自分の目の中に打込まれる思いがした。

こういう場所で、一升の米を抱えている事の重大さに喜和は強い眩暈《めまい》を覚えた。頭の中がひどく乱れていて、いま自分がどうして此処に立っているかという理由でさえ判らなくなってしまいそうであった。判っているのは、この病み窶《やつ》れた老婆を見た以上、ここを素通りにして奥へ通ることは出来ぬという自分自身の切羽詰った思いであり、手の中の米はそっくり、先ずこの老婆に恵んでやるべきだという声が、何処《どこ》からか確かに喜和の耳に聞えて来る。

それはしかし、喜和にとっては恐しく勇気の要る所業であった。老婆の家はこの棟のほんの取付きであり、土の竈と便壺は交互に並んで遥《はる》か奥までずっと続いている。この老婆のような死の近い病人はまだまだいるに違いないし、病人でなくとも飢えの為《ため》に起き上れない人たちでさえ、数えれば仰山な数になることであろう。喜和が米の味噌漉しを老婆の枕許《まくらもと》に置いたが最後、この棟とはいわず、長屋中の病み飢えている人間たちがどっと押寄せ、喜和はその争奪の元を作った張本人として皆に打《ぶ》ち殺されてしまうかも知れぬ。そう思うと、喜和の頭の中を不意に、炎に巻かれた餓鬼道地獄の赤い絵が恐怖を誘いながらちらちらと通り過ぎていった。

大勢の怒声はいま喜和の廻《まわ》りを身動きならず取巻いていた。

病人は今、一握りの米があれば粥《かゆ》に炊《た》いて生き上る事が出来る、それじゃのに、此処へ一升もの米を提げて何故《なぜ》見せびらかしに来た、と叱据《ずきす》えられているその片方の耳では、長屋四十軒、口は百六、七十人、それにたった一升の米を惜しそうに持って、ようも手柄《がら》顔に来たものよ、と高く嘲《あざけ》っている喚《わめ》き声もおんおんと聞えて来る。

米を今、欲しがっている人は此処ではあんまり多過ぎる、と喜和は思った。それに較《くら》べ、小さな味噌漉しの中の米はどうしようもなく余りに少な過ぎるのであった。

喜和は見えないものに向って宥《なだ》め賺《すか》すように片手《て》を上げながら、「遁《に》げるがじゃない、遁げるがじゃない」と胸で繰返し、少しずつ後退《あとずさ》りしていった。

ここで退《ひ》くのは後めたく思えたが、前へ進むのは堪《たま》らなく恐かった。身一つならともかく、僅《わず》かでも米を持っている体でこれ以上踏出せば、きっと何かが起るに違いないと思われた。味噌漉しは前掛の下に隠してはいても、長屋中の米を見透す目の鋭さはそんな事で誤魔化し切れるものではない。

喜和はとうとう、「逭げてはいかん」という制止の声を振り切って、次には小走りに走り出していた。この場所に居れば居るだけ恐さが増して来るようで、汚水の溜りを避ける余裕もないほどにせき急ぎ、躓《つまず》きながらやっと家へ戻り着いてみると着物の裾からは雫《しずく》が垂れているのであった。

喜和は上《あが》り端《はな》に浅く腰を下ろし、続けざまに幾度も大きい呼吸をした。ああいう光景を見たのは生れて初めてであった。考えなければならない事がいっぱいあり、頭も胸も詰まって膨れ上っているのに、考えるよりも先に、あの小水の散り掛かった鍋の中の煮物の汁を老婆が啜《すす》っているさまや、腐れ魚のような目をして車力の蔭に蹲っていた年寄りや、屋根の杉皮が朽ちて黒い蔓草《つるくさ》のように軒に垂れている長屋の様子が思いに迫って来る。

裏長屋のあの貧乏は、スペイン感冒が流行《はや》る前からの定めし念の入ったものじゃに違いない、と喜和は思った。感冒で寝込んでしまって仕事に出られず、その為に忽《たちま》ち食うに困るのは判《わか》るけれど、裏長屋の貧乏のさまは今日や昨日の底の浅いものではないように見える。乞食《こじき》や遍路《へんど》の貧乏は流れ者の気楽さがあるが、あの長屋には、野天の竃とそれに並んだ小便桶《たご》が執拗《しっこ》く何処までも付いて廻る、暮しという重石《おもし》を背負っている。背負ったまま逃げもならず、食うや食わずで過している所へ、今度のような獰猛《どうもう》な流行《はやり》性感冒《かぜ》に狙《ねら》い打ちされては、長屋全体、一たまりもなかった事であろう。長屋を包んでいる葬式の通夜《つや》のようなあの暗い静まりも、手段の尽きた挙句の諦《あきら》めかも知れず、そう思えば喜和にも頷《うなず》けるのであった。

それにしても喜和は、あの場所で何故、息も詰まるほどの恐怖に襲われたかをつくづくと思い返してみるのであった。あのとき喜和は餓鬼道の幻に怯《おび》えたけれど、考えてみれば喜和に向って誰一人、味噌漉しの米を迫って来たわけではない。米どころか老婆は喜和など見向きもしなかったし、野天井戸の廻りの人も子供達でさえも、表通りから入って来た喜和に目を動かしもしなかった。

「それじゃ。恐いのはあの、しぶといほどの落着きざまじゃ」

と喜和は思った。

それは、長い貧乏を引摺り、積み上げて来たどん底の人間たちだけが持っている、ぎりぎりの地力とでもいうものでもあろうか。

破れ天井から青天が覗けようと、小水の掛かった煮物を食おうと、雨の日は煮炊きが出来なかろうと、明日の米が無かろうと、死ぬまでは生きている式の図太い性根をあの連中は持っている。焦《あせ》ってもどうしようもならぬ諦めともいえるかも知れないけれど、あの静まり返った不気味な落着き様《ざま》は、これまで喜和の経て来た上っ面《つら》の貧乏感に威《おど》しをかけるに充分なものであった。

常盤町《ときわ》時代、粥腹でかったるいときや、一帳羅《いっちょうら》を岩伍の質草に持って行かれたとき、喜和はこれ以下の暮しはあるまいと嘆いたものだったけれど、裏長屋の暮しに較べればあれが果して貧乏といえたかどうか……第一喜和は米も金もなく、入るあても全くない暗い気分で長い期間過した事はないし、飢え死と隣合せに坐《すわ》っているような追詰められた感じを持った事もなかった。いよいよ困れば鉄砲町へ米を借りに行く事も出来たし、その内ひょっこり、岩伍が博奕《ばくち》に勝って大儲《おおもう》けする呑気《のんき》な夢もあった。いってみればあれは貧乏ではなく、岩伍の沙汰《さた》を待ち続けていることの辛《つら》さだけであったかも知れない。

米の欲しい思いは身に憶《おぼ》えがあるだけに私にも《あて》よう判る、などと内心言訳しながら長屋から遁げ出して来たのは、喜和が今まで人に対していえた〝貧乏の苦労〟が似非《えせ》だったことの暴《あば》かれるのを、自分ながら怖《おそ》れたのかも知れぬとも思える。出口を持たぬ袋《ふくろ》小路《こうじ》のような貧乏とは真底恐しいものよ、と喜和は思い、似非貧乏人のやわな暮し振りなどとても傍へも寄れぬことを、身にずっしりと応《こた》えさせられたようであった。

喜和の胸にそのあと、貧乏の酷《むご》さというものが沁々《しみじみ》と溢れて来たのは、夕方岩伍が戻ってからの事である。

灯点《ひとも》し前、やっと凪《な》いだ外から岩伍が帰り、

「長屋のお巻さん親子は、とうとう、よう助からざったよ」

と沈んだ声音で喜和に告げた。

喜和はそれを聞いて飛び上るほど驚き、蠅入《はい》らずの前に置いたままになっている味噌《みそ》漉《こ》しの米に思わず目をやった。深い悔いが一時にどっと、強く喜和の胸を締めつけて来るようであった。

岩伍は昼間、喜和にいいつけた後、すぐその足で上町の吉沢医院へ走り、往診を乞うたが、患者が殺到しているため先生の約束は二日後になるといわれ、それなら先に米の手配をと三丁目、上町、常盤町と近辺の米屋をすべて廻り、後払いで三等米を二俵借り出す交渉をしたが何《いず》れも応じては貰《もら》えなかった。やっと遠い菜園場《さえんば》の米屋で、一俵だけなら、という約束を取付け、それを担《かつ》がせて裏長屋に入り、それぞれに汲《く》み出して配り歩いたのだが、棟の奥のお巻さんの家を最後に訪れたときは、もう母子ともに冷たくなっていたのだという。

「男の子が先に死に、それを抱《うだ》いてお巻さんは半日くらいは生きておったらしい。ふたありとも、骨と皮ばっかりに痩せさらばえてのう」

その岩伍の言葉を聞いて喜和は堪《こら》え切れなくなり、水を汲むふりをしてすっと流しの前へ下りた。

今日昼間、あの米を真直ぐに届けていたら、そのときお巻さんはまだ生きていたのではあるまいか、と思う。喜和に死を止める力はないにしても、最後のいい置きくらいは聞いてやれたのではないかという気もする。が、それを思うことは堪《たま》らない気持であった。そこまで行き詰んだ容態ならこちらにも考えようがあったものを、と喜和は岩伍の手前、申訳を考えながら一方ではきりきりと鋭く胸を刺されていた。

それは最前裏長屋へ出向くとき、喜和の胸に蟠《わだかま》っていたお巻さんへの不服であり、その不服が知らず知らず働いて、わざと米を渡さず引返して来たのではなかったかという自分自身への疑いの為であった。豊美を陽暉楼《ようきろう》へ出したあと、お巻さんは前よりも苦しい毎日だと喜和は確かに聞いていたのだし、そんな状態の母子をこの流行性感冒が襲えばどうなるかと考えると、今はもういい逃れも出来ないほど辛い思いに追込まれて来る。

岩伍は、流しに立って項垂《うなだ》れている喜和に後から声を掛けて、

「豊美を陽暉楼からすぐ戻して貰うよう頼んでは置いたが、あの子に金の融通のつく道理もなし、葬式はどっちみち、うちで出してやらにゃあなるまい。何ぞ質草はあるか」

と訊《き》いた。

喜和は咄嗟《とっさ》に切返して、

「質草は私が何ぞ見繕うて、角の質屋《まつむら》へ行て来ますきに」

といいたい思いがあったのに、長い習慣から来る気遅れがあり、そんな鮮かな言葉は

すぐ口には載らなかった。気短な岩伍は、以前博奕のかたを寄越《よこ》せというと、しがみついて惜しがった喜和の姿を思い出したのか二言とは繰返さず、不機嫌《ふきげん》な顔でまた表へ出て行ったようであった。

釜屋《かまや》に誰もいなくなると、喜和の瞼《まぶた》にはいちどきに熱いものが溢《あふ》れて来た。入口に雨戸もないあの吹き曝《さら》しの家で、蒲団《ふとん》もなく食物もなく薬もなく、お巻さんは誰を待って寝ていたのであろう。喜和は前掛の端でしきりと涙を拭《ぬぐ》いながら、あれほどに底を突いた貧乏を自分が知らなかった迂闊《うかつ》さを心のうちでお巻さんに詫《わ》びた。喜和が若《も》し長屋の情景を日頃《ひごろ》から知悉《ちしつ》していたら、あの老婆の前をも平気で素通りして間違いなくお巻さんを見舞い、その場で粥を炊いて食べさせてやったことであったろう。いくら玄人嫌《くろうとぎら》いだとはいえ、土壇場に来て身を躱《かわ》すほど卑怯《ひきょう》じゃない、それだけは自分を信じていたい、と喜和は思うのであった。

喜和は流しの前を離れて座敷に上り、箪笥《たんす》の引出しを順に開けて質草になりそうなものを片端から取出しては座敷に積んだ。質屋の松村には宿替え当時の手許の遣繰《やりく》りに一、二度世話になったことがあり、姐《ねえ》さんの町内の評判では、いつもきちんと東衿《あずまえり》を掛けた身装《みじま》いといい叮嚀《ていねい》な挨拶《あいさつ》といい、体裁はいい人だけれど貧乏人には決して情を掛けないなどといわれているが、喜和は頭を下げてこの荷で筒いっぱい貸して貰おうと思うのであった。

翌日、ほんの内輪だけで行われたお巻さんの葬式に、喜和は行かなかった。どうやら感冒を免《まぬか》れた近所隣の人達が手伝う由《よし》を聞き、それ以上に手の要らないのを知ったせいもあったけれど、せめて出棺の見送りだけでも、という岩伍の勧めをもうやむやに拒んでしまったのは、喜和があの日に受けた手ひどいさまざまの衝撃から、まだ充分醒《さ》め切っていない為でもあった。

明らさまな罪といえなくとも、自分が関《かか》わり合った人の死をどうして平然と送る事が出来よう、と喜和は思う。まして己の粗忽《そこつ》と性根の無さがもとで、末期《まつご》に白粥の一杯も口に入れてやれなかった哀れなお巻さんの棺を、人並な顔をしてどうして見送る事が出来よう、と頑《かたく》なに思う。大勢の前で、大小並んだ二つの棺を見て、激しく取乱さないとは、喜和はまだいい切れないのであった。

岩伍《いわご》はそれを少しも知らず、地獄谷の焼場を指して富田の前を過ぎてゆくお巻さんの葬列に対し、門口へ出て手を合す事もしない喜和を見て、

「まことに情《じょう》の薄い女子《おなご》よのう。それでは後々《のちのち》、困るが」

と呟《つぶや》くのであったが、喜和はいい返しひとつせず、黙って岩伍の前を外すのであった。

お巻さんの死はその後長いあいだ、あの長屋の無惨《むざん》な老婆《ろうば》の姿と共に喜和の内に居据《いすわ》ってしまい、ときどきは手痛く胸を噛《か》んだ。

世間にはどうにもならない貧乏の為に、成りゆきに任せる以外生きる道のない人があ

るのを喜和はお巻さんで見て、自分の目の貧しさを今更に悔む思いであった。お巻さんが、そのときどきに男を替えるたび落目になり、最後には病いと飢えに攻められて酷い死に方をしたのも、自分では決して望んだ生涯《しょうがい》ではなかったことであろう。その後の話では、年中刑務所へ入ったり出たりの、手癖の悪い息子との二人暮しだと聞くあの老婆をも含め、裏長屋の連中はそれぞれに皆、お巻さんとは大差ない境遇であり、しかも何かの幸運にでも突然廻《めぐ》り合さぬ限り、この貧乏から決して抜け出せない事情も共通していた。

長屋に住む人たちの、新聞を読むとき必ず下にイービーと節をつける、妻楊枝《つまようじ》を削って細々と暮しを立てている学のある先生、日も夜も麦稈真田《ばっかんさなだ》を編み続け、その手間賃でやっと薬代を払っているあの裏の姐さん、月のうち、仕事のある日よりも仕方なく遊ぶ日のほうが多いという車力引のどん平さん、雨と風は仕事に出られず、仕入れた原料代で後へ這《は》うと嘆く桃太郎の黍団子《きびだんご》売りの兄弟、その他の皆の、自分だけを命綱と頼む、風口の蠟燭《ろうそく》のような危なっかしい暮し振りを見れば、この中で女の子を持つ家はまだしも先に息のつける望みもあろうというものではあるまいか、とさえ思えて来る。

娘の身売りは必ずしも岩伍の突拍子もないこじつけでなく、此処《ここ》では罪悪などとは全く別の、世間に堂々と通用する親孝行という善行なのだと、喜和は岩伍の言葉を今更に思い返してみるのであった。

豊美《とよみ》が陽暉楼へ入るとき、身売りの辛さをいわず、

「これからは、私一人だけ三度のお飯《めし》を口に入れれる事になって、母《かか》やんに済まん」

と泣いた事を思うと、親は娘の身売りによって何かの幸運が摑《つか》める事を夢み、娘はたとえ麦飯にしろ、飢《ひも》じさから解放されるのを夢みるだけ、日頃から如何《いか》に貧乏に痛めつけられているかが判る。

喜和は以前岩伍から話を聞いたとき、紹介人に無理強《むりじ》いされるのでなく、娘が自分からそれをいい出すなど、到底信じられない気がしたけれど、いま、この裏長屋の情景を見れば、豊美が進んで陽暉楼に入る決心をつけた事実も容易《たやす》く受入れられるように思える。女の子が自分の手で稼《かせ》いで親を助ける方法が他にあるわけでなし、豊美だって三条通りの刺繡《ししゆう》工場で身を粉《こ》にして働いていて、一家はいつも半餓《はんう》えの有様であった。

豊美はいま、陽暉楼で芸事の仕込みを受けながらも、固肥《かたぶと》りして前よりはずっと息災げになっているという。それを豊美の仕合せとは一概にいい切れないけれど、少くとも母親との共倒れから免れたのは確かであった。

長屋では男の子よりも女の子の出生を喜ぶのが常であり、

「これで後十年の辛抱じゃ。十年すりゃ、この子が親を喰《く》わしてくれるようになるきに」

といい合うのは、十歳にもなれば芸者の仕込みに売れる望みがあるという意味なので

あった。

喜和は、岩伍がわざと選んでこの緑町《みどりちょう》へ移って来た理由が、いまようやく摑めたように思えた。娘の身売りの介添を人助けとも信じ切っている岩伍は、この長屋の有様を見て気負い立ち、此処から先に自分の手を入れてみたかったものであろう。

貧乏とは真実《まこと》に悲しいものよ、食べて着て寝て、その日が満足にさえ過して行けりゃ誰も身売りとまでは考えまいものを、と喜和の思いはそこへ帰る。岩伍は男故《ゆえ》、苦界《くがい》に沈められてもなお出世の日を思い描く、精一杯な生きかたを娘達に望んでいようけれど、喜和は女の身でそこまでは考えられないのであった。

これから先、喜和は安岡の姐さんのように、「裏の連中には手合わぬが一番」とだけでは過してゆけぬ事の難しさを考える。陽暉楼も客なら裏長屋の住人も富田にとっては大切な客であり、その客の暮し振りを恐れて逃げ帰るような態《ざま》ではこの先紹介人の女房は勤まらぬ、とまでは、喜和にも確かに思えて来る。

六

高知市の人口の四割五分が罹患《りかん》し、内一割は死亡したといわれるスペイン感冒《かぜ》の騒ぎがやっと納まったあと、岩伍は緑町四丁目を挙げて町内会長に推され、役所からの承認があって正式に書付けを貰った。面倒な裏長屋を抱えている四丁目の町内会長には、昔からなり手がないと嫌われていたくらいだから、感冒にお不動様のお札を配っただけの金歯の谷川は、むしろ喜んで肩代りした事であったろう。

町内会長の書付けは、金縁の額に入れて店に飾った。

喜和は毎朝その硝子《ガラス》を綺麗《きれい》な布で拭《ふ》き、漢字を飛ばして仮名ばかり拾い読みをしてはひそかに満足を覚えるのであった。紹介人というものに、胸の内で引掛かりを持ちながらこちらへ越して来た喜和にとって、当座は廻《まわ》りが皆、何者？　と自分達を窺《うかが》っているようで、朝に夕に肩身の狭い思いは免れなかった。スペイン感冒のときの岩伍の働きがあったとはいえ、移転後半年足らずの内に町内会長に推されるということは、町内が富田一家を認めてくれたものであり、紹介人の看板に対しても格別の文句なしに受入れてくれたものと見ていいと思われる。表町にも、おちょぼに出ている茂八ちゃんの娘、上方《かみがた》で自前の芸者をしている東条の娘など、富田と関わっている人もぽつぽついるのを知ったことと共に、喜和にとってそれは大きな安堵《あんど》であった。

安岡の姐さんなど向うから飛び込んで来て、

「これで町内の頼りになる人が出来た、と皆喜返《うげかや》っておりますぞね。これからは、困った事が出来たら直《す》ぐに富田へ行きや、という一言で万事けりが付く。有難いこっちゃねえ」

と煽《おだ》て上げてくれるのも、少々気まりが悪いながら、嬉《うれ》しいものであった。馴染《なじ》んでみれば、この緑町には、鉄砲町にも常盤《ときわ》町にもないあけすけな良さがあり、なまじ隠し立てするよりも胸腹をポンと叩《たた》いて「口は悪いが、ここは綺麗なもの」とさっぱり見せ合うやり方がいいのだと判って来る。尤《もつと》もそれは喜和には出来ない芸当だけれど、交際《つきあ》いやすさからいえばこちらのほうが気が置けなくていいのであった。

店の間の壁の額縁はその後一つずつ増え、緑町全体の消防団長、青年団長、などのほかに、これも纏《まと》まりの難しいといわれる紹介人組合の組合長、楼主組合からの感謝状などを掛け連ねている。三味線も繭玉《まゆだま》もない富田の店は、金縁の額を掛け連ねることにより、いっそう色気のない雰囲気《ふんいき》となった。

喜和は岩伍が町内に頼られるのも嬉しかったが、それ以上に仕事の上で取引先や仲間たちから信用されるのは文句なしで喜ばしい事に思えた。以前、兄の楠喜《くすき》が岩伍の出世を口にしたとき、喜和は不審でならなかったけれど、考えてみればどの世界であれ、男の信用の厚みをこそ出世といえるのではないかという気もして来る。

喜和の岩伍を見る目は多分に贔屓《ひいき》目ではあるものの、それにしても開業後、岩伍は廻りからの期待を裏切る事なく順調に仕事を伸ばし続けている。この七年のあいだに岩伍は高知市の目ぼしい料理屋遊廓《ゆうかく》へは殆《ほとん》ど妓《こ》を入れており、京大阪の上方への交流もあって、県外へ出ることも多くなっていた。その蔭《かげ》に陽暉楼の力があるのを決して忘れはしないけれど、何といっても岩伍自身のいう「立派な紹介人」になろうとする強い念願がなければ、ここまで来られなかったことであろう。

「立派な紹介人」というものの在りようはいろいろあろうけれど、喜和の見るところ、仕事のきっかけが紹介人と妓との、どちら側にあるかでそれが決まるように思える。自分の手掛けた妓が、よく稼いでいるとき、胴慾《どうよく》な紹介人なら甘言を操って仕《し》替《か》えをすすめ、身代金《みのしろきん》を吊上《つりあ》げて手許《てもと》を肥やすが、妓本位に考える紹介人なら、辛抱をいい聞かせて前借金の少しでも早く終るよう、手助けしてやるのであった。紹介人の手数料というのは身代金総額の一割なのだから、上玉を扱えばそれだけで一年近くも遊んで暮せぬこともない。たちの悪いのに行き当った妓は、まるで紹介人の口を養ってでもいるかのように、金の無くなった頃合には必ずそっちこっちへ仕替えさせられ、そのたびに借金が増えるばかりで最後はいつも無惨な姿に堕《お》ちてゆくようであった。

岩伍はいま、自分一人では躰《からだ》が足りず、もぐりの益《まつ》さんやら長《ちょん》さんなど三、四人を使って仕事を捌《さば》いている。儲《もう》けの高からいえば親出の仕込みっ子は割に合わないものだけれど、岩伍は自分の建前から仕替えの妓の情報《はなし》は人手に任せ、自分は専《もっぱ》ら長屋の手入れに掛かり切っている。

従って、喜和の役割も今ではひとりでに決まって来ており、豊美のように家から真直《まっす》ぐ料理屋へ連れつける仕込みを除いて、仕替えの妓たちの短い逗留《とうりゅう》の世話や、呉服屋を家へ呼んで丹念に衣裳《いしょう》選びをしてやることや、益さんや長さんへ使いを出したり言伝てを伝えたり、また親からの苦情も嚙《か》み分けて聞いてやり、それなりに手を打ってやらねばならないのであった。

玄人上りの紹介人の女房というのは、妓を一目見れば悪い情夫が付いているかいないか、妊娠の経験があるかないか、すぐ判《わか》るというけれど、喜和はこの上いくら年月を重ねても、自分の気質からしてそこまでは出来ないように思える。幸い、これまでは悪摺《わるず》れのした妓は一人もいなくて、却《かえ》って、自分の小遣の中から喜和を通じて親兄弟に物を贈ったり、たまの休みに遊山《ゆさん》へ誘ったりの、こちらまでほろりとさせられるような話が多い。

喜和は、こういう忙《せわ》しさの中に身を置いていると、ときどきふと、自分が快い善行を積んでいるような気になるときがある。親たちが娘からの銭や物を喜和の手から受取るとき、涙を滲《にじ》ませながら押戴《おしいただ》いて、「これも皆、富田の姐《ねえ》さんのお蔭様《かげさん》で」といわれると喜和は一瞬、自分の力でそれを叶《かな》えてやったような不思議な昂《たか》ぶりに包まれる。確かに、裏長屋並の貧乏人を相手にしていれば、救恤《きゅうじゅつ》が如何《いか》に大切かは判るし、判るだけに世話をしている人間はとんだ思い違いに陥入《おちい》りそうであった。醒《さ》めていて考えればこちらは口銭《こうせん》取った商いなのだから、深々と礼をいわれると却って戸惑いを覚える。岩伍はともかく、喜和一人の力といえばせいぜい、岩伍の煙草《たばこ》入れの底の屑《くず》を蓄《た》めて置いては届けてやる事や、古足袋古下駄《げた》の類《たぐい》を洗って恵んでやったりのけちなものでしかないのを、自分ではよく判っている。お門違いともいえる感謝をこちらへ真面《まとも》にぶつけられても、喜和にはそれを受止めてやるだけの胸の広さはないのであった。

人間、情に流されず、ある一点までに踏止《ふみとど》まっての人への親切というのはなかなかに難しいものだけれど、喜和がその弁《わきま》えを決して外さないのは力を持たぬ女であるせいもあり、これが男の岩伍となると話は変って来る。

岩伍の「人助け」に対する解釈は年々膨らんでゆくばかりで、商売に関係のあるなしに拘《かかわ》らず、酷《むご》い境遇と思えば誰にでも情を掛けるやりかたを傍《はた》から見れば、まるで見境もない、と思いたくなるようであった。スペイン感冒のときの事を考えても、あの当座、金に余裕があるわけではなし、商売上の取引といえばまだお巻さん一人だった長屋に、岩伍は一軒残らず己の借金で得た米を配り、吉沢先生の往診代まで払ってやっている。それはそれで、同じ町内の事ではあるし喜和が今更いわないでもいいけれど、他の紹介人を見渡しても、身銭を切って妓の実家の世話まで引受ける話など聞いた事もないし、もの判りのいいとされている楼主にしても、抱え妓の身内に融通した金はその妓の前借金に必ず上積みするのが例となっている。それは薄情とか不親切とかいうのでなしに、それで一家を成している職業ともなれば当然の事なのであった。

岩伍の場合はそればかりではなく、スペイン感冒以後、下町一帯に名の知れた富田を頼って来る乞食擬《こじきまが》いの流れ者を悉《ことごと》く拾い上げ、また出先からさえ拾って戻るという打込みようであった。

富田には今、男衆《おとこし》四人に菊と絹を入れて六人の他人が居付いている。物乞いも頻繁《ひんぱん》に扱っていればそれなりにこちらにも心得が出来て来るもので、

「何でもして働きますきに、どうぞこの家へ置いちゃってつかさいませ」

と哀れを訴えても、本気で居付く人間と、そうでないのとの違いは大凡《おおよそ》最初からして喜和にも読み取れる。汚れたものを小ざっぱりと着換えさせ、腹いっぱい食べさせ、風《ふ》呂《ろ》賃《ちん》散髪賃の小銭を手渡した途端消え失《う》せるのや、四、五日居付いて様子を見澄ました上で荷を拵《こしら》えては逃げる手口のも含めて、喜和はこの連中を、心の内で密《ひそ》かに「銀蠅《ぎんばえ》」と名付けて家の男衆たちとは区別していた。

四人の男衆たちのうち、この家へ最初やって来たのは吃りの亀《かめ》である。夕飯刻《どき》、灯《あか》りの届かない梯子段《はしごだん》下の土間に、黒い大きな迷い犬が寝ていると喜和は思い、シッシッと追払おうとしてよく見ると、それが襤褸《ぼろ》を被《かず》いた亀なのであった。遠くから見て龍太郎《りゅうたろう》が「躄《いざり》の乞食じゃ」といい、健太郎が「啞《おし》ぜよ」といったが、居付いて日が経《た》ってみると足躄《あしな》えでも耳が聞えないわけでもなく、人並外れて動作の鈍い吃音《きつおん》であることが判った。亀のあと、上《かみ》の新地の娼妓《しょうぎ》と心中し損い、溺《おぼ》れていたのを釣《つ》りに出ていた岩伍が棒堤から救《たす》け上げて来た米《よね》、香具師《てきや》同士の喧嘩《けんか》から富田へ逃げ込んで来た

良吉、もぐりの紹介人益さんが曰《いわ》く付きで連れて来た庄《しょう》、など、それぞれに流れついて来てはもう半ば富田に根を下ろしかけている。ほかにも半年足り足らず居て出てしまった四、五人もあるけれど、向うが富田の人間になろうとして腰を据《す》えて掛かってくれれば、喜和としても扱いはずっと楽になる。四人が四人とも、歳《とし》も生れも名前も本当のところは聞きもせずいいもせずにいて未《いま》だに判らないが、日々の擦れ合いの中から次第にそれぞれの気質も呑《の》み込めて、亀は仕作《しぐさ》ののろいせいでそう名付け、耳の大きい米はちょちょらで、痩《や》せの良吉は蚊脛《かずね》の良やん、ちょっと見のいい庄《しょう》は人の煽《おだ》てに乗り易《やす》いなど、今では喜和も心得ているのであった。

男衆たちに前後してやって来た菊と絹を含め、この六人については今ではもう家族と同じように喜和は考える事が出来る。こちらが選んだ相手ではなし、吹寄せの人間ばかり集れば気に入らない事も多いけれど、年月と馴れがそれを宥《なだ》めて先《ま》ず、我慢ならぬ、という日はない。

が、これが何時《いつ》やって来て何時去って行くか判らない銀蠅たちになると、喜和は明らかに自分のほうが相手に引摺り廻されているような情《なさけ》ない気分に陥入ることがあり、心が平らかでなくなるのであった。

喜和が一番嫌《いや》なのは、こうも富田に人の出入りが激しくなってから家の中の物がすぐ無くなる事で、そうなると予《あらかじ》め盗《と》られるを見越して隠したり、頭から他人を疑って掛からねばならなくなり、自分ながら心の内まで刺々《とげとげ》しくなってゆくようで侘《わ》びしい。昔のように、釣銭の銅貨などのんびりと蝿入らずの端に置いたりすると、この節ではこちら向いている間にもう消え失せる。

「此処《ここ》のお銭《ぜに》、知らんかね?」

と正面切って訊《き》くは野暮で、確かだと思って問い詰めても相手が銀蝿の類なら、

「姐さん、自分の思い違いを人のせいにしなや。昨夜、大将とちっと過ぎたがじゃないかえ」

とまで逆に切返される。

喜和は家の内を廻してゆくについては自分なりに、それは言葉などの制統ではなく、家の内の一人一人が互いに支え合いながら、自然に作り上げてゆく決まりでなくてはならぬ、とずっと以前から思い続けていた。家風、というほど大袈裟《おおげさ》でなくても、夫婦二人限《き》りの世帯、夫婦に子供一人の世帯、両親に若夫婦の世帯、主《あるじ》に使用人の世帯など、家にはそれぞれかっちりと組合わされている家族というものがあり、その家族が皆暮しいいようにひとりでに拵え上げられた決まりの中で、家の日常は運ばれるものだと考えている。例えば、極く些細《ささい》な事柄《ことがら》だけれど、この家は一日どれだけの飯を炊《た》けばいいか、という事は何の苦労もなくその家の主婦には判る。日々多少の出入りはあるにしてもそれが容易《たやす》いのは、飯台の前に坐《すわ》る家族の数が年中を通じてそう変りがないからであろう。

喜和の場合は、岩伍が見境なく連れ込んで来る銀蠅や物乞いたちの為《ため》に、未だに家の内の飯の量の目安が立たず、年中飯釜《めしがま》を抱えて追風に煽《あお》り上げられているような具合になる。それに近頃《ちかごろ》では、飯刻になると裏長屋の連中が必ずやって来ては心易く飯を食ってゆく慣《なら》わしになっており、喜和は普段の日でも菊と絹と三人して、ときに三十箇に余る茶碗《ちゃわん》を洗う事もあった。暮しの人数が定まらないのは飯の場合だけでなく、着類《きるい》履物蒲団《ふとん》から今はもう手狭にさえなったこの家の部屋割まで、増えたり減ったりの激しさはまるで定客を持たぬ下手な宿屋なみの忙しさになるのであった。

岩伍《いわご》は家に来た男衆たちを、喜和が好きなように使い廻してよい、という一方ではまた、

「あれ等をつけ上らせてはならんが、見下げた扱いはすな」

と難しい事も喜和にいう。

喜和は連中を見下げた憶《おぼ》えはないけれど、内心の不服がつい色に現れる事もあろうかと考えれば、岩伍の前だけでも銀蠅の応対にはさらに気を使わねばならないのであった。

喜和はしかし、事が物に関《かか》わっている苦労ならまだ易しい、と思う。人を窘《たしな》める事の不得手な喜和がときにそれをいい出したくなるのは、ようよう出来上って来ようとしているこの家のしきたりや決まり事を、銀蠅たちが平気で掻《か》き乱してゆく事にある。人数が増えれば喜和といえどもしたい放題は許されないし、朝は何時に枕《まくら》を離れ、夜は何時

に雨戸を下ろすなど一日の大元の流れから、細かい事までいえば、この家の忌事《いみごと》とされている、朝、猿《さる》という言葉を使ってはならぬ、土瓶《どびん》の口を北に向けて火に掛けてはならぬ、夜爪《よづめ》を摘《つ》んではならぬ、飯に二度茶を掛けてはならぬ、枕元に箒《ほうき》を置いて寝てはならぬなど、さまざまな中合せ事の大切さが、他所《よそ》から来てすぐ通り抜けてゆく人たちには判って貰《もら》えないのが困るのであった。

商売上神信心《かみしんじん》に厚い岩伍が、朝、家中の神棚《かみだな》と仏壇に御燈《みあかし》を上げ、火鉢《ひばち》には皆新火《さらび》を埋《い》けて清々《すがすが》しく朝の食事をしているとき、のっそりと後から起き上って来た寄食人が大声でさる、さるといい、飯台の前でいぎたない伸びをするのを見ると喜和は一日中気色《きしょく》が悪くなる。猿は客の去るに繋《つな》がり、商売人なら朝それをいわれただけで顔色が変る、といわれているだけに、知らないで口にしたにもせよ、なかなかに許し難い思いもするのであった。これが、この家に落着く人間ならそれなりに判っても貰うけれど、「誰それが迎えに来るまで」とか「何々の仕事があるまで」とか、どうせ出まかせに決まっている理由をつけていずれは出てゆく人間なら放《ほう》っておくより仕方がない、とこちらがいつも我慢する事になる。

此《こ》の家は戸も壁もないのと同じ事じゃ、と喜和はよく思う。家というものは囲い廻し、閉め廻してこそ家族が他人ではなくなるのに、出たり入ったり増えたり減ったり、それが極く容易《たやす》く出来るのだから家風も何も、固まりかけては崩れ、出来かけては散らばってしまうのであった。考えてみれば、女達は銀蠅連中を受入れる為に働いているようなもので、喜和はこの頃では屢《しばしば》これで何の益があろうか、と考え込むようになっている。岩伍は折々、

「あれ等は他に行く所がありゃあ、家《うち》へなど来はせん。考えてみりゃ酷《むご》いもんじゃないか」

というけれど、喜和は胸の内で、それは身売りした娘の身内なら世話もしよう、面倒も見ようし、少し手を拡《ひろ》げても裏長屋の住人くらいなら飯刻《めしどき》の客として拒みはすまい、と思う。が、岩伍のように、店先へ入って来た乞食をさえまるで抱え上げるようにして事情を聞き、挙句には、

「おうい喜和、これに何ぞ直《す》ぐ食わしてやれ。俺《おれ》の古着でええきに着換えもさしてやれ」

とまでは、とても蹤《つ》いてゆけないとさえ思えるときもあった。

喜和はしかし、こんな不服を決して岩伍に向っていえはしなかった。女子《おなご》が賢《さか》しげな口を利《き》く非を知っているせいもあるけれど、今の岩伍にとってはそれが何よりの生き甲斐《がい》になっているのを、誰よりも喜和はよく知っていると判っている。喜和なら一足退《ひ》いて除《よ》けるところを、岩伍は逆に一足も二足も前に進み、相手からの気持を躰いっぱいで受留める。相手の言動が、空世辞であろうとその場限りのものであろうと疑いも

迷いもしないのは、いっそ喜和までも説き伏せる力になっているようであった。人に施しをするとき、自分の心を充《み》たす密かな快い昂ぶりのために、岩伍はああいう埒《らち》もなさに踏み迷うのであろうか、と喜和はときに意地悪く思いみたこともあったけれど、矢張り岩伍には幼ない日の、人に見せない涙をいまも胸の内にとめどもなく流し続けているとみるのが、一番ふさわしいようであった。その涙が乾いてしまう日まで、岩伍はきっと遮二無二《しゃにむに》働いては人に撒《ま》き与え、また働き続けるであろうことが思われる。

七

じっと気分を養う居場所もない忙《せわ》しない富田の家で、喜和は思いが詰まってくると前掛の下に手を差込んではときどき、煎餅屋《せんべいや》の坂本へ談義《どうぎ》に行くのであった。

これが安岡の姐さんなら、

「それは全体、大将が誰でも彼《かん》でも直《じき》に飼い付けるきに不可《いけ》ん」

という風に諸事高飛車に出て喜和を慰めようとするのだけれど、煎餅屋の姐さんは情の深い目で凝視《みつ》めながら静かにひとつひとつ頷《うなず》き、

「姐さんもやり辛《づら》い事よねえ」

としんみり同意してくれるのであった。

赤褌《あかふん》の兄さんは男だけに喜和の肩ばかり持ちはしないが、

「ま、煎餅《せんべ》の割れでも食《く》て機嫌《きげん》直しゃ」

といつに変らぬ穏やかな顔付きで後の箱から手摑《てづか》みで渡してくれる。

此処へ来るとほっとする、と喜和が思うのは、夏でも白い尉《じょう》を被《かぶ》って熾《おこ》っている炉の赤さや、決して荒い声を立てない夫婦の落着きようもある事ながら、もう一つは、帰り際《ぎわ》に必ず姐さんのいう、

「何というても富田の大将は甲斐性者《かいしょもん》じゃきにねえ。姐さんも堪《こら》えるところは堪えにゃあ」

という励ましで、優しく背を撫《さす》られるような思いになり、また元気の出る事であった。

喜和はしかし、その姐さんが折々口にする、

「大世帯《おおじょたい》で何ぼか苦労じゃろうが、大将もよう考えちょる。姐さんの為に二人も女子仕《おなごし》を付けてくれて」

という言葉の中の、菊と絹を女子仕と呼び切りにするのには今でも些《いささ》かの拘泥《こだわ》りがある。それは姐さんに話しても判って貰えるような事柄ではなく、喜和自身でさえも大きな廻《まわ》り道をした挙句に、やっと近頃考えが定まって来たところなのであった。

亀を初め、四人の男衆たちは日常、岩伍の仕事の走り使いのほか、家の中の男手の用事を細々《こまごま》と片付けてくれる。風呂釜の水洩《みずも》りの修理、煙突掃除、庖丁《ほうちょう》磨ぎ、柄杓《ひしゃく》など柄《え》

のすげ替え、薪割《まきわ》り、器用なのは鍋釜《なべかま》の鋳掛《いか》けや下駄《げた》の歯替えまで、人間が沢山住んでいれば家も道具も傷《いた》んだり毀《こわ》れたりも始終あるもので、それ等の一切は男衆に引受けて貰っているし、手の空いているときはこちらの世帯まで手伝って貰う事もある。

仕事の仕上りからいえば、喜和は女よりも男衆たちのほうが好きだと思う。掃除一つにしても、男は地力があるというのか、箒目がつんと立って撫《な》でつけたように隅々《すみずみ》まで綺麗《きれい》になるし、飯炊きでも菜《さい》作りでも男衆のほうがいいつけ通り、かっちりと巧《うま》く仕上る。殊《こと》に岩伍の好きな、狗母魚《えそ》の摺身《すりみ》やら、卯《う》の花《はな》を炒《い》ってまるめ青魚を載せて拵える玉ずしなど、力と念の入るものの出来具合は、到底女の腕の比ではない。

喜和はしかし、男衆は矢張り岩伍に蹤《つ》いているもので、喜和の手伝いの為のものではないという分別はいつも持っているのであった。

菊と絹を女中《おなごし》と呼ぶ事に躊躇《ためら》いがあるのに、男衆を下男《おとこし》と呼んで格別の拘泥りもないのは、そのせいなのであろう。自分の子も含めて、男は子供でなくなるにしたがい、女親の前から次第に遠《とお》退いてゆき、軈《やが》てはどうしても跳び越せぬ深い溝《みぞ》を隔てて向き合っているような、女の踏込んでゆけないところが出来るものだけれど、それはそれで、判らないほうが自然なのだと喜和は思っている。が、菊と絹の二人の話になれば、女同士だし自分の踏んで来た道だから、躰《からだ》の育ち方にしろ、ものを見る目にしろ、喜和には大概の事は判る。むしろ判り過ぎる故《ゆえ》に身を乗出して差配したくなり、差配が過ぎるとお互いの関わり合いが骨がらみになって来る。

喜和は初めの頃、二人に対してよい母親でありたいと考え、その為には男衆たちに向う場合とはまた違った労を、ずい分と払ったものであった。

菊がこの家にやって来たのは恰度《ちようど》六年前の、かーんとよく乾いた秋の日の昼下りであった。

喜和は中庭の南天の木の脇《わき》に張板を立掛け、龍太郎の袷《あわせ》の上裏《かみうら》を張っていたが、表の格子戸《こうしど》の開く音がしたと思うと、座敷に上らず真直《まつす》ぐ土間を通り抜けて来た岩伍が、

「喜和、この子を早う洗《あろ》うてやれ」

と、後の黒い塊りを両手で喜和の前に押しやった。

喜和が黒い塊り、と見たのは、肩まで垂れた蓬髪《ほうはつ》と、どべどべと汚れた真岡《もおか》の単衣《ひとえ》を身に纏《まと》った女の子で、手も足も垢《あか》が斑《まだ》らに分厚く貼《は》りついており、足には、不似合な真新しい麻裏草履を穿《は》き難《にく》そうに突っかけている。

喜和は思わず、

「まあ、どうしょう、裏長屋の子でもこれほどは汚れておらんに」

と口走ってしまい、急いで首を怯《すく》めたけれど、岩伍もさすがに同じ思いなのか喜和の言葉を窘《たしな》めはしなかった。

岩伍の話によれば、今日桟橋《さんばし》を通り掛かると、荷を積み込んでいる船の前で、咽喉《のど》も

張り裂けんばかりの、必死の声を挙げて泣き叫んでいる女の子があり、その子を殴ったり蹴《け》ったりしながら船に乗せようとしている男があった。近付いて話を聞くと、男はこの子を薬屋に売るところだといい、薬屋はこの子の生肝《いきぎも》を抜いて六神丸を拵《こしら》えるのだという。値を聞くと男は黙って指を一本立て、岩伍は、一本の拾円はなかなかの大金だが子の命には替えられぬと思い、先程陽暉楼《ようきろう》で立金《たてきん》した妓《こ》の預り金が懐《ふところ》にあったを幸い、その金を渡してその場で子を買取った。

子はぴったり泣き止《や》め、岩伍に蹤いてしっかり歩いたが、裸足《はだし》のままなので途中麻裏草履を買って穿かせると、履物など穿いた事もないのか具合悪そうに跳ね脱いでは後へ退り、しきりと嫌がる風を見せる。

「履物を穿かんと、さっきの船に戻す」

と岩伍が叱《しか》ると、しぶしぶと鼻緒を指の股《また》に挟《はさ》み、歩き難そうにして遅れ勝ちになるのをやっと家まで連れ付けたという事であった。

その男の話では、この子の生れも身元も一切判《わか》らんとの事であったが、

「判ってはおっても、どうせ詮議《せんぎ》されると都合の悪い事があるがじゃろう」

と岩伍はいうのであった。

喜和は近付いて顔を覗《のぞ》き込み、

「お前《まん》、歳《とし》はいくつ？」

「名をいうてみなはれ」

と執拗《しつこ》く聞いてみたが、子は怒ったように黙りこくっている。目が、野獣のように暗く異様に光っていた。

喜和は子を庭に立たせ、自分は先ず襷《たすき》を掛け直《ま》しながら、これは石鹸《しゃぼん》で洗ったぐらいで落ちるような簡単な垢じゃないと思った。まるで垢の中に幾年も漬《つ》け込んだようなものを、風呂屋《ふろや》に連れて行けるではなし、頭だってこれをいきなり床屋に頼める筈《はず》もなし、所詮は盥《たらい》に浸《つ》けてほとびさせ、自分でこそげ落してやるしかないと思い、釜に水を張り下を焚《た》きつけてから振向くと、子は蹲《しゃが》んでもう口をぴちゃぴちゃ鳴らしている。見ると、張物の上裏を浸してある手桶《ておけ》のふのりの液に指を突っ込んでは、頻《しき》りにしゃぶっているのであった。とろりとした飴色《あめいろ》のふのりは、この子に美味《うま》そうな食物にでも見えたものであろうか。

最初からこれでは先が思いやられる、と喜和がそのとき感じた通り、その後は、この子の経て来た暮し振りをそのままに見るような、奇妙で傷ましい出来事の連続であった。

朝、口も漱《すす》がないで立ったまま飯を手掴みで食べ、便所へ入るのを怖がり、はだしで座敷に上り下りするばかりでなく、蒲団《ふとん》を当てがってもその上に寝ず、まして枕《まくら》などは見た事もないらしかった。放っておけば飯櫃《めしびつ》が空になるまで食べ続け、その挙句下痢しては汚す着物を平気で着ている事や、まことに執拗い寝小便といい、知っている言葉の少さといい、人を窺《うかが》うような目付きといい、この子の前身は恐らく人家の塵箱《ごみばこ》を漁《あさ》り、寺や神社の縁の下でしか寝たことのない流れ者の乞食《こじき》以外には考えようがない、と喜和は推測するのであった。

小さい頃の慣いというものはなかなか直らないもので、喜和はこの子に普通の人間の暮しかたをひとつひとつ教えてゆきながら、幾度、もう息が切れる、もうこの子の世話はお断りじゃ、と思った事であろう。

喜和は、教えてはあとへ戻り、教えてはあとへ戻りするのを見ているうち、人間の子の躾《しつけ》というものはこちらの態度を写す鏡に似ている事に気が付いた。こちらが気を緩めると向うもすぐ弛《たる》み、こちらが気を入れてやればそれだけの効き目は見える。途中の一寸《ちよつと》の油断が幾層倍もの無駄骨になって自分に撥《は》ね返って来ることを思えば、喜和は先ず自分から気構えを立てなくてはならなかった。

「この子の世話がやり通せたら、他に難儀は何もありはせん」

よし、と喜和が腰を据《す》えて掛かり始めてから、この子が火の始末、水の倹約《しまつ》を憶えるまで、それでも大凡《おおよそ》三年近い年月は掛かったであろうか。この子の寝小便が止んだとき、喜和はやっと、これで帯を緩める事が出来る、と思ったほど、重い荷を背負っているような日々であった。

喜和が思った通り、骨の折れた菊が仕上って以来、人の世話というものは喜和にとって坂のない道を歩くように楽になった。

菊の後、一年余りして絹がやって来たのだけれど、このほうは気質からしておとなしいせいもあり、特別に手の掛かった覚えは殆《ほとん》ど無い。土佐には珍しく粉雪の舞っている日、肌《はだ》の透けて見えるほど汚れ草臥《くたび》れた浴衣《ゆかた》一枚で、ゴム紐《ひも》を売りに廻って来た孤児院の子が絹であった。

素姓の判らない菊は、家に来た年を健太郎より二つ下の九歳と定め、名も、そのとき着ていた真岡《もおか》木綿の花の柄《がら》から取って岩伍が名付けたが、絹のほうは掛け合い先の孤児院で大体の調べはついていた。両親共に死亡、というのは肺病であったらしく、孤児院の先生は「この子もあまり丈夫なたちではないようですが」といいにくそうにして岩伍に打明けたという。が、喜和が受取ってからの絹はこれといった患《わずら》いをした事はなく、別に厄介《やっかい》な出来事も起さず、極く自然に富田の家に融け込んでいった。たとえ孤児院であれ、三つの歳から他人の手に掛かっているだけ、他所への馴《な》れかたにしても、絹には菊よりもずっとなだらかなものがあったのであろう。

戸籍のない菊は岩伍がどのように細工を施したものか、二人とも養女として富田の籍に入れ、格別教えもしないのに岩伍をお父さん、喜和をお母さんと呼び慣《な》らわして今はもうこの家に馴染《なじ》み切っている。

姐さんと呼ばれつけていた喜和が、他人からお母さんと呼ばれるのは最初一寸《ちよつと》気恥しい思いもしたけれど、そう呼ばれる事により、二人に対して実の母親らしい思いが次第に湧《わ》いて来るのも我ながら不思議なものであった。まだ子供とはいえ女が殖えれば家うちも花やかさを増し、女の子を育てた事のない珍しさも手伝って、喜和の気分をときに柔らかく和ませてくれるもののようであった。

考えてみれば二人とも真実《まこと》に酷《むご》い身の上よ、と喜和はこの家へ来た廻《めぐ》り合せを思う。

家へ来た当座の、何かを狙《ねら》っているような暗い目の光りは次第に菊からは消えたものの、五本の指の股がかっきりと開いた扁平な足や、いつも身構えているような怒り肩は、動物《ちくしょう》同然であったと思えるこの子の昔を、嫌《いや》でも時々喜和に思い起させる。岩伍が決めた九つという歳は仮の定めなのだから、この子の本当の年は十かも十一かも、或《あるい》は十三であったかも知れない。それにしても、九つともなれば憶《おぼ》えもかなり確かであろうと思えるのに、喜和は未《いま》だ菊の口から小さい頃《ころ》の思い出話の一片さえ聞いた事がないのであった。尤《もっと》も、この家では菊に限らず、男衆《おとこし》たちも皆、本人がいい出さない限り身の上の詮索は忌物《いみもの》のようにされていたから、喜和は自分からそれを聞き出そうとした事はない。ただ、情が移るにしたがい、この子の流浪《るろう》の日々や六神丸の男との関係を訊《き》いてみたくなるのは人情で、「菊は何故《なぜ》打解けて気楽に話してくれまいろう」と喜和が思う事はたびたびであった。

絹もまた、此処《ここ》が見ず知らずの他人の家でありながら、やって来たその晩から安心し切った様子でぐっすり眠るのを見て、喜和は一入不愍《ひとしおふびん》を感じた事であった。「孤児院《こじん》、孤児院《こじん》」と子供たちに囃《はや》し立てられながら、肩を窄《すぼ》めて入って来た雪の日の絹の姿は、菊の最初の日と同じように喜和の瞼《まぶた》に灼《や》きついている。気質もあろうけれど、絹が日々物音も立てぬようひっそりと過すのは、菊より一つ年上とは思えぬ大人の分別を喜和は感じる。若《も》し富田の家を追出されたら、という怯《おび》えは、若しかすると菊よりも絹のほうが余計に感じているのかも知れぬ、と喜和は何となく思う事もあった。

喜和はしかし、二人の世話に身を入れてゆくにつれ、酷いと思う情ばかりでは始末のつかぬさまざまな不満に日常出会《でくわ》す事も多かった。

岩伍《いわご》が小学校へ上る手続きを取り、健太郎が毎朝二人を遠見《とおみ》しながら下知《しもじ》の第五尋常小学校に通うのだけれど、絹が一日行っては二日休み、二日行っては三日休みして何とか六年を済ませたのに引き較《くら》べ、菊は丸一日を満足に教室に坐《すわ》った事がなく、必ず毎日蜻蛉《とんぼ》返りで家へ戻って来る。読み書きが嫌ならお針でも、と隣のお竹さんに預けるとこれもまた、落着いて針を持つ気はないらしい、と苦情をいわれるのであった。富田の八金、という通り名が伊達《だて》ではない証拠に、菊の好む事といえば、裏の原っぱで子供達と一緒に髷《まげ》の根の抜け落ちるまで走り合いこをしたり、夜《や》、富田へ集る青年団の若い衆と腕相撲を取ったりの勇ましい話ばかり、家の中でも波風を立てるのはいつも決って菊で、男衆相手に柄杓しゃもじから薪《まき》、箒《ほうき》まで長いものなら何でも振り廻し、「何を吐《ぬ》かす！」

だの「汝《おどれ》が！　畜生が！」だのと男言葉で喚《わめ》き上《あが》っているのを喜和は聞き知っている。一方、猫《ねこ》のようにもの音も立てぬ絹には文句がないかといえば、このほうはまた、誰かがいつぞやの話に、

「絹やんのは〝しんねりむっつり〟では無《の》うて、〝しんねりうっかり〟の口じゃのう」

といっていたように、菊が手荒い割には皿小鉢《こばち》を破《わ》らぬに較べ、絹はよく物を落したり毀《こわ》したり、また忘れたりする。使いに出しても話の詰めが利《き》かないまま呆《ぼ》んやり戻る事などもよくあり、男衆たちからも、「もっと性根《しょうね》を入れてやらんか」と気合を掛けられているふうであった。

喜和はしかし、こういう日常の些《さ》細《さい》な事より、いつも気になってならないのは二人が二人共、決して涙を滾《こぼ》さない事実であった。蔭《かげ》でこっそり泣いて目を腫《は》らしているのよりはいい、と思えるときもあるけれど、可哀想《かわいそう》な世間話に関心も示さず、目の中が冷たく乾いたままなのはとても情の強《きつ》い感じで、却《かえ》って喜和のほうがたじたじとなる事もある。娘ともあれば涙脆《もろ》い喜和と一緒に、たまには涙も流し合う親しみが欲しいと思うのに、菊も絹も、他人の不幸などについて格別心を動かす様子もないもののようであった。

この子等は己がさんざん酷い目に会《お》うて来た癖に、他人の出来事にようも平気で居られるものよ、と喜和は不審にも思え、また、むしろ己が惨《みじ》めな運命に苛《さいな》まれたが故《ゆえ》に他人への同情も涸《か》れ果てているのかとも思える。

喜和は以前、富田に二、三日逗留《とうりゆう》した銀蠅《ぎんばえ》の一人の、人相見と称する男が戯《おど》け半分に見立てた、

「菊やんは男の生れ変りじゃきに、一生人と諍《いさか》いばっかりして暮すようになる」

といった言葉を、何となく未だにふと思い起す。

人相見は、人の気質は眉《まゆ》を見れば一番よう判る、などといっていたけれど、菊の眉は、家へ来たときから五月人形の鍾馗《しようき》様のように黒々と執拗《しつこ》いほど濃く剛《こわ》く、少し離れると眉間《みけん》で繋《つな》がっていて一本に見えることがある。困った時に眉を寄せるこの子の癖《さい》は、西畑《ばた》の人形芝居の、啀《いが》みの権太《ごんた》が見得を切るときにそっくりで、男の生れ変りというのも満更突飛な見立てでもないように喜和にも思えた。絹はまた、薄墨の滲《にじ》みのように儚《はかな》い眉なのだけれど、これも人相見にいわせると、

「外面《そとづら》はええが内心はえらい強情者、融通の利かん娘よ」

との事で、当てにはならんと思いつつも、両方共芳《かん》ばしくない卦《け》を喜和は案じているのであった。

坂本の姐《ねえ》さんなど廻《まわ》りが皆見ているように、二人が女中《おなごし》であれば喜和は何も望む事はないが、仮にも富田の籍に娘として入り、岩伍夫婦をお父さんお母さんと呼び慣わしているものならば、このごつい情《じよう》の在りようを何とか矯《た》め直してやりたいと喜和は思う。喜和の胸にはいつも、母親とぴったり心の通い合う優しい娘の姿がふっくらと描かれて

いて、それに少しでも近付けたいと思う切なさがあり、それはまた形のないものだけになかなかの難しさだとはある程度覚悟は定《き》めているのであった。

その菊が、たった一度だけ大声を放って泣いたのは去年の秋の事であった。

その出来事は、覗《のぞ》き芝居などの終幕の場面のような鮮やかな印象と、多少の名残り惜しさを今も喜和の胸に止《と》めているものの、その先に広がる思いはふっつりと切れてしまっている。物事にめりはりをつけるのを好まぬ喜和が、この日を限り、菊と絹への思いをさらりと捨ててしまったのだから、それは忘れようもない一齣《ひとこま》であった。

菊が昔、この家へ来たとき着ていた菊の花柄の真岡木綿について、喜和はそのときすぐ焚いてしまおか、と一度は考えたものであった。が、焚いたらそこら中が臭《くそ》うなる、と思い返し、襤褸《ぼろ》買いもこんなものは持って行きもせず、塵箱《ごみばこ》は犬が銜《くわ》え出すし、ほんならまあともかく、と丸めて縛り、新聞紙に包んで便所脇の物置に放《ほう》り込んで置いた。富田では毎年春秋の大掃除は欠かさずやっているのに、どういう訳でこの包みが五、六年もの間、誰の目にも止まらずにいたものであろうか。去年秋の大掃除に男衆の良吉が見付け出し、埃《ほこり》だらけの紙包みを喜和の前に持出して来たのであった。

喜和はすっかり忘れていて、

「何じゃあろ。良、お前《ま》さん開けてみなはれ」

と自分は井戸端で雑巾《ぞうきん》を濯《すす》ぎながらいった。

小判じゃなかろか、それにしちゃあ軽過ぎる、と良吉は口を叩《たた》きながら開けてみて、

「う、こりゃ穢《むさ》い。姐さん、えらい穢いもんが出て来ましたあ」

と仰山な声を上げた。

喜和はどりゃどりゃ、と濡手《ぬれて》のままで寄ってゆき、あ、こりゃ菊の着て来た着物じゃ、捨てよと思うちょったに、と何気なしにいった。

喜和の言葉を、そのとき菊は何処《どこ》で聞いていたのだろうか。つむじ風のようにびゅう、と後から走って来て、良吉の手から包みを引奪《ひったく》ったと思うと、中庭一面に干してある畳をぱたりぱたりと倒しながら、風呂場の方へ向って走った。

菊の、紫のゴム紐で留めてある長いお提げ髪が、馬の尻尾《しっぽ》のように勢いよく跳ね躍っているその後姿を見て、喜和は何故か可笑《おか》しくなり、それが癖の、咽喉《のど》の奥でラムネ玉を転がすような声を出して笑った。その直《す》ぐあと、風呂場のほうから突然、獣の吠《ほ》えるような底力のある大声で菊が泣き出すのが聞えて来た。

後を追って風呂場に行くと、ブリキの焚口で菊の着物は既に濛々《もうもう》と煙を上げており、その前に菊は踏んばって立ち、肘《ひじ》を張り、目を掩《おお》いながら長い引息で泣いている。喜和は泣いている菊の珍しさに打たれ、暫《しばら》くその場で見惚《みと》れながら、まことに不思議《おかしげ》な子よねえ、と思った。

喜和は菊が着物を引奪《ひったく》って走ったとき、多分戯《ふざ》けてそうしているのだと思い、憚《はばか》りな

く笑ったし、傍にいた良吉も亀《かめ》も米《よね》も皆笑った。菊は笑われたのが悲しかったものか、それとも、あの襤褸が菊の着物であった事を皆の前で喜和にいわれた、その口惜《くや》し涙であったろうか。

この家に来た者の前身は皆、程度の差こそあれ菊と似たようなものなのだし、良吉が「穢い！」といえば、菊も「お前《まん》はどう？」といい返して可笑しくはない境遇にいる。普段の菊なら当然負けてはいないし、喜和もそう考えて格別心配なしにそれを口にした。喜和がある時期から菊に対して帯を緩めたのは、もうこれで自分の娘になり切ったという見届けがついたからで、以後喜和は菊にも絹にも他人同士の遠慮は一切取除いて来たつもりであった。

喜和は、自分が菊の事なら胸の奥底まで判っていると考えていたのは大きな誤りではなかったか、と思った。風呂場の前で泣いている菊を見たとき、喜和の胸を走り透《とお》っていったあの不可解な思いは、年月喜和が積み重ねて来た努力を乗越し、菊が一瞬のうちに遠く遥《はる》かな世界へ離れ去ってしまった感じがあった。

初めて見せた泣き顔を最後に、菊はもう喜和の掌のなかに、一かけらも残ってはいないように思えた。これが自分と菊との本当の姿だったのだと喜和は気付き、長い間持ち続けて来た母親としての自惚《うぬぼれ》と共に、菊も絹も、娘という呪縛《じゆばく》から解いてあげよ、という決心が即座についたようであった。

考えてみれば、自分と二人がぴったりと寄添っていると思っていたのは、こちら側だけの勝手な幻に過ぎなかったのでなかったか、と喜和は思うのであった。二人とも喜和の、口には出さないもののそれだけに重く大きい期待を持ち扱いかね、それなりに苦しんでいた事であろう。喜和が二人を富田の娘らしく仕立てようとした思惑の裏には、必ずしも二人本位ではなく、町内に対する見栄《みえ》と体裁が多少なりと確かにあった事を喜和は反省する。

九つ十《とお》の歳まで、家というものの無かった二人が望んでいる本当の仕合せというのは、母親と娘という苟且《かりそめ》の小難しい約束事ではなく、もっと自由で息のし易《やす》い場所にあったのではなかったろうか。それは奉公人という地位でもよく女中《おなごし》と呼ばれても構わない一種のしぶとさのようなものであり、喜和は以前裏長屋へ初めて踏込んだ日のように、今度もまた二人の前にはこのまま引下るのが一番いい方法なのだと諦《あきら》めるのであった。

八

喜和は今もときどき、菊と絹に懸命になっていた頃の自分を考える事がある。まるで熱にでも浮かされているように、朝昼晩、二人から目も離さないで躾《しつ》けようと掛かっていたのは、あれは自分なりの意地ではなかったか、と意地など曾《かつ》て抱いた事のない喜和にして、苦い気持で肯《うなず》かされる。それを突き詰めてゆけば、今はもう殆ど考え直す暇などなくなった紹介人の仕事というものに、表面飼い馴らされ、心の中の小さな棘《とげ》さえ枯れたように見えるものの、胸の内ではまだ充分宥《ゆる》し切っているとはいえないものを喜和は感じる。

当時喜和が拘泥《こだわ》っていた事は町内の誰からも聞いた憶えはないし、蔭で談義《どうぎ》の種になっている気配さえも感じた事はなかった。が、喜和には、菊と絹を追い廻す日々に倦《う》んで来ると必ずその声が聞えるように思えてならず、

「紹介人の家の事じゃ、磨《みが》いて置いては今にあの娘《こ》らを値良《ねよ》う売り飛ばすに違いない」

それを聞くと喜和は何ともいえず自分が惨めになり、気持が暗く翳《かげ》って来るのであった。

考えてみれば、紹介人が女の子を貰《もら》って育てているのは、軈《やが》て身売りさせる下心があるからだと疑われても仕様のない所業だといえる。法律では紹介人が子方屋の仕事を侵すような真似《まね》は禁じられているものの、実際には、安く買った子を手許《てもと》で娘に育てては売っている紹介人もいて、喜和もそれを聞き知っているからこそ、世間の口の先廻りして、二人を実の娘として育てている事実を知って貰いたい思いが強かった。

これが仮に芸者の子方屋だとしたら、煮豆でさえ粒を数えて膳《ぜん》につけ、横膝《よこひざ》すれば火の付いた煙管《きせる》の雁首《がんくび》が飛び、寝態《ねざま》の躾には宵《よい》に枕《まくら》の廻りに糠《ぬか》を撒《ま》いて置き、朝、髪に糠

が付いていたら強い折檻《せっかん》になる話など聞くと、菊も絹も一たまりもあるまいと喜和は自分の緩いやり方を思う。喜和が叱言《こごと》らしい叱言もいわず通しているのは、気質もある上に、素人《しろうと》としての埒《らち》だとも自分では思っており、二人の娘もその素人の手で極く普通に育てている事を、町内によくよく判《わか》って欲しいと思うのであった。

喜和は菊にも絹にも情が移ってゆくにつれ、紹介人の女房という気怯《きおく》れが作り出す影に自分ながら慴《おび》え戦《おのの》いていたのかも知れない。たとえ素人の娘らしく育ててはいても、ある日突然、岩伍が二人を陽暉楼《ようきろう》へ連れてゆく、といい出せば、決して逆らえぬ自分の立場を喜和は知っているだけに、それを肝腎《かんじん》の岩伍に問い糺《ただ》す勇気はないのであった。それだけに、二人を庇《かば》って喜和は一人、いつも肩肘張って過していたのではなかったろうか。

喜和がこの事について安堵《あんど》を得たのはずっと後の話で、岩伍が客と笑いながら話しているのを鎧戸《よろいど》のこちらで立ち話に聞き、

「儂《わし》もそこまで商売が行き詰んでおりはせん。あれ等二人は家の娘じゃきに、いずれは嫁入りもさせんならんと思うておる」

ああ菊の事じゃ、と思うと、喜和は長い間の痩《や》せ我慢がいっぺんに消え、我ながら可笑しいほど涙が溢《あふ》れて来るのであった。

菊も絹も今ではもう、芸妓《げいぎ》の仕込みには薹《とう》が立ち過ぎ、喜和は町内の談義の種に怯《おび》え

る必要もなくなっている。あれを自分の意地だとすれば、全く愚かしいまでな素人としての意地だったのだと喜和は思うのであった。

今年に入ってからの喜和は、ふと自分の厄年《やくどし》を考える事があった。一昨年《おととし》に過ぎた岩伍の四十二の厄でさえ抜け祝いなどせず過ぎてしまったのだから、女の厄などこの家では取立てていうほどのものではない。同じ一昨年の暮、鉄砲町の梅が自分は三谷観音《かんのん》の厄抜け守り、嫂《あによめ》の里江からは新モスで絎《く》けた浅黄の腰紐《こしひも》を届けに来ていうことに、

「厄には三十二の前厄、三十三の本厄、三十四の後厄があるきに、三年間はようおに気を付けて」

本当《ほんま》いえば厄除けには実家《さと》から帯を贈《や》るのが慣《なら》いじゃが、ま、同じ長い物という建前からこれで堪《こら》えてつかはれや、との事であった。そのとき喜和は何気なしに「おおきに」と礼をいって受取り、腰紐も箪笥《たんす》に蔵《しま》ったまま今年まで過して来たけれど、後厄も終ろうとする今になって、そんな事が何故かくよくよと思い起される。

考えてみれば常盤町《ときわ》から移って来て以来、今日まで、見知らぬ世界に向って懸命に漕《こ》ぎ渡って来て漸《よう》く落着きを見、長い間の憊《つか》れが今一度に出ようとしているところなのか、とも思える。岩伍にしてもこの七年間、手当り次第仕事をも人をも捻《ね》じ伏せて来たような働き振りであったし、息を太くするといえば喜和よりも岩伍のほうがもっとその感を

深めているのかも知れぬと思う。岩伍も喜和も、舟でいえば、漕ぎ抜けて来たあとの櫂《かい》を、今はじっと休めている時期なのだとも思われる。舟に委《くわ》しい誰ぞの言葉のように、櫂は三年櫓《ろ》は三月《みつき》、操りかたをやっと覚えた櫂も、浮かしておけば流される、というなら、漕ぎ休めている今の時期こそ、岩伍にも喜和にも大切な月日なのであった。

第二部

一

「豊栄座」は細工町の一角にあった。

細工町は昔、藩公御用達《ごようたし》の細工師たちが住んでいたところで、明治末の秋の大火で一《いっ》旦《たん》はあとかたもなくなってしまったが、その後、おいおいにもとの住人が戻り住み、客もまた其処《そこ》を目あてに訪ねて来たりして、大正末の今も、珊瑚《さんご》細工、掛接《かけは》ぎ、釣具屋《つりぐや》、錺師《かざりし》、琴三味線、篆刻《てんこく》などの細かい手仕事師たちが寄り合って、昔に似た町のかたちを作っている。

どの家も、相撲取りの廻《まわ》しのようにどっしりと重い、紺の厚司《あつし》の前掛を膝《ひざ》いっぱいに掛けた職人達が、細工物の屑《くず》でそれを真白にさせ、じっと俯《うつ》むいて一心に仕事しているさまが、格子戸《こうしど》を透かして往来からも眺《なが》められた。昼下りのいっとき、その前掛をはたきながら往来に出て物売りを呼び止め、立ったまま、底豆の皮を剝《む》いたり紅蜜柑《べにみかん》や薄皮蜜柑に爪《つめ》を立てて、職人同士、僅《わず》かな休みの談義《どうぎ》を楽しんでいる馴染《なじ》み深い風景も見られる。職人町は朝起きの夜は早仕舞いだったから、細工町への用達は昔から宵《よい》の行燈《あんど》を点《つ》けぬうち、といわれ、電気が行き渡った今でもその習慣が残っていて、日暮と同時にどの家も皆雨戸を下ろすのであった。

このなかに、豊栄座が常打《じょうう》ちの小屋として建ち上ったのは何時頃《いつごろ》の事であろう。明治の初めには、鋸屋《おがや》橋、四つ橋、土佐橋、播磨屋《はりまや》橋、使者屋橋、の五つの橋をくり抜けて来た大川の掘割の水の詰めに、もう「堀詰座《ほりづめざ》」が出来上っていたし、同じ二十六年の暮には、花道のついた上方《かみがた》風の「高知座」が中島町に新築されていたが、豊栄座はこれ等両座の中間、恐らく明治三十年頃には、小屋として現在のような体裁を整えていたのではないかと思われる。

というのは、植木枝盛《えもり》が命名した土佐芝居の役者組織「共正会」が十九年に誕生し、それにやや遅れて浄瑠璃《じょうるり》の「因会」も、播磨屋橋の金桝《かねます》、下《しも》の新地の菊本楼主菊蝶斎《きくちょうさい》、それに同じ下の新地の亀風《きふう》などが胆入《きもい》りとなって発足を見ており、両組織とも主に下町筋の贔屓《ひいき》客を背景にしていた関係から、

「羽織袴《はかま》に塗弁当、人力車の横付けで芝居見物など、肩が凝って出来るか」

と高知座、堀詰座を煙たがる下町人の気風に合った、安気《あんき》な小屋が必要だったからで

ある。

尤《もっと》もこれ以前、莚掛《むしろが》けの期間がかなり長いあいだあったらしく、今でも豊栄座といえばろくろ首から蜘蛛《くも》男、蛇《へび》女の類《たぐい》の見世物、皿廻し、獣使いなどの曲芸専門、と思っている人達も居《お》り、上の手辺りの旦那《だんな》の中には、

「ふん、虱《しらみ》だらけの豊栄座が」

と見縊《みくび》るふうもあった。虱はともかくとして、蚤《のみ》の二匹や三匹はいるかも知れぬ豊栄座ではあったが、木戸銭の段違いに安いせいもあって客は皆前掛袢纏《はんてん》で出入りする常連たちで、そこに一種特別な、恰度親戚《ちょうどしんせき》同士の集いでもあるかのような隔てない懐《なつか》しさを醸《かも》し出しているのであった。

そういう気易《きやす》さはあるのに、喜和はまだ一度も豊栄座へ足を踏入れた事はない。小さいときは遊芸などに程遠い家に育ち、富田に来てからはそれどころではない忙しさでいて、忠臣蔵討入りの陣羽織に似た派手な法被《はっぴ》を着、とことんとことんと触れて来る団扇《うちわ》太鼓の外題《げだい》の披露《ひろう》を、いつも遠巻きに見ているだけなのであった。緑町界隈《みどりちょうかいわい》など、豊栄座といえば真先に贔屓の引倒しになるほどの力の入った客が多く、興行の中身が芝居であろうと浄瑠璃であろうと通い詰めた挙句、とうとう下足番になってしまった真好《まず》きの猪之爺《いのじい》さんも裏町の長屋の中にいる。一文銭か生爪《なまづめ》か、といわれるほど吝《けち》な薪屋《まきや》の兄さんでも豊栄座の木戸銭だけは別だというから、明日の米代が無くて

も今晩肩振って木戸口へ通るは下町に住む者の一つの威勢で、いまの掛かり物さえ何かを知らぬ野暮天は、近所隣に少しばかり肩身の狭い思いもさせられる。たまに覗《のぞ》いても、お前が行《い》たとて馬に念仏、猫《ねこ》に小判と嗤《わら》われるのがおちなら芝居の筋くらいは知っておきたく、喜和など、今では店の客達に混ってどうやら似たような話も出来だしたのは耳知識の得《とく》とでもいうべきもので、もう一ついうなら、出入りの人のなかでも特にそれに詳しい益《まつ》さんの講釈を常時聞かされているせいでもあった。

此《こ》の頃の若い者は騒々しい西洋の流行唄《はやりうた》を好むけれど、今でも岩伍《いわご》などつい口にする、燐寸《マッチ》の事を擦付《すりつ》け、釣銭をうわこ、母親をお母《なん》、恋人を情人《じょあい》さんなどと呼ぶ年代の人達は殆《ほとん》ど、浄瑠璃を流行唄と同じように唸《うな》れたものであった。少し器用なのは芝居の声色も出来、自分では出来ないまでも口跡《こうせき》くらいは憶《おぼ》えているのが先ず普通だったから、芝居の話に巧《うま》く辻褄《つじつま》を合わせるのも人付合いの上では大切な事といえた。

益さんというのは長《ちょん》さんと共に、何時まで経《た》っても鑑札の下りぬもぐりの紹介人で、降っても照っても必ず毎日、富田へ顔《あさ》を見せにやって来る。

来ると先ず火鉢《ひばち》の巻煙草《たばこ》の吸殻《すいがら》を漁り、指が火傷《やけど》しそうなほど一つ一つをつましく吸ってから岩伍にその日の仕事を貰《もら》い、岩伍が留守なら、飯刻《めしどき》を計りながら釜屋《かまや》の女たちのあいだに割り込んで来て、手も口も出す。料理は手に付くというけれど、益さんが袂《たもと》を帯にたくし込んでちょいと流しに立てば、飛切り旨《うま》い大蒜《にんにく》の青ぬたや尾のぴんと上った形のいい焼魚が忽《たちま》ちにして出来上る。それでいて釜屋での益さんの評判がどうも芳《かん》ばしくないのは、何やら芯《しん》に魂胆がありそうで嫌《いや》らしい故、と菊も絹もいうのであった。

あれで年はいくつなのかと喜和が折ふし思うのは、歯の皓《しろ》さから見ればまだ若い衆《し》と相撲でも取りそうに思えるのに、ずるりと禿《は》げた頭の裾《すそ》にだけ残っている僅かな髪は穂の出た薄《すすき》のように頼りない。時折、二つ年上だと聞く姐《ねえ》さんが片襷《かただすき》で前のめりに日和下《ひよりげ》駄《た》を忙《せわ》しく鳴らせ、益さんの後を追って遽《あわただ》しくやって来るときは、必ずいいのが出来ているのだと男衆たちが小指を立てていう。

益さんの女ぜせりは浄瑠璃の講釈と並んで有名で、それも己の甲斐性《かいしょう》で遊ぶならこそ、商売用の女にすぐ手を出しては縺《もつ》れ込み、岩伍にたびたび強《こわ》意見されているのを喜和は幾度か聞き知っている。

「女を扱う此の世界では、男女の隔ては無いも同じ事。紹介人は常時、自分で自分の楫《かじ》を取って行かん事には、世間からの信用を失うようになる」

と洩《も》れ聞いた岩伍の言葉を、喜和は、〝それは人に依《よ》るのではあるまいか〟と、そのとき思った。

その証拠に、長さんのほうは女っ気などてんで無い代り、とことん花札に注《つ》ぎ込んでは前後の見境もなくなる癖がある。鳶鷹《とびたか》だと人のいう、おとなしい娘を二人までも己の手で娼妓《しょうぎ》に叩《たた》き売り、その金まで悉《ことごと》く小博奕《ばくち》で巻き上げられながら未《いま》だに目が醒《さ》めず、あちこち綻《ほころ》びた着物をだらりと前棲下がりに着、血走った目をして蹌踉《そうろう》と富田に現れた日は、必ず金の無心だと相場が決まっていた。

姐さんはそういう長さんに諦《あきら》めをつけてはいるらしいが、それでも米代の思案に余れば裏の木戸をそっと押して喜和の許《もと》にやって来る。喜和は、上《あが》り端《はな》に浅く腰掛けたまま決してこちら向かないでぼそぼそと呟《つぶや》く、老《ふ》けた姐さんの眉間《みけん》の竪皺《たてじわ》を見ると、一昔前の自分を見るような切ない思いがし、黙って長火鉢の下の小引出しから白銅銭のいくつかを取出すのであった。

女好きも困りもの、さりとて孫の守《も》りでも似つかわしい年恰好《かっこう》でいて博奕に溺《おぼ》れ、いま以《もっ》て悔悟の一ふしも見えぬのも無慚《むざん》なもの――どっちもどっち、と喜和が二人を愍《あわ》れむ気持の裏には、今の岩伍がその孰《いず》れでもない安息を得ていることの傲《ほこ》らしさがあり、その傲らしさがあるからこそこの富田を何とか宰領してゆけると思うのであった。

大正十四年の秋、盆の入りから蓋《ふた》を開けた上方の娘義太夫《ぎだゆう》一座の評判は、前景気を煽《あお》っていたせいもあって、このところずっと下町の贔屓筋を湧《わ》かせている。

豊栄座はこの少し以前、従来の座元制度を廃止して株式会社組織に改めていたから岩伍は直接関《かか》わらなかったが、躰《からだ》さえ空いている晩は出入りの者や男衆《おとこし》たちを替る替る連れては覗きに行っていたし、町内の常連達は触れ太鼓の口上よりもっと賑《にぎ》やかに、もっと面白く、富田の釜屋に毎日のようにその様子を伝えてくれるのであった。

益さんによれば、此の一座は有名な豊竹呂昇《とよたけろしよう》の先輩にあたる、大阪清津橋「播重《はりじゆう》」で二枚目を語っていた小巴《こども》の弟子たちで、座頭は巴《ともえ》太夫、以下選抜《よりぬ》き十人の世帯だという。その頃、上方の娘義太夫席で二枚目三枚目を語っていた太夫は仰山居《お》り、替り合って長期の地方興行に出ては人気を拡《ひろ》めていたようであった。

以前から浄瑠璃は西風、東風、或《あるい》は竹本派、豊竹派とあり、竹本派は型通り渋く地味に、豊竹派は華やかに派手に語るを常としたが、両者入替って語るを外連《がいれん》といい、外連も語れる器用さが一般には望まれて、この頃には両者の区別は殆ど無くなっており、また外題も、くどいものより次第に世話物人情物に移って来ている傾きにあった。

娘義太夫が芸道の都といわれる大阪で人気を呼び始めたのは明治も後半で、その先鞭《せんべん》をつけたのは名古屋出身の竹本京枝《きようし》だといわれているが、次いで清津橋の播重、道頓堀《どうとんぼり》の金城、天満《てんま》の南歌久などの女義太夫席で最初に語っていたのは、照玉、東猿、末虎、長広などであった。天才と謳《うた》われた豊竹呂昇は明治七年名古屋に生れ、呂太夫、弥太夫《やだゆう》、津太夫、住太夫などの男太夫について節と語りを、三味線は団平、吉兵衛についてみっちり修行し、凡《およ》そ三十年に亘《わた》って娘義太夫の王座を守り続けた人である。

呂昇はラジオを嫌《きら》ったが蓄音機には吹き込んでおり、彼女の十八番物《はこもの》「千代萩《せんだいはぎ》」「寺子屋」「一の谷」「伊賀越」など聞くと、「音声の艶麗《えんれい》豊富、暢達《ちようたつ》なる語り口」と絶讃《ぜつさん》された当時の品評《ひなず》の言葉には深く頷《うなず》かされる。呂昇はまた美しい容貌《ようぼう》の持主でもあり、豊頬《ほうきょう》に鈴張りの瞳《ひとみ》はその語り口と共に客を魅了したという。自身は常に品格を厳しくいい、地方《じかた》を使わず本来の弾き語りを守り、仰山な所作を戒め、「肩衣《かたぎぬ》の姿勢の正しい姿」を自ら手本として皆に示したという事であった。

しかし大正十三年、呂昇の引退を境に娘義太夫は次第に下火になろうとしているところなのを、益さんはそういわず、

「いやいや、土佐はこれからじゃ。見よってみい。今度の一座の中の巴吉《ともきち》太夫が今に伸びて来る。声の透《とお》りといい口跡のいい廻しといい、顔立ちまでも呂昇の若いときにそっくりじゃ」

巴吉太夫は高知市通町の紺屋《こうや》の娘で、呂昇が先ず常盤津《ときわず》から入って行ったと同じく、子供の頃から楽しみにやっていた祖母に常盤津の手ほどきを受けているうち評判となり、十四の歳《とし》に大阪に出て先ず土佐から出た豊沢団玉につき、のち小巴に弟子入りしたという。男太夫には去年、六代目竹本土佐太夫を襲名した南馬太郎がやはり高知出身であり、浄瑠璃日本一の名人は男女共いずれは土佐が占めるようになる、と益さんはえらい気合の入れようであった。

喜和が、

「益さんの講釈も満更じゃない」

と思うのは、昔、呂昇が全盛時代、中国筋を打っての帰り道来高したことがあり、高知座で二十日余り興行したのを益さんはじかに聞いていて、今でも一つ話としてそれを皆に披露する。

高知座の木戸銭というのは豊栄座などと較《くら》べものにならぬくらい高く、益さんは最初一帳羅《いっちょうら》の明石《あかし》を持って質屋に行き、次いで縮緬《ちりめん》の帯を足し、また取って返して蚊帳《かや》を持込んでやっと望みの額を借りたという。恰度梅雨《ながせ》の時分で、見ていると出る太夫、出る太夫、皆一つの三味《しゃみ》を替り合って使っており、かっと燃え上った益さんは、

「天下の呂昇一座ともあろうものが三味線一挺《ちょう》で土佐へ乗込むとは、客を莫迦《わや》にするにも程がある」

とばかりに楽屋へ踏込んでみると、土佐は湿気が多くて、荷の中の三味線全部引けて（破れて）しまい、助かった一挺だけでやっと高座を勤めている有様だという事であった。

蚊帳まで抱えて質屋へ駈《か》けつけるだけあって益さんの耳は玄人《くろうと》で、この耳に掛かると「笑い三年泣き五年」の修行のほども、「ウ音中音ハル音」の区分けも、忌物《いみもの》とされている侍訛《なま》りも奴《やっこ》言葉もその場で聞き分けられてしまう。娘義太夫は女故《ゆえ》、腹にたっぷり晒《さらし》を巻き上げ、寒稽古《かんげいこ》などで咽喉《のど》を鍛えに鍛えなければ太棹《ふとざお》に乗るような声は出来ないが、その代り、微細《みさい》な歌い廻しや憂《うれ》いに掛かる箇処では男太夫の及ばぬ情合があり、それに何より、

「綺麗《きれい》で見場がええきに」

と益さんの話は最後にそのおちが付くのであった。

富田の釜屋では、内同士のあいだでさえもその話は絶えず出ており、喜和は珍し半分揶揄《からか》い半分で相手になってやったりする。

昨日も、味噌漉《みそこ》しの中へ両手を差込んでふろ豆の筋を取っている喜和の傍《そば》へ来て、米《よね》が力瘤《ちからこぶ》を入れていうことに、

「こりゃあ姐さんも是が非でも一遍は行かないきません。行て見ん事にはどだい話にならん」

と昨夜の興奮をそのままに煽り立てる。

米が力んでものをいうときの目を、「金柑《きんかん》の目」と皆が綽名《あだな》を付けており、それをまた蔭《かげ》では菊が「蜜柑金柑こちゃ好かん」と茶化しているのを喜和は思い出して笑いを堪《こら》えながら、

「えらい肩の入れようじゃこと。米やんは」

と呆けてみせると、米は躍起になり、

「それが姐さん、ええの悪いの話じゃない。恰《たか》で背筋がこうぞーっとしますらあ。ぞーっと」

米の話は半分《はぶん》に聞いて恰度《ぼっちり》の加減、と喜和は思い、

「ぞーっとするということは、何かね。その娘義太夫が累《かさね》か何ぞの怪談噺《ばなし》でもやるがかね？」

「違う違う」

と米は鼻先で手を振って、

「巴吉太夫の事ですらあ。そりゃあ咽喉も見事じゃけんど、何せぞっとするような美人ですきに。目の覚めるような大振袖《おおふりそで》にぴんと張った上下《かみしも》、頭には房簪《ふさかんざし》を重たいほど挿《さ》してねえ。巴吉太夫が舞台に上っただけで、客は皆こうですらあ」

米は縁側へ後手《うしろで》をついてのけぞり、口をぽかんと開けて見惚《みと》れる、という仕作《しぐさ》をしてみせる。金柑の目をして見惚れているのは米自身、と思えるほどその恰好は可笑《おか》しくて、喜和は思わず声を立てて笑った。

「それはねえ、米。遠目に見る舞台の白塗りというものは、誰でも綺麗に見えるもんよね。

それに、女子《おなご》の浄瑠璃《じょうろり》語りに筒の太い男の地声は出せまいろうし」

すると、庭先で薪《まき》を割っていた亀《かめ》が手斧《ちょうな》を投げ出し、法被の埃《ほこり》をはたきながらこれも米に負けずりゅうりゅうと寄って来て、

「そ、それが、お、お、大違い。お、俺《おれ》が聞いたは、あ、あ、あ」

と唾《つば》を溜《た》めて詰るのへ、米は歯痒《はがゆ》がって引取り、

「ええ、亀はまどろこしい。黙っちょれ。

奥州《おうしゅう》安達ケ原三段目、袖萩祭文《そではぎさえもん》の段、安達三《あださん》の事ですらあ」

米は法被の衿《えり》をちょっとしごいて身構え、咽喉を膨らまし、

「『ムム、此処《ここ》はお庭先の枝折門《しおりもん》、戸を叩くにも叩かれぬ不孝の報い、この垣一重《かきひとえ》が鉄《くろがね》の』とね。ま、こりゃ袖萩の口説きで女声じゃが、この、『この垣一重が鉄の』が天下一品。

巴吉太夫、見台にこう伸び上る、『鉄の』とこう首を振る拍子に頭の簪がパッと抜け落ちる。それを桟敷《さじき》の客等がわいわいわいわい騒《うど》んで、えらい奪《と》り合《や》いですらあ」

「か、か、かぶり付きにお、おった、は、は、禿頭《はげあたま》の爺《じんま》がひ、ひ、拾うたよ」

「亀、憶えちょったか。抜け目ないのう。こいつも」

男衆たちが屈託もなく戯《おど》けるのへ、喜和も一緒になって他愛《たわい》なく高笑いする。

それは、自分に関わりのないよその世界の話であり、青天に浮んだ刷毛目《はけめ》の雲がすぐ消えるように、こちら向けばもう忘れてしまえるようなものであった。人の話にすぐ乗るのをここらでは「話喰《はなしく》い」といって笑うけれど、決して話喰いにはならない喜和にとって、これは昼下りの軽い気散じのいっときなのであった。

二

高知の夏の宮祭は先ず田淵《たぶち》のお多賀様から始まり、山田町の八幡《はちまん》様、潮江《うしおえ》の天満宮《てんまぐ》様、上町のお稲荷様《いなりさん》へと移り、遠い一宮《いっく》の支那禰《しなね》様で打上げになると、青物売りの荷の中に新芋がみるみる太り、新菊が現れ、肥《こえ》の効いた蕪《かぶ》大根が溢《あふ》れて来る。番茶に岸豆を入れて飲むのは土佐独特のもので、その岸豆売りが刈りたてのを束にして天秤《てんびん》に吊《つ》るし、或は刻んで紙袋に入れたのを持って町にやって来ると、あの山吹色の、甘い茶の香りで秋の茶漬《ちやづけ》飯はつい〝手盛り八杯〟という按配《あんばい》になって来る。

夕方、町並を煙が這《は》うようになるともう夏は遠くなり、鯖《さば》と菠薐《ほうれん》の煮喰いが好きな岩伍のために喜和は秋田貝を取出し、ついでに火鉢の灰漉し、煙突掃除にまで手を足しておく。涼しげな寒晒しの餅売《もちう》り、竿竹《さおだけ》売り、鰹《かつお》の夜売《よう》りの姿は影を潜め、炭の振り売り、焼餅売り、夜泣きうどんが代って現れると、夜などもう薄綿の入った袢纏《はんてん》も欲しくなって来る。夜鍋《よなべ》して家中のネルの胴襦袢《じゆばん》を縫うのもこの頃《ころ》で、眠気覚ましには白砂《しはん》糖をどっさり弾み、男衆たちが片栗《かたくり》を練ってくれたりする。

喜和は、此《こ》の頃昼下りになると、毎日決って下《しも》から上《かみ》へ流して来る関の飴湯屋《あめゆや》を心待ちする慣《なら》わしになっており、その梶棒《かじぼう》に下っている真鍮《しんちゆう》の鉦《かね》の音を聞くと、必ず自分で出て行っては湯呑《ゆのみ》一杯の飴湯を買って来るのであった。

清潔《きれい》好きで通っている関の爺《じい》さんの、真白な上っ被《うわっぱ》り、ぴかぴかに磨《みが》き立てた銅《あか》の釜《かま》、朝露のように透き通った美しいコップなども無論安心だけれど、熱い飴湯の上に爺さんが鶴首《つるくび》のガラス瓶《びん》を傾けてぴん、ぴん、と垂らす、香りのいい生姜汁《しょうがじる》で躰中《からだじゅう》がかあーっと暖まるのが、病人には特に効くように思える。

喜和はそれを、もうずっと離室《はなれ》の龍太郎《りゅうたろう》に飲ませているのであった。

龍太郎の、いつまでも根の切れぬこの執拗《しつこ》い風邪の引き初めは一体何時《いつ》だったろうか。今年の二十日正月の百人一首《ひゃくにんし》の会の晩、更《ふ》けて流して来た丸加のうどんに、店先で、

「小父《おん》ちゃん、風邪薬を持っちゃあせんかえ」

と聞いていた龍太郎の、妙にくぐもった鼻声を喜和は憶《おぼ》えているけれど、ひょっとすると去年の暮頃からもう、引いていたのではなかったろうか。

龍太郎は富山の置付けが大嫌いで、小さいときは「頓服《とんぷく》を飲ませる」といっただけで威《おど》しが利《き》いたものだったが、此の頃では仕方なし「うどんや風邪薬」を自分から服《の》んでおり、ほんの禁厭《まじない》ほどの、般若《はんにゃ》の絵の赤い小さな紙袋の中身を、うどんに振り掛けては一緒に啜《すす》り込むのであった。

龍太郎の病い勝ちなのは今に始まった事ではなく、鉄砲町の梅にいわせると、年子に生れた健太郎に乳を取られてしもうたが故にやり損《そこ》のうた子じゃ、と喜和は責められる。

一概にそうとばかりもいえまい、それはこの子の生れ合せかも知れぬ、と喜和は言訳もしてみるのだけれど、打割っていえば、小さいときからの龍太郎の色の白さは何となく心に懸かり続けているのであった。母親によく似た細面《ほそおもて》の、夏の陽《ひ》に灼《や》いても灼いてもすぐ元に戻る肌《はだ》を、喜和はこの子の白さは晒木綿の白さよ、と思う。木綿も天竺《てんじく》ならず黝《ぐろ》く勁《つよ》く、いっそいえば富士絹なら健康な耀《かがや》きがある。薬品で晒した白木綿が早く朽ちやすいように、ゆらりと背ばかり伸びた龍太郎の躰つきはどこやら脆《もろ》く危なげに見え、いつまでも親を安心させないのであった。

子供の時分から、父や弟はことも無げに続けている朝々の冷水摩擦や、遠泳、山歩き、番持ちなどの青年団の鍛練会に、勇を振るって立向っても龍太郎は敢《あ》えなく砕け、根《こん》を詰めて勉強すれば肩が凝って寝込む有様では、女親の喜和にはどう手を打とう術《すべ》も無い。嫌いな授業になると、必ず逃げ帰っていた尋常を休み休み終えさせるのがやっとで、中学校へは進むどころでなく、後はずっと家に居て本人のしたいようにさせてであった。

岩伍は喜和のやり方を、

「親としての分が立たぬ」

と不機嫌《ふきげん》にいう。

岩伍が頼んだ使いでも、気が向かなければ途中で引返して戻り、叱《しか》ればすぐに色を引いて、

「しんどい」

と横になる龍太郎を岩伍は、見下げた奴《やつ》、と舌打ちして、

「男の癖に何故《なぜ》根気が無い！　そんなことでどうする」

と歯痒がるけれど、風邪すら滅多に引いた事のない、眩《まぶ》しいばかりな五躰《ごたい》を持つ岩伍に、毀《こわ》れ物のような躰を抱えた龍太郎の心細さがどれほど判《わか》るであろうか、と喜和は矢張り子のほうへ思いが傾き勝ちになる。

岩伍は先《せん》から、男が身内の事について心を煩《わずら》わせるのを女々しい態度だと思っており、特に緑町に宿替えして人助けをいうようになってからは、ますますそれを高く、強く信じている様子であった。

とりわけ、男親が子供にかかずらうのを「男一番の恥」と考えていて、龍太郎のようにたとえ已《や》むない患《わずら》いにせよ、それで親に物心二面の迷惑を掛けるのを、「本人の不心得」と、厳しくいう。十七といえば、気の利いた子ならもう自分で手職もつけ、節季には親に普段着の一枚も買って贈る甲斐性《かいしょう》も出来ていて不思議はないのに、こちらは毎日何を為《す》るでもなく、母親に貰《もら》う小遣銭で昼間から自儘《じまま》な過しようと来ては、岩伍の機嫌の悪さも喜和に一面判らぬとはいい切れなくなる。

町内では子に甘い親を指して、

「我が子を褒《ほ》める一の馬鹿《ばか》」

と貶《けな》す言葉もあり、岩伍の立場も思わないではないけれど、もう一つ踏込んで考えれば岩伍のこの厳しさは、長いあいだ、親の犠牲になる子ばかりを見馴《みな》れている、紹介人という商売の故なのではあるまいか、と喜和はそこへ思い到《いた》るときもあった。

男女の違いはあってもこの世界、子が親に尽す一方なのが順道で、親が子をいつまでも助ける形などあり得べくもない逆道なら、龍太郎は岩伍にとって親の世間態を汚《けが》す不孝者、という訳にもなって来る。世間に向ける男親の心意気は喜和にも判らぬではないが、それはうわべの話で、裏へ廻《まわ》れば子の可愛《かわい》さを隠す必要もないと思えるのに、岩伍はいつ、誰の前でも紹介人としての顔しか見せないように思える。それは岩伍が、骨の髄までこの仕事に打込んでいる事の証拠とも、或《あるい》はまた、始終他人の目を考えねばならないこの家の風通しのよさから来ている習慣の一つとも、考えられるのであった。

喜和は龍太郎を、岩伍のその目から庇《かば》い立てするほど思い上ってはいないけれど、酔いが冷たい風に当った瞬間ふと醒《さ》めるように、改めて紹介人という職業を思い出すのは、そういう折なのであった。

龍太郎の今度の長い風邪についても、

「あれは気儘故に、自分から病いを招いておる」

というに決っている岩伍の言葉は、喜和が聞けばそのまま自分への叱責《しっせき》と受取れる気怯《おく》れから、未《いま》だに夫婦のあいだでは何ひとつ相談らしい相談もせず、引延ばして今日に至っている。

そのあいだ龍太郎の風邪は一進一退で、垂れ籠《こ》めて寝る日もあれば起き上って五連《ごれん》に興じている日もあり、よく食べるときもあるし、加減によっては思う前より機嫌のいい事もあった。

ただ、喜和が自分一人の宰領ながら、この夏の初め、離室《はなれ》の六畳を取片付けて龍太郎に宛《あ》てがってしまったのは、掛り付けの吉沢先生から、

「なるべく早うに、X光線のある大きな病院で詳しゅう診て貰《もろ》うたがええですのう。万一の心配がありますきに」

といい渡されたが故で、その「万一の心配」の一言は、喜和の胸にとうとう、これからの長い大きい不安を喚《よ》び込んでしまった感じであった。

この離室は、中庭の植込みを隔てた奥にあり、北が中敷《ちゅうじき》、南が障子になっていて、家中で一番涼しく陽当りがよく、それに第一、母屋《おもや》の物音もここまでは直接響いて来ないのであった。難をいえば以前から昼間でも虫が多く、裏が空地になっている故そのせいかとも思い、境の塀《へい》に、虫除《むしよ》けになるというコールタンをたっぷり塗ってみた事もあるが、今も矢張り、蚊帳《かや》を外す拍子に灰色の守宮《やもり》がぽたっと落ちて来たり、壁の隅《すみ》に足に毛の生えた土蜘蛛《つちぐも》が蹲《うずくま》っているのを見掛けたりするときがあった。

守宮も蜘蛛も瞽女《ごぜ》虫も金蚉《かなぶん》も人に害はしないというけれど、此処でどうせ長く寝る事

になる龍太郎にとっては、定めし気分が悪かろうと思うと、喜和は除虫菊のぺこぺこ缶《かん》を、畳の目の隅から隅へ、叮寧《ていねい》に幾度も振り掛けてやるのであった。

人はどうか知らないけれども、喜和の場合、覚悟というのは極めてゆっくりゆっくり、例えば離室を病室と決めたり、湯呑茶碗《ぢゃわん》を別にしたりしているうち、漸《ようや》く定まって来るもののように思える。医者にいわれ、その場でさっと観念出来るのは、岩伍のように何事も場数《ばかず》を踏んでいる人のことで、喜和など若《も》し今、はっきり「肺病」をいい渡されたらどう血迷うか狼狽《うろた》えるか、まだ自分で自分の先が見えぬ怖さがあった。

子供の時分、鉄砲町の下《しも》のゴカイ屋に肺病やみが寝付いている事を聞き、喜和は皆に倣《なら》って遥《はる》か手前から息を止め、袖《そで》で鼻を掩《おお》うてその家の前を走り抜けたものであった。その薄気味の悪さは長じても喜和の胸に染《し》み付いており、この上町にもある、風雨に嬲《なぶ》られて端の朽ちた赤いゴカイ屋の旗を見ると、その下をかいくぐって岩伍の釣《つ》りの餌《えさ》を買いに行くのは、今もやはりなかなかに恐しい。肺病やみの家は、孫子の代まで町内の交際《つきあ》い一切を差止められて普通、というほどなのだから、喜和はその業病《ごうびょう》に龍太郎が取《と》り憑《つ》かれたとは、まだどうしても考えたくはなかった。

龍太郎をいよいよ離室へ移す日、枕《まくら》と敷布とを抱えて中庭を渡っていて、喜和はふと、椿《つばき》の木の元の石の上に、一匹の蜥蜴《とかげ》を見た。

縫針のようにきらきらと降る初夏の陽を受け、蜥蜴はぬんめりと玉虫色に光って身じろぎもしない。その背に奔《はし》っている三条の鮮緑色は人間の目を弾《はじ》き返す不遜《ふそん》な力があり、喜和は思わずくらくらと眩暈《めまい》を覚え、そして何故か、龍太郎が肺病であるのはもう逃られぬ運命のように思えるのであった。

が、喜和は次の瞬間、その運命に対してどっと烈《はげ》しい怒りを覚え、思わず足許《あしもと》の小石を拾って力一杯蜥蜴に投げつけた。小石は当らず、蜥蜴は悠々《ゆうゆう》と椿の根元に逃げ込んでしまったが、喜和はなお許せぬ思いで椿の木の暗がりに向って、石を投げつけるのであった。龍太郎が真実肺病じゃったらどうしよう、どうしよう、どうしよう、と、石を拾っては投げ続けるのであった。それは、じっとしていれば涙の滲《にじ》んで来るような不安を、何かに向って打《ぶ》つけずにはいられない、人には見せぬ喜和の焦立《いらだ》った姿でもあった。

その後もときどき、喜和は蜥蜴を見るたび胸が不意に波立って来て、石を放《ほう》らずには我慢出来なくなる。僅《わず》か三寸に足らぬ虫螻《むしけら》ながら、油照りしたその胴体の、陽のもとに撒《ま》き散らしている旺《さか》んな生命力は、これから長患いに向う龍太郎に較《くら》べて、喜和にはいいようなく憎々しく見えるのであった。

喜和は、ある一日は、吉沢先生の疑い過ぎやも知れぬ、と思い、ある一日は、よし肺病でもまだほんの初まり故、人に知れぬうち先生の飲薬で癒《なお》るやも知れぬ、と思い、またある一日は、気儘次第にさせるのが何より効いて、そのうちすっかり病み捨てる日も来ようかと望みも抱き、先生に薦められているX光線の病院行きは、話を持出すたび、

「俺《おれ》はもう快《よ》うなった。何処《どこ》も悪うはない。

明日からは何でもして家の仕事を手伝うきに」

と臆病《おくびょう》そうに尻込《しりご》みする龍太郎の姿はそのまま喜和自身の心持であり、半ばはそれをいい事に、無理強《じ》いは病いに障る、などと胸の内で言訳しながら、春以来ずっと、一日延ばしに延ばしているのであった。

喜和はしかし、この頃になって長病人の看病とは骨身にこたえて難しいものよ、としみじみ思うようになっている。

看病には、いやいやする看病と進んでする看病とあり、また是非癒そうとする看病となりゆき任せの看病とがあるように喜和は思う。進んでする看病は病人の胸の内を読んで先廻りする事であり、癒そうとする看病は、病人のいい分を通してやるばかりでも不可《い》けない場合が多い。病人は神経が細かい上にこちらのやりかたを始終窺《うかが》っており、念を入れればそれなりに、手を抜けばそれなりに、たちどころにきんきんと反応して来る。病人は赤子と同じ、と心得ていても、長い月日にはこちらも弛《た》るんだり疲《だ》れたりもあるのを、龍太郎は風向きによってはそれを決して許さず、ある日突然、些細《ささい》なきっかけを捉《とら》えて怒り出すのであった。

怒ると手の早いたちで、身の廻りの物を片っ端から母屋《おもや》に向って投げつけて来る。枕許の手拭《てぬぐい》、湯呑、雑誌、ハーモニカ、尺八止《ま》まりで収まる事は先ず無く、寝茣座《ねござ》、枕、掛蒲団《かけぶとん》まで引剝《ひきは》いで庭に打ちつけ、挙句には力尽きて真蒼《まつさお》になりその場に倒れるまで、息を切らせながら荒れ狂う。

龍太郎の癇《かん》の強さは、赤子の時分からすぐ痙攣《ひきつけ》を起すことで知れてはいたが、先の見えぬ病いのせいか、それに十七という年の難しさも関《かか》わってか、一旦《いったん》狂い出すと聞き分けのなさは三つ子よりももっとひどいものとなる。爆発の原因というのは、母屋の客が龍太郎の痰《たん》の吐き方の真似《まね》をしたやら、誰ぞが当てこすりの咳《せき》をしたやら、枕許の呼鈴を鳴らしても聞えない振りしていたやら、わざと飯の持って来ようを遅らせたやら、誰に聞いても憶えのないような、病人の僻《ひが》みとしか思えない事ばかりで、家の者たちは皆、自分がその爆発の原因となりたくなさに、次第に離室に近づくのを嫌《いや》がるようになっている。

男衆《おとこし》たちはこの頃符牒《ふちよう》を使って日々離室の天気を占っており、

「お地蔵さんが北向いて」

というのは龍太郎がやや不機嫌、

「やけのやん八《ぱち》、日焼けの茄子《なす》び」

となると爆発寸前故、近よってはならぬという警告なのであった。

喜和は、龍太郎の根強い僻みかたを見ていると、あれで案外、病名は疾《と》うに自分で覚悟しているのではないかと、密《ひそ》かに思えるふしもあった。鬱屈《うつくつ》を吐き散らして暴れたあとはいつも神妙で、六畳の天地におとなしく籠《こも》り、大嫌《だいきら》いな煎《せん》じ薬でも目を瞑《つぶ》って嚥《の》み下す様子は、本人も癒りたさの一心、と喜和は見る。

考えればまだ若い身空で、安静ばかり強いられるほど酷《むご》い刑罰があろうか、と喜和は手離しで不愍《ふびん》に思えるときもあった。

同じ年頃の幼な友達、町内の若い衆たちの屈託ない健康な毎日、思い立てばどんな烈しい力の遊びにも打込める旺盛《おうせい》な体力は、喜和が見てさえ若さが匂《にお》い立つのに、昔も将来もその仲間からは外されてばかりいる龍太郎にすれば、それは羨《うらや》ましさを通り越していっそ呪《のろ》わしいほどのものかと思われる。

夏の油凪《あぶらな》ぎは病いにこたえるのか、萎《な》え切っている龍太郎の枕許に来て、

「今晩、支那禰《しなね》様の夜祭に行くが、龍ちゃん、土産は何を買《こ》うて来《こ》う？」

と親しく問うてくれる友達に向ってかっと逆上《のぼ》せ、手近の反故籠《ほうぐかご》を力任せに投げつける龍太郎を、人はまた、

「触るな、触ったら大変《しまい》ぞ」

と恐れるが、喜和にすれば龍太郎が年来、どれほど支那禰様の夜祭に行きたがっているかを知っている。これは一名土佐祭とも呼ぶ大祭で、長い参道にはずらりと夜を込めて篝火《かがりび》が燃え、宵《よい》から深夜にかけて神輿《みこし》が出るかたわら、近郷の娘たちとも知合いになれる機会を狙《ねら》って、若い者なら大抵夏の終りのこの祭にどっと押掛けるのであった。

それを、この龍太郎の躰《からだ》で、往復二里余りの夜詣《よまい》りがどうして出来るであろう。その怨《うら》みが折れ曲って重なり積もり、仮にも支那穪様のしの字を口にした者に向って、突然噴き上げるような怒りを打《ぶ》っつけるのであった。

喜和は龍太郎の気質を、この子は本当は勇気もあり情も深いのに、勇気に伴う体力の無さにいつも癇癪《かんしゃく》を起し、情の深さに誰も応《こた》えてくれぬ焦立ちで人と擦れ違うのだというふうに考えている。面差《おもざ》しは母親似《しゃわ》でも気質は岩伍そっくりで、父親がその烈しさを縦横に生かせる世界に住むのを幸せというなら、息子はそれが却《かえ》って妨げとなる養生一《いち》途《ず》の生活にいる。喜和が祈るのは、それを龍太郎の不幸《ふしやわ》せとするよりか、その利《か》ん気でこの長患《ながわずら》いを乗切って欲しいのであった。

喜和が、それでいて龍太郎が判らなく思えるのは、親の自分にさえ見境なしに刃向って来るときで、それは、起きて働く人間など思いも付かぬ小意地の悪さだと、一人胸の内側に向って口惜《くや》しい愚痴を呟《つぶや》くときもある。

日永の寝床の一日、所在なさに雑誌を繰っていてふとそそられた洋食とやらを龍太郎は喜和に作れといい、喜和は書付けを頼りに遠い升形《ますがた》の公設市場まで電車に乗って仕込みに行き、見た事も聞いた事もないそれを行きつ戻りつしながらやっと作り上げて離室へ持って行ったところ、ほんの箸《はし》をつけるかつけないかで、龍太郎はそれを、皿ごと中庭へ打ちつけるのであった。

「こんな拵《こしら》え様《よ》をして、食えるかっ」

と、

「これなら喜んで食う。残さんよう全部食うきに」

と、今朝ほど哀願したその同じ口で、親に向って遠慮会釈《えしやく》なく猛《たけ》り廻る。

洋食は拵え様が悪いのではなく、食べつけないから口に入れられないのだと喜和には判っている。喜和が生れて初めて手に触るバッタとやらは、見た目にはとうろく豆の白《しろ》羊羹《ようかん》に似ていても匂いは獰猛《どうもう》な獣の脂《あぶら》で、鍋《なべ》に載せると気味悪くとろけ、嗅《か》いだだけで吐きそうだったのを、日頃《ひごろ》牛の乳さえ嫌って飲まない龍太郎が喜んで食べるわけはない、と始めから察しはついていたのであった。

普段、家の者たちには、

「相手は病人じゃきに、息災なほうが気長《きなご》うして、大抵のことは堪《こら》えてやりなはれや」

と宥《なだ》めに掛かっている喜和も、龍太郎のこういう場の、撒き散らされた料理の後始末などさせられていると、つい本気でむらむらとなって来る。

喜和は、そのむらむらを自分で押鎮《おしず》める薬に、いつも、

「龍太郎は私の十六のときの子じゃきに」

十六のときの子じゃきに、と繰返して胸の痞《つか》えを下ろすよう、心掛けているのであった。

男の子は成長すると、ある時期から親に対して友達付合いのような口のききかたをするものだけれど、そのときの親の年が若ければ若いほど、友達付合いはより濃いものとなって来る。お互い年が近いのは、何にも増して親しくなることの決め手だとはいっても、そうなればときに喧嘩《けんか》もし合い、また憎み合いもする。世に親子喧嘩ほど恥しく、みっともないものはないとして、

「親は子の年につれて年を取れ」

という言葉で、世間も戒めてあった。

この頃、十五、六で子を生む人は少くなかったから、この諺《ことわざ》はいつも生きて喜和の胸にあり、それは、龍太郎の親らしゅうせんならん、という自覚に繫《つな》がって来る。親子の年の差のことを考えれば若い親が未熟なのは判っており、それだけに気負いもあれば自分を締めつけすぎる嫌いも出て来るのであった。洋食の一件は、日が経《た》つにつれて、あれは龍太郎の形の変った自分への甘えではなかったかと思い直し、そのあと、京町の騒動で受けた手の甲の傷も、痛みと共に恨めしさも去って今はすっかり喜和の胸の内でそれが哀れさ酷さに変っている。

先頃、京町には世界館という小屋に活動が常時掛かり、そのわきにハイカラな構えの「ブラジル」という店が出来、其処《そこ》では金地気《かなじけ》の出た番茶のように真黒な、苦いコーヒという飲物を売っている話を、喜和は若い者たちが噂《うわさ》しているのを聞いたことがある。

一日、喜和が目を離した隙《すき》に離室の寝床は蛻《もぬけ》の殻《から》となっており、慌《あわ》てて詮議《せんぎ》すると、自分では行きもしないのに庄《しょう》の奴《やつ》がさも面白可笑《おか》しゅう、ブラジルの話を龍ちゃんに聞かせていた、と良吉がいう。喜和は何やら胸騒ぎを覚え、上町の俥屋《くるまや》からゴム輪を呼んで貰《もら》い、羅紗《らしゃ》の掛襟《かけえり》と前掛を外しただけの普段着で飛び乗った。

ただでさえ、健康らしく装って盛り場を歩き廻りたい龍太郎は、庄の尾鰭《おひれ》のついた話に堪《たま》らなくなり、そのまま裏木戸から駈《か》け出して行ったものと見える。喜和は、火事場のような慌て振りは性分ではないけれど、放っておけばその苦いコーヒとやらを何杯も飲んだ末、京町帯屋町を好きなだけ彷徨《うろつ》いて殪《たお》れてしまうかも知れぬ、と思った。

喜和がブラジルに着いたとき、ネルの寝巻に羽織を引掛けた姿で龍太郎はまだ店の隅に腰掛けていたが、喜和も思わず突っ掛かるような勢いで押問答しているうち、晒木綿《さらしもめん》のはかない顔色がみるみる青磁の花生けのように沈んでいったと思うと、忽《たちま》ち眦《まなじり》がハネ上り、人前も構わず喜和の手に噛《か》みついて来たのであった。喜和が思わず上げた声と血を見た途端、龍太郎は意気地なくもへたへたとその場に気を失ってしまい、店の戸を下ろすやら医者を呼ぶやらの恥さらしな騒動になった。

喜和はそのときの騒動もひたすらに蒸し隠し、手の繃帯《ほうたい》もなるべく前掛の下に入れて人目に立たないよう気をつけ、無論岩伍《いわご》にはずっと黙り続けていた。万一聞かれたら話はしようけれど、こちらから切出すには余りにも龍太郎の心根が可哀想《かわいそう》に思えるからであった。

これからは、龍太郎の病いが喜和一人の責任ではないといっても、岩伍が知って乗出せば町内にも知れ、町内に知れると喜和は急に世間が狭くなって来る。

これまで、

「ちっと風邪が長びいちょりまして」

とか、

「暫《しばら》く愚図愚図しよります」

とかの挨拶《あいさつ》で人の疑いを躱《かわ》して来た嘘《うそ》も訐《あば》かれ、町内が白い目で自分を避けるようにもなって来る。

それを思うと、喜和はおぼつかなさに何かに縋《すが》りつきたくなり、門口の遍路が口の中で呟く「南無大師遍照金剛《へんじょうこんごう》」に、駈け出して行ってつい五銭の穴明きを弾んで報謝してしまったりする。吉沢先生を頼っているとはいっても、人の話に、精をつけるにはそれが一番と聞けば、日曜市《いち》へ鼈《すつぽん》を買いに行ったり、熱と咳には茴香《ういきょう》が効くと聞けば、一人遠い百姓家へそれを分けて貰いに行き、長火鉢《ながひばち》に樫炭《かしずみ》を埋《い》けて、ことことと半日煎じたりする。

鼈の生血など、気味悪がって龍太郎が飲む筈《はず》もなく、煎じ薬は一悶着《ひともんちゃく》の挙句でなければ飲んで貰えないと判《わか》っていても、今の喜和には、そうやって自分自身を宥めているよりほか、方法がないような思いがする。

そのうちにもある日ふと、龍太郎が、

「あれはただの風邪じゃった。もう癒った」

と、すっくと立上る日の姿が、この頃では始終喜和の夢枕《ゆめまくら》に現れるのであった。

三

若い頃の岩伍は一升酒を呑《の》んだ話も聞いているけれど、喜和が知ってから量は付合いの上を出ず、晩酌《ばんしゃく》さえ膳《ぜん》につけた覚えもない。それだけに、酒以外への心の放ちかたと来たらまことにさまざまなもので、流れ者を拾い上げるのも仕事の内、と譲るとしたら、明らかに自分の楽しみといえるものには釣りもあり、競馬もあり、芸人の後見もあり、生き物を飼う事もあった。これ、と思ったらその日が即《すなわ》ち吉日で、手を打つ事の早さと打込みの深さと来たら、喜和など到底思いのほか、のように見える。

喜和の見るところ、岩伍は手許に金を溜《た》めるのをまるで仇《かたき》のように深く憎んでおり、入ったが最後、さっと右左撒き散らしてしまう。

紹介人の手数料というのは、紹介業規定によれば普通、妓《こ》の側の借用金額の一割となっており、この一割は雇主と借主が七三の割合で負担する。が、これはあくまで業者間の中合せなのだからこれ以下、という線はあり得ず、そのときどきの状況によって、雇主からは七分どころか一割以上もの礼金を弾んで貰えるのであった。

この世界の妓たちの辿《たど》る道は芸のあるなしで大体二つに分れ、芸妓《げいぎ》を目指すなら九つ十から料理屋子方屋に年季奉公して芸を覚え、十四、五で初めて座敷に出るようになる。旦那《だんな》は持ってもどこまでも表芸で通そうとするのが一等芸妓で、それに器量と気品が添えば飛切りの上玉となる。身を堅固に持して賢い妓は、座敷に出て普通四、五年も経てば前借を返し終り、あとは芸を頼りに自前で稼《かせ》ぐか廃業してもとの素人《しろうと》に戻るかは本人の自由であった。

かたわら娼妓《しょうぎ》酌婦というのは最初から躰一本の稼ぎ、と決っており、こちらも自前と年季とあって自前は稼ぎの七分、年季は三分が自分の懐《ふところ》に入り、世の景気も安定していて本人が病気もせず順調に働けば、先《ま》ず借金の返せないことはないのであった。

岩伍が紹介人の働きをいうのは、雇主のなかにもさまざまな人間がいるせいで、商売の堅い、たちのよい雇主の家に世話すれば妓たちの借金はどんどん減り、逆に、妓たちの食代衣装代化粧代などの費用にまで水増《いりめ》しして借金につけ込むような家に奉公させると、働いても働いても本人にとって自由の身は遠くなる。岩伍の強みは、陽暉楼《ようきろう》の大将の引きによって筋のよい取引先に恵まれている事であったが、それでも四国、上方《かみがた》、全国へと次第に拡《ひろ》がる商売相手のなかには、世話した妓からの話を聞いて初めて判る、阿《あ》漕《こぎ》な雇主も無きにしもあらずであった。

そういうとき岩伍は自腹を切ってまで出向いてゆき、雇主に話をつけて妓を連れ出してやるのであった。借金で縛られている故《ゆえ》解約は出来ないけれど、本人の水に合った土地へ再仕替えのかたちで斡旋《あっせん》したり、年季を自前に切替えたりして、本人の働きいいよう親身になって考える。妓たちのほうでも、一旦岩伍の手に掛ればどこまでも面倒を見て貰える安心があり、この道開業八年目で岩伍の妓の扱い数は高知の紹介業では群を抜いて多くなっている。

この時分、裏長屋の暮しで一月拾円もあれば餓《う》えもせず充分やっていけたから、芸妓の上玉で二千円、娼妓の稼ぎ頭で千円、という妓たちを月のうち五件以上も扱えば、金はいつも潤沢に岩伍の目の前にあった。しかもこの商売は現金を中にして取引されるもので、掛売りも貸倒れもなく、大抵は雇主のほうで手を明けて待っている状態だったから、妓たちのほうから話があればすぐにもう、手数料の金はあてになっているようなものであった。

岩伍の金に対する執着の無さは男の甲斐性《かいしょう》も手伝っていっそ潔《いさぎ》よく、町内の催し物に仰山な賞品を弾むは序の口で、桟橋《さんばし》の草競馬でいつも優勝を勝ち取る騎手の寺島や、鯔《ぼら》釣《つ》りの腕にかけては並ぶものない熊太、この男の胡弓《こきゅう》を聞いて泣かぬ者はないという盲目の胡弓引き柳川など、家に出入りさせるばかりでなく、引連れて歩いたりものを買ってやったりする様子は、子供が好きな遊びに打込んでいる姿のように見える。これが喜和なら、憂《う》さ晴しの相手には鉄砲町というものがあるのに、身内の一人持たない岩伍は内にいつも淋《さび》しさ人懐《なつか》しさを養っていて、それが流れ者も含めて、他人というものへ過ぎた情を寄せるもととなろうかと思える。それは別段構いはしないが、喜和はただ、岩伍がふとした出来心だけで生き物を飼うのは、それが死んだときの事を考えて嫌《いや》であった。

近頃の出来事では、寺島を乗せる為《ため》に飼った競馬馬が茶の葉の食べさせすぎで死に、犬好きの紹介人仲間から買った秋田のマルがまだ小犬のうちに死に、それからこの正月、春を待たずに手振鶯《てぶりうぐいす》が猫《ねこ》にやられて死んでいる。鶯は去年の秋、岩伍が本丁筋の小鳥屋から買って来たもので、毎朝、青物売りの姐《ねえ》さんから大根葉《だいこば》を分けて貰い、必ず自分で摺《す》って煉餌《ねりえ》を作り、籠の床《こばん》も毎日取替えて可愛《かわい》がっていたものであった。ささらで落した鶯の糞《ふん》は、糠《ぬか》を混ぜて袋に入れ、風呂場《ふろば》に置いて女達が使い、籠は釜屋《かまや》の縁の上に吊《つ》って家中誰もがこの春の啼声《なきごえ》を待っていたのに、猫はこの場所にもと掛けてあった干物の籠を狙う要領で、釜屋から梁《はり》を伝ってやって来たものと見える。

生き物の死は嫌だとはいっても、喜和は馬も犬も鶯も、実際にその死骸《しがい》は見ていない。馬は桟橋の厩舎《きゆうしや》で死に、犬は喜和が外から戻ると既に菰《こも》に包んだ固い塊りを亀《かめ》が大川へ放《ほう》りにゆくところで、鶯も、喜和が見たのは籠の床に乱れ散っている、たんぽぽの綿のようなたくさんの和毛《にこげ》だけであった。

男衆《おとこし》たちの話によると、猫は菓子屋の沢村の裏の、元軍人だという小むつかしい年寄りの家の斑《ぶち》だという事であったが、喜和が本当に生き物の死の気味悪さを見たのは、鶯のあといくらも経たないうち、この斑が富田の井戸に飛び込んだときであった。

何の因縁《いんねん》やら、と喜和はそのとき、不吉な思いがした。

富田では井戸に井戸蓋《ぶた》があるのに、何故《なぜ》猫が落込んだものであろうか。それは菊のいう、

「夜中に水飲みに起きた良やんの閉め忘れ」

と、良吉のいう、

「俺《おれ》夜中に起きた事は起きたが、汲《く》み置きの甕《はんど》の水を飲んだ。それは宵《よい》に仕舞いした菊の閉め忘れ」

との危うく摑《つか》み合いになる争いもさる事ながら、暗闇《くらやみ》でもよく見える筈の猫が、むざむざ井戸に落ちたというのが喜和は不可思議《おかしげ》でならなかった。

岩伍に聞けば、緑町《みどりちょう》にもこの四月から水道という便利なものが引かれるという。鉄《かね》の蛇口《じゃぐち》ひとつ捻《ひね》れば、夏枯れもなく雨にも濁らぬ綺麗《きれい》な水が、何時《いつ》でも好きなだけ溢《あふ》れるばかりに出るという。それを聞いて喜和は、洗い物がどれほど楽になるか、と喜んだ一方、水道は無料《ただ》ではない事も教えられ、即座に、井戸はまだまだ捨てられまい、と考え

たものであった。

井戸を大切に思えば井戸替えをしなくてはならず、そうなれば、裏長屋の野天井戸など雨の翌日は塵芥《ちりあくた》が溢れ、ときどき鼠《ねずみ》の死骸まで浮いている話を聞き知っている喜和は、遠い葛島《かずらしま》から井戸替え人足を雇って来るのも、町内へ気兼しいしいとなる。

寒の盛りの井戸替えは水が少い故却《かえ》って楽だという人もあるけれど、恰度《ちょうど》舟の淦《あか》汲みのように初めに先ずざんざんと水を替出してからあと、底のほうから順に側を擦《こす》り洗いするのであった。水を替出すうち、老猫《ろうびょう》の死骸は釣瓶《つるべ》に乗って雫《しずく》をこぼしながら上って来たが、腹が異様に膨れ、濡《ぬ》れた毛先はところどころ固まって拗《よじ》れ、桃色の地肌《じはだ》は妙に鮮やかに生々しく見えた。誰かが下駄《げた》の先で、

「猫目のくせに、この鈍《とろ》い奴」

とすくい上げるように蹴《け》ると、見ていた喜和が、「あ、破《わ》れる」と思ったほど、硬直した四肢《しし》は氷塊のような固さでゆっくり半円を描き、反対側にぱたん、と落ちた。

人足の若者は、替出した後の深い井戸の底へ、赤岡縞《じま》の猿股《さるまた》一つで棕櫚《しゅろ》縄梯子《なわばしご》を伝いながら下りて行ったが、この光景は猫の死骸と共に長いあいだ喜和の眶《まぶた》を離れなかった。

考えてみれば、今年に限り、厄年《やくどし》などという古い謂《いわ》れを喜和が頭に泛《うか》べたくなるのは、この鶯と猫の事件を皮切りに、立て続けに厄介な事ばかり出来《しゅったい》するせいであるかとも思える。このあと間《ま》無しに、銀蝿《ぎんばえ》に臍《へそ》繰りを攫《さら》われ、鉄砲町の甥《おい》が縁から落ちて怪我《あいまち》し、

こちらで引受けていた上《かみ》の新地の菊千代の染物が柄違《がらたが》いになって上って来たりするのを、一旦《いったん》気に病み始めると果てのないものとなる。

今年は龍太郎の病いに慴《おび》えている心の弱り目にそれがつけ込み、何事であれ、何時までも溜り水のように胸の隅《すみ》に澱《よど》むのであった。

銀蠅の持ち逃げは毎度の事ながら、今回は、喜和が神棚《かみだな》の榊生《さかきい》けの奥に隠し、釣銭《つりせん》の五厘《りん》一銭を秘《ひそ》かに貯《たくわ》えていた、お恵比須《えべっさん》様の形の貯金箱だけを掻《か》っ払った手際《てぎわ》は巧妙であり、また業腹《ごうはら》で、たった三日の滞在でいて喜和の仕作《しぐさ》を何処《どこ》で窺《うかが》っていたのかと思うと心が寒くなる思いであった。小銭は皆で五円にもなっていたろうか。

「それだけありゃあ、ま、暫くは盗みもせずに食えるろう」

という岩伍の前に、不服の言葉は腹へ収めてしまい、以後金の出し入れには細かく気を使う事になった。

鉄砲町の甥二人は二人とも、酷《むご》いことに生れついての足蹇《な》えなのだけれど、これを梅にすれば水神様の祟《たた》りという話になり、楠喜《くすき》にすれば年中陽《ひ》の射《さ》さぬ家故、病気が取憑《とりつ》き易《やす》いという話になる。しかし足蹇えとはいっても人の手を借りるほどのものではなく、弱い足を庇《かば》ってゆらゆら揺れながら家うちを歩き廻《まわ》るものだから、縁から落ちる程度の怪我は再々のことで、今度はたまたま、落ちた個所に瓦《かわら》の割れがあり、兄のほうの松喜が頭の皮を切ったというだけのものであった。

菊千代の一越縮緬《ひとこしちりめん》は、座敷着ではなく、客と遠出の為の素人柄、ということで喜和は請合っていたが、上って来た柄も満更悪くはなくて、これは表立った悶着《もんちゃく》とはならなかった。

喜和は今年、遊び好きの緑町がいつも群を成して出掛ける花見や、蛍取《ほたると》りや、夏祭など、どんなに誘われても病人を抱えていてはその気にもならず、必ず外して家に残るよう務めているのであった。家にじっとしていればひとりでに思いが後へ戻り、もう過ぎてしまった筈の嫌な出来事をまた執拗《しつこ》く頭に浮べたりする。喜和は気が鬱《ふさ》いでならないとき、折に触れ、

「家には健太郎というものが居る」

と思い、そう思うと壁に向っているような心の隅にも一点、涼風が立って来るようであった。

この家の中で、病気ひとつせず、騒動ひとつ起さず、毎日黙々と勉学に励む、まことに恬静《てんせい》な健太郎が居るという事は、それだけで喜和をしっかり支えていてくれる心の柱となるように思える。

鉄砲町の梅は、喜和が下の子ばかりに手を掛けて上を放し飼いしたようにいうけれど、喜和の事実はその逆で、病身な龍太郎に気を取られている間に、下はひとりでにずんずん育って来た感じであった。兄と違ってこちらは根気もよく胆力もあり、父親の敏捷《びんしょう》さ

を受継いでかとくに走る事にかけては人を抜いていて、第五尋常小学校でも、肩に赤い級長の印と運動会の選手は、健太郎にずっと付いて廻っているのであった。

小さい頃《ころ》から少しも親に労を掛けない子だったから、喜和は健太郎が中学校へ進んだ前後の模様を、今でもはっきりとは憶《おぼ》えていない。入学当時、店の客たちが一本線の入った制帽姿の健太郎を見て、

「おっと、こりゃ、一中の秀才！」

と声を掛けるのを聞いて、初めて県立第一中学校という名を覚えたり、裏のイービーの先生からも、

「一中には県下の選《よ》り抜きが集る。我が町内にも健太郎君のような穎哲《えいてつ》の才が居るとは、真実《まこと》に名誉な事ですのう」

と、刻みの屑《くず》を届けに行った庄に褒《ほ》め言葉を貰《もら》ったのを聞いて、一人にっこりした事であった。

喜和は、龍太郎《りゅうたろう》に対しては、親らしい姿勢を保つよういつも自分に課して来たが、健太郎に対しては不思議に気軽いものがあった。龍太郎はこちらが劬《いた》わるばかりの間柄故、親の弱みを見せては悲しむかも知れぬという遠慮があるのに、健太郎は身心共に強い子故、何の斟酌《しんしゃく》もなし付合えるように思える。一方は目油断もならないのに、一方は目に見えなくても心配要らないように思える。二人の年は一つしか違わないのに、病い勝ち

な総領息子に手を喰《く》われていれば、何の造作も掛けない次男のありようは飛び離れて有難く目に映るのであった。

その健太郎三年の、夏休みも近い日の事、県立一中から突然岩伍《いわご》宛《あ》ての封書が届いたのであった。

恰度岩伍は、沿岸通いで宿毛《すくも》へ、あと陸の難路は自動車を雇って宇和島の料亭「浮世」へ妓二《こ》人を連れて行っており、喜和は長火鉢の猫板の上に暫《しばら》く封書を載せて眺《なが》めていたが、やがて仕方なく爪先《つめさき》で封を切った。

中身は、時折見掛ける刷物ではなく、巻紙にむずかしい続け字で書かれてあり、いつもならその場で巻き戻して岩伍の帰りを待つところだけれど、今日ばかりは文言《もんごん》の大意くらいは摑まねばならないのであった。仮名の前後を綴《つづ》り合わして判じれば、喜和にもどうやら意味の取れないこともなく、『至急』という字は急ぎの用事、『御出頭被下度《くだされたく》』は、受持先生が逢《あ》いたいと仰《おつしや》っておいでの事、と察しがつく。

喜和はそのとき、此《こ》の手紙はきっと健太郎に関係した吉報に違いない、と思った。ずっと以前、健太郎が市内尋常小学校の聯合《れんごう》運動会で優勝したとき、祝賀会の誘いに受持先生からこのような巻紙の叮寧《ていねい》な手紙を貰った事を喜和は微《かす》かに憶えており、今度もまたそれに似たような中身であろうと、喜和は咄嗟《とつさ》に考えたのであった。吉報ならば早く聞きたい思いもあり、岩伍の戻る日取りもよく判っていないところから、喜和は一人で思い決め、翌る日、石水《いしみず》で髪を取上げて貰ったあと、電車に乗って一中へ出掛けた。

学校というものを、喜和が一人で訪問するのはこれが初めてであった。

一中は、城山の森を背に白い時計台が空を截《き》って聳《そび》え立っており、その誇らしい姿は電車を下りた大橋通りから真向いに見える。喜和は時計台を目あてに町なかを通り抜け、玉砂利を敷き詰めた本門の前に立って、まあ何と長大なものよ、と堅固な要塞《ようさい》のように見える建物を見上げた。塀《へい》の厚みに沿って濠《ほり》に似た深い溝《みぞ》をぐるりと廻《めぐ》らせてあり、門のかたえには、梢《こずえ》が時計台の先端に届くほどの巨大な、由緒《ゆいしょ》ありげな楠木《くすのき》が幾株も根を張っている。ほんとうなら、心が臆《おく》して一足も前へ進まない筈《はず》のこんな建物の中へ、喜和が顔を上げて入ってゆけるのは、心の中によい報《し》らせを待っている事の楽しみがあるからであった。

しかし、喜和がこの日、立派な応接室で髯《ひげ》のある受持先生から聞かされた話は全く寝耳に水、としか思いようのないもので、

「富田君は、最近非常に無断欠席や早引遅刻が多くなって学業にも身の入らん様子ですが、御家庭に何か変った事でもありましょうか」

といわれたとき、何を間違うたお話やら、と胸の内で笑ったほどであった。

健太郎は尋常では皆勤賞を貰っており、中学に入ってからも一朝として床離れの悪かった日など無く、喜和が詰めるアルミの弁当を鞄《かばん》に入れて快闊《かいかつ》に登校する、その日課の

一日として狂った憶えはないのであった。

が、先生の話が出鱈目《でたらめ》でない証拠に、厚板で閉じた出席簿の健太郎の名前の下には、欠席の斜線、早引の早、遅刻のチ、が大分書き込まれてあり、それは三年に進級したこの春頃からぼつぼつと始まり、此の頃ではかなり目立つようになって、教室でも居眠りや不勉強を他の先生から注意される事も屢々《しばしば》だという。喜和はそこまでいわれてもまだ合点出来ず、今、どこをどう思い返しても健太郎に不審な様子は見えないし、家の中を見渡してもあの子に直接響くような出来事は何一つない旨《むね》、気を張って精一杯返答中上げる。先生は首を傾けながら、健太郎の友達の事、好きな本の事、家での勉強時間、休みの日の過しよう、などをなお細々と喜和に問い、これからは家庭の監督を厳重にして欲しいと繰返しいわれるのであった。

校門を出たとき喜和は、このあまりの駭《おどろ》きの為《ため》に、自分が急に五つ六つ老《ふ》けたのではないかと思ったほどであった。

往《ゆ》きは、こんな長大な学校の門を、生徒の母親として潜《くぐ》れる事の誇に充《み》ちていたのに、そこに待っていたのは、無学な自分への先生からの手詰めの談判であり、しかも話は夢にすら見た事もない健太郎の素行の不審だという。喜和は、着ている縮みが全身肌に貼《は》りついている汗に、手拭《てふ》きを出す事も忘れ、蝙蝠傘《こうもりがさ》をつぼめたり開いたりして風を入れる事もせず、じっと頭を垂れて歩いているのであった。

駭きで胸はまだ波打っているものの、喜和はしかし、今の先生のお言葉を全部が全部、信じてしまったというわけではない。喜和にとって学校の先生は忝《かたじ》けなく勿体《もったい》ない方だけれど、この場合は健太郎の男らしい寡黙《かもく》さ、家に居るときの風も立てぬ静かさ寧《やす》らかさのほうが確かだと思える気持もある。若《も》し今、あの子が何かを企てているとしても、それは決して悪い事ではない筈であり、親に心を労させぬ思いやりからわざと黙っているのだと考えたかった。

小さいときから健太郎は見目かたち岩伍に似て可愛らしく皓《しろ》い鬼歯が特に愛嬌《あいきょう》で、性質もゆったりとして鷹揚《おうよう》だったから、町内の友達ばかりでなく家に出入りの大人のあいだにも人気があった。癇《かん》が強くて好き嫌《きら》いの烈《はげ》しい龍太郎に較《くら》べ、健太郎は凡《およ》そ泣いて暴れて母親を手古摺《てこず》らせたという記憶もない。無口ではあっても思いやりがあり、今でも青年団の夜警が龍太郎に廻って来ると必ず兄に代って拍子木を持ち、人が怖がって踏込まない下知《しもじ》の共同墓地にも丑満刻《うしみつどき》にちゃんと夜廻りをする。父親の釣りにはいつも艫《とも》に坐《すわ》って櫓《ろ》を漕《こ》ぎ、使いに出せば男衆たちの誰よりも正確で早かった。

先生は、あの子の事を少々色眼鏡で見過ぎておいでではあるまいか、と喜和がしきりにその点に拘泥《こだわ》るのは、先程の話の中で、

「お宅のお仕事柄」

といういいかたを繰返して二回、先生が口にされた事で、そういわれると喜和の胸の

片隅にあるほんの纔《わず》かな、矜《ほこり》とも呼べぬほどの小さなものが秘《ひそ》やかに頭を擡《もた》げて来るのであった。

富田はなるほど、紹介業であり、世に堅い職業ではないかも知れないが、健太郎を育てたのはこの世界の水の味を知らぬ素人《しろうと》の自分であり、自分が作り上げて来たこの家の家風は、普通の家の事情とちっとも変りはしないもの、と喜和は思っている。自分は無学ではあっても巧言ではなく、悪心も持たず、まして摺れた玄人《くろうと》のように自堕落な暮しもしてはいない。人が、姐《ねえ》さんちっと一概《いちがい》過ぎる、というくらい、日頃から手堅く身を保っているのが、血を分けた子供達に伝わらない筈はない、と信じてもいる。その思いの裏側には、ときに鬱陶《うっとう》しく思える事もある鉄砲町の、淵《ふち》のように澱んで動かぬ控え目な家風を、心恃《だの》みする気持もあった。

同じ紹介業でも富田だけは違う、という喜和の区分けはまた、岩伍の読み書きの達者なことや、世間から得ている信用の厚みにも掛かっており、水商売とはいっても、白粉《おしろい》の匂《にお》いもなく三味《しゃみ》の音も響かないこういう家に、「お宅のお仕事柄」と冷たくいわれる筋合はないように思えるのであった。

その日、健太郎が戻って来たのは、一日中で一番釜屋《かまや》の忙しい夕方であった。店の隣の自分の三畳に鞄《ほう》を放り込み、絹に空の弁当を手渡すと真直《まっす》ぐ離室に行き、龍太郎と何やら話している様子だったが、軈《やが》てどちらが吹くのか、屈託なげなハーモニカの音が流れて来た。喜和は、今日先生から聞かされた不審を、健太郎自身の口からすっきり晴して貰おうと考え、勢《きお》い込んで待っていたのだけれど、今は廻りに人目もあり、病気の龍太郎に聞かせる事も憚《はば》かられて、じっと堪《こら》えて口を締めている。

そのうち電気が点《つ》き、電気が点くを合図のように、馴染《なじ》みの連中が、

「大将まだお帰らん？」

「龍ちゃんどんな事？」

「姐さん、忙《せわ》しけりゃ何ぞ手伝おか」

などと口を叩《たた》きながら、わらわらと入り込んで来て飯になる。

今日は気分がいいのか、龍太郎も健太郎に蹤《つ》いて一人でこちらへ来、飯台の前に坐っている。長年の習慣で、連中は籠《めご》に伏せてある茶碗《ちゃわん》を勝手に取り、一人で飯櫃《めしびつ》から飯をよそい、菜だけは菊の手から貰って、上《あが》り端《はな》に腰掛けたり立ったりの好きな姿勢で食べる。

飯が始まると、連中は無料飯《ただめし》の代償に、今日一日の町の話題を、矢釜しいまでに提供するのであった。

誰が誰に附文《つけぶみ》したやら、誰と誰がええ仲で一緒に活動へ入りよったやら、何処の娘はこの頃妙に色気づいちょるやら、夜這《よば》いは何処そこが面白いやら、誰が誰の女房を寝盗《ねと》ってえらい騒動になったやら、話はいつも色話に決っていて、それをまた男衆《おとこし》たちが喜

び、合の手を入れては余計賑《にぎ》やかなものにするのであった。

喜和は黙って飯を口へ運びながら、この話は全《すべ》て悉《ことごと》く、龍太郎と健太郎の耳にも入りよる、とふと思った。こういう話を聞いて、二人は何を考えるろう……と、それは今日の、たった今まで、喜和が嘗《かつ》て思い廻らせた事もないものであった。

連中は皆に受けようとして、露骨にえげつなく身振り手振りを交えて話し、男衆たちはそれに乗ってどっと笑う。菊も笑い、絹も笑い、岩伍も機嫌《きげん》のいい時は合槌《あいづち》を打つのである。

喜和は、二人の息子がこれまで一度も話に加わらず、自分同様、黙々と飯を食うさまに安堵《あんど》していたけれど、それは決して話の中身に気がないわけではなく、むしろ、全身で聞き耳を立てるほど興味を抱いていたのではなかったろうか、と思えて来る。

「二人はこの家で、小《こ》んまい折からそうやって育って来たがやの」

と、喜和は思った。

喜和は、心の片隅に囲ってある纔《わず》かな矜がしきりに揺らぐのを感じ、箸《はし》を置いて二人を窺うと、二人共、裏長屋の自称ダンス教師の勇が舌先でチャッ、チャッ、と真似《まね》るチャールストンの拍子を無心に聞き入っている。喜和は健太郎のその横顔を見ていると、今まで、三畳の勉強部屋から洩《も》れて来る英語とやらの高読みを頼もしげに聞いていたのは、矢張り安心のし過ぎではなかったか、と突然不安が拡《ひろ》がって来るのであった。

兄弟二人で戯《おど》け合い、

「入《い》るときに要《い》らん、要《い》らんときに入《い》るもの、何?」

「風呂桶《ふろおけ》の蓋《ふた》」

「食うときに食わん、食わんときに食うもの、何?」

「知らん、判《わか》らん」

「阿呆《あほ》、魚釣りの弁当よ」

そこで互いにしっぺをしたり、捻《ひね》ったりしていた子供らしい姿は、あれはどの位前の頃であったろうか。

飯のあと、健太郎は下駄を穿《は》いて何処《どこ》かへ出て行ったようであった。

何処へ? 何しに? と気は焦《あせ》るものの、普段聞いた事もない健太郎の行方を男衆たちに糺《ただ》すのは疑いを招く元、とじっと怺《こら》え、流しの洗い空けを済ませてのち、龍太郎に聞きに行った。

「さあ、健は学校から活動も食堂も夜間外出も止められちょるし、下駄穿いて出て行くくらいなら、近《ち》こうて東条、遠うて益《まつ》さん家《く》辺りじゃろ」

という、事もなげな龍太郎の返事を聞いて、喜和は、まあ益さん家とは、と思わず龍太郎の唇許《くちもと》を見返したものであった。

今日学校で、先生から健太郎の日常について聞かれたとき、喜和は懸命に逃げを打ち、

「大家内で忙しい家で御座いますきに」

だの、

「それは本人任せで御座いますきに」

だの、言訳にもならない返答をしていたけれど、本当はその問いに何一つ答えられない自分が判り、いちどきに汗が噴き出していたのであった。先生は、こういう母親を見て、家庭のだらしなさを一目で悟ってしまわれたに違いないと喜和は思った。

小さいときから大して心にも留めず育てて来た健太郎についてじっと思い返していると、喜和には今頃になって却《かえ》って鮮やかに色を増して来る一つの情景が泛《うか》んで来る。確か健太郎はまだ一中へは上っておらず、かといって男衆たちの自転車の踏板にはやっと足が届いていたから、尋常も六年にはなっていたろうか。

その頃、少々小わけがあって富田では暫くの間、栄龍《えいりよう》という妓を預っていた事があった。岩伍がその妓を連れて釜屋に入って来たとき、「あ、これは」と喜和が思ったほど、顔つきも身装《みなり》も荒み切《すさ》った感じで、長火鉢《ながひばち》の前に片膝《かたひざ》を立てて突き坐るなり両裾前《すそまえ》を股《また》のあいだに掻《か》い込み、その手で人の煙管《きせる》に火をつけて嘯《うそぶ》くさまを見ていると、これが到底二十《はたち》とは思われぬしぶとさがあった。後に陽暉楼《ようきろう》から廻って来たこの子《こ》の十六の歳《とし》の、お披露目《ひろめ》の裾引姿の写真を見て、女が堕《お》ちるのもこの世界では早いものよ、と喜和は一人思ったものであった。

小わけというのは、陽暉楼の帳場へ一時用心棒代りに出入りしていた博奕打《ばくちうち》上りの男と栄龍は懇《ねんご》ろな関係が出来、前借に前借を重ねて貢《みつ》いだ挙句、男と牒合《しめしあ》わせて足抜けしようとしているところをみつけられ、陽暉楼の大将が即刻、岩伍に仕替えを頼んで来たのだという。足抜けはこの世界では強《きつ》い御法度《ごはっと》で、巧《うま》く逃げられたと思ってもすぐ警察の手が廻り、捜索費用は全額本人負担となる上、若《も》しみつからない場合はどんなに貧に喘《あえ》いでいても親に対して借金の返済と捜索費用の弁償を強く迫られるのであった。岩伍にいわせると、前借を払う努力を怠り、踏倒して逃げるはたちの悪い詐欺師《さぎし》以下、という話になり、一旦《いったん》その前科を持つと廻りも警戒し、本人も諸事締めつけられて働きがいっそう苦しくなるものであった。

しかも栄龍の場合は、ハイカラ好きの帳場の兄さんが初めて巻いたネクタイを両手で締め上げて気を失わせておいた上、朋輩《ほうばい》たちの衣裳《いしょう》を引抜いて荷をしたところだったから、陽暉楼の大将の怒りようも一通りではなかった。

岩伍の、長い紹介業の経験でもこれほど露《あら》わな例は珍しいほど、僅《わず》か四年のあいだに栄龍は男によってしたたかに鍛えられており、前借の高は披露目の時を遥《はる》か上廻っているのに逆に芸は捨てていたから、おいそれと引取り手の見つけられる筈もないのであった。普通、妓の仕替えはつなぎに一日二日の自由があるだけですぐ次の奉公先に移ってゆくものだけれど、栄龍は借金のかたに持物一切陽暉楼に渡しており、全くの身一つでしかもあてのない滞在であった。

喜和は、その頃蒲団《ころふとん》部屋だった三畳を片付けて栄龍をここに入れたが、一日中陰気な顔付きで籠《こも》っているかと思えば、いやし喰いをしたくなるとぞろりと懐手《ふところで》で釜屋に出て来ては、

「ちょっと、米《よね》やん」

と呼び、すいと櫛巻《くしまき》の頭から翡翠《ひすい》など抜いて、「これ、角へ行て曲げて来て」と頼んだりする。「へい、一六《いちろく》銀行、八前銀行」と米が一っ走り行って戻ると、ぽんと白銅貨を礼に放り、握った掌《てのひら》のなかでじゃらじゃらと銭を振りながら、伊達巻《だてまき》のまま、そこら辺りの男下駄《げた》を突っかけて二丁目のうどんやへふらりと出掛けてゆく。

富田に滞在中、皆と一緒に飯台についた事はなく、話しかけてもぷいと横を向き、ふふんと鼻先でせせら笑うその不貞腐《ふてくさ》れように、家中何となく傍《そば》へ寄りたがらない空気の中で、どういうわけかまだ小さい健太郎にだけは、栄龍は眉間《みけん》の皺《しわ》を解いて向うのであった。

閉め切った三畳からぱしっ、ぱしっ、と花札の音が聞え、「ほら健ちゃん、いのしかちょう!」「ほら赤丹!」「ほら四光《しこう》や、頑張《がんば》りや」という声を耳にすると、これがあの、廻りは皆仇《かたき》、というように怨《うら》みの籠った目付きで人を見る栄龍の声か、と喜和は驚かされるのであった。

栄龍は間もなく甲浦《かんのうら》の料理屋が長い年季で雇う話が決まり、向うから親方が来て自動車で連れられて行った。栄龍が家を出る夕方、喜和は見送りというでもなく門口に出て、四丁目の角に止めてある自動車を見ていた。高知から室戸岬《おはな》を廻って阿波《あわ》境まで、長い長い道程《みちのり》を自動車とはさぞ高いものにつくであろうのに、甲浦の親方は栄龍の足抜けを何よりも要慎《ようじん》したものであろう。

これから先栄龍は莫大《ばくだい》な前借を返すため、芸ばかりでは追つかず、酌婦《しゃくふ》同様厭《いや》な客まで取らされる羽目になる事を思えば、喜和は矢張り酷《むご》くはあった。今朝ほど喜和が銭を握らせて勧めたのに栄龍は頑《かたく》なに拒んで髪も取上げず、汚れた滝縞《たきじま》のお召一枚で、しかしさすがに萎《しお》れ、まるで罪人のようにしおしおと陽《ひ》の落ちかかる往来を遠ざかって行った。自動車に乗込む段になって栄龍はふとこちらを振返り、心もち頭を下げたように見え、表情は判らなかったが、喜和はそれを見て初めて二十らしい娘の様子だと思った。

そのとき不意に、店の土間の脇《わき》に片寄せてある自転車を健太郎が荒々しく引張り出し、家の前から飛び乗って自動車を追掛け始めた。前屈《まえかが》みになって懸命に自転車を漕《こ》ぐ健太郎の白いシャツがまんまるく背中で風を孕《はら》み、まだ踏板までは充分でない短い足が腰を浮かせて踏んばるたび、丸いシャツは右に左に大きく傾《かし》いで揺れるのであった。自動車は黒煙を吐いて発車し、すぐ三条通りの角を曲ってしまったが、健太郎の白いシャツと自転車は全身夕陽の朱を浴びながら、必死でどこまでもどこまでも蹤《つ》いてゆくようであった。

喜和はあのとき、健太郎はひょっと泣きながら自動車を追いかけていたのではないか、と思うのであった。栄龍は、健ちゃんおいでや、とやさしい声で呼び、うどんやに連れて行ったり、縁側に出て爪《つめ》を摘んでやったりの事もあったから、健太郎のほうでもそれなりに情も移っていたものであろう。

考えてみれば、健太郎には小さいときから親には見せぬものの弱い者に贔屓《ひいき》する性質があり、それは大きくいえば岩伍《いわご》の手を経て方々に売られてゆく妓たちから、小さいものは家の内の菊と絹まで、子供なりにひそかな後見役を気負っているものかも知れなかった。喜和は細かな話は何ひとつ知らないけれども、昔、尋常に通う菊と絹に向って「八金お菊！」「貰《もら》い子お絹！」と喚《わめ》きながら乱暴な事をしようとする男の子たちから二人を庇《かば》って、健太郎が如何《いか》に頼もしい姿を見せたか、考えると容易にそれは目に見えて来る。そのせいかどうかは判らないが菊も絹も健太郎の事を、「健ちゃん兄さん」とややこしいほど叮寧《ていねい》に呼び、岩伍に次いで大切がっている様子であった。

それを、弱い兄に代っての富田の統領としての器量、と見れば親は好もしく思えるけれど、一旦《いったん》裏目に出れば見境なしの人善しとしての危なさも孕んでいる。それを思えば龍太郎のいう、「東条か、益さん家」のうち、将棋集会所の東条ならともかく、女好きで通っている、親子ほども年の違う益さんと昵懇《じゅこん》だとは、喜和は決していい想像は出来なかった。しかも益さん家は下の新地の遊廓《ゆうかく》のすぐ隣にあり、夕景になると、首白粉《おしろい》の娼妓《しょうぎ》たちが道にまで出張って来ては客を誘うさまが見え渡るのである。

喜和は今まで、〝素人の自分〟を恃《たの》んでいたのは女の浅墓な思い上りではなかったか、と考えざるを得なくなっていた。

この家の商売がそれなら出入りの人間もそれ、家内の空気もそればかりの中で、自分一人素人らしく振舞ってみたところで、どれほどの効き目があるというのだろうか。若しかするとこの自分でさえ、世間の目からはもうすっかり玄人になり切っているのかも知れない、とも思えて来る。考えれば、紹介人の女房となってからの長い八年は、自分の上にも商売の垢《あか》を積らせずには置かない筈《はず》であった。

先程の夕飯の際の情景にしても、少くとも鉄砲町の家ではどう羽目を外しても見る事の出来ぬものであり、また小さいときから栄龍など滞在の妓たちと触れ合う機会があるのを思えば、所詮《しょせん》この家の仕事の子供達への影響も今はもう、避け難く思えるのであった。

それにしても、何と遅い気付きよう、と喜和は今更、自分が責められて来る。早く悟っていたところで格別手の打ちようはなかったかも知れないが、今のように日々迂闊《うかつ》には過していなかったろうとはいえる。益さんとは付合うな、とは明らさまに止められないけれど、その都度、行先くらいは母親にいい置く躾《しつけ》は出来たろうとは思える。それを突き詰めてゆけば、身内にかかずらうのを恥じる岩伍の、人助けの心意気に知らず知らず染りつつある自分を喜和は感じる。

喜和の場合、片手に龍太郎の看病、片手に家事廻《まわ》しの重い荷を負うての事で、必ずしも岩伍のような建前があるのではないけれど、それでも我が子の後を蹤け廻す恰好《かっこう》は差し控えていたということは出来る。

年月《としつき》とは恐ろしいものよ、と喜和は今、沁々《しみじみ》思うのであった。うかうかと過しておれば周りの色に染り、素人で御座る、と見栄《みえ》を切れば、この家では一日も勤まらなくなる。子を普通に養って行くならば素人の世界と訣別《けつべつ》は叶《かな》わず、その難しさの上に年月は容赦なく商売の脂垢《あぶらあか》を振り落して行く。

喜和はしかし、まだ健太郎を芯《しん》から疑っているというのではなかった。町内の東条の、いつも兎《うさぎ》のように赤く目を病んでいる爺《じい》さんが、長い厚司《あつし》を引摺《ひきず》りながら店番をしている傍で、常時駒音《こまおと》を立てている五つ六つの将棋盤を健太郎が覗《のぞ》いていたとて、何の咎《とが》める事があろうか、という気休めに頼りたい思いもある。健太郎のいつもの行先はきっと此処《ここ》で、益さん家はほんの一、二度、何ぞの序《ついで》に立寄った程度に違いあるまい、とひとりでに考えは傾き勝ちになるのであった。

その晩、健太郎が戻って来たのは、十時頃であったろうか。

喜和はそれまで少しも落着かず、二階へ上ったり、店に坐《すわ》ったり、釜屋に立ったりしていたが、表の格子戸《こうしど》が開くとすぐ走って行って梯子段《はしごだん》の下の暗がりで健太郎を摑《つか》まえた。梯子段の下はやや広い板敷になっており、一方の隅《すみ》には電話室があって、此処なら家の者の目にも付き難《にく》いし、二階での差向いよりずっと楽に話せそうに思える。

「健太郎」

と喜和は呼び、自分のセルの前掛を指先で強く摘《つま》んだ。思う事がすらすらといえないとき、前掛の端を捻《ひね》ったり揉《も》んだりしていると喜和はいつも、呪《まじな》いを掛けたように気分が落着いて来る。

「お前《ま》さん、家を出て毎日何処へ何しに行きよるぞね。学校へも行かんと」

いわれて、健太郎は肩を引いて喜和を見返した。喜和が見上げるほどの高さにあるその顔がぎょっとした驚きを正直に表わしていて、その証拠に、身構えたときにそうなる癖の、片方がきっと眇目《すがめ》になっているのが薄暗がりでも喜和には判る。

健太郎はどう思ったのか梯子段を一段上り、下から四段目辺りにこちら向いて腰を下ろした。まだ小倉《こくら》の詰襟《つめえり》の学校服のままで、両手をズボンのポケットに突っ込み、両脛《りょうすね》を開いてどっかりした恰好なのに、二段目に掛けている素足の指先は小刻みに顫《ふる》えているのが見える。

「まあ、顫えよる、この子は」

喜和は、急に健太郎が不憫《ふびん》なものに思えて来て、

「隠さんと、真実《まっこと》をいうてみなはれ。怒りゃせんきに」

と優しく、柔らかな声でいった。

健太郎はなお暫《しばら》く黙っていたが、不意に、野太い、臆《おく》してもいない声で、

「それを誰に聞いたぜ？　お母さんは」

と問い返して来た。

「誰にち、学校から手紙が来て呼び出されたわね。お父さんが今居《お》らんきに、私《あて》、自分で今日行《い》て来ました」

「お母さんが自分で？　行た？」

健太郎はゆっくり聞き返し、それから咽喉《のど》の奥で微《かす》かに笑ったようであった。

「まあこの子は、笑うたりして横着な」

と喜和が鼻白んでいる前で、白い素足の顫えが急に激しくなったかと思うと、その両足をすっくりと下ろして板の間に立ち、

「お母さん、まあ心配することないよ。あれは二、三回、友達の家へ勉強しに行ちょったがじゃきに。教師という者は、小んまい事を大袈裟《おっこう》に騒《うど》んで、すんぐに父兄へ連絡したがるもんじゃ」

まるで喜和の肩をでも叩《たた》きそうな、自信に溢《あふ》れた口つきで健太郎はいい、ちょっと腰

を捻ったと思うとズボンのポケットからバットを取出し、馴《な》れた手付きでその一本に火を付けると、すっすっすっと電話室の脇を通って自分の三畳へ入ってしまった。

喜和は気を呑《の》まれて、長い間その場に突っ立ったままでいた。

ちゃっ、と歯切れのよい音を立てて燐寸《マッチ》を擦った迷いのない手元といい、その手で囲った小さな炎に浮き上った横顔の、あの頬骨《ほおぼね》の固さといい、それはもう正しく男おとこした匂《にお》いであった。そういえば、健太郎の声変りは何時《いつ》であったろうか。

「顫えよる、と見たのは、あれは横柄《おうへい》な貧乏揺すりじゃったかも知れん」

と喜和は思った。

してみるとあの子は、親に叱《ず》かれる事を何とも思うてはおらんと見える。その上、御法度の煙草《たばこ》を今から早、喫《の》んだりして、それをまた親に見せつけるとはどういう了簡《りょうけん》じゃろう？　と喜和は、前掛の端を朝顔の蕾《つぼみ》のように堅く堅く捻りながら考える。その胸の内に、子供とばかり考えていた息子の思わぬ成長振りにぶつかり、戸惑いながらも何処か見惚《みと》れている若い母親の思いがあった。

毎年、着物の裄丈《ゆきたけ》を下ろしてやっているうちはまだ確かに掌の中の子供であったのに、肩上げ縫上げの要らなくなった着物を着るようになってもう幾年経《た》つであろうか。八年前ここに宿替えするとき、行李《こうり》ひとつ舁《か》くにもふらふらしていた子が、いつの間にかもう、漬物石《つけもの》の重さになずんでいる喜和を見てついと押しのけ、軽々と舁き下ろしては黙

って向う へ行く頼もしい子に出来上っている。そういえば坊主枕《ぼうずまくら》の掛けもめっきり膩染《あぶらじ》み、部屋に籠る匂いもぐっと男臭くなっているのを、喜和はいままでつい見落していたようであった。今夜近くでまじまじと顔を見、二人だけで言葉を交したのは、喜和にとってまるで生れて初めてのような驚きと、何やら胸のときめきに似た奇妙な新鮮さがあった。

男の子と母親の関係というのは、底に一点、相手を異性として見る事の羞《はずか》しさを互いにそっと秘めてでもいるものであろうか。健太郎が、心配要らん、といい切ったその大人びた口つきに喜和は手も無く目が眩《くら》み、不安は急に薄まってしまったようであった。これはこれでもう済んだ事、と考えて胸の隅に押しやり、まもなく宇和島から戻った岩伍には、無論いつものように、格別何も話さなかった。

健太郎はその後変った素振りもなく、間もなく入った夏休みには、越中を提げて鏡川へ泳ぎに行ったり、町内の若い衆に混って胆試《きもだめ》しをしたり、鉄砲町の足蹇《あしな》えの従兄《いとこ》を自転車の後に乗せて遠出してやったり、如何《いか》にも健康な若者らしく日を過しているように見えた。そしてそれは二学期が始まってもずっと続き、やがて健太郎には得手の運動会の季節がやって来て、運動場の赤土で汚した白いシャツやらズボンやらが盥《たらい》の中に突っ込まれてあるのを見ると、喜和は一人で深い安堵《あんど》を覚えるのであった。

軈《やが》て青北《あおぎた》がほんものの北風《きた》に替り、暦に十二月の声を聞くと間もなく、突然離室《はなれ》の龍

太郎に高い熱が続き、吉沢先生から喜和は、

「このままで置きますと、後で悔むような事になるかも知れませんぞ」

と強く、半ば威《おど》すように病院行きを勧められた。

喜和は、今はもう猶予《ゆうよ》なく自分から先に肚《はら》を決めねばならなかったが、就いては、龍太郎に病院行きを承諾させるのは自分の手には叶い難く、よし承諾しても、これを無事連れ付けるのはブラジルの一件から考えても到底女手では無理かと思われた。

喜和は二、三日岩伍の様子を窺《うかが》っていて、恰度《ちょうど》夕飯の後、珍しく岩伍が一人店で新聞を読んでいる時間を見つけ、傍へ行っておずおずと龍太郎の話をすると、岩伍もこの四、五日、吉沢先生の慌《あわただ》しい往診、氷屋への走り使い、氷枕氷袋の騒動でそれと察していたのか、別に意外な振りもせず、

「そうか。先生がそう仰《おつしや》るなら早う診て貰うたがええ。龍太郎には俺《おれ》から話す」

といった。

喜和はほっと肩の力を抜き、釜屋《かまや》へ引返そうとしたとき、その背へ岩伍は続けて、

「此の頃、健太郎も学校からさいさい状が来て、今の様子ではもう此の先、あまり望みもないそうな」

と静かな声音であった。

喜和は駭《おどろ》いて傍の柱につかまり、思わず岩伍の横顔を見返したが、岩伍は、火鉢《ひばち》の縁に斜めに支えている夕刊に目を落したまま、それ以上もう何もいおうとしなかった。

喜和は、自分の口からは一言も話さない龍太郎の病気、健太郎の素行を、岩伍がよく知っていたらしい事にも驚いたけれど、それよりももっと、未《いま》だに神妙な様子で母親を騙《だま》しおおせている健太郎の態度について、口惜《くや》しさと情なさで足許《あしもと》から震えが這《は》い上って来る思いであった。

さいさい状が来るとは、夏の喜和の出頭以来、健太郎は度々注意を受けているにも拘《かかわ》らず、其後《そのご》もなお無断欠席を続けているという事であり、学校でもなくこの家でもない場所に、まだ十六の健太郎が親の知らない秘密を持っているのはもう紛れもない事実、と考えねばならなかった。この先望みがないかも知れぬ、と岩伍自身がいうところを見ると、健太郎は最早《もはや》、誰の意見にも耳を藉《か》さぬほど何かに対して現《うつつ》を抜かしている、と見做《みな》さねばなるまいけれど、考えてみれば、いったい何に狂うてこの謀叛《むほん》やら、と喜和には腑《ふ》に落ちぬ点がいっぱいある。

喜和が思う謀叛とは、酷《むご》い境遇に置かれた人間が追詰められた果てに考える事であって、健太郎のように、日々安息して上等に暮している者の考えつく事ではないように思える。健太郎の素行が真底《しんてい》謀叛であるかないか、喜和にはよく判《わか》らないけれど、その判らなさと来たら同じ年頃の龍太郎にも似たものがあり、始終目の届くところにいてさえ、もう女親では歯が立たぬ、と喜和は自分の力の弱さが思われて来る。

それにしても、岩伍のこの平静さは喜和にとって意外なものであった。

喜和が学校へ出向いた際、これが若《も》し岩伍に知れたら、健太郎には久離《きゅうり》切っての勘当をいい渡し、自分には言訳無用の烈《はげ》しい叱責《しっせき》があるもの、と思いみていたのに、学校から度々来る状の合間には自身も一、二度は出頭したかも知れぬその遣《や》り取りを、喜和に今まで少しも知らせないばかりか、今も龍太郎の話の端についてほんの一言だけ告げたこの落着き様は、取りようでは男親の冷たさか、度胸のよさとでもいうべきものであろうか。喜和は、龍太郎の病気と、この健太郎の素行の件が、石水《いしみず》のお師匠《つしゃ》んか安岡の姐《ねえ》さんかの口を伝って町内へ拡《ひろ》まったときの事を考えると、以後は顔を挙げて往来を歩けぬほどに思われる。まして、交際《つきあ》いの広い岩伍にはそれについて一層の思いがあろうと察せられるのに、その恥曝《さら》しに動じるふうも見せぬこの静かさを考えると、喜和はひょっと、岩伍は健太郎の隠し事を総《すべ》て知っているのではないかと思えて来るのであった。

突き詰めてゆけば、健太郎の歳《とし》で傍目《はため》を引かずこっそり悪事を働くには、脇に介添者がいなくてはならず、その介添者は、健太郎の廻《まわ》りの誰彼を繰ってゆけば、最後に矢張り益《まつ》さんの名が残る。益さんだとすると悪事は女の問題に相違なく、女の問題なら岩伍が知っていて不思議はない。益さんが図星なら他から聞き糺《ただ》してもすぐ割れるであろうけれど、喜和は今、そうやってまで健太郎を嗾《け》しかけた人間を捜そうとは思わなかった。

万一詰問《きつもん》しても、益さんから、

「富田の息子が女の一人や二人せせっても将来損はないと思うがのう。姐さんも大将の連合いなら、もちっと捌《さば》けんと不可《いけ》ん、捌けんと」

と反撃を食らう口惜しさもあるけれど、それ以上に、廻りが皆、健太郎の素行を暗に認めている事実に突き当る恐しさがあるせいでもあった。肝腎《かんじん》の岩伍でさえ、勘当などという厳しい手の打てぬところに、皆と思いを分ち合っているのだと考えられなくもない。

健太郎も誠に歯痒《はがゆ》く情ない人間よ、と喜和は一人口惜しく、男らしゅう、何ぞに怒り狂っての上で学業を怠けるならまだ見どころもあろうものを、謀叛どころか、周りに引摺られ唆《そその》かされて家の商売に関《かか》わりのある女子《おなご》に溺《おぼ》れるとは、

「いったい、あの子の目はどこへ向いて付いちょるやら」

と喜和は無念さに躰《からだ》が震えて来る。

裏のイービーの先生のいう穎哲《えいてつ》の才も、これでは普通の若い衆《し》以下、という気落ちは、龍太郎の発病以来、健太郎への傾きが大きく重くなっていたことの、その望みが今薄れつつある母親の焦《あせ》りでもあった。

喜和は、もう正《まさ》しく、遠いの火事じゃない、背中の灸《きゆう》じゃ、と思えて来るのであった。それはこの日頃の、紹介業が酷い稼業《かぎよう》だという事を忘れているいい加減さというもの

へ撥《は》ね返って、自分が強く責められて来る。女子を売買した金で一家が口過ぎして行くには、それだけの虔《つつま》しさを常に思いに締めなくてはならぬ、と覚悟していたのに、長い月日には楽な暮しに狎《な》れ、奢《おご》ってもいることの、息子二人の不幸はいま、その罰《ばち》なのだと喜和は思った。それは喜和にとって、とても辛《つら》い、悲しい罰であった。

喜和はその夜、終《しま》い風呂《ぶろ》に入り、湯音を立てて胡魔化《ごまか》しながら一人で泣いた。

裏長屋の惨状は判るけれど、「女衒《ぜげん》」の罪は矢張り紹介人に付き纏《まと》う。親がその罰を被《かぶ》るなら観念もし易《やす》いが、二人の子に降り掛かる罰を女親の手でどうやって厄払《やくばら》いしてやればよいのであろうか。罪の深さは岩伍にいえないだけ、喜和の胸に向って攻めて来るのであった。

これといった信心を持たない喜和は、今は唯《ただ》、風呂場の棚《たな》に揺れている蠟燭《ろうそく》の儚《はか》ない炎に向ってさえも、

「龍太郎がどうぞ業病《ごうびょう》ではありませんように。
健太郎がどうぞ元の快闊《かいかつ》な子に戻りますように」

と繰返し祈るのであった。

四

龍太郎は、自分でも病いに見窮《みきわ》めをつけていたのか、岩伍の病院行きの勧めには素直に頷《うなず》き、大正琴を買《こ》うてくれるなら付添いは母親一人でええ、という。

高知市にX光線を持つ大きな病院は、追手筋に楠《くすのき》病院、本町に武田病院、本丁筋に高知病院などあったが、吉沢先生は、開業の歴史が一番古く、つい三年前改築も完成した楠病院を薦めてくれ、前以《まえもつ》て院長先生に話を通じてくれてあった。

喜和は、もう今更決して慌《あわ》てまい、と思い、気を鎮《しず》めるためにもその日は五時起きで石水へ行き、陽《ひ》の昇る頃《ころ》戻ると、亀《かめ》にいいつけて中庭で火を焚《た》かせた。病み窶《やつ》れ、伸び放題の龍太郎の頭を、近頃買入れたバリカンを使って刈って貰《もら》うよう、喜和は昨日から良吉に頼んである。

バリカンはまだ珍しく、男衆《おとこし》仲間では争って弄《つつ》きたがるのに、喜和にいわれると良吉は平手でしきりに自分の首筋を叩きながら、

「真実《まつこと》の事いわして貰や、龍ちゃんの事は儂《わし》や、苦手じゃきに」

といい難そうに尻込《しりご》みするのを、喜和は、

「私が傍《ふち》に付いておるがじゃもの。あの子に乱暴な事はさせやせんきに」

と頼み込んで承知して貰っている。良吉も龍太郎に幾度か皿小鉢を投げ付けられた憶《おぼ》えがあり、他の男衆同様嫌《いや》がるのを喜和は無理に宥《なだ》め、龍太郎を小ざっぱりと仕度させて行きたいのであった。本当ならこんな小寒い朝、温《ぬく》もっている寝床から病人を引起し、

伸びた髪を急に刈り落す事の危険に思い至らないわけではなかったけれど、熱の後の穢《むさ》い風態《ふうてい》では俥《くるま》に乗せるのも憚《はば》かられ、恐る恐るも支度はひとりでに仰山なものとなる。

中庭の焚火は勢いがついて火になり、辺りの空気が少し温くなると、縁台を出して来て着膨れた龍太郎を腰掛けさせ、首に大きな番風呂敷を纏い付ける。

「ええか、良。痛《いと》うないようにやれよ。ちっとでも痛かったら、今日の病院行きは止《や》めぞ」

龍太郎は、青味の勝った強《きつ》い目をして良吉を見据《みす》え、見据えられた良吉はバリカンを握った肘《ひじ》を怯《すく》ませて、「へえ」と恐《こわ》そうに返事する。

良吉が、まるで熱いものにでも触るような要慎《ようじん》の仕方で左手に龍太郎の頭を支え、右手でそろそろとバリカンを使い始める傍で、喜和は結い立ての髪に灰の落ちぬよう手拭《てぬぐい》を被り、焚火の加減を見たり、刈り落された髪を手箒《てぼうき》で掃き寄せたりする。まだ朝の湿りを持つ庭土の上に、塊まって落ちて来る龍太郎の髪はたっぷりと重く黒くて、それはむしろ健康的にさえ見える。

髪を刈り毛剃《けぞ》りを済ませると、離室を閉め切って火を熾《おこ》した中で、絹に手伝わせながら、喜和は熱い湯で龍太郎の躰を叮寧《ていねい》に拭《ふ》いてやった。

もともと痩《や》せぎすであったし、食が細いといってもまだ我儘《わがまま》な食べかたをしているのだから、胸にも胴にも何処《どこ》やら若者の奢りは見える。首筋、胛《かいがね》、腰、腿《もも》、脛《すね》と順に拭き下ろして行くうち、思い掛けぬ筋肉の盛り上りを見たり、腋窩《えきわ》の漆黒の茂みに出会ったりすると、喜和は一瞬たじろぐ。それは、いつか健太郎を近くでまじまじと眺《なが》めたときのような戸惑いと安堵であり、龍太郎はその安堵がすぐ不憫《ふびん》につながって来る。

朝、日の出前から構えていても病人の支度は意外と手間取り、二人が二台の俥にやっと乗込んだのは早昼のあと、公園の午砲《どん》を聞いてからになった。喜和は龍太郎に小倉の上下を着せ、鳥打帽を被せ、前の俥に乗せて駱駝《らくだ》の毛布《けっと》ですっぽりと膝《ひざ》を包んでやってから、子供にいうようにいい聞かせた。

「今日はええ按配《あんばい》に昼は温いもんの、後《のち》には必ず寒《ひよ》うなるきに、外を見たかろうが幌《ほろ》を上げては不可ん。ええかね」

龍太郎はそれをどの程度聞いていたか、俥は間もなく走り出し、三条通りから電車道へ、電車道は八幡《はちまん》通りで折れ、八幡通りから今工事中の駅前大通りを渡ると、道は砥《と》を掛けたように広く滑らかになり、俥は少しも揺れなくなる。ここら辺りは病院町で、銀杏《いちよう》の並木を植え揃《そろ》えた道の両側には、人を威《おど》すように大きな建物が並んでいる。

喜和はずっと後の俥から窺っていたが、龍太郎は尋常な姿勢で揺られていて、別に変った様子は見えなかった。が、白いペンキ塗りの楠病院に着いたときはもうすっかり唇《くちびる》の色を失っており、その怯《おび》えは忽《たちま》ち介添の喜和にまで乗移る。病院に充《み》ち充ちている強い消毒薬の匂いは、病人ばかりでなく健康な人間をさえ病いの恐怖に引摺《ひきず》り込むようで、母子《おやこ》は両側から支え合い背を押合いながら待合室に入り、真中の唐津の大火鉢の脇《わき》に躙《にじ》り寄った。

部屋には七、八人の先客があり、人の背丈以上もある柱時計が掛かっていて、重そうな金いろの振子が懶《ものう》げに左右に揺れながら時を刻む音だけがいやに大きく耳に響く。その珍しい時計を見ようともせず、火鉢の熾《おき》ばかり瞠《みつ》めている龍太郎の顔を喜和はまたじっと瞠める。時が経《た》つにつれ、ときどき小刻みな顫《ふる》えの来ていた龍太郎は、愈〻《いよいよ》名前を呼ばれると歯の根の合わぬ音が傍《はた》からも聞き取れるほどに恐がり、

「お母さん、お前《まん》も一緒に入ってや」

と頼りなげな声を出した。

自分が診て貰うのではないだけに喜和は流石《さすが》に落着きを取戻し、診察室の衝立《ついたて》の蔭《かげ》で、手が震えてシャツの釦《ボタン》も外せない龍太郎の脱ぐのを手伝う。

兼て吉沢先生に聞いていたこちらの博士先生は、たっぷりと色艶《いろつや》のよい優しそうなひとで、分厚い、柔らかそうな掌《てのひら》で龍太郎の躰を撫《な》でるように診、寝台《ねだい》に寝かせ、腹を押し、看護婦にいって別室へ案内させる手順が如何《いか》にもゆったりと落着いていて、患者にも付添いにも頼もしげな感じを伝えて来る。

喜和は、龍太郎がX光線の室へ行ったあと診察室の隅《すみ》に下り、腰掛けに掛けて硝子《ガラス》窓の外を見ていた。庭の山茶花《さざんか》の蔭から見える長い棟の建物はどうやら入院室らしく、床

の高い廊下には、七輪《かんてき》、洗面器、薬罐《やかん》など出してある部屋もあり、軒に張った綱には氷袋、氷枕、手拭などを吊《つる》してある。しんと静もり返った病室の、小指の先ほどの破れも見えぬ白い障子の向う側には、気のせいか重い病いに沈んでいるらしい人の気配が感じられる。昔、下知《しもじ》の田圃《たんぼ》の中にあった荒れ果てた避病院を人は牢屋《ろうや》と呼んで近付きもしなかったが、この白い障子で外と区切ってある清潔な入院室も、険しく冷たい感じはそっくり牢屋に似ているように喜和には思える。

長い時間が経って龍太郎が戻ると、博士先生は再び自分の前の腰掛けに掛けさせ、喜和をも呼んで、

「今日X光線を掛けました。結果は暫《しばら》くせんと判らんが、どうですか、富田君は病院がお好きかな？」

それを聞くと龍太郎は、先生の言葉の先を読み取ろうとし、明らかに焦立《いらだ》ちの見える視線を忙《せわ》しく泳がせる。

「若しお好きじゃったら、こちらに入院して治療したほうが早うに癒《なお》りますがねえ」

入院、と聞いただけで喜和はその場にのめり込むように思い、龍太郎はシャツのままさっと立上り、入口の扉《とびら》に向って逃げようと身構えながら叫んだ。

「嫌じゃっ、俺は。入院なんぞ死んだちしやせん。

若し俺を無理に入院させるというならさせてみよ。ここで首吊って死んでやる」

「まあ、龍太郎」

喜和は取縋《とりすが》って宥めようとしたが、博士先生はにこやかに頷いて、

「おお、おお、そうですか。判った、判った」

とあたたかそうな大きな掌で指して、龍太郎をもう一度、腰掛けに落着かせるのであった。

先生は二人に向って、この病気は人間の躰の呼吸《いき》をする部分の大元が悪いのだから、直接効く薬といっては何もないが、一に安静、二に営養、三に空気のよい処《ところ》、をよく守り、規則正しい生活をして養生に務めなければ不可《いけ》ない事を、噛《か》んで含めるように優しく詳しく説き聞かせてくれ、そのあいだ、肺病という病名は一度も口にせず終《じま》いであった。

それに救われたのか龍太郎がやや元気を取戻して部屋を出たあと、今度は喜和にだけ、この病気の難しさをいい、

「俗に、肺病は看病の尽きが命の尽きといいますからねえ。看病人は病人と根較《こんくら》べのつもりで頑張《がんば》らんといきませんよ。

若い人の病気は進みようが早いけれど、看病次第で病巣が固まり、全快した例はいくらもありますから」

と覚悟を促されたあと、今度は古手らしい看護婦から着類《きるい》、食器、痰壺《たんつぼ》の消毒の仕方

と、滋養になるソップの作り方を細かく教わり、それから薬局に廻って、熱さまし、咳《せき》止《ど》め、胃腸薬などの薬を重いばかりに貰ってから初めの待合室に戻った。

龍太郎はもう瘧《おこり》も落ち、顔色ももとに戻っていて喜和を見ると飛び付くように、

「お母さん、先生は肺病とはいわざったね。病気は軽いというたろう？　何時頃《いつごろ》癒るというた？」

と畳み掛けて来るのへ曖昧《あいまい》に頷き、喜和は火鉢の燠を掘り起してその上で冷たい両掌《りようて》を揉《も》んだ。

病名をいい渡された事についてはもう今更、火を胸に差しつけられたような驚きは無いけれど、博士先生にも看護婦にもくどいほど念を押された看病の難しさを考えると、喜和は両肩に重石《おもし》を置かれたような思いになる。入院はあの通り自分から嫌がり、癇癪《かんしやく》持《も》ちの病人では付添いも来手《きて》が無いとすれば、これから先、龍太郎のいのちは喜和の手ひとつに預かる事になるのであった。

傍で龍太郎は口笛でも吹くほどに浮かれており、帰り道はこれから中之橋通りを鏡川に出、この春架《かか》ったばかりの天神橋を見て大橋通りへ入り、新世界で大正琴を買ってから「ねぼけ」で鰻《うなぎ》を食べて去《い》のうという。そういう顔は、今朝からの疲れかもう熱に霑《うる》んだ目をしていて、これで鏡川の川風に吹き上げられたら一たまりもない、と喜和は猶《ゆう》予《よ》なく立上り、玄関で客待ちしていた俥を頼んだ。

何時の間にか陽はもう潮江山の肩に落ち掛かり、空には蜜柑色《みかんいろ》に縁取られた雲が幾塊りも浮かんでいる。この雲が出た夜は必ず強い寒《きつかん》がやって来る、寄り道などの話じゃない、と喜和は思い、そのまま真直《まっす》ぐ新世界へ俥を乗入れて貰うと楽器屋の水野の店に下り立った。

ハートの形をした、拇指《おやゆび》の爪《つめ》のような小さなセルロイドの撥《ばち》を手に取り、龍太郎は並べてある大正琴を片端から鳴らしてみて、

「これが一番ええ」

と萩《はぎ》の花を描いた黒塗りの胴のものを取上げた。

逢《あ》いたさ見たさに怖さを忘れ、と丸い鍵《けん》を左の指で抑えながら龍太郎がそれを弾くと、金属の繊細《かぼそ》い糸はもの悲しそうに撓《たわ》んで単調な響きを立てる。

寂しい音いろじゃこと、と喜和は思った。病人に多少不吉な感じはあるけれど、いくら掻《か》き鳴らしても騒がしくない音色なら、息を使う故《ゆえ》、止められている尺八ハーモニカの代りには持って来いの娯《たの》しみになろうかと、喜和はそれに、表紙に束髪美人を描いた赤い独習書の一冊を添えてやった。

龍太郎がその荷を抱えて再び俥に上るとき、車夫に向って、

「細工町の豊栄座の前を通って帰ってや」

と頼んでいるのを聞いたが、喜和は別に止めもしなかった。豊栄座に今掛かっている

のは、評判の娘義太夫《ぎだゆう》である事を喜和はすっかり忘れており、龍太郎が見たいのはおおかた見世物の看板だろうぐらいに思っているのであった。

俥が細工町の角を曲がると喜和はふと娘義太夫を思い起し、急いで前を透かすと、あれほどいっておいたにも拘《かかわ》らず龍太郎は前幌を上げ、身を乗出して豊栄座の看板を窺《うかが》っているらしい。やや黄ばんだセルロイドを張ってある俥の後窓から、勢《きお》い込んで怒《いか》らせた肩の辺りが見える。が、豊栄座が、楽しんでいた見世物ではなく、龍太郎には縁の遠い義太夫だと知るとがっかりしたのか、急に身を沈め、その前を駈け抜けて行くようであった。

喜和は、前の俥を見届け、もう此処《ここ》まで戻った気の緩みから、自分も俥の脇窓から小屋に目を遣った。

まだ開けていない小屋の潜《くぐ》りから、箒を持った法被《はっぴ》姿の年寄りが出て来るところであった。法被姿は喜和の俥の手前で、小屋の外廻りを囲ってある低い竹垣《たけがき》に箒を凭《もた》せ掛け、「やっ」と声を出してそれを跨《また》ぐと、風が出たのか、垣に沿って並んでいる沢山の幟《のぼり》の引綱を締め始めた。俥の中からはその幟が見えないため、喜和は俥を止めて幌も上げて貰い、一瞬、心を放ってそれらを眺めた。

高知座や堀詰座《ほりづめざ》ならこそ、豊栄座も此《こ》の頃は隆盛なものよ、と喜和は思い、日頃釜屋《かまや》にばかり籠《こも》って暮す身には、幟を高く掲げて人気を競う芸人たちの華やかさが、少しばかり目にも眩《まぶ》しい。

見れば幟は目も醒《さ》めるような浅黄、紫、紅、草色、梔子《くちなし》などとりどりに一色の暈《ぼ》かしか、上下二色の染め分けになっていて、孰《いず》れも真中に朱の熨斗目《のしめ》がくっきりと描き抜いてある。それが皆孟宗《もうそう》の青竹を軸に、天に向って伸びている様は艶やかに雄々しく、折からの夕風を幟巾《はば》いっぱいに孕《はら》んで、激しい滝音のようにどうどうと響き渡り、鳴りはためいている。その勢いで、幟の裾《すそ》の赤い三角の錘《おも》り袋もとろとろと輪を描いて揺れているのであった。

喜和は気押されてしまっていっとき見惚《みと》れていたが、次に目を上げて幟の文字を拾うと、筆太のりんりんとした字体で巴吉太夫《ともきちだゆう》さん江、とある。喜和が、夏以来の町内の評判を思い出しながらひとつひとつ確かめてゆく幟の悉《ことごと》くはその名で占められており、ふと何かに唆《そその》かされる思いがあって、裾に染めた贈主の名に目を移すと、見間違いなどする筈《はず》もない、富田より、の見馴《みな》れた字がこれも悉く鮮やかに読める。

字を見たとき、喜和にはぐい、と胸を剔《えぐ》られる感じがあったが、瞬間、それを平手で払い除《の》けるように、富田という苗字《みょうじ》はうち一軒じゃない、と心の内で弾き返していた。しかし同時にまた、下町界隈《かいわい》でこんな派手な贔屓《ひいき》の出来る人間は岩伍《いわご》をおいてほかにある筈もない事を、喜和自身がよく知っているのであった。

喜和は咄嗟《とっさ》に忙しく思い廻《めぐ》らせて騎手の寺島を目に泛《うか》べ、この夥《おびただ》しい幟もきっとその口に違いない、と思った。あのとき岩伍は、寺島のために支那《しな》緞子《どんす》の競馬服を何着も作ってやり、桟橋《さんばし》で競技のある日は町内の人達を駆り立ててまで応援に力瘤《ちからこぶ》を入れている。一旦《いったん》見込んだら力の限りまで引受けるのが岩伍の常道で、傍で見ている喜和がいつも、ちっと度が過ぎるのではあるまいか、と案じるほどなのであった。

贔屓のかたちも、下町に顔を張っていれば必ずしも自分の好みでなく、時には義理の絡《から》んだ役を買って出なければならぬ場合もあろうもの、と喜和は自分に向って囁《ささや》く。まして一座の中では只《ただ》一人地元出の巴吉太夫など、誰ぞが肩入れして見栄《みえ》を張ってやらなければ恰好《かっこう》が取れぬのではあるまいか、そう思えば、幟は富田の権勢にこそなれ、誰も文句のつけようはあるまい、と喜和は自分でこの場を収めようとするのであった。

喜和は身を立て直し、力綱を握り、翳《かげ》りのない調子で車夫に向って声を掛けた。

「さ、俥屋さん、走って頂戴《ちょうだい》。長いこと待たしておきにでした」

しかし、動き出した俥にゆらゆらと身を委《ゆだ》ねていると、喜和には矢張り、暴風雨《しけ》の後の浜の濁った巻波のように、先程の胸を刳られた思いがまた捲《ま》き返して来る。

これが騎手の寺島、鯔《ぼら》釣りの熊太などならその場で笑って済んでしまえるけれども、相手が評判の娘義太夫である故に、喜和の気持は一点鋭く引掛かる。鯔釣りの話なら聞いていて判《わか》るし、競馬ならもっと易しい。が、芸事の世界は、糸竹の駄目《だめ》な喜和が踏込んで行けぬもどかしさがある。同じ芸事でも、盲目の柳川は富田の店でとんとんりゅうりゅうの囃子《はやし》を弾いて聞かせてくれるけれど、こういうふうに喜和に見届けの利《き》く囲いうちの話なら、たとえ相手が女であろうと喜和は落着いていられる。

幸か不幸か、喜和は呂昇《ろしょう》を知らない故、巴吉太夫の顔かたちを想像出来ないけれど、岩伍の打込みかたの正体が目に見えないのはただ徒《いたず》らに不安を呼び拡《ひろ》げるばかりであった。まだその上にいうなら、水仕の銭を預っている喜和から見れば、あの夥しい幟の費用はこれまでの贔屓に較べ、桁違《けたちが》いの高ではないかとも考えられて来る。現在興行を打っている芸人の贔屓にしみったれた真似《まね》は出来ないかも知れないけれど、一面それは岩伍の肩入れが並々ならぬもの、と疑えて来るのであった。

いま、喜和の目にはまた幟の文字がしたたかに灼《や》きついており、胸にはまだ幟のはためきが生々しく波打っていて、それは喜和の内に向って何かをしきりに煽《あお》り立てて来る。その煽りに乗っては不可ない、という制御は、長いあいだ富田を宰領して来た女房としての弁《わきま》えであり、煽りに乗りたいという気持の放ちかたは、今までの自分から一足踏出してみようとする多少の自信めいた思いでもあった。

喜和は自分を鎮《しず》めるように、今日は何としんどい日であった事よ、と思った。龍太郎の病気に見定めがつき、看病の難しさを問われた上に、自分の知らないところにいる岩伍の、何かに打込んでいる熱っぽい目差しを密《ひそ》かに盗み見てしまったように思った。これが他人の話ならこそ、こういうふうに一日の内に、身内の人間に新しい出来事が打重なって来たのは、長い年月のうち喜和にとって初めてであった。

そのせいか、気持が、高下駄を穿《は》いて蒲団《ふとん》の上を歩いているようにふわふわと危うく昂《たか》ぶっており、〝少々逆上気味〟と自分でも覚える目に、俥の小窓から町の灯《あか》りのゆっくりと後に流れてゆくのが見える。

五

家の前で俥を帰すと、喜和は真直ぐ釜屋へ通って菊に、

「大将は？」

と訊《き》いた。

「さっきまで店に居りましたけんど、上《かみ》の新地から電話が掛かって来て、扇亭へ行きました」

御膳《ごぜん》は要らん、とい置いて行きました、と傍から絹もいうのを聞いて、喜和は今夜岩伍の戻りの遅い事を知ると、その場ですぐ、自分一人でこれから豊栄座を覗《のぞ》いてみよう、と思った。

その決心は、さっき俥《くるま》の中で何かに煽られているような気分のうちに固まっていたも

ののようでもあり、今、岩伍の留守を聞いて咄嗟につけたもののようでもあった。ただ、これまでどんなに人に誘われてもその気にならなかった豊栄座行きについて、それを、岩伍が贈った幟を見ての逆上、と人にも思われたくなく、自分でも思いたくない気は胸にあった。無論自分から誰にも打明けるつもりはないけれど、岩伍への万一の言訳は、「看病の気鬱《きうつ》を散じるため」とでも考えておけば、人に余計な勘ぐられかたをしないで済む、と喜和はもうはっきり心を決めているのであった。

釜屋では、いつも喜和の留守に談義《どうぎ》が過ぎるのか、もう電気は点《つ》いているのにまだちりちり舞って飯の支度に追われている。待ち兼ねた出入りの連中が催促がてら立ち混って働くために混雑している中を抜け、喜和は着換えもせずに離室《はなれ》へ行った。

先に戻り着いた龍太郎は余程疲れたのか、大正琴を包みのまま枕許《まくらもと》に置き、蒲団を鼻まで引上げて眠っていた。その頰《ほお》が熱で仄紅《ほのあか》く染っているのを見て、喜和は急いで蒲団の裾から手を差入れてみたが、案の定、行火《あんか》も湯たんぽも入っておらず、龍太郎は冷たい足を折り曲げ、固く縮めた恰好でいる。

喜和は、蒲団の裾を叩《たた》きつけて暫くその場に坐《すわ》っていた。今朝、出がけに閨《ねや》と寝巻を温めて置くようにいってあったのに、この頼りなさはいつもの事とはいいながら、今晩これから出掛けようとする喜和には矢張り気に掛かる。止《や》めようか、という思いがちらと頭を掠《かす》めたが、何故《なぜ》か今日ばかりは、今を置いてない、という思いの方が先を占め、喜和は母屋《おもや》に戻ってから絹に後の事を細々《こまごま》と頼み、男衆《おとこし》たちには鉄砲町へ行くといい置いて二階へ上った。

この二階二間は、普通料理屋などで「奥」と呼ばれる主人の居間に当るものだけれど、富田ではいつも人の為《ため》に使われており、今のような釜屋の忙しい時間、喜和がここに入るのは滅多にない事であった。

喜和は、部屋の隅の鏡台の前に膝《ひざ》を斜めにして坐った。ほんとうなら今朝からの疲れがここでどっと出、番茶の一杯も啜《すす》りたいところだけれど今日は逆で、畳に支えている指先にまで動悸《どうき》が昂ぶっているのが判る。豊栄座へはただ一寸《ちよつと》覗きに行くだけで、家で柳川のとんとんりゅうりりゅうを聞くのと同じ事だとは思っても、初めての事ゆえ常になく気が張り、自分で自分の背を叩いて駆り立てているような思いがあった。

鏡台の垂れを上げると、唇《くちびる》の脇《わき》にぽつんと蒼《あお》い黒子《ほくろ》のある色白の、長年馴染《なじ》んだ自分の顔がその中に浮いて見える。長年馴染んだとはいうものの、こうやって沁々《しみじみ》と鏡を覗くのは何年振りの事やら、と喜和は思った。引出しを開けてみると、普段手を入れない筥《はこ》の中で牡丹刷毛《ぼたんばけ》は栗石《くりいし》のように冷たく硬《こわ》ばっており、ハート型の綿紅はふわふわに干切れ、水白粉《おしろい》は干上って底に溜《たま》った粉は幾重にも罅割《ひびわ》れている。この化粧品を買った日の記憶さえ消えているほどなのだから、手も顔も荒れるのは当り前で、今、そのどれを取上げても俄《にわか》に肌《はだ》に乗ろうとはしないのであった。

それでも、日頃石水《ひごろいしみず》が引受けてくれているだけ髪は手入れが足りており、手盥《てだらい》に張った水に鬢張《びんは》らしを浸し、前髪と両鬢を掻《か》き直すと、やっと鏡の中の顔も年相応に生きて来る。

気は張っていても、これから出掛ける先が今朝のような病院ではなく豊栄座である事に、喜和の気分はふと揺れ動き、病院臭い昼間の大島銘仙《めいせん》を脱ぎ捨てた手で簞笥《たんす》をかき廻し、色目が派手でもうとても着られはすまいと蔵《しま》ってあった、梅小紋の蕾錦紗《つぼみきんしゃ》を取出したりする。それは親に隠れてする子供の悪戯《いたずら》に似た、喜和の初めて試みる冒険のようなものでもあった。

鏡台の垂れを上げたまま、喜和が帯を結びかけたとき、誰かがゆっくりと梯子段《はしごだん》を上って来て襖《ふすま》の前で止った。男衆たちの、「お帰りやっす」の賑《にぎ》やかな声を聞いてはいないから跫音《あしおと》が岩伍でない事は判る。

帯の結び掛けをどうしようか、と迷っている喜和の前に、

「姐《ねえ》さんおいでやすか」

声と一緒にそろりと襖を明けたのは、裏長屋の寅《とら》であった。

本人は名のある棟梁《とうりよう》について大工の見習いをしていると触れているけれど、仕事が雑なのとずぼらなのとで年中職にありつけず、そのくせ、鼻下の髯《ひげ》だけは念の入った光らしようで、町内ではチョビ髯の寅だの、見掛け倒しの寅だのと呼ばれている。長屋にさ

えいれば必ず飯刻《めしどき》には富田に現われる連中の一人で、喜和は時刻を忘れていても、往来で寅にさえ行き会えば、あ、時分どきじゃ、と思い出すくらいなものであった。

「なんぞ、用事？」

喜和は、ここで邪魔に入られたくなさに少し不機嫌《ふきげん》な声で問うた。寅はどこで調達したのか、小柄《こがら》な躰《からだ》にはやや裄丈《ゆきたけ》の余る真新しい印袢纏《しるしばんてん》を着ており、その裾を大切そうに捌《さば》いて火鉢《ひばち》の傍《そば》に躙《にじ》り寄りながら、

「姐さん、真実《まこと》に済まん話じゃが、儂《わし》に煙草《たばこ》銭、一寸貸しては貰《もら》えまいか？」

「煙草銭？　なんぼね？」

巻き付けた帯のうねりを足で跨ぎながら喜和が鏡の中へ問いかけると、寅も鏡で見返し、

「ギザギザ一枚。とは、ちっと余計《よけ》過ぎるかねえ」

「五十銭？　大将ならともかく、私がそんなお銭を廻せる筈もなかろうがねえ」

刻みでも、安い「萩《はぎ》」なら四銭で買えるこの節に、煙草銭で五十銭とはえらい吹っ掛けよう、と考えている喜和の様子に寅は怯《ひる》まず、

「そうかねえ。五十銭でも高いとは思えん、うんと耳寄りな話が、あるにはあるけんど……」

「何？　いうてみなはれや」

長い帯を引摺《ひきず》ったまま、喜和は一寸改まった気色で振向き、寅を見下ろした。寅に限らず、こんな風に持込んで来る話には碌《ろく》なものがなく、大抵は小遣銭欲しさにそこら辺りの人のありもしない蔭口《かげぐち》を告げる絡繰《からくり》は、喜和にも読めている。

その手には乗るまいとしている喜和に、寅は慌《あわ》てた風もなく、右の人差指と中指の腹で自慢の髯を撫《さす》りながら、半ば独り言のように、

「此の町内、誰もが知っちょることで……姐さんにはいわれん、姐さんにはいわれん、と皆がいよることで……

それを若《も》し姐さんが知ったら、一体誰が喋《しゃべ》った、という詮議《せんぎ》になりやすきに……」

喜和はそれを聞くと、熱い血が一時に顳顬《こめかみ》に上って来る思いがした。健太郎の素行の事も、廻りは皆知っているのに喜和にだけわざと知らせなかったように受取れるふしもあり、ここでもまた、寅のいいかたに突き当って、自分だけ何故除け者《もの》にされんならん、と詰め寄りたい思いになる。

喜和は胸騒ぎを押えながら、膝をついて鏡台の小引出しから蟇口《がまぐち》を取出し、白い五十銭玉をぽたっと寅の前に落してやった。

「大将の事やろ。いいなはれ」

「へえ」

寅は返事よりも早く五十銭玉を拾って腹掛けに蔵い込むと、喜和の顔を見ないように

躰の向きを変え、そのくせ上目遣いに鏡の中を窺《うかが》いながら、

「へえ。昔から燈台《とうだい》元暗し、とやら、よういいますやいか。それに似た事で……」

「それに似た何？　はっきりというて」

「へえ。大将はえらい甲斐性《かいしよう》のあるお方じゃきに。姐さん、怒ったらいきませんぜ。真実《まっこと》怒ったらいきませんぜ。巴吉太夫を囲うていなさるよ。目と鼻の先の常盤《ときわ》町へ」

寅の言葉は一瞬、遠い他人事《ひとごと》のように何の意味も持たず、喜和の耳を素通りして過ぎたようであった。え、と足を踏み締めてそれを思い返したとき、喜和は、以前にもこの話を誰かに聞かされた覚えがある、とあり得べくもないことを思い、聞かされないまでも考えた事なら確かにあるように思った。

躰中の血が足許からずんずん流れ出てしまうようで喜和はその場に立っていられず、鏡台を支えにへたへたと崩れ込んでしまったのを、寅が見て、

「あ、こりゃいかん」

と階下へ逃げ下りるのを目の端に捉《とら》えたけれど、声を掛ける気力はなかった。

喜和は、昔からずっと何となく自分が一番恐れていた悪い辻占《つじうら》に、とうとう今当った

のだと思った。益《まつ》さんに限らず、女を弄《いじ》る紹介人なら誰でも先ず陥《ま》り易《やす》いのが女であり、先程寅の話を聞いてふと、これが最初の経験ではないように喜和が感じたのも、長年胸の底深く、その恐れが人知れず横たわっていたせいかも知れなかった。

無論日々その影に怯《おび》えて暮していたというではなく、寅の口から聞いて初めて、岩伍《いわご》ひとりその例外ではない不安が身を起して来た感じであった。岩伍はつねづね人助けをいっており、益さんに対して頭ごなしの意見が出来るだけの潔白さはある筈だけれども、しかし生身の人間故《ゆえ》、魔が射《さ》す、という変事もあり得る。深情《ふかなさけ》の人間が一旦この世界の女に思いが寄れば、八方手を尽して女を苦界《くがい》から引上げてやりたくなる。喜和が案じるのはそこで、日頃その埒《らち》は弁えていても、男女のあいだに生涯《しょうがい》安心という保証はないのであった。

喜和は、鏡台を支えにして大きな息を何度も吐《つ》いているうち、少しずつ気分を取直し、

〝まだ目の先三寸まで暗くはなってはおらぬ〟と思った。

恐れていたとはいいながら、岩伍の相手は商売に直接関《かか》わりのない芸人なのだから、喜和の気持を別にすれば、そこを衝《つ》かれて世間の信用を落すような事はあるまい、とそれを第一に喜和は思い廻《めぐ》らすのであった。

岩伍の、金があるならあるように、無くても右左の融通が利いて恣《ほしいまま》な日を送っている人間は、外で遊ぶだけ遊んだら了簡《りょうけん》し、黙って家へ戻って来る子供に似ているのを、

時には母親の役にも廻らねばならぬ長年の古女房なら判る。先程、どっと威勢をつけた幟《のぼり》の列を見て、ここで狼狽《うろた》えるは小みっともない、とさまざまに自分を宥《なだ》めつけた辛抱は、いってみれば本妻というものの固い弁えであり、その弁えで考えれば摺れた芸妓上りよりも芸人のほうがまだしも、という了簡は喜和にもどうやら出来なくはない。

　喜和が考える芸人とは、脂染《あぶらじ》みた楽屋浴衣《ゆかた》で侘《わび》しそうに飯屋の暖簾《のれん》をくぐっている姿や、鬘擦《かつらず》れで小鬢の薄くなった年寄りやら白粉灼《わ》けした年増《としま》やらが、安宿の店先でだらしなく花札を引いている姿しかなく、そこから湧いて来る想像といえば、已《や》むない義理で岩伍が世話を引受けている、うらぶれた姿が泛《うか》び上って来る。岩伍はきっと、裏長屋の連中に物を施すと同じように、暮しにめどの立たぬ哀れな芸人の一人に、情を掛けてやっているに過ぎないのだと考える事は、今の場合、喜和の気持を幾分軽くする。

　しかし軽くはしても、夫婦になって以来岩伍が女を持った事実を初めて知らされた事は、喜和の気力を根こそぎ萎《な》えさせてしまうほど辛《つら》いものであった。それも喜和の目に遠い場所ならまだしも、この家との往《ゆ》き来の便を考えたであろうとはいえ、さまざまな思いの籠《こも》る常盤町に家を構えたとは、喜和にとって身を裂かれるほどにも悲しい。それを、何故に？　何時《いつ》から？　とひとつひとつ考えてゆけば果てもなく身も妬《や》け心も妬けようとするのを、喜和はいま、からくも踏み止《と》どまっているのであった。

　いくら寅でも岩伍に関わる話に出鱈目《でたらめ》をいう筈《はず》はないし、相手が娘義太夫《ぎだゆう》となるとどうやら仲に益さんの匂《にお》いもする。寅も益さんも町内も皆知っているこの事実を、喜和ひとりにわざと知らせないというのは、喜和の惑乱が目も当てられないものになるであろう事を、廻りでは見越しての上であろうか、と喜和は思うのであった。それを思えば、赤子でも三年経《た》てば三つになるように、この道八年の年月が自分にとって唯事《ただごと》でなかった証拠に、このくらいの出来事で決して取乱しはすまい、と喜和はじっと奥歯を咬《か》み締める。気を鎮《しず》めて思案すれば、ここで喜和が悲しんだり凋《しお》れたりするのは世間に対して自分の至らなさを披露《ひろう》する羽目になる事を思うと、この場はむしろ、自分から打って出た方がいいように考えられる。打って出るとは相手を知る事であり、相手を知るには今晩矢張り豊栄座を覗いておく事であった。

喜和は立上って堅く帯を締め直し、箪笥を開けて羽織、吾妻《あずま》コート、肩掛、と夜寒の外出用を取揃《とりそろ》えた。何かに向って挑《いど》んでゆくようなこんな思いは、喜和には生れて始めてであった。

気持の昂《たか》ぶっているままに手は支度を急ぎながら、喜和は一方で階下の様子にも耳を澄ませる。岩伍も喜和も居ない飯刻の騒々しさは納まっているものの、チョビ髯の寅はまだ居坐っているらしく、先程の五十銭玉を宙に放《ほう》り投げては パチンと飯台に当て、当てては投げしているらしい所作に、自己流の節をつけて水仕場の二人を揶揄《からか》っている声が聞えて来る。

「このギザギザで、お菊を釣《つ》ろうか、お絹を釣ろか。ネルの腰巻、はげずの着物、血玉《ちだま》の簪《かんざし》、利休の直履《じきばき》、も一つ弾んでオペラパックじゃ。それとも、影《かげ》ん法師《ぼし》の活動か。さあ何でも思いのままよ。但《ただ》し、今晩俺《おれ》のいう事聞く子にぜ」

「寅小父《おん》ちゃん、私《あて》を世界館へ連れて行《い》てえ。目玉の松ちゃんが見たいきに」

ねだっている菊の本気な響きに、寅は面白がっている様子で、

「そうか、そうか。そんなら今から連れて行てもええ。が、一寸待った。お菊は腰付きはええが鮫肌《さめはだ》で色が黒い。お絹のほうなら見場はええもんの、残念ながらガイコツじゃ。さあて、どっちにしたもんか。ええ面倒《めんど》臭い。両方とも止《や》めにしておこ」

喜和はそれを梯子段の上で聞き、豊栄座では誰ぞに顔を見られる懸念《けねん》があり、それを寅が知ったらどんなに町内に触れ歩くか、目に見えるように思ったけれど、気持に勇み

が立っていて今更止めようという気は起らなかった。

もの音を立てないよう、そっと外へ出、暗い往来を急ぎ始めると、喜和は矢張り先程の、

「町内皆が知っちょる事で、姐さんにはいわれん、いわれんといいよる事で」

という寅の言葉がまた打消しようもなく頭に泛《うか》んで来るのであった。

この言葉を聞いたときは前後判《わか》らなくなってしまうほどの思いだったけれど、今はむしろ、町内で喜和と昵懇《じゅこん》の坂本の姐《ねえ》さんや安岡の姐さん、それに石水のお師匠《つしゃ》ん、茂八ちゃん家の姐さんも入れて、皆、喜和を劬《いたわ》っての上でわざと耳に入れなかったのだと喜和は考えたかった。一人だけ蚊帳《かや》の外に置かれていると思えばむらむらと来るけれど、親切でそうされていると思えば胸の宥めも利《き》く。またそれは、今喜和のしている事にも正当な理屈を加える事でもあるように思えた。他人から見て、喜和が今、それを告げるのも酷《むご》い有様に陥っている、とするならば、当の喜和が自分の不幸せの元となっている相手を知ろうとする事を、町内の誰が咎《とが》めるわけがあろうと思う。喜和が一番拘泥《こだわ》るのは世間態《てい》であり、世間態は岩伍から叱《しか》られる際の最も心強い味方なのであった。

今朝龍太郎《りゅうたろう》と人力車で通った道は、もう下駄《げた》の音が遠く響くほど固く凍《い》てついており、喜和はその道を電車にも乗らず、小走りに急いで行く。

豊栄座が近付くにつれ、喜和は次第に胸苦しさが募って来るようであった。ただでさ

え初めての豊栄座行きは気が昂ぶるであろうのに、ましてや今は、岩伍の相手をそこへ見定めにゆく役を自分に課している。普段の喜和の人付合いのように、何の衒《てら》いもないありのままの自分でよいのではなく、今日は、富田の家女房としてその人をよくよく見ておかねばならないのであった。

駅前の大通りを追手筋へ渡るともう細工町で、角を曲ると、じっとり熟れた大粒の枇《び》杷《わ》の実のような裸電燈が軒に連なっている、豊栄座の木戸口が見える。夕景の北山颪《おろし》は疾《と》うに凪《な》いでいて、幟の列はもう先刻喜和を威嚇《いかく》した面影《おもかげ》もなく項垂《うなだ》れ、孟宗竹《もうそうちく》の支えにしおらしく纏《まと》わりついていた。

喜和は立止り、冷えた掌《てのひら》を頰《ほお》に当ててみると、頰は温《ぬく》もった火鉢の縁のように厚ぼったく底から火照《ほて》っているのが判る。病院の帰り、ここで幟を見たときからずっと、うわうわと昂まっている気持のままに少しも寒さは感じなかったが、それでも顔を見られたくなさに肩掛けを高く巻きつけて木戸口に進み寄り、拾銭の木戸銭を払う。

豆絞《まめしぼ》の印袢纏は景気に柝《き》を一つ打ち、傍の庵《いおり》看板を手の腹でぴたぴたと叩《たた》きながら、

「姐さん機刻《しおどき》のお入りい。只今《ただいま》から御贔屓《ひいき》巴吉太夫《ともきちだゆう》の『朝顔日記、宿屋の段大井川の段』通しの始まり、始まりい」

その声を背に聞いて喜和は心急《せ》き、下足番に下駄を預けると、「座蒲団《ざぶとん》一銭」「火鉢一

銭」と両側から小うるさく寄って来るのを避けながら、大入《おおいり》の赤札の下の高敷居を跨《また》いで桟敷の中に入った。

此《こ》の小屋は高知座のような升席はなく、全部坊主畳《ぼうずだたみ》の入れ込みになっており、客席の狭さは、舞台へすぐ手の届くような親しさとなっているように見える。入りは七分通りで、それが皆前へ詰めて坐《すわ》っている後のちらほらした畳に、喜和はぐるりを見廻《みまわ》す余裕もなく蔀《しとみ》に片寄って坐った。

肩掛けは外さず、そのあいだから覗《のぞ》き見るように舞台に目を当てた瞬間、青天の陽《ひ》を仰いだような眩《まぶ》しさに射透《いとお》され、喜和は思わずくらくらとして目を瞑《つぶ》った。

舞台ではたった今幕が開いたばかりらしく、浅黄に金銀の繍《ぬ》いのある緞帳《どんちょう》が重い襞《ひだ》を重ねたまま、まだ上手《かみて》で落着きなく揺れている。

その緞帳を払ったあとの高座にはいっとき七色の虹《にじ》が立っているように見え、やがて覚悟して目を据《す》えた喜和の瞼《まぶた》に虹は次第に呆《ぼ》やけて消え去ったと思うと、咲き盛りの牡《ぼ》丹《たん》が一輪、鮮やかに泛び上って来たのであった。

喜和はふと気を取直し、その人を見に来ている筈の自分がもう他愛《たわい》なくも人を花なと見紛《みまご》う分別の無さを叱りつける思いで、切り立った視線を舞台に向って投げる。

金の六曲を立て廻した舞台には一段高く緋毛氈《ひもうせん》の演台が設《しつら》えられてあり、黒紋付に銀梨地《なしじ》の肩衣《かたぎぬ》を着けた地方《じかた》が太棹《ふとざお》の義太三味線を構えているかたわら、燃え立つような江戸紫の大振袖《おおふりそで》に装った巳吉太夫が、朱房の垂れた蒔絵《まきえ》の見台に両手を掛けている。花蕊《かずい》、とも見誤りそうなその人から目には見えぬ微《かす》かな香気が立っている感じがあり、喜和はそれに惑わされまいとして、爪先《つまさき》立ちで踏み堪《こら》えているのであった。

鉛色に澱《よど》んだ厚化粧の、白粉灼《おしろいや》けした不健康な舞台顔の、と喜和が考えていた芸人巳吉太夫のその顔は、白塗りの下に花の照りを思わせる紅《くれない》の上気があり、面相筆の濃い墨でくっきりと一息に描いたような眉《まゆ》と瞳《め》もとの涼しさは、思い掛けない若さのように喜和には見えた。それは、いっそ憎々しいほど清らかな印象でさえあった。

鴇色《ときいろ》の結綿を掛けた娘島田、重いばかりに挿《さ》した摘《つま》み細工の房簪、銀刷青海波《せいがいは》の肩衣、菊花流水を暈《ぼ》かした紫の振袖、どこまでも派手やかに燦《きら》びやかに装うている身にして、一つそぐわぬ少年のような凜々《りり》しさが見えるのは、癇症《かんしょう》にぴったりと貼《は》りつけたように合せている、その白い襟元《えりもと》のせいなのだろうか。

喜和はその襟元に目が釘付《くぎづ》けになり、

「まあ、この娘は……」

と思わず声に出して呟《つぶや》いた。

「芸人のくせに衣紋《えもん》も抜かず……」

仕替え摺れした娼妓《しょうぎ》たちの、後は身柱《ちりけ》、前は乳房まで覗けるほどだらしなく広げた襟元を見た目には、驚くほかはない虔《つつま》しさに映る。

その意外さは、先程まで押えていた喜和の内の妬心《としん》を一度にどっと起き上らせてしまったようで、それは熱風のように身内を吹きめぐって殆《ほと》ど息苦しいほどであった。この娘は、喜和にはないものをすべて溢《あふ》れるばかりに持ち合わせているだけでなく、姿かたちからして既に客席の客を呑《の》んで掛かっているように見える。恐ろしい事よ、また見事なものよ、と喜和は心の中で密《ひそ》かに声を挙げた。

やがて、腹に響くような三味の音の前奏の部分が鳴り出すと、舞台の牡丹には忽《たちま》ち呼吸が通い始め玉虫色の尋常な唇許《くちもと》はいきいきと動いて、「生写《しょううつし》朝顔日記、宿屋の段」は、女主人公深雪《みゆき》の口説きから始まった。

「ハイ、ハイ、ようお尋ねくださります。お言葉に甘え、お話申すも恥かしながら……もと、私は中国生れ。様子あって上方棲《かみがたずま》い。一とせ宇治の蛍狩《ほたるが》りに、思い初めたる恋人と……」

口跡は歯切れよく澄み渡り、深雪は舞台の巴吉太夫に打重なって哀艶《あいえん》な姿を客の前に現わす。

〽語らう間《ま》さえ夏の夜の、短い契《ちぎ》りの本意《ほい》ない別れ。

ところ尋ぬる便りさえ、思うに任せぬ国の迎い……

詞は荘重な曲節に移り、声は俄《にわか》に改まって朗々と小屋中に満ち、客の一人一人の小さな胸の思惑など、一瞬のうちに物語の中に捲《ま》き込み押流してゆくようであった。「宿屋」は、盲目になった深雪が、それが尋ねる相手の恋人駒沢《こまざわ》次郎左衛門とは知らず琴を弾きながら哀《かな》しい身上話をする段で、語りが進むにつれ女客の中には白い手拭《てぬぐい》を動かしている者もある。

筋だけは知っていても口演は初めての喜和には、義太夫節の節落ちや音《おん》を遣う技法など判ろう筈もないけれど、耳に快く響く語りの巧みさに導かれ、いつのまにか話の筋の中に惹《ひ》き入れられているのであった。あれほど要慎《ようじん》していたにも関わらず、喜和は語りが始まると間もなく、ふと足を踏み外して別世界へ陥込んだような思いになり、身内の熱さも消え、しんと静かな場所に佇《たたず》んで深雪の身振りを一人瞠《みつ》めている感じがあった。ときどき三味線の合の間にふと醒《さ》め、緑町《みどりちょう》や岩伍やチョビ髯《ひげ》の寅《とら》の顔が泛ぶことはあっても、それと今の自分との関わり合いを考えるのはひどく億劫《おっくう》であった。

喜和の心は何時か遠い昔に還《かえ》っており、たった一本でええ、あれが欲しいと思うほど仰山な造花と赤提灯《ちょうちん》に包まれて目の前を通って行く、高い花台の上の人形をいま、無心に見ているのであった。お三輪の人形が持つ苧環《おだまき》は舞台の扇子となり、お三輪の縮緬《ちりめん》の大振袖は舞台の肩衣に打重なり、とんとんりゅうりゅうは朝顔日記の節となって聞えて来る。しかし舞台は生身の人間が勤めるだけにさらに面白みがあり、益さんのいう〝呂《ろ》昇《しょう》の再来〟は喜和には判らないが、繊細《かぼそ》い咽喉《のど》の、いったい何処《どこ》からあんな野太い節廻しが出るかと思えるほど声に限りない伸びやかさがあり、渋さと艶《つや》と張りとをはっきり使い分けて聞く者を娯《たの》しませてくれるのであった。

正統派の益さんにいわせると文句はあろうけれど、語りに添える身の振りもなかなか巧者で、扇子を取上げピタリと決める侍の声色《こわいろ》、袂《たもと》を掻《か》い寄せる女の恥らい、見台に伸び上りひれ伏し、或《あるい》は威丈高に或は絶え入りそうに、聞くだけでなく、客の目も高座に吸い寄せて離さない魅力があった。

義太夫はなお語り進み、道具返しの三味の音を境に景は大井川渡しの場と変り、旅立ちの後、それが恋人駒沢と知って駈《か》け付けたときは既に川止め、ここで身も世もあらず嘆く深雪の口説はウレイ三重の曲節となり、不思議な因縁《いんねん》で深雪の目が開くという最後の段まで、女子《おなご》の哀れさ切なさは次第に強く盛り上げられてゆく。かの呂昇が、「朝顔」では語り難《にく》さにずい分難渋したという終りの節の、

〽露の干ぬ間の朝顔を、照らす日《ひ》蔭《かげ》の情《つれ》なきに、

を、この高座は若さで張って一気に乗切り、最後の納めに一撥《ひとばち》締めた三味の音と同時に、ゆったりと威儀を正し、客席に向って島田髷《まげ》の頭を下げた。

「大統領っ！」

「日本一っ！」

「もう一番っ！」

豊栄座の客は荒いといわれる通り、小屋のあちこちから高い声が掛かり、舞台へは紙に捻《ひね》った纏頭《ぽち》やら菓子、蜜柑《みかん》から手拭、座蒲団まで打ちつけるように降り掛かる。巴吉太夫は落着いて紅潮した頰を上げ、改めて袖を捌《さば》いてから、

「御声援誠に有難う存じまする。不束《ふつつか》ながら、本日は之迄《これまで》。また明晩、一谷嫩軍記《いちのたにふたば》は熊谷《くまがい》陣屋の段にてお目見得《めみえ》申上げまする」

軈《やが》て重い緞帳が波打ちながらゆるゆると引かれ始めると、小屋の中からは一斉《いっせい》に拍手が湧《わ》き上る。

喜和はその拍手の音で自分がふと呼び戻され、呼び戻されると同時に、ここから一刻も早く逃げ出してしまいたいような気恥しさがどっとこみ上げて来た。誰ぞ知ったひとと目でも合えばお終《しま》いだと思い、拍手の終らないうちに立とうとしたけれど、躰中《からだ》、高い熱のあとのように力が脱けてしまっている。片手を蓆に支えながらようよう小屋の外に出ると、早寝の細工町一帯はもうすっかり夜中であった。往きには連なっていた小屋の前の屋台も、いまは赤い行燈《あんどん》の「大椎《おおしい》の空無《からなし》」一軒だけになり、カンテラの丸い灯《あか》りがぼんやりと廻りの闇《やみ》に滲《にじ》んで見える。

地面の、遥《はる》かな底までも凍りついてしまったような固い夜の道を歩き出しながら、喜和は何時の間にか涙を流していた。涙はせせらぎのように、拭《ぬぐ》うあとからあとからさら

さらと落ち、喜和の躰の芯にまで浸《し》み込んでゆくようであった。

この道をさっき、挑《いど》むように気負って駈けつけた勇みはいま躰中からすっかり引き、まるで蟬《せみ》の抜殻《ぬけがら》のように、からから、と、頼りなく喜和は歩いているのであった。本妻ならこちらから打って出なければならぬ、という気負いを持ったとき、自分は一体何を見ていたのだろうか、と喜和は思った。多分、高飛車に挑んで行ったとしても自分の長い年月が必ず勝つを見越しての自信と、一つは、告げ上げしたチョビ髯の寅などを見返してやりたい意地に似たものも多少手伝っていたものと思われる。

亭主が外で何をしていようと、女房なら前以《まえもっ》てその大凡《おおよそ》を告げて貰《もら》うだけで細かな詮《せん》索《さく》はせずとも大抵は堪えて過せる、と考えているのが喜和の性根の据えかたで、また、今までそれでずっと暮して来て格別の不服も持たなかった。喜和が一番嫌《いや》なのは、岩伍のしている事について他人から闇打ちを喰《く》らう事であり、それは人を使う身の一つの沽《こ》券《けん》のようなものであった。

喜和は先刻、チョビ髯の寅からそれを知らされたとき、余りの唐突さに思わずその場に崩れ込んでしまったけれど、富田の宰領ともあろうものが、ああいう弱気なさまを他人に見せたくなさの要慎に、喜和は日頃《ひごろ》からどれだけ心を摧《くだ》いて来た事か……それでも喜和は、自分一人耳疎《うと》い場所に追いやられている淋《さび》しさを町内の人の好意に置き換え、胸の悶《もだ》えを撫《さす》るようにして出て来たのだけれど、それというのも、豊栄座見物のあとで

は、

「芸人とは誠にしがないもんよねえ。浮気な人気のままに暮さんならんきに。岩伍もよんどころない義理で贔屓を買うては出たものの、あの人がこ《こ》の土地を出た先まで手を差伸べる事は出来まいしねえ」

などと、坂本の姐《ねえ》さんをでも相手に、自分の身の安泰を談義《どうぎ》の種にしてしみじみ話せる幸せを思っての事であった。

その気持のゆとりはあとかたもなく消え去り、喜和の胸の内は地面に叩きつけられたようにみじめであった。

今、喜和の頭をしきりに掠《かす》めるのは、岩伍と一緒になって以来、喜和が数限りなく繰返して来た細かい日常の失策の場面ばかりで、茶渋の染《し》みついた湯呑、羽織の襠《まち》の綻《ほこ》び、寝押しを忘れた袴《はかま》の皺《しわ》、袖口の黒八丈の汚れ、雨木履《あまぼくり》の泥《どろ》、机の上の薄埃《うすぼこり》、短気な岩伍が見るなり癇癪《かんしゃく》を起す事を、若い頃はたびたび、今も時折性懲《しょうこ》りもなく繰返す無器用さは、たった今見た舞台の巴吉太夫のきりりと立勝《たちまさ》った印象に結びついて来る。

芸人のうらぶれとは程遠い、潔癖な素人《しろうと》娘のようなあの娘なら、綺麗《きれい》好きの岩伍の気を迎える術《すべ》を皆心得ていて、家の廻りにはいつも箒目《ほうきめ》を立て、普段着にさえ袖山の立ったものをつんと着こなし、道具には小まめに艶《つや》布きんを掛け、長火鉢《ながひばち》の銅壺《どうこ》は顔が映るほど磨《みが》き込んで……毎日丹念に糠袋《ぬかぶくろ》を使い、櫛《くし》には垢《あか》を溜《た》めず、岩伍にはよく陽に干したふくふくの蒲団と垢抜けのした白い敷布の床をのべ、自分は娼妓などが商売用に着る薄汚れた長襦袢《ながじゆばん》ではなく、如何《いか》にも初女房めいた清潔なしじらの寝巻などを着て……などと、喜和が目も眩《くら》む思いで想像するのも、女には目の肥えている筈《はず》の岩伍が打込むだけのものをあの娘は持っており、それはただ、目鼻立ちの美しさだけではない事が、喜和には判《わか》る。たとえ一瞥《いちべつ》に等しい見定めであったにせよ、それは殆ど真実を射当てた感じかただと喜和は思うのであった。初めて見る娘義太夫の派手やかさに心奪われたという後めたさがなくもないけれど、初めて故《ゆえ》にむしろ、舞台を透かして向う側の生地《きじ》がよく見えた、ともいえるのではなかろうか。

喜和は、岩伍が決して義理などの贔屓ではなく、心《しん》からあの娘を愛《いと》しく思うが故の肩入れであるのを、今、手痛く思い知らされた感じであった。二人のあいだの小訳《こわけ》は喜和によく判らないが、恐らく岩伍はあの娘の芸ばかりでなく、見るからに賢《さかし》げな風、凛々しい身のこなしまでも大切なものに思っているのではないかと推測も出来る。

喜和は長い間、気の利《き》かない自分、天秤《てんびん》の遅い自分、追従《ついしよう》のいえない自分、糸竹の判らない自分、玄人《くろうと》は絶対に着ないセルの着物などをいつもぼってりと野暮臭く着ている自分、その他の、小粋《こいき》で聡《さと》い岩伍とは何も彼《か》も正反対の自分を、岩伍はすべて恕《ゆる》してくれていると安心していたのに、あの娘を見ればそれは鮮やかな明暗をつけて泛び上って来る。ついさっきまで、怒鳴られる事すら、岩伍の自分に対する思い遣《や》りだと受取っていたのは、こちらだけの勝手な自惚《うぬぼれ》であったろうか。

喜和は、今日自分は柄《がら》にもない事をしてしまった、と思った。もともとは内へばかり籠《こも》り勝ちな気質なのを懸命で打越し、世間への付合いに務めて来たのも、突き詰めれば岩伍の自分への劬《いた》わりに応《こた》えたさの為《ため》であった。もっと打明ければ、岩伍に褒《ほ》められたさの為、といってもよい。その岩伍が、喜和が日常引け目を感じながら過している欠点の悉《ことごと》くを本当は矢張り嫌《きら》っていて、昨日今日知合ったばかりの芸人の娘に忽ち傾いて行ったという事は、年月重ねて来た喜和の労を、心中少しも認めてはいなかったという事なのではないだろうか。

自分が岩伍に好かれてはいなかったという見窮《みきわ》めは、喜和の心の支えを一度に取払ってしまったようであった。

張りを失えば意気をも失い、さっきまでそれが為に辛《つら》い虚勢も張った世間態《てい》という面倒なもの、町内の思惑という目に見えぬ縄目《なわめ》は遥か遠くへ飛び去ってしまって、ここに在るのはいつになっても至らない、愚かな自分の姿だけのように思えた。

喜和は、もう緑町のあの家へ帰る事は出来ない、と思った。

八年間、岩伍の為に勤め続けて多少の自信めいたものも身に付けた筈だったのに、今日あの娘義太夫《ぎだゆう》に教えられてみれば、自分はやっぱり八年前の元の場所に呆《ぼ》んやりと突っ立ったままでいる。空《むな》しい、といえばこれほど空しい事はなく、哀れ、といえばこれほど哀れな事はないのではなかろうか。

喜和は子供のように手の甲で涙を拭い、ときどきは堪え切れなくなってしゃくり上げながら、ふと気が付くと、豊栄座からさして遠くない材木町の材木置場に腰を下ろしているのであった。ずい分長い時間歩き続けたと思ったのに、同じ場所を堂々廻《めぐ》りしていたものでであろうか。

生臭いほど木の香の立つ新しい材木の上には、間もなく霜に変る夜露がしっとりと下りていて、指に触れると、骨の髄に浸み透《とお》る冷たさであった。

「夜露は一名雁《かり》の涙という」

と風流を教えてくれた裏長屋のイービーの先生の言葉を思い出し、秋になると江の口川の上《かみ》から下知《しもじ》を指して渡って行く雁の、隊伍《たいご》正しい姿を喜和は目に泛《うか》べた。緑町の家に帰れぬとすれば、喜和はいったい何処へ行けばいいものであろうか。

六

あの夜、喜和は魂の抜けたような面持《おももち》で萍《うきくさ》の搔い寄せられるようにふらふらと鉄砲町に辿《たど》りつき、そのまま、重病人さながら寝付いてしまってから、もう幾日を数えるだろうか。

日を繰るだけのしっかりした正気はまだ無く、暗く狭い奥の部屋で固い蒲団を額まで被《かず》き上げ、眠ったり現《うつつ》に起きたりを繰返す。風邪でも三日と寝付いた憶《おぼ》えがないだけに、躰中骨も筋肉もずきずきと痛み、それは誰かに責め苛《さいな》まれているような感じを喚《よ》び起す。ときどきふと、分別の歳《とし》でいて突然実家《さと》へ逃げ戻る大人気なさに自分から醒め、一人で自分を嘲《あざわら》いたくなる時もあるけれど、そうかといってこれから先どう生きて行けばいいのか、喜和には全然判らなかった。

判っているのは、時が経《た》つに随《したが》って少しずつ変って来ている胸の内で、あの晩、よくも落着いてあの娘の事が考えられたと思うくらい、今はすべて呪詛《じゅそ》に充《み》ち充ちており、強い感情無くしては何事も頭に泛ばなくなっている。

浮気男と連れ添う女房が、亭主の罪はいわず相手の女のせいばかりにする、よくあり勝ちな世間並の過ちに喜和も今、陥っており、清らかで利発げ、と見た舞台の娘は、嫉《ねた》みの毒に当てられて徐々に面変《おもがわ》りし、その果て、男を籠絡《ろうらく》するに巧みな、狡《こす》い女の姿になって喜和の内に居据《いすわ》っている。客席の興奮にたじろぎもせず落着き払って口上を述べる辺り、初心《うぶ》な娘にはない度胸の据わりかただと思うと、利用するには値打ちのある岩伍を、その口で誘い込んだのかと、自分でも共に泥に塗《まみ》れるほどの下品な想像に取憑《とりつ》かれる。娘義太夫は給料が安い故、身持ちの悪くなる話は兼て聞いてはいたけれど、長い地方興行のあいだには、男の世話になりながら高座を勤めなければ暮しが成り立ってゆかぬ者もあるのであろうか。

あの娘はひょっと、こういう儚《はか》ない芸人の暮しから足を洗いたさに富田の嫡妻《ちゃくさい》の座を狙《ねら》っていたのかも知れぬ、という疑いは、今まで格別人を憎みもせず、ものを悪どく考えた事もなかった喜和にして初めて考え到《いた》った、まるで今までの復讐《ふくしゅう》でもあるかのような、烈《はげ》しい思いでもあった。寝返りを打つ拍子など、うつつに〝朝顔〟の一節が枕《まくら》に響いて来たりすると、動悸《どうき》が打って寝ていられなくなり、起き上っては床の上でじっと目を瞑《つぶ》っていたりする。

そのくせ喜和は、若《も》しあの娘と相見《あいまみ》える日があっても、こちらが年嵩《としかさ》のくせに俯《うつ》むいて泣くよりほか何もいえぬ自分の無力さを知っており、それだけに怨《うら》みは内側へ内側へと深く潜んでゆくようであった。

喜和はしかし、岩伍に対しても、今は決しておおらかではいられなかった。

女の命といわれる鏡台の引出しの、悉く乾き上った化粧品が示しているように、身を構う暇さえない日々で喜和を縛りつけているのは男の身勝手であり、その身勝手は、女子だけに犠牲を強《し》いる紹介人の習性から来ているもののように思えるのであった。

世間には妾手掛《めかけ》けを幾人も囲って本妻にものいわせない男もいるけれど、紹介人の甲斐性《かいしょう》というのはその後に、身売りの辛さに泣く女たちがいるのを忘れては不可《いけ》ないように喜和は思える。岩伍に対し、木仏金仏になれというのではないけれど、家業の女さえ相手にしなければ他はよい、という許しかたは今はもう、出来ないように喜和には思える。

店先のほんの上り端で女の躰の値が纏《まと》まる家、益さんの女ぜせりが何よりの話の種になる家、町内の色話も、ここでは際《きわ》どいところまで平気で出来る家、仕替えの妓の滞在中、あわよくば饗応《もてなし》に預かりたいと男たちがうろうろしている家、そういう慣《なら》わしがどっぷりと染みついているあの家は、男女の堅固な操《みさお》を茶化し、蕩《とろ》かしてしまう魔力を持っているように見える。

その魔力に先《ま》ず健太郎がやられ、分別ある筈の岩伍が今また虜《とりこ》になってしまっている。この事実を喜和が知ったとき、世の玄人上りの女房のように物判りよく捌く事が出来ないのを岩伍はよく判っているくせに、それでもなお憚《はばか》らなかったのは、あの晩考えたように、紹介人の女房としての喜和への不満であったかと思える。思い廻らせた末はいつもそこに至り、そこに至ると喜和はひとりでに涙が流れるのであった。

数えてみれば岩伍と夫婦になって以来、もう十八年もの長い月日が経っている。よく、鐘も撞木《しゆもく》の当り柄《がら》、といい、妻は夫につれ、夫は妻につれるものなら、二人の隔たりはもう夫婦として釣《つ》り合わぬものとなっていはすまいか、と喜和は暗い思いに陥入《おちい》ってしまう。もし夫婦が子で繋《つなが》っているとすれば龍太郎《りゆうたろう》、健太郎はいるけれど、世間の慣いでは〝子は家に付くもの〟であり、今、家を出ている喜和の身ではもうどうする事も出来ないように思える。この怨憎会苦《おんぞうえく》の合間にもふと、父親の顔色を窺《うかが》いながら学校をずるけようとしている健太郎、ぞんざいな看病の仕方に焦立《いらだ》って荒れている龍太郎の姿が目に泛《うか》び、目に泛ぶとその手の届かなさに喜和自身苦しむ事になるのであった。

夜店の廻り燈籠《どうろう》に灯《ひ》を入れると、内側の囲い紙に切抜いた屋形船や、金魚や、蝶《ちょう》などが物憂《ものう》そうにゆるゆると廻り始めるに似て、喜和の頭の中には緑町《みどりちょう》の日常がときどき不鮮明に滲みながら現れて来る。これまで一晩として家を明けた試しのない喜和が突然留守にした後では、定めし一日の流れは止まり、物の置場所は判らず、男衆《おとこし》たちは遊び呆《ほう》け、出入りの連中はずかずかと上り込み……と思っても、それは現れてはまた駈《か》け去ってゆく一瞬の切紙模様であり、喜和はただ呆んやりと眺《なが》めているだけなのであった。

喜和は、こんなあてどない日が千万回流れても、自分の心の中で何等かの解決が出来るとは思えなかった。たった一つ意志があるとすれば二人の子に会いたい願いであり、出来れば子供達と共に何処《どこ》か人の知らない遠くへ行ってしまいたいという、夢みたいな思いが泡《あわ》のように泛ぶだけで、それを実際の問題として考えようとするとすぐ疲れ果ててしまうのであった。

緑町ではあの晩、寅《とら》の口からでも、或は豊栄座で喜和を見掛けたであろう誰ぞの口からでも事情は岩伍に伝わっていると思えるのに、その後使いの一人致《よこ》さないところを見ると、何か思惑あって押黙っている様子と考えられる。

こちらでも楠喜《くすき》以下、誰一人としてくどい聞き方をせず、飯刻《めしどき》に合わす喜和の涙顔にもつとめて目を外《そ》らすようにしていてくれるのは、大凡の察しがついていての上であろうと思われる。

喜和にやっと人心地が戻って来た頃、母親の梅は、明り取りの油障子を天窓に嵌《は》め込んである縁側に喜和を坐《すわ》らせて髪を解いてくれたが、そのとき、

「女子《おなご》は何事があろうと、堪《こら》えて堪えて、堪え詰めんならんよ。岩さんに気に入って貰えるよう、喜和も精出して勤めなはれや。のう」

といった。

喜和はそれを聞いて、梅はすべてを呑《の》み込《こ》んでいてそういうのかと思ったけれど、後に考えればそれは梅自身の長い生涯《しょうがい》、固く胸に締めて生きて来た教えをそのまま娘に譲れば、先ず間違いはあるまい、と信じてのようであった。

堪えて堪えて、堪え詰めた所に女の生きる道がある、と信じて暮して来た梅は、いまもこの家ですべてに遠慮深く、慎《つつま》しやかに過している事が喜和にも判る。若い日は連合いに、長じては息子に、今はまた他人である嫁の里江に、いいたい言葉も呑み下して角を立てぬよう心遣いする身には、事情はどうあれ、一旦《いったん》よそへ出た娘が宛《あ》てもなく居坐るのはどれほどに気兼な事か。梅と互いに立て合って暮す嫂《あによめ》もまことに中分のない人で、正気に戻った喜和に向っては、

「お喜やんもいろいろ苦労が多うて辛い事よねえ。どうぞ気の済むだけ、遊んで行てつかはれや」

と優しい言葉で心から慰めてくれようとする。しかし未《いま》だに毎朝、鉄漿《かね》をつける習慣を捨てないほど古風な人である事を思えば、里江の「堪え詰める」は梅以上のものがあるとも推し測られ、ある面では姑《しゅうとめ》のいない嫁天下の喜和を、自分に較《くら》べ却《かえ》って羨《うら》やんでいるのかも知れなかった。

考えてみれば女三界《さんがい》に家無し、というけれど、真実《まこと》に儚《はか》ないものよ、と思える。嫁いだ先が死に場所と思い定めていても、連合いの思惑に添わなければ女は忽《たちま》ち家を失い、実家《さと》は実家で他人が入っていれば、そこはもう自分の家とはいえぬ。喜和は梅の言葉を聞くまでもなく、此処《ここ》も長い居場所ではない事に気付いているのであった。

昔は自分もそうやっていたこの家の膳箱《ぜんばこ》の習慣も、飯の後箸《はし》もろくに洗わないで蔵《しま》ったり、土瓶《どびん》の茶の葉を毎回換えず二、三度続けて煮出したりするのを見ると、岩伍に長年躾《しつ》けられた家事廻しの目にはひどく馴染《なじ》めないものに映る。朝昼晩の釜屋《かまや》のけじめのなさ、飯刻の活気のなさも一層気の滅入《めい》るように思われて来る。余りに騒々し過ぎる、と溜息《ためいき》の出る緑町の家の空気も、もう今では肌《はだ》に染み込んで喜和の手足の一部のようになってしまっているのであろうか。

それにしても、家を出てからもう六、七日、もっとは経とうか、とその朝、喜和は思った。

昨夜、釜屋で不具の甥《おい》たちが、

「お母やん。今年は粳餅《うるもち》をどっさり搗《つ》いてよ。ええ」

とねだっていたから、喜和が此処に来て日暦《ひめくり》はみるみるめくれ、晦日《みそか》はもう目の前に迫っている事が判る。

喜和はふと、雀貝《すずめがい》掘りの吉さんに、正月の餅に入れる鏡川の青海苔《あおのり》を頼む、例年の習わしを思った。

富田では毎年、今頃《いまごろ》からそろそろと支度に掛かって、暮の二十五日に二俵近い餅を搗き、夏の楊梅《やまもも》、春の花見寿司《ずし》と同じように町内全部に配る。餅は鏡餅、熨斗《のし》餅、餡《あん》餅のほかに粳《うる》は米に青海苔、高黍《たかきび》、唐黍、粟《あわ》、などさまざま混ぜて楽しみ、賃搗屋《ちんづきや》に賃を弾んで地砂糖のかきもちまで調製する。

まだ厚い闇《やみ》の立ち籠《こ》めている暁方《あけがた》、石臼《いしうす》と太鼓缶《ドラムかん》の竈《かまど》を担《にな》ってやって来る紺の法被《はっぴ》の、

「エッ、ホッ、エッ、ホッ」という、祝儀《しゅうぎ》のほい駕籠《かご》を思わせる景気のいい掛け声、松の割木を気前よく竈に投げ込めば、七八つ《ななやつ》重ねた蒸籠《せいろう》から渦《うず》をなして噴き溢《こぼ》れる壮大な湯気、搗き上った餅を捏《こ》ねる場はまるで戦場で、裏長屋の女達ははしゃいで総出で手伝いにやって来る。

喜和は冷たい寝床の中で、蒸籠の下でごうごうと音を立てている威勢のいい火の色を

目に泛べたが、これもひたすらに廻《まわ》り続ける燈籠の切絵のように、ふいと向う側に廻ってしまった。まだ心は萎《な》えており、餅搗きの采配《さいはい》を振うなど到底考えられはしなかった。

喜和は起き上り、梅の古い袢纏《はんてん》を引掛けて厠《かわや》へ立った。

寝床で微《かす》かな音を捉《とら》えたように思ったけれど外は矢張り氷雨《ひさめ》になっていて、厠の前に切ってある小さな天窓から冷たい雨が縁側に細かく一面に飛沫《しぶ》いて来る。

喜和は厠の竹皮草履を穿《は》いたまま、暫《しばら》く手水鉢《ちょうずばち》の前に立っていた。龍太郎の力ない咳《せき》を耳に聞いたからであった。こんなに冷える日は、誰ぞ気《き》を利かして湯たんぽを入れてやったかしらん、と案じる目に、氷雨の飛沫で微かに揺れている手水鉢の脇《わき》の雪の下の葉が、蒼《あお》ざめて不機嫌《ふきげん》な龍太郎の顔に見えて来る。

そのとき、表の店先で、

「お早うさん」

という女の声がしたのを、喜和は聞いた。

何処やらで聞き憶えのある声、と考えている喜和の耳に声は続いて、

「えらい冷え込む思たら、とうと雪雨《ゆきあめ》になりましたな。

お喜和はん、こちらに居やはりますやろ」

広くもない家の、店先からの声は厠の前まで筒抜けに聞えて来る。

喜和は自分の名を呼ばれ、居やはりますやろ、と決めつけられたとき、胸の中で音を

立てて何かが粉々に砕け散った感じがあった。

とうとう土壇場に来た、と思い、寄る辺なさ覚束《おぼつか》なさは足許《あしもと》から震えと共に這《は》い上って来る。

「私《あて》、上《かみ》の新地の大貞《だいさだ》ですねけど、今日はちょっと、富田の岩伍はんのお使いでこちらへ罷《まか》り出ましてん。

これはお喜和はんの兄御はんで御座いますか。御挨拶《あいさつ》、後になりましてけど、常々富田がお世話になってましして」

店番の楠喜がそれに返すぼそぼそした呟《つぶや》きは殆《ほとん》ど聞き取れなかったが、次いで張り上げた、

「お喜和、お喜和、ちょっとこっちへ出て来てみい」

という声には懸命な響きがあり、かなしいほど明瞭《めいりょう》に喜和の耳に届いた。

上の新地の遊廓《ゆうかく》で先ず指折りの大貞楼は陽暉楼《ようきろう》に次ぐ岩伍の得意先で、ほんの一、二度、この女楼主は緑町へ俥《くるま》でやって来た事がある。女の身で今の大貞楼の隆盛を呼び、大勢の抱えを頤《あご》一つで動かすその貫禄《かんろく》に、喜和はそのとき碌《ろく》に顔も上げられなかったものだけれど、その大貞が供も連れずわざわざここまで、と聞いただけで怯《すく》み上り、その上岩伍の使いとまで聞くと、喜和はもう断崖《だんがい》絶壁に立たされているような後のない恐《こわ》さに追込まれる。このまま裸足《はだし》で逃げ出したい、と考えている身に、土堤《どて》の向うの江の口

川の深い水の色が目の前をちらちらと通り過ぎていった。

喜和同様、大貞の来訪に胸の内まで悴《かじか》んでしまったような楠喜の声が、まるで助けを求めるように続けて催促するのへ、喜和はようやっと、

「あい」

と口の中で返事し、店との境の、褪《あ》せた紺の暖簾《のれん》を両手で引き開けた。

皿小鉢から小道具、古着の類《たぐい》まで雑多に拡《ひろ》げてある店の三和土《たたき》に、大貞は細い握り込みの蛇《じゃ》の目《め》を逆手に持ったまま佇《たたず》んでいる。

このひとの前身は京都の中書島《ちゅうしょじま》とも大阪の松島ともいい、一娼妓《しょうぎ》の身で今日まで叩《たた》き上げて来た重みは、生半《なまなか》な素人《しろうと》衆など足許にも寄れない押出しの立派さがあった。

六十搦《がら》みと思える半白の髪を、ほんの一筋もこぼさず厳しくちんまりと結い、さすがにもう白粉気《おしろいけ》はないものの、長く抜いた衣紋《えもん》は鶯色《うぐいすいろ》の総絞りの半襟《はんえり》に黒の本繻子《ほんじゅす》、その上に羽織っている雨合羽《あまがっぱ》は藤鼠《ふじねず》の山繭《やままゆ》という、隙《すき》のない装束に身を固めている。

「あ、これはまあお喜和はん。

よかった、よかった。あんたが此処に無事でいてくれはって」

大貞は喜和を見るなり、思わず涙の滲《にじ》んで来るような柔らかい調子で呼び掛け、片手で蛇の目の水をさっと一振りすると手早く雨合羽を脱いで手畳みにし、

「ちょっと、お邪魔しまっせ」

と膝《ひざ》を斜にして上り框《かまち》へ腰を下ろした。

「なあお喜和はん」

と片方の、畳に突いた手の甲は年寄りにしては見事な艶《つや》で、その薬指には金の蒲鉾《かまぼこ》を二つも重ねて光らせている。

喜和は、思いも掛けず隔てない口調で語り掛けて来る大貞の態度に戸惑ってしまい、目を宙に泳がせながらまだ及び腰でいる。その喜和を両手でたっぷりと包み込むように、大貞はまことに優しく、

「さ、ここへ坐ってみてえな」

と子供に指し示すようにしながら、

「私は焦《いら》れやさかい、用事しかよういえへんけど、今度の事は岩さんから皆、聞きました。

あんたもなあ、いろいろいいたい事もあろ、苦労もたんとおますやろけど、ここはひとつ一切合財、私に任して貰《もろ》て、目え瞑《つぶ》ってなあ、富田へ帰ってくれへんか」

いいたい事もたんとあろ、という言葉を聞いて、喜和は噴き上げるように涙が溢《あふ》れて来た。

巴吉太夫《ともきちだゆう》への怨みといい、岩伍への憤《いきどお》ろしい不満といい、胸の内で思いは渦巻いていても、それをこの家でことごとしく口にしないのは、玄人《くろうと》社会の揉《も》め事を堅気の小笠原《おがさわら》

の家の人達がどれだけ判ってくれるか、考えれば絶望的なものであった。喜和はここでも〝沖にも付かず磯《いそ》にも離る〟自分の身を思い、一人思案に陥込んでいたのを、大貞なら自分の立場もよく判ってくれるかも知れない、とふと生き上るように思い、古い絆纏の袖口《そでぐち》で涙を拭《ぬぐ》った。先程の、何かが千々に砕け散った幻は離縁のいい渡しの前触れ、と感じ取っていたのに、大貞の使いは一先《ひとま》ず戻れ、という命令であった事に喜和は安堵《あんど》ともいい切れぬ、さりとて嫌悪《けんお》でもない、深い思いがあった。

大貞は泣いている喜和から目を外らし、古道具に囲まれて両掌《りょうて》を股《また》のあいだに縦に突っ込んで背を丸めている楠喜に向い、

「なあ兄《あに》さん。どうでっしゃろなあ。決して悪うは計らいしまへんよって、ここは私に下駄《げた》預けて貰えまへんやろか。岩さんも自分でいうてはる。もうええ年して去《い》んだ戻ったの話じゃなし、いうてなあ」

「へえ」

内心大貞の仲立ちを喜んでいるくせに、すぐ弾《はじ》け返るような返事の出来ないのは楠喜も喜和と一緒で、それでも精一杯の愛想を見せ、無精髯《ぶしょうひげ》がぱらぱらと貧相に伸びた頤を古物の蓄音機のらっぱのかげから覗《のぞ》かせて、

「お喜和。大貞の女将《おかみ》さんがあんなにいうてつかされよる。お前も心入替えて、富田へ詫《わ》びを入れて貰いや」

事情は知らずとも、無断で実家へ戻るは喜和の我儘《わがまま》、と楠喜でさえ大貞の顔を立てているのに、ここで喜和が否《いな》やのいえる道理はない。否やのいえるのは、喜和に死ぬ覚悟があっての上の事で、この世界で「顔を立てる」がどれだけ重い笧《しがらみ》になっているか、それを喜和が知らない筈《はず》はないのであった。

それでも喜和は、さっきの今の事とて咄嗟《とっさ》に身を変える素早さがなく、不安が先立って迷っているのへ、大貞の方から先にその目のいろを読み、話をもう一つ進めて、

「お喜和はん。内輪をいえば昨日の事や。岩さんがげっそり窶《やつ》れてうちへ見えてなあ。私の前に手を突いてこうや。『女将さん、どうぞしてお喜和を連れ戻してつかはれ』私ははあはあ笑うてやってん。お喜和はんは岩さんの昔からの恋女房やないか。自分でしゃっと行《い》て何で連れ戻して来んのや。小若い衆やあるまいし、照れる事なんか何もあらへんやないか、いうてな。ほんまになあ。私にまで世話焼かせますがな」

大貞はしんから可笑《おか》しそうに、掌を唇へ挙げて笑った。

「恋女房」といわれ、喜和の心はぐらりと揺れて、張り詰めていた胸の一角が傾いた。

大貞の今のいいかたは喜和の不安を取除いて余りあり、〝岩さんは自分を嫌《きろ》うてはおらなんだ〟

という、喜和にとっては命取りの傷を癒《いや》す妙薬ともなって来る。

目を遣《や》ると、暖簾のかげに身を隠して聞いていたらしい梅が、歯のない口を開けて、

「逸《へん》しも。逸しも。さあ去《い》んで、去んで」

と手真似《てまね》で喜和に合図を送っている。

「そんなら」

と喜和は、四方から攻め立てられた手負いの獣《けもの》のような思いで観念し、大貞の前に手を突いた。

「帰らして貰いますきに、よろしゅうお頼《たの》申します」

「まあこれは、早速に承諾してくれはりますか。おおきに。何というても縁のある者同士やさかい、話はし易《やす》い、し易い。さ、そんならお喜和はん。善は急げや。私と一緒にこれからすぐ帰りまひょ。なあ」

あんたの支度の出来るまで、ここで待たして貰いまっさ、と大貞はいって立上り、古道具のあいだをあちこち移りながら、

「この狸《たのき》さんの置物、ちょっとええなあ」

とか、

「近頃は九谷の皿鉢《さわち》も、出物は少のなりましたやろ」

とか、話の種を拾っては如才なく楠喜に話し掛ける。

喜和は奥の間に入り、梅の手鏡を柱に立て掛けて束髪を撫《な》でつけた。部屋の暗さもあろうが、顔色は障子紙のように乾いて白く、口許の青い痣《あざ》は喜和を病み上りのように儚《はか》なく見せる。かたわらで、こんもりと背の曲った梅が髪道具を新聞紙に包んだり、歯替えしたての木履《ぼくり》にゴムの先革を掛けたり、傘袋《かさぶくろ》から蛇の目を出したり、まるでいそいそと見える様子で喜和の帰り支度を調べているのを見ると、矢張り、〝逸しも去ぬる〟べきであろうか、と迷っている自分を感じる。

帰る、とはいっても、まだ元の暮しにすぐ戻れるだけの気構えも立たない喜和には、風の果ての蔦《つた》かずらのようにふらふらとおぼつかなく揺れ動き、人の言葉通り身を動かしている感じであった。

家を出るとき着て来た着物を今再び着終って、喜和は、あの夜からもう七日もの長い時間が流れたとはどうしても思えなかった。たった今出て来た富田へ蜻蛉《とんぼ》返りする慌《あわただ》しさがあり、そのくせ富田の騒々しい日常は躰《からだ》の中から欠け落ちてしまっている。

喜和は釜屋《かまや》の嫂《あによめ》に礼をいい、吾妻《あずま》コートを着て土間に下り立つと、大貞は待ち受けていて喜和をうしろに庇《かば》い、兄《あに》さん、母《かか》さん、姐《あね》さんと一人一人に行届いた挨拶を済ませてから、

「さ、お喜和はん、ここからゴム輪に乗るのも半端《はんぱ》なもんや。雨で下が悪いけど、ま、歩いて帰りまひょな、その方がええ」

と打解けた響きでいい、連れ立って雨の道に出た。

雨はさして大降りではなかったが、ときどき風があった。

大貞は先に立ち、鉄砲町からすぐ横に折れて北新町、中新町を過ぎ南新町の通りへはいる。細長い南新町の下の詰めには最近出来た赤土の新道があり、この新道を真直《まっす》ぐに行けば荒物雑品の安岡の角に出る近道を、大貞はどうやら知っているらしかった。町はもうすっかり押詰んで来た風景で、普段人通りの少ない南新町の通りも、重い荷を積んだ大小の車力がひっきりなしに行き交っている。

喜和は前を行く大貞の、今日の粋《いき》のある計らいがひどく頼もしく有難いものに思えた。大店《おおだな》を切廻《きりまわ》す男のような気丈さを日頃はただ怖いものとばかり思っていたのに、苦労人というものの肌触《はだざわ》りのなめらかさ、もの判《わか》りのよさに触れてみればこちらの要慎《ようじん》もひとりでに緩んで来る。これが素人の使いなら、鉄砲町の家の中で風呂敷《ふろしき》を拡げたような打《ぶ》ちまけた話になってしまうであろうのに、あの場所では一言も事情をこぼさず、こちらの胸の内を呑《の》み込んで何はともあれ連れ出してくれた手並は、実に捌《さば》けたひと、と喜和はただただ感じ入るよりほかはない。ああいう商売はしていても、この人の本心はとても情のあるよく出来た人なのだと喜和の気持も次第にしっとりと大貞に寄添って来る。

きっと岩伍もこの人柄《ひとがら》を見込んだ上での頼りかたであったろうと、喜和はひとり納得出来る思いであった。

黙ったままずっと歩き続けて人影のない新道に入ると、造り立ての道は粘土を捏《こ》ね返したようになり、いきおい足はゆっくりとなる。道の両側は畝《うね》を高く盛り上げた畠田圃《はたけたんぼ》で、銭苔《ぜにごけ》のいちめんに浮いた水面をたゆたゆと揺《ゆす》って小さな虫が泳ぎ廻っているのも見える。

喜和は、断崖《だんがい》に立たされていたような最前のあの気持が、いまは道を得て次第に展《ひら》けて来るように覚え、その思いのままに前の大貞に何か話し掛けたく思った。話なら現在差掛かっている件よりほかない、と考えたのはもう心をほどき切っていた喜和の浅墓《あさはか》な甘えであったろうか。喜和は精一杯の親しさを込めて、

「大貞の女将さん」

と斜めうしろから声を掛けた。

「あの、岩さんはあの女と別れるつもりになっておりますろうか」

喜和の声を聞いた大貞は、途端にきっと立止って振向き、それから刃物のように研いだ鋭い言葉を、喜和の眉間《みけん》めがけてびしり、と打込んだ。

「曳《ひ》かれる身で、あんたが何でそんな差出た口を聞かんならんのや。ごてごていわんかてよろし」

喜和はあっ、と思い、大貞の顔の怖さと打下ろされた言葉の痛みでその場に棒立ちになった。

頭の隅《すみ》をさっと閃《ひら》めいて過ぎたものがあり、そうだったのか、と喜和は思わず唾《つば》を呑み、やがてゆっくり、謀《はか》られた事の口惜《くちお》しさが顳顬《こめかみ》に上って来た。先程から、喜和の一人合点ではあってもすっかり要慎を取払ってしまっていただけに、ここで見せた大貞の正体は喜和を震え上らせるに充分なものであった。

化け猫《ねこ》よ、大貞楼の古猫よ、と喜和は唇を嚙《か》んだ。

さっき鉄砲町の店先で見せた優しそうな仏顔、親切そうな猫撫声《ねこなでごえ》も、一皮剝《む》けば「鬼の貞婆《さだばばあ》」という通り名を持つ怖い人である事に最初何故《なぜ》思い到《いた》らなかったのであろうか。多くの娼妓たちを絞りに絞り僅《わず》かの年月のうちに上の新地一といわれるまでに店を太らせたこの人が、喜和に対してだけ情深い人である筈もない事を、何故考え及ばなかったのであろうか。

喜和は自分の迂闊《うかつ》さを思うにつけ、これはきっと岩伍と謀って自分を何かの罠《わな》に掛けようとする深い魂胆があるに違いない、と遅まきながら疑えて来るのであった。それを思えば胸は忽《たちま》ち冷え凍り、ゆく手に底知れぬ危険の影を見て早くも居怯《いすく》んでしまう。

そういえば遠い昔、喜和は誰かの口から、富田の岩伍を男にしたのは大貞の女将よ、という噂《うわさ》を聞かされた微《かす》かな記憶があり、いまその意味がじんわりと喜和の胸に蘇《よみがえ》って来る。当座はまだ岩伍と世帯の持ち初めの頃《ころ》でもあり、「男にする」という言葉もよく判らない子供でいて、そのまま聞き流しで忘れてしまっていたけれど、思い返せばそれは恐しいほど符牒《ふちよう》の合う事実のように思えて来る。

岩伍の十七、八といえば大貞の年増盛《としま》り、その頃はまだ生きていた旦那《だんな》に出させた金で大貞楼を開いた頃だと思われ、一寸《ちよつと》小粋な博奕《ばくち》打ちの若衆を、上方《かみがた》の水で洗った玄人上りの年増が勢《きお》って後楯《うしろだて》するのはこの世界にさして珍しくもない勇みの図でもあった。よく考えれば、銭の目に敏《さと》い大店の女将が、ただ取引先の家内の絡《もつ》れ事、というだけで、雨の日に一人で鉄砲町まで乗込んで来るわけもない。そう思って見れば今、藤鼠の雨合羽の背を真直ぐに反らし、とても六十とは思えぬ早足ですっ、すっ、と前を歩く大貞の胸には、喜和などの測り知れぬ黒い企《たくら》みを抱えているように見える。喜和などいくら年季を入れても到底太刀打ち出来ぬ、底の入ったしたたかさがあった。それに引換え、胸に怨《うら》みを溜《た》めながら、歯替えしたばかりの木履の歯を無器用に泥濘《ぬかるみ》に取られ取られ後を蹤《つ》いてゆく自分の、何とみじめに見える事か。

喜和はしかし、緑町が近付くにつれ、漸《ようや》く気を取直しこんな落魄《おちぶ》れた気分で家へ戻りたくない、と辛《から》くも自分を励ますのであった。ここまで来てはもう先へ進むしか手は無いが、大貞が喜和をただ連れ帰るだけの使いでない事はもうほぼ察しはついている。改めて離縁をいい渡されるか、それよりももっと悪い話かは判らないが、大貞の手前、喜和は意地でも取乱さないで話を受けようと今更ながらに臍《ほぞ》を固めるのであった。

緑町へ入ると、喜和は殊更《ことさら》に脇見《わきみ》せず真直ぐ富田に向ったが、雨のせいか、家の内は妙に静まり返っているようであった。

格子《こうし》の音を聞いて真先に駈《か》け出して来たのは菊で、

「お母さん、お帰りい」

と家中へ響き渡る大声を上げる。

「留守の間に保険の集金やら講の掛金やら、それから種崎《たねざき》町のかめやが呉服物を見せに来て、それから坂本の姐《ねえ》さんもさいさい来てくれて、それから」

菊は、喜和の顔を見た安心と懐《なつか》しさをいちどきに打《ぶ》ちまけようと、唾《つば》を散らせ兼ねない早口になるのへ大貞は冷たい目をくれて、

「そういう話は後からでよろし。今から二階で大切な談合しますよって、誰も上って来てはあかん。ええな」

落着き払って雨合羽を脱いで菊に渡し、案内も頼まず自分から二階へ上ってゆく。

喜和は、先に離室《はなれ》の龍太郎を覗いてからにしたいと思ったが、大貞を待たせる事を考えて黙って後に続いた。上りながら、梯子段《はしごだん》の暗い隅に屑綿《くずわた》のような埃《ほこり》が丸く溜まっているのを目に止め、自分の留守の日々をそこに見る思いがする。

二階の取付《とつつ》きの六畳には唐子《からこ》の絵の大火鉢《おおひばち》があり、大貞は自分で座蒲団《ざぶとん》を引寄せてそ

の傍《そば》に坐《すわ》ると、火箸《ひばし》を取上げ、ちゃらちゃらと灰を掻《か》いて舌打ちした。

「熾《おき》も埋《い》けてえへん。仕様もないなあ」

手を耳許《みみもと》まで挙げ、癇症《かんしょう》に続けて鳴らす。

兵庫帯《へこ》の房を腰で揺《ゆす》りながら菊が駈け上って来ると、大貞は振向いて、

「あんた、これ、これなんですか。

朝から火のひとつ拵《こさ》えてない。大切なお客さん来やはったらどないします。煙草《たばこ》さえ喫《の》めませんがな。

お喜和はんもこういう事は普段からよう躾《しつ》けとかなあきまへんな。下使《したづか》いの者は仰山居るというのに」

菊は首を怯《すく》めて下へ降りてゆき、引返して台十能へ七輪の残り火らしい灰だらけの火種と、固い樫炭《かしずみ》を山に盛ったのを差出す。大貞《だいさだ》はそれを見て、呆《あき》れて怒る気力もない、というふうに首を振って邪険に受取り、

「もうええ。お下り」

と顎《あご》をしゃくる。

大貞が、帯の間から出した細羅宇《ラオ》に刻みを詰め、やっと拵えた火種にそれを差しつけて両頬《りようほお》を窄《すぼ》ませているあいだ、喜和は火鉢にやや距《へだた》って坐ったまま、部屋のあちこちに目をやっていた。

床の間も鏡台の上も、灰神楽《はいかぐら》のあとのように薄く白く埃を被《かぶ》っている。雪見障子の硝子《ガラス》から透かすと、部屋の外に作ってある盆栽棚《だな》の鉢も悉《ことごと》く乾いていて、ここ暫《しばら》く人の手の掛かっていない事を思わせる。先を短く切り揃《そろ》えた筆で一葉一葉、嘗《な》めるように叮寧《ていねい》に水をやって岩伍《いわご》が丹精している千歳蘭《ちとせらん》、りんぼう蘭、君ケ代蘭などの蘭の鉢が、こんなに無造作に放《ほう》られているのは、そのひとの心がここにないせいではあるまいかと喜和は見る。日頃から、床に薄埃を被っていたり梯子段に綿埃を溜めていたりが決して我慢ならない岩伍なら、この家に替る居心地のいい場所に落着いていられる証拠なのだと喜和にはすぐ気が付く。それを思うとまた纔《わず》かに胸が波立って来るのを、膝《ひざ》の上に重ねた手を固く握り締めて抑えているのであった。

大貞は、さっき新道で見せた生地《きじ》のままの顔を今はもう取繕う気もない様子で、喜和を見下《みくだ》したいいかたでずばりと談合の口火を切り出すのであった。

「なあお喜和はん。素人《しろうと》出のお人は、これやさかい困るんやて。あんたが豊栄座へ乗込んだり、実家へ泣きついたり、後先《あとさき》の考えもなしにやる事は皆岩さんに撥《は》ね返って、つづまりは亭主の男を下げる事になる。それをあんた、まさか気のつかん筈《はず》はないと思うけど……」

喜和は、心を締め覚悟をいっそう固める思いでじっと聞いている。生牛の目をも抉《えぐ》るこの世界で、鬼と名を持つ海山千年のこの人からの説教は決して生易しい罵《ののし》られかたではあるまいと思われ、しかも抗弁は一切無用なのであった。

「男衆《おとこしゆう》が妾《てかけ》の一人や二人囲うのは世間への威勢というもんですがな。岩さんかて物解《ものわか》りのええ人間《にんげ》で、何もあんたを去《い》なしてまで後へ据《す》えようというではなし、あんたはあんたで自分の道弁《わきま》えて、家の内一切円《くる》めてたらそれでよろしいのや。それを全体、あんたは何やね。亭主に女子がいる事小耳に挟《はさ》んだだけで、その場で小娘みたいに親元へ駈け込む。あんたかて岩さんと世帯持ってもうかれこれ十七、八年は経《た》ちますやろ。今更私に女房の弁えのいろはから説教されんでもええ筈や。

お喜和はん、なあそう思わんか。

岩さんは甲斐性者《かいしようもん》やし、気《き》っ風《ぷ》も男っ振《ぷ》りもええさかい、これから先かて、何時《いつ》またこんな話があるか判らへん。そのたんびたんび、あんたが今みたいに事起ししてたら、こら世間のええ笑いもんや。岩さんの営業にもさし障る。女子の悋気《りんき》は一番の恥やて。岩さんに代って、私がここであんたに確《しか》というときます。

これからは心入替えて、せえだい家の事、おしなはれ」

ええな、よろしな、と念を押して、大貞は音高く煙管《きせる》をはたいた。

苦労人とはいっても、玄人《くろうと》社会で揉《も》まれた人の苦労というのは物事の裏の裏まで見透《みとお》し、万事抜け目なく立廻る事ではあるまいか、と話を聞いていて喜和は思った。玄人が年季を経れば経るほど素人に対して憎しみを抱くようになる、というのも喜和の感じかたで、鉄砲町からはもう、「違う世界の人間」と見られているかも知れぬ喜和も、大貞がまだ「素人」と見る限り、どう転んでも自分の味方にはなって貰《もら》えぬ筈、と今頃になって判って来る。

しかし無断で鉄砲町へ帰った点については喜和は充分、他人からの批難も叱責《しっせき》も覚悟しており、その意味では、味方ではない大貞の言葉も弾《はじ》き返さず、胸に畳んでいるつもりであった。

大貞は喜和の神妙さを見て顔色を和げ、

「あんたがこれから性根を据えてやる気なら、これはな、私が責任持って岩さんと巳吉《ともきち》とをきっぱり別れさせてあげよ。岩さんのほうでも、あんたには済まんいうてるしな。但《ただ》しやな。子うはあんたが引取って育ててやってくれはりますな」

「子う？」

喜和は何の話かと顔を上げた。

「そうや。子うや。

巳吉は妊娠してるよって」

「ええ？」

喜和は飛び上がるほど驚き、同時に羞《はずか》しさで首筋まで真赧《まっか》に染まっているのを感じながら、畳を掻くようにして火鉢の縁に躙《にじ》り寄った。

「そんな事、私は知りません」

大きな声で叫んでおきながら、喜和は自分が何をいったのか全然憶《おぼ》えなかった。

巴吉が妊娠、と聞いた途端、喜和は何故か自分と岩伍の閨《ねや》を覗《のぞ》かれたような羞しさに襲われて一瞬たじろぎ、それからやっと意味が判ると、躰中を劈《つんざ》いてどっと怒りが噴き上げて来た。

「何という事を！　大貞さん、何という事を！」

喜和の驚きを大貞は冷たく見据えながら、

「ええ、ええ、じたばたしいないな。これくらいの事で。男と女が関係したら子の出来《でけ》るのは当り前やないか。相手は若い娘やのに」

岩伍と巴吉の閨話を事もなげに口にする大貞に向って、喜和はいたたまれない思いで同じ事をまた叫んだ。

「そんな事、私の知った事やありません」

「お喜和はん、あんたも二人の子持ちならもう一人ぐらい育てられん事はない筈や。この家はあり余るほど手もあるさかいな。

げんにここの二人の女子仕《おなごし》、皆よそから拾うて来て、あんた使《つこ》うてるやないですか。あと一人くらい、何をそう仰山そうにいう事がありますかいな」

ろうか。

「そんな、あんまりな……」

喜和は、いいたい言葉が出て来ないもどかしさに躰《からだ》を震わせながら、火鉢の縁を小刻みに掌《てのひら》で叩《たた》く。ここで大貞に楯《たて》つく事の不利は判らぬではないけれど、そうかといって、いわれるままに首を縦に振り、その巴吉の子を引受ける事がこの自分に出来る芸当であろうか。

喜和はふと、「堪《こら》えて堪えて堪え詰めんならんよ」という梅の言葉が頭を掠《かす》めたが、「堪えようとしても堪え切れん事もある」と思った。めす蟬《ぜみ》は鳴かないというけれど、それとて苦しいときには声も出そう、泣きもしよう、と心を決めている喜和の顔からは血の気が引き、いつのまにか目も据わっている。

大貞は喜和の逆上を眺《なが》めて、

「世間にはなあ、妾の生んだ外腹の子を引取って立派に育て上げる本妻はなんぼでも居《い》てる。別にちっとも珍しい話やない。

あんたてなあ。利巧さが足らんていうもんやわ。これでは岩さんがよそへええひと作らはるも無理ない思うなあ。

な、お喜和はん、

これだけの事で、あんたがこんなに狂乱するねやったら、私がここでほんまの話したげまひょ。ようお聞き」

塩瀬の莨入《たばこい》れを膝に掻い寄せ、左手許で刻みを詰める手付きは落着き払っていて、

「あんたは自分の事どない思うてるか知らんけど、岩さんはあんたという女房持ったことで、随分と苦労してますねんで。

そらあんな気性やさかい愚痴の一つ零《こぼ》さへんけどな。私にはよう判る。私だけやあらしまへん。扇亭の大将もいつぞや戯《おど》けていうてはりました。『富田、お前あんな野暮臭い女房持ってたら男前まで下がってまうぞ。早いとこ取替えたらどうや』いうてな。

この世界、素人出もたまに見ん事もないけど、皆早うに水に馴《な》れてひとりでに垢抜《あかぬ》けて捌《さば》けて来るもんや。あんただけや。年喰《く》うてるくせに未《いま》だに子供で、気は利《き》かんし悋気はこくし洒落《しゃらく》も遅い。女子を相手の紹介人の女房がこの様では、こら岩さんだけやない。取引先まで迷惑というもんですがな。

巴吉との事はな。ほんまいえばもう岩さんも肚《はら》決めかけてました。

あの娘は芸も達者やけど、目から鼻へ抜ける利巧もんや。岩さんの目の色見てさっと気持を読む聡《さと》い娘《こ》うで、何をさせてもそつがない。よう行届いてや。岩さんかてもうええ年やさかい、家の内綺麗《きれい》に引っくるめてしゃっと気の利く、安心出来る女房がしんから欲しなってましたんや。

判りますか？　これ」

そうだったのか、と喜和は重い瞼《まぶた》をかっきりと瞠《みひら》いて、大貞の酷薄そうな目尻《めじり》を恐れ

ず正面から凝視《みつ》めた。

駆引きの多い人故《ゆえ》、今の話が嘘《うそ》か真《まこと》かは判《わか》らないが、ここまで聞くうち不思議にさっきの沸き滾《たぎ》る熱さは引いていて、大貞の言葉の一つ一つが冷たく胸に確かめられて来る。これに似た宣告を、喜和は鉄砲町の暗い部屋に寝ていたとき、自分自身に対してこれでもかこれでもかと打込んでおり、愚図の、鈍いの、だらしがないの、嫉妬灼《やきもち》やきの、とその果ては岩伍の女房にふさわぬ自分をしたたかに思い知らされている上は、いま喜和にも喜和の肚構えが出来ていなければならないのであった。

喜和は、ますます蒼白《そうはく》になってゆく自分の顔色を自覚しながら、詰まり詰まり、しかし烈《はげ》しくいい返した。

「そんなら大貞さん、今日、何で私を此処《ここ》へ連れ戻してつかさいました。この家に要らん女子なら、放って置いて貰うてよございましたのに」

「ほ、これは横着なもののいいようや。そんならあんたはここですっぽり離縁されても得心やな。構いませんな。あんたがそれを望むねやったら、こら世話はない。すぐにでも私が話をつけたげまひょ」

大貞は喜和の胸の内を見透かしてゆうゆうと煙草をふかす。

巴吉の子を育てさせるために、鉄砲町からは甘い言葉で喜和を釣《つ》り出し、一方ではまた阿呆《あほ》ばわりをする大貞のこういう手を、喜和は娼妓《しょうぎ》の折檻《せっかん》の手なのだと思った。叩いては緩め、緩めては叩くその年季の入ったやりかたの前に、馴れぬ喜和はじっと押黙るより方法がない。

「お喜和はん。

そんな暴《あば》れ放題のものいいするもんやあれしまへんで。

今度の事は岩さんも思案の末に、龍ちゃんも長い病気やし、健ちゃんも心許ないさかい、ここはやっぱり巴吉とは手を切ってあんたに元通り戻って貰う、いうて、自分から決着つけはったんや。岩さんの気持、あんた判ったげな罰《ばち》当るで。

ええなあ、お喜和はん。ここはあんたもよう了簡《りょうけん》して八方丸く納める事や。巴吉が子う産んだら、私が預ってここへ連れて来ます。

頼みまっせ」

喜和はそのとき、不意に涙が溢《あふ》れて来た。

今はもう岩伍しか知らないけれど、常盤《ときわ》町の頃、喜和は健太郎の下に女の子を死産している。多分、親の身に食物の充分でなかった事が原因だったろうが、若《も》し無事に育っていれば今は菊と同《おな》い年の筈であった。名も付かないままに岩伍が自分で板を打ち合わせた棺に入れて葬《ほうむ》り、心憶えも、今では猿《さる》のように萎《しぼ》んだ子、というよりほかないものの、それでも稀《まれ》に施餓鬼地蔵など見ると、ふと哀れに思い出すのであった。そればかりとはいえないが、菊と絹の厄介《やっかい》な世話を何とかくぐり抜けられたのも、心の隅《すみ》に、死んだ子への供養《くよう》の思いがあったのだといえなくもない。

喜和はしかし、巴吉の子をこの家に入れて育てるのは供養とは逆の、死んだ子に対する辱《はずかし》めであるように思えるのであった。あの頃、赤子が無事育つかさえ危ぶまれるほど苦しい暮しだったから、それが一つの諦《あきら》めとはなっていたけれど、いま、岩伍と巴吉が放埒《ほうらつ》の末に拵《こしら》えた子を、喜和がどうして虚心に育てられるであろうか。

喜和は、これまで人の子を育てるについては、よそ目には楽そうに見えてもその実、よくよく憶念して掛かっている事を、大貞にいいたかった。菊も絹も酷《むご》い身の上であり、親の知れない子故、喜和が身を引けばすべて打毀《ぶちこわ》しになるという危険があった。〝後へ引けぬ〟という思いはしんどいけれど、それを自らの励みに置き換えてやって来た喜和の胸の内も知らず、〝手がある故、ついでにもう一人〟といういいかたで押しつけられるのは我慢の限りを超えていると思うのであった。

喜和はしかし、こういうさまざまな言訳を考える以前に、まだ躰中怒りで燃えており、その因縁《いんねん》の子の出生を思いみただけで震えがやって来る。大貞の頼み事を撥《は》ねつけた暁は難が我が身にまで及ぶ恐《こわ》さを思わないではないけれど、喜和はどう翻《ひるがえ》って考えてもここでいい返事は出来なかった。涙を拭《ふ》きながら、喜和は捨身の思いで大貞に立向っていった。

「なんぼどんなにいわれても、大貞さん、私はその子を引取れません。育てれません。私が何でその子に関《かか》わりがあるか、合点のいかん事やし……これぱっかりは……」

「そうか」

大貞は顳顬《こめかみ》に癇《かん》の筋をぴりぴりと立て、喫《す》いさしの細羅宇を畳にぶっつけるように手荒く置いて、

「これだけ私が事分けて頼んでもうんというて貰えなんだら、あきまへん。匙《さじ》を投げました。あとは岩さんに出て貰うしか無いわ」

大貞は焦立《いらだ》ちをそのままに、大きく切立った音をさせて手を叩く。聞きつけて絹が、この娘の癖で忍びやかにひそひそと階段を上って来たのへ大貞は顔だけ向けて、

「大将を一寸《ちよつと》、呼んで来なはれ。巴吉の家、あんた知ってるやろ？」

絹は俯《うつ》むいている喜和の方を窺《うかが》いながら、困ったようにこわごわ頤《あご》を引いて曖昧《あいまい》に頷《うなず》く。

「私が呼んでるよって、早う戻って、いうてな」

声も立てず襖《ふすま》を引いて下りてゆく絹を見定めると、大貞は撫《な》で肩からずり落ちそうな

錦紗《きんしゃ》の染縞《そめじま》の羽織を片手ですっと上げ、傍《かたわ》らの喜和などもう目にも入れない風情《ふぜい》で、また煙管を取上げる。

大貞が押黙ると急に外の雨音が耳につき、喜和はふと心が空になって、今日は何故《なぜ》こんなに静かかしらん、と思った。

鉄砲町からの帰り、大貞の手前取乱すまいとしていた事も、出来るだけは堪えようと考えていた事も、儚《はか》ない意地となってしまった今となっては、喜和はもう何に凭縋《よりすが》るすべもない。ここへ岩伍が戻れば、烈しい怒りを買うのは判っていても、不思議に心は落着いているのであった。廻《まわ》りに誰もいない、しんとした世界へ連れて来られたような感じがあり、耳を澄ますと、巳吉の子を育てるくらいなら死んだほうがよい、という真実が躰の内から聞えて来る。

これから先の長い一生、怨《うら》みの籠《こも》るその子を我が手で育てる苦しみを考えれば、この場で死んでもよい、殺されても構わぬ、と喜和は思うのであった。今朝、何かが砕け散った幻を見たのは、離縁か死かの不吉な前触れであった事を思えば、今更踠《もが》いて哀れを乞《こ》いたいとは思わなかった。

暫《しばら》くすると、階下の格子戸《こうしど》が荒々しく開き、やがて風が舞い上る勢いで梯子段《はしごだん》が軋《きし》んだと思うと、音を立てて襖が引明けられた。

喜和は目を伏せたまま、前に立っている岩伍の膝《ひざ》から下を見ていた。腰に莨入れも差さず、ぞろりとした市楽《いちらく》の袷《あわせ》に羽織も重ねていないその恰好《かっこう》は、たった今、袢纏《はんてん》を脱ぎ捨て、長火鉢《ながひばち》の前から立ったばかりの匂《にお》いがありありと汲《く》み取れる。

「岩さん」

大貞《だいさだ》は、片手でゆっくりと小鬢《こびん》のほつれを掻《か》き上げて岩伍を見上げる。その目許《めもと》に、何処《どこ》やらまだ婀娜《あだ》めいた色香の漂っているのを喜和はふと見てしまい、慌《あわ》てて目を外らす。

「私の仲裁ではな。お喜和はんはお気に召さんらしいのや。どんなに頭下げても子を引取るという色よい返事をしてくれへん。知らん知らんの一点張りや。

これでは私は何の役にも立たしまへんさかい、改めてこの話、岩さんに戻しますわ」

「女将《おかみ》さん、えらい御心配お掛けしまして」

岩伍は坐《すわ》るさえもどかしげな様子で立ったまま大貞に向って頭を下げると、ずかずかと喜和の前に来た。

「お喜和っ」

荒い声と一緒に喜和は胸ぐらを強く摑《つか》まれて、

「大貞の女将さんにえらい厄介掛けよる事が判らんか。

家へ置いてやるだけでも果報じゃに、この横着されがっ」

喜和の両頰《りょうほお》を、高い音を立てて殴りつける。喜和は歯を喰いしばって声を立てなかったが、頭の芯《しん》まで響く痛さに、思わずその場に突っ伏せる。

大貞は悠々《ゆうゆう》と新しい煙草《たばこ》を詰めながら、束髪のピンが抜けて髪が首筋へ捲《ま》きついている喜和の姿に目を落して、

「お喜和はん、あんたも強情者やなあ。ええ加減でその角《つの》引っこめて、堪忍《かんにん》してつかはれと手え突いたらどうやな」

喜和はその声を聞くと、再び怒りが噴き上げて来、首を擡《もた》げて叫んだ。

「嫌《いや》や。私が手を突いて謝らんならんわけは一つもない。私は娼妓の折檻とはわけが違う。たとえ死んでも嫌なものは嫌や。引取手がなかったら、子は殺したらええ」

最後の言葉は、それを口にした喜和自身も思わずぎくっとしたほど、火花のように烈しく三人の前で弾《はじ》け散った。

喜和の、火を吹きつけるほどのいいかたに岩伍は一瞬たじろいだが、やがて大貞への義理ばかりでなく、自分自身の怒りもむらむらと立って、突っ伏している喜和の髱《たぶさ》を鷲《わし》摑《づか》みにして引起した。

「何というい草か、もう一遍、いうてみよ」

それに対して、喜和が抗弁しようと口を開くか開かないうちに岩伍の固い拳《こぶし》が顔に飛び、唇の端が切れて血がつーっと頤に走った。

喜和は髪を摑まれたまま岩伍の拳を避けもせず、顔中血だらけになりながら目を吊《つ》りあげていた。ここで今、死ぬのだな、という思いが遠くなったり近づいたりして頭の中を通り過ぎる。今、死ぬとしたら、いいたい事がどっさりある。十八年間溜《た》まっていた思いがどっさりある、と喜和は現《うつつ》に思いながら、岩伍の拳の下で喘《あえ》ぎ喘ぎ叫んだ。

「自分等の不始末を……私一人に押しつけて……そんな子は……」

しかしそれは声にはならず、わずかに唇だけ動かしている喜和を、鈍い音を立てて殴りつけ、殴りつけしている岩伍の手に喜和はぐったりと倒れ掛かって来て、もう気を失っているのであった。

死人のように蒼《あお》ざめ、無慙《むざん》な姿で倒れている喜和の裾前《すそまえ》ひとつ直してやろうともせず、大貞はほっほっほっ、と高い笑い声を上げた。

「岩さん、こりゃあちいっとばかり難しい。

しんねりしてるさかい、いい様《ざま》な女子かと思うたらどうしてどうして。

あんたもこの人には手を焼くなあ」

「いや」

岩伍は苦笑いしながら火鉢の脇《わき》に坐った。

その岩伍の肩がまだ少し喘いでいる。左掌《ひだりて》の中に残っていた喜和の髪をくるくると指先で巻いて喜和の躰の上に放《ほう》り投げながら、岩伍の胸にも苦い思いは吹き荒れていた。

「さ、まあ一服おつけ」

大貞は自分の煙管《きせる》へ刻みを詰め、火を付けてから岩伍の口許へそれを差出す。

「こんな事では先々思いやられるなあ。

なあ岩さん、あんたやっぱりこの人とは別れたらどうや。もう龍ちゃんも健ちゃんも大きいなってる事やし、巴吉《ともきち》やったらそこんとこは巧いこと捌いていくで、きっと」

「いや」

岩伍は差出された煙草を、味も判らない様子で一口喫ってから大貞に返す。

「女将さん、儂《わし》も一旦《いったん》口に出した事を今更翻しとうはない。巴吉とは別れるつもりでおりやすきに」

「別れられますか、あんた」

「巴吉もこのまま土佐で朽ち果てさすには惜しい芸やし、身二つになったら上方《かみがた》へ去《い》んで、元の師匠についてもっと腕を磨《みが》いた方があいつの為《ため》にもなる……」

「ほやけど」

大貞は、倒れている喜和に顋をしゃくり、

「どうしても受取らんと我を張り通したらどないしますのや？」

「いや、それは儂が」

いいさして岩伍は躊躇《ためらい》を覚え、ふと口を噤《つぐ》んだ。海鼠《なまこ》を打ちつけたように正体もなく倒れている喜和の蒼ざめた横顔の、唇の脇の青痣《あおあざ》が目に沁《し》みたからであった。

遠い昔、世間知らずの青竹のようだった十五の娘は鏡の前に坐り、十も年上の岩伍に屈託なく語り掛けて、

「この痣、除《の》けたい思うて、一人で剃刀《かみそり》で撥ねてみたけんど、ねえ」

何故なら、遍路の占いに、この痣は後家になる相じゃといわれたきに、と打明けるのを聞いて、岩伍はこの稚《おさな》い娘を女房にしてよかった、と考えた事を今、思い出しているのであった。炎天下を遮二無二《しゃにむに》先を急いでいる旅人がふと何かによって渇《かつ》を癒《いや》されるように、喜和は若い日の岩伍にとって、ときに木蔭《こかげ》の涼風であったり、冷たい湧水《わきみず》であったり、露を含んだ野の花であったりした。それは今も少しも変わっておらず、いってみれば十五の年のままの喜和の心根を、今逆手に取って責める事が岩伍に出来るであろうか。貧しい時代を分け合って来た夫婦なら殊更《ことさら》の事であった。

長い年月、馴染《なじ》んで来た者同士にしか判らぬ、相手への不愍《ふびん》さが岩伍の猛《たけ》り立っていた気持に水を注《さ》したようであった。

「いや、これには儂からよういうて聞かせます。もし嫌じゃとぬかしても、それならそれで儂は乳母でも雇おうかと思いよったところですきに」

「ふん、ふん、乳母なあ。どうせこの人は乳も出んさかい、乳母とはええ考えや。そんなら岩さん、あんたそこまで決心してはるねやったら、ここは私に一切始末つけ

さして貰《もら》いまっさ。巴吉はもうこの暮限りで豊栄座引かしますな。あんたは暮といわず、明日からでも巴吉の家へ足を向けてはあかん。男と女が切れるときにはな。一寸伸ばしの未練は却《かえ》って毒や。世間に対して言訳もない。明日からや。今日限りや。出来ますか？」

「へえ」

岩伍は膝の上に両掌を開いて並べ、大貞に向って首を垂れた。

「そうしやす。何分宜《よろ》しゅうに」

喜和はそのとき、閉じ籠められていた息苦しい暗い土の穴から踠《もが》き上るように、徐々に目が覚めつつあった。随分深い睡《ねむ》りであったようにも、つい手枕《てまくら》のうたた寝であったようにも思える。瞼《まぶた》の裏の闇《やみ》が次第に薄くなり、やがて眩《まぶ》しくなって二、三度強く瞬《まばた》きすると、目の前に大きく紆《うね》って畳の目があった。その上に、蠟燭《ろうそく》の涙ほどの黒い丸い染《し》みが二つ三つ落ちているのを見て、ああ、これは先程の、とゆっくり記憶が甦《よみがえ》って来る。鼻と唇の廻りが固く硬《こわ》ばっていて、その血を拭《ぬぐ》おうとするのに、腕は鉛《おも》の錘りでもつけられているように自由が利《き》かないのであった。

自分を殴りつけているときの岩伍の顔よりも、どの目で捉《とら》えたか、止めもせずそれをじっと冷たく見据《みす》えていた大貞の、やや凹《くぼ》んだ隈《くま》のある薄い目付きが泛《うか》んで来る。

喜和の上になっている片耳に、その冷酷な顔付きの上方訛り《なま》が野太く落ちて来て、

「この暮限りで豊栄座引かしますな。

あんたは暮といわず、明日からでも巴吉の家へ足を向けてはあかん……」

やっぱり子供は産ませる算段やな、と思うと、動けない躰《からだ》の中に一旦は静まっていた思いが大きく揺り返して来ようとする。喜和は何とかして起き上りたいと思い、躰を励ますうち、また再び、後頭部から闇に引込まれるようにさっきの眠りに陥ちていくのであった。

第三部

一

東の空は、五台山の右肩に仄《ほの》かに紅いろが射《さ》しているだけで、お稲荷様《いなりさん》の大銀杏《おおいちょう》の梢《こずえ》は闇《やみ》の中に溶け込んでいるほどに辺りは暗く、大銀杏に棲《す》む夥《おびただ》しい五位鷺《ごいさぎ》の群もまだ啼《なき》声《ごえ》も立てず、飛び立つ影の一羽も無い。

釣《つ》り仲間が沖弁当と呼ぶ、杉の柾目《まさめ》の弁当を胸に抱えて、喜和はさっきから大川端に立っている。隅々《すみずみ》に錺《かざ》りを打ち、朱の組紐《くみひも》で真中を括《くく》った胴深の箱弁当は、喜和のガス縞《じま》の袷《あわせ》の胸にほかほかと飯の温《ぬく》みを伝えて寄越《よこ》す。この酷寒の夜明けにはそれだけが僅《わず》かな恃《たの》みで、温みが伝わらない別珍の足袋先などは、絶えずひくひくと動かしていなければ下駄《げた》もろ共、地面に凍りついてしまいそうであった。

足許《あしもと》の石段には、上から三、四段目辺りまで大潮が込んで来ており、その潮に浮き上った舫《もや》い舟《ぶね》の一つの中で、カンテラの灯《あか》りを頼りに岩伍《いわご》はいま出拵《でごしら》えをしているところであった。饅頭笠《まんじゅうがさ》を目深に被《かぶ》り、手甲《てご》を巻き、行燈袴《あんどばかま》に綿入袢纏《はんてん》を着て俯《うつ》むいている背が、力を入れて舟板を塡《は》めるたびに鈍い音が水の上に拡《ひろ》がる。岩伍の身の動きにつれて小さな釣舟はたぶたぶと揺れ、その波が足許の石垣《いしがき》に打ちつけるのを、喜和は少しばかり焦立《いらだ》たしい思いで聞いていた。

喜和が背にしている大川端の家々は、それぞれにもう残らず門松の支度を終えており、赤いポストの隣の石水《いしみず》美粧院からは、夜明かしで正月髪を結う灯りが道いっぱい縞目を描いてこぼれている。

大正十四年の大晦日《おおみそか》の朝であった。

昨夜、

「明日、沖へ黒鯛《ちぬ》釣りに行く」

と岩伍に素気《そっけ》なく告げられたとき、正月を明日に控えて家を空けようとする岩伍の気持に鋭く反応する思いが喜和にもあったのに、それは口には出ず出されもせず、いい返しの言葉は小さく胸に折り重ねたまま、今朝のこの出送りとなっている。

高知市の浦戸湾は、東西の孕《はらみ》に縊《くび》られて波穏やかに風光明媚《めいび》なばかりでなく、釣場としても絶好で、四季折々に鯊《はぜ》、鮗子《にろぎ》、鱵《さより》、鱸《すずき》、鯔《ぼら》、鯎《いだ》、真鰮《ひらご》、墨引など蛹《さなぎ》ゴカイの餌《えさ》で面白いほどよく釣れる。潮刻《しおどき》を見ながら大川を漕《こ》ぎ出し、吸江橋の袂《たもと》から法師ケ鼻、舳《へ》先《さき》を回して鏡川下流の新田堤《しんでんつつみ》を上下して孕を廻《まわ》り、巣山付近まで来れば生簀《いけす》はもう一杯になる。御畳瀬《みませ》から種崎《たねざき》沖へ出れば鯵《あじ》、鯖《さば》、黒鯛《ちぬ》、鱛《えそ》、などの手応《てごた》えが堪《たま》らないのだが、ここはもう外海で波も荒く、熟練の舟子でも付かない限り、櫓舟《ろぶね》で素人《しろうと》は少々無理であった。

岩伍の釣りは、他の道楽に較《くら》べるとこれだけはもう随分と長続きしているから、かなり年季は入っており、舟幽霊に出会うという怖い夜釣りも土用波の沖釣りも、気が向けば男衆《おとこし》一人の供ぐらいで気軽にたびたび出掛けてゆく。それは岩伍自身の、潮風に吹かれながら獲物を窺《うかが》う娯《たの》しみもある上に、戻りを待つ一同の、如何《いか》なる夜売りの魚よりも新しいものが口に入るという、大きな期待もあった。

夕方、男衆たちは攩網《たも》を片手に岩伍の舟を出迎えにゆき、先を争って生簀の中を覗《のぞ》き込む。獲物が多ければ多いほど富田の釜屋《かまや》は修羅場《しゅらば》となり、鱗《うろこ》を引き臓腑《ぞうふ》を出す者、七輪を渋団扇《しぶうちわ》で煽《あお》いで白焼塩焼付け焼にする者、開きにして籠桶《そうけ》に並べる者、刺身酢物《すのもの》に料理《りょう》る者、あらを集めてだしを取る者、皆々弾んで手元を急ぎ、一わたり終った後は臓物を選分《よりわ》け、蘭《らん》の肥やしの為《ため》に溜《た》めてある、物置の隅の腐り水の中へそれを投げ込みに行く。ものが小魚であるほどそれは手数を食い、殊《こと》に鏡川の青海苔《あおのり》を喙《ついば》んで育った鯊《はぜ》には独特の香りがあって、面倒ではあっても富田ではそれを取っておきの吸物のだしに使う。だしには干魚にしなければならず、干魚にするには七輪に石油缶《かん》の蓋《ふた》を被《かぶ》せて遠火で気長く気長く、終夜《よっぴと》蒸焼にしなければならないのであった。

喜和は大晦日の夜に、昨日の大掃除で一年の垢《あか》を落し終えた流しをいまさらもう鱗だらけにしとうない、と思った。そうでなくてさえ暮の押詰みには家中の皆が棘々《とげとげ》しくなるほど忙しいのに、今年は家事廻しが万事一足ずつ遅れている。大貞《だいさだ》に連れられ緑町《みどりちょう》へ喜和が戻って来たのは師走《しわす》の半ば過ぎで、そのあと二、三日身心ともに陥込《おちこ》んでしまい、ようよう立直って来たときには、暮の贈《つか》いものの品定め、門松注連飾《しめかざ》りの用意、餅搗《もちつ》き、おせちの仕込み、大掃除など、わっと一時に押寄せているのであった。

岩伍はあの日以来、傍《そば》に寄るさえ恐ろしいほどの不機嫌《ふきげん》がずっと続いており、普段は正月客の為に自身あれこれ指図する釜屋の支度も今年は見向きもせず、連日凩《こがらし》の外へ出掛けて行く。料理屋遊廓《ゆうかく》の正月往来は殆《ほとん》どが無休なのだから、それなりに用事はあろうけれど、それでも昨日になると何か苛立《いらだ》たしげに、黒鯛の餌のしらさを米《よね》に買いに走らせるのであった。大晦日に黒鯛が必要な訳ではなく、釣りを楽しむ余裕があるのでもなく、西北《にしきた》の吹きまくる危険な沖に出て身を苛《さいな》んでもいなければ、胸の内の絶間ない焦燥をどう扱いようもないのであろう。それが判《わか》るだけに、喜和もまた決して穏やかな顔は出来ないのであった。

夜明け前の厚い闇は少しずつ引いて廻りがやや明るくなると乳色の濃い靄《もや》が川面《かわも》を湯気のように這《は》い始め、岩伍の舟の上のカンテラの灯《ひ》も橙《だいだい》いろにまるく滲《にじ》んで見える。早立ちの釣舟がギイ、ギイと湿った音をさせて下って来、不意に大きく目の前に現われたと思うと、すぐまた影絵となって川下の靄の中に吸い込まれてゆく。

舟板を塡《は》め了《お》えた岩伍は小道具を改め、岸に呆《ぼ》んやり立っている喜和に声を掛けた。

「おい、亀《かめ》はまだか」

喜和は、岩伍が靄の中から呼び掛けたのは聞えたが、さっきから考え込んでいたため、何といわれたのかよく判らなかった。多分、この弁当を寄越せといったのだろうと、喜和は慌《あわ》てて石段を二、三段下り、及び腰で重い沖弁当を舟の上に差出す。

その喜和に、思い掛けなく岩伍の怒声が真向いに来て、

「この阿呆《あほ》！

誰が弁当じゃというたっ」

声と一緒に弁当を引っ攫《たく》り、喜和が声を挙げる間もなかった。反動をつけて振り廻し、岸の石垣へ発止、とそれを投げつける。

寄木細工の重い箱が一瞬砕ける濁った音が水に響いて、喜和の目の前で白い飯粒が舞い、はっと目で追った水面にはバラバラに散った木片に混って、朱塗りの中子《なかご》が鮮やかに浮いている。

投げつけた拍子に大きく揺れた舟の中に岩伍は踏ん張って立ち、暫《しばら》く喜和を睨《にら》みつけていたが、軈《やが》て一言もいわずカンテラを吹き消し手荒な音を立てて胴の間に竿《さお》を揃《そろ》え始

めた。

喜和は岩伍の権幕に怯《ひる》んで岸からずっと身を退き、日和《ひより》下駄の爪先《つまさき》を突き合わせるようにして躰を固くしている。怒りたいのはこちらの方なのに、何が気に入らないのか弁当まで打毀《うちこわ》すのはどういう了簡《りょうけん》なのであろう、と胸に不服は湧《わ》いてもそれをいま何処《どこ》へ持って行きようもない。

そのときお稲荷様の脇《わき》の坂道を下から登って来る跫音《あしおと》がし、喜和が振返ると、左肩に櫓を担《かつ》いだ亀が右手で調子を取りながら、ひょっこりひょっこりやって来るところであった。喜和はふと救われた思いで、掌を忍ばせたままの袢纏の袖口《そでぐち》を振りながら、

「亀やん、早う早う」

と催促する。

元来のろい亀は喜和に急《せ》かされても速度を上げるでなく、メリヤスの股引《ぱっち》に袷《あわせ》の裾《すそ》を厚ぼったく絡《から》ませながら、ひょっこりひょっこり、躰を揺《ゆす》って近付いて来る。それでも岸に着いたときには、亀なりに懸命に急いだらしい汗を額にうっすらと浮べ、小鼻を脹《ふく》らませて大きな息を続けざまに吐いているのであった。

「えらい遅かったねえ亀やんは。

櫓が一番先に来てないと困るじゃないか」

岩伍の苛立ちはこれが原因だったかも知れない、と考えて喜和が口にすると、亀は、

「べ、べ、弁当がみ、見当らんと、さ、さ、探し廻りよりましたきに。そ、そいたら、き、き、絹やんが、ゆ、ゆ、ゆう事にゃ、べ、べ、弁当は、ね、姐《ねえ》さんがさ、先に持て行たと」

慌てると余計吃る亀は唇《くちびる》の両端に細かい唾《つば》を溜め、口を尖《とが》らせながら言訳するのを、岩伍は聞いてもいないふうに黙って櫓を受取り、舟の櫓臍《ろべそ》へそれをことん、と嵌《は》める。拵えも出来、櫓の用意も了えたのを見た亀は、いつものように当然自分も連れて行って貰《もら》えるもの、と呑《の》み込み、下駄を脱いで舟へ移ろうとするのへ岩伍は竿を持って艫《とも》に立ち、

「亀、今日は家に居《お》れ」

と一言いい置くと、竿で石垣をつーいと突いて舟を押出した。

思惑が違い、泣きべそを掻《か》いたような顔で突っ立っている亀を残し、舟は満ち潮に乗って軽やかに岸を離れる。町並はもう明け放たれているものの川面にはまだ靄が立ち籠《こ》めていて、舟はその乳色の帳帷《とばり》の内側に分け入ってじき見えなくなり、櫓の音だけが遠ざかってゆく。

喜和は、両手の甲を兵児帯《へこおび》に挟《はさ》んだままいつまでも舟影を見送っている亀の傍《そば》へ寄って行って、蟇口《がまぐち》から五十銭玉を取出して掌の上に乗せてやり、

「今から行て、これで散髪して来なはれ」

と勧め、それから、

「今日は店も詰んじょるろうし家も忙しいきに、番だけ取って一遍戻りなはれや」

と軽く背を押してやった。

今年最後の朝の町を、けたたましい自転車の鈴や車力の轘《きし》りやもの売りの呼び声の行交う間を縫って亀が遠ざかるのを見送ってから、喜和は岸に近寄って水を覗き込んだ。

ここは河口に近くて潮が始終動いているせいか、沖弁当のかけらは水の上の芥《ごみ》に混ってもうかなり遠くへ散らばっており、僅かに、朱の組紐を留めた胴板が目の前に漂っているのと、石垣の真下に飯粒らしい白い塊りが沈んでいるのが見える。

この弁当は今朝女どもを三時起きさせて作らせたものなのに、今の岩伍にその斟酌《しんしゃく》は全く無いもののようであった。さっき、亀は家に居れ、といったとき、亀は家に居て喜和を助けてやれ、と喜和は受取り、ふと心が和んだけれど、弁当の残骸《ざんがい》を見ているうち、暮の正月の、というさえもう岩伍の念頭にはないのかも知れぬと思えて来るのであった。

大貞と約定《やくじょう》の手前、あの日以来岩伍が巴吉《ともきち》とふっつりと切れているのは、傍《はた》で見ていて喜和にも判る。それがまだ充分未練を残しながらの詮《せん》ない別れである事まで、ひとりでにこちらにも伝わって来る。岩伍の胸の内は苦しく狂おしく、それを紛らす為に無理を承知で大晦日に家を明け、誰も獲物を期待せぬ沖釣りなどに出掛けてゆく。師走の沖の潮風は骨身を刺し徹《とお》すように吹きすさび、舟の上の煖《だん》を取る物といえばほんの掌《てのひら》ほどの手焙《てあぶ》りだけ、しかも昼弁当でさえ自分の手で打毀してしまっての、殆ど無茶ともいえる荒々しい沖釣りなのであった。きっと岩伍は、積る思いをふっ切る為に釣糸も垂れず、今日一日をただ力の限り櫓を漕《こ》ぎ廻して戻るに違いないと思うと、亀を連れて行かなかった理由も改めて喜和に呑み込めて来る。

喜和は、焦立《いらだ》たしければ焦立たしいなりに辛《つら》ければ辛いなりに、身を紛らす術を持つ岩伍を、自分よりはまだしも、と思うのであった。胸の内がどんなにぼろぼろに裂け千切れていようと、寝込んでいるばかりでは家の内も廻らず正月も来ぬ主婦の身にとって、人目を憚《はば》からず泣ける場所といっては終《しま》い風呂《ぶろ》の短いいっときしかありようがない。それも、泣けば始末がつくというならまだしも、正月の支度を聞いても、

「今年の正月は格別せん。何も構えんでもええ」

というなりふいと座を立つ岩伍と違って、案内無しの正月礼には何処の誰が不意にやって来るか判らぬ覚えを、長年の古女房なら持っている。世間態《てい》もあって、正月支度を取止《とりや》めたいのはむしろ喜和のほうだけれど、それをいわず、家中を引立て引立て遅れた仕事を運んでいるのであった。

こんな亀坼《ひびわ》れた心持のままに軈《やが》て大正十五年の春は明けたが、富田の家うちは暮以来の、雨雲のようなじっとりとした気が立ち籠め、喜和の胸にも梅の言葉の、「堪《こら》えて堪えて堪え詰めんならん」思いが、日々必ず往来する。

巴吉太夫《だゆう》が挨拶《あいさつ》も無く不意に高座を下りた一件は、暮もまだ押詰まらないうちに回りではもう皆知っており、どこでどう洩《も》れるのか喜和がその子を受付けないという話までも町内には知れ渡っているようであった。家の内のごたごたが世間の話の種に上れば、今はもう龍太郎《りゅうたろう》の病気も健太郎の素行もすべて曝《さら》け出されているに違いなく、それを思えば喜和は此《こ》の頃《ごろ》、世渡りの度胸というものをまた一つ跨《また》ぎ越したような気さえする。

女同士談義《どうぎ》の最中、よく安岡の姐さんが口にする、

「何のお前《ま》さん、盗《ぬす》っ人《と》以外世の中に恥じる事があるもんかね。何処の家でも障子の破れの一つや二つ無い家は無いきにねえ」

という言葉も、僅《わず》かな頼り綱となって耳に甦《よみがえ》って来る。

しかし自分の家の障子は破れていても他所《よそ》の破れは覗きたいのが人情で、巴吉の一件もさまざまな反応を伴って喜和の耳に聞えて来るのであった。噂《うわさ》のツボは、日頃岩伍のいいなり通りに見える喜和が案に相違して子の引取りを頑強《がんきょう》に拒んでいる事に集っており、〝ここは一番、姐さんも了簡して受取り、蔭《かげ》で思うさま子苛《こいじ》めをして溜飲《りゅういん》を下げればよい〟という出任せや、事情も知らず、〝今更一人くらい頭が増えてもどうつう事があるもんか、我を張るだけ損よ〟という無責任なやつ、中には大貞と同じ口裏で、〝その子を立派に育て上げてこそ姐さんも人に見上げられる〟という、喜和を試しに掛けているようなものもあった。

この商売の関係先では女房に玄人上《くろうと》りが多い故《ゆえ》か大抵の夫婦に子が無く、養子養女は常識だったから、こういう押付けがましい考え方も平気で通用しているかも知れないけれど、喜和はこの先どんなに踏み迷っても、素人《しろうと》としてのけじめだけは失いたくないと思うのであった。

暮の三十日、煎餅屋《せんべいや》の坂本の姐さんが仕事場の裾からげ姿でなく、つんと常着で煎餅屑《くず》を持って現われ、

「ようよう今《いんま》、今年の仕事仕舞いをしたところ」

と、喜和の顔色を見て何ぞ様子ありげにいう。

働き者の坂本の姐さんが、こんなふうにゆったりと富田へやって来るのは珍しい事だけに喜和は俄《にわか》に嬉《うれ》しくなり、釜屋の障子を閉《た》て廻して、さあ、さあと長火鉢《ながひばち》の熾《おき》を掘り起す。

「姐さん、気に障ったら堪えてつかはれや、ねえ」

と姐さんは声を憚って、

「薫的《くんてき》様の境内に、効き目の験《あらた》かな、子を堕《おろ》す御祈禱師《きとうし》が居るという話じゃけんど……」

と後は口の中で迷っているのであった。

聞くなり喜和はものもいえなくなり、鼻先で手を振って姐さんの言葉を封じてしまっ

た。

逆上してうつつに口走った事を世間では真実と受取っているのか、それともこれは喜和の心根を思いやった坂本の姐さんの一人考えなのか、事改めてそれを問い糺《ただ》す勇気はもういまの喜和には欠け落ちている。相手が子さえ生まなければ喜和の心の荷は遥《はる》かに軽いだろうけれど、一旦妊《いったんみごも》った子を呪詛《じゅそ》に掛けてまで堕そうとするのは、娼妓《しょうぎ》の腹を足《あし》蹴《げ》にして流産させる無情冷酷な楼主にも似て喜和にはほとほと空恐ろしい。人を呪《のろ》えば呪ったただけその報いが我が身に降り掛かる事を思うと、ここで坂本の姐さんの話に乗るは、相手と共に地獄に落ちる堅い覚悟あっての上でなければならなかった。

今の喜和には、口を噤《つぐ》みじっと身を縮めてひたすら頭上を過ぎる突風の収まる日を待つよりほか、生きる手立てはないように思える。一番心を許している筈《はず》の坂本の姐さんでさえ、喜和の気持を一つ飛び越した先を推察している事を考えれば、いま口下手な喜和がどう言訳したところで却《かえ》って邪推される元となり、恃《たの》むは自分の胸の内だけなのであった。

池水のしんと凍ってもの静かなように、喜和の心もようやく冷たい凝寂の落着きにあり、それでいてじっと火鉢に手を焙る暇は身の毒で、立って働くほうにずっと救いがある。正月明けにざわざわするは人に目障り、とは思っても、岩伍が少しも家に坐《すわ》らないと同じように、喜和もまた、漬物《つけもの》を仕込んでみたり芋を蒸して東山に干したり、餅であられを拵《こしら》えたり、夜、疲れ切って何も考えずすぐ眠れるよう絶間なく躰《からだ》を使っているのであった。

　こんな喜和のただならぬ心の揺れの隙間《すきま》を狙《ねら》って、健太郎がとうとう家を出てしまったのは三学期の始業の日、七草粥《がゆ》を炊《た》いた夜の事であった。

　とやかくの話はあっても、これまで丸一晩家を空けた例《ため》しはなかっただけに、八日の朝、乱れてもおらぬ三畳の空の寝床を見て、喜和はとうとう来るべきものが来た事を思った。去年の夏、学校の受持先生から初めてそれを知らされ、暫くは目も離さぬ思いで気を付けていたのに、喜和の監視は目漏《めも》り籠《かご》同然だったのか、秋には岩伍《いわご》の口からもう先に望みもない由《よし》を告げられている。そういう健太郎にとって、喜和が暫く家を留守にした暮の騒動はどんな気持であったろう、と今頃になってようようそこへ思い到《いた》るのであった。ここ暫く我が身の恨みを宥《なだ》めるのに懸命で、子の思惑にまで至らなかった罪が家出に追いやったのかも知れないが、それにしても健太郎は明けてもう十七歳、こういう家の大事のときにこそ落着いていて貰いたかった、と考えるのは、女親の身勝手さというものであろうか。

　主《あるじ》の女子《おなご》遊びを世間では男の甲《か》斐性《いしょう》として女房の悋気《りんき》の恒《つね》にしてあるけれど、子に対しては格別の戒めは示していないように思われる。子は親に従うもの故、親の道楽について逆意見など思いもよらぬ事であるものの、それは表向きの話であり、蔭に廻《まわ》れば酷《むご》い母親の話相手になって貰うくらい叶《かな》わぬものであろうか、とこれもまた、今の心弱りがなせる自分本位の考えに傾き勝ちとなる。たった一晩の外泊なのに、喜和はもう十日も二十日も健太郎に逢《あ》わないような気がして堪《たま》らなく淋《さび》しくなり、暗い三畳の、疵《きず》だらけの古い机の前に一人坐ってみるのであった。

机の上には健太郎の使っていたちびたゴム消しが一つ、拗《よじ》れた消し滓《かす》にまみれて転がっており、喜和はそれを自分の掌の上に載せて瞠《みつ》めていると、幼な顔の健太郎がふっと其処《そこ》に泛《うか》び上って来て、昔のように心に翳《かげ》りのない思いで優しく呼び掛けてみたい気になって来る。前回の件から推量して、家の男衆《おとこし》たち、出入りの者の中には健太郎の行方を知っている者があるやも知れず、それを思えば〝家中知らぬは姐さん一人〟と嗤《わら》われない為《ため》に、ここは気を確かに持って、殊更《ことさら》に落着き澄ましていなければならないのであった。

果して三日後の夕刻、裏長屋の勇が飯前の立て混《こ》んでいる釜屋《かまや》に入って来て、

「今日儂《わし》や、帯屋町の日曜市《にちよういち》で健ちゃんに会《お》うたよ。色眼鏡の年増《としま》と連れ立って仲好《なかよ》う歩きよった。衿《えり》に流行《はや》りの白の首巻きして……」

と事情も知らず大声でいい放つのへ、庄《しょう》が素早く指を唇に当てて制したのを、喜和は横目に逃さず見てしまった。

喜和は矢っ張り、と深く頷《うなず》く思いがあって、いっとき躊躇《ためら》ったけれど、一足踏込んでみる決心で庄を手招きし、他に気取《けど》られないよう風呂の焚口《たきぐち》へ連れて行った。此処《ここ》は物置の蔭になっていて母屋《おもや》からも離室《はなれ》からも見通しは利《き》かなくなっている。

庄は覚悟のていで焚口に真向いに蹲《しゃが》み、炎に顔を炙《あぶ》らせていたが、喜和が健太郎の名を口にしただけで普段見せた事もない引緊《ひきしま》った顔付きになり、貝のように口を閉ざしてしまう。返事の代りに、風呂の薪《まき》としている、傍《そば》の製材所の挽割《ひきわり》線香を膝《ひざ》で二つに折っては、焚口に投げ込む仕作《しぐさ》を繰返すばかりであった。

庄は男衆たちの中でも一人違っていて、この男が何で人の家で下使いを、と不審を持つほど気転が利き要領もいいだけに日頃からとかくの噂もある。こういう男が喜和の懇願くらいにぽろりと口を割る筈もなく、まして益《まつ》さんの手引でこの家に来た因縁《いんねん》を思えば、これ以上は詰め寄るだけ無駄《むだ》、と喜和は諦《あきら》め、その代り、手を合わすような思いで庄の横顔に向っていった。

「庄やん。お前さんもこの富田の家の人間なら、健太郎の身をどれほど私が案じよるか、判《わか》らん筈はあるまいがね。

行先を知っちょるなら今晩にでも行て、早速に連れ戻して来てつかはれや」

それを聞いて庄の風向きが変ったのか、或《あるい》は偶然そうなったのか、健太郎はその翌日の午下《ひるさが》りふらりと一人で戻って来たのであった。

僅か四、五日の隔たりが母親には幾層倍にも思えるのに、帰って来た息子は誠に事もなげな風で、蠅入《はい》らずを覗《のぞ》いて菜《さい》の残りを摘《つま》んだり離室で兄と笑い合ったりの様子に、喜和は今夜こそ皆が寝静まったあと、とっくり話合いたいと考えていたところ、何時《いつ》の間に脱けられたのか夜になるとまたもや姿を消しているのであった。

喜和が仰山に騒がなかったのを、健太郎のほうでは与《くみ》し易《やす》しと見極めたのか、この日以来自由勝手に家の出入りを始め、内に二日、外に三日と呆《あき》れるほどおおっぴらな暮しぶりになっている。

そうなれば〝色眼鏡の年増〟の素性も判り、さまざまな小訳《こわけ》も、傍《はた》からも本人の口からもひとりでに割れ、いやでも喜和の耳に入って来る。女は昔小料理屋を渡り歩いた酌《しやく》婦《ふ》上りでハルといい、今は小金を貯《た》めて下の新地に小家を構え、それ者《しや》仲間に金貸しをして暮しているという。人の話ではハルはお化けのような派手作りをし、健太郎を「若さん、若さん」と呼んで機嫌《きげん》を取結んでいる様子であった。

喜和はその話を聞いて呆然《ぼうぜん》とし、余りの嫌《いや》らしさに身震いの出る思いであった。予《かね》て女の問題とは覚悟していたけれど、相手が親ほども年上の酌婦上りの年増とは、健太郎に年なりの分別というものは働かなかったのであろうか。ハルとの馴《な》れ染めは、何時からこうも深入りして、と考えていると、またもや益さんとハルの関係が勘定に入って来る。酌婦が金を貯める腕とは見境なし男と転ぶ度胸の事だから、その方面で多少の顔を持つ益さんがハルの饗応《もてなし》に与《あず》からない筈はなく、そうなれば益さんの乾分《こぶん》のような庄の口の堅さも、また、ハルとの関係があっての故と疑えて来る。そこまで考えると喜和は自分の躰まで汚穢《おわい》に塗《まみ》れる気がして情なく、色に目のない益さんにしっかりと手首握られてしまった健太郎に、もうこの先立直りを望むのも無理かと思えて来るのであった。

あれこれと思いあぐねて眠れぬ夜半、喜和はふと、健太郎が年増女に溺《おぼ》れるのは女親の自分に問い薬を掛けているような気持なのではあるまいか、と思い到るときもあった。そういえば健太郎は、小さい時から弱い者を庇《かば》う一方では、いつかの栄龍のように、情愛をさらけ出して手を差しのべる年上の女にはつい凭《よ》り掛かるふしもあり、それはいつも忙しい母親に放って置かれる子の、形の変った反抗というべきものかも知れなかった。それを思えば健太郎の心根は酷くもあるけれど、しかしまた廻りを見渡せばこの賑《にぎ》やかな家の中で、淋しさを喞《かこ》つのは独り健太郎だけではない事をいいたくもなって来る。病魔に自由を奪われ、六尺の寝床に引据《ひきす》えられている龍太郎の胸の内、一旦富田を出れば天涯《てんがい》に寄辺《よるべ》ない菊と絹の胸の内、岩伍だって今の境涯は苦しかろうし、喜和だって自分以外頼るものもない淋しさをしたたかに感じさせられている。健太郎の十七といえばもう東西の分らぬ子供でもないのに、ずるずると安きに堕ちてゆくとは余りに女々しい振舞いというものではあるまいか。

肝腎《かんじん》の岩伍でさえ、飯刻《めしどき》の矢釜しい噂を制して、

「健太郎の事は放って置け。男が何処《どこ》に居って何をしようが構う事はない。学業だけちゃんと続けておったらそれでええ」

というのを聞いて喜和はそのとき、自分など到底判るところではない、と深い溜息《ためいき》を吐《つ》いたことであった。

女親が男の子を一点異性として見る目があるように、男親は男の子に朋輩《ほうばい》としての寛大さを、それも悪事を分け持つ朋輩の目で恕《ゆる》してでもいるものであろうか。家がこういう商売なら、健太郎が物欲しげに新地を彷徨《うろつ》いていたとしても、さあ、さあ、と手招きして呼び上げ、心得て遊ばせるのが顔見知りの楼主たちの常識であり、そのつけを親に廻すどころか、万一聞かれても知らぬ顔で押通す粋《いき》の利かせようなら、岩伍は岩伍で、それと察した楼主の許《もと》へ、よい妓《こ》を選んで送り込むのであった。

喜和は一度、上《かみ》の新地の扇亭の大将が富田の店先で顔見世のあとの、出会い頭の健太郎との遣取《やりと》りを見て、ひどく狼狽《うろた》えてしまった自分を今も奇妙にはっきりと覚えている。下駄を穿《は》こうとした大将と学校帰りの健太郎との目が会ったとき、「お、健ちゃん、ちょっと」と心易《やす》げに呼び、懐《ふところ》からさっと引出した紙のお拈《ひね》りを健太郎のポケットに素早く落し、

「ま、機嫌ようしいや、のう」

ぽんぽん、と相手の肩を叩《たた》いてすらりと門口に出た大将の仕作を喜和は見て、この場をどうしよう、と迷った。町内の付合いなら母親が駈《か》け寄って、

「まあ大将、子供にまでお気遣い頂きまして、有難う御座います」

と深々とお辞儀をするのが習いだけれど、と岩伍を窺《うかが》うと、岩伍はただにこやかに頷いているばかり、小さい時から「おおきに」の礼を躾《しつ》けて来た筈の健太郎も、制帽の縁にちょっと手を掛けただけで、改まった頭の下げようはしないのであった。

野暮な礼は口に出さない代り、一旦受けた恩義は必ず返すのが玄人の世界の心得というなら、健太郎は既にこの世界で一人前に仕上っていると思い、喜和はそのとき何となく背筋の寒くなるような心地がした。年端《としは》も行かない若い者が、外見だけの捌《さば》けかたを覚えるとこの世界の毒に果てもなくのめり込む危険がある。健太郎はきっと、「富田の若さん」と方々から声を掛けられ、「おひとついかが?」の勧めを鷹揚《おうよう》に受付けたところから素行の乱れが始まったのではなかろうか。それを思うと、喜和が思いのありったけを込めて諫《いさ》めたとて、今更もとに戻る望みはない悲しさがじわじわと襲って来る。

此の上は男親の差配通り、学業だけを続けたらそれでよしとしなければならず、誠に危なっかしい思いを抱きながら喜和はただじっと見守るよりほか無いのであった。

しかし健太郎の身辺からは急速に学生の匂《にお》いは薄れ始めており、固い小倉木綿の制服は三畳の壁にぶら下ったまま、家への出入りはハルに拵えて貰《もら》った大島の上下に白絹の

衿巻《えりま》き、金付きの雪履《せった》という、放蕩《ほうとう》息子を絵に描《か》いたような扮装《いでたち》で、学校では反則の筈の頭髪も伸ばしかけているのであった。当然登校などしている模様はなく、喜和ひとり気を揉《も》んでいるうち、二月に入ってすぐの朝、届いた郵便を読んだ岩伍に呼ばれ、見せられた学校からの状には、

「素行不良ニ付、退学ヲ命ズ」

という、容赦のない通告が入っていた。

健太郎は遉《さす》がにこたえたのか、蒲団《ふとん》を引っ被《かぶ》ったまま暫《しばら》く暗い三畳で寝込んでいたが、喜和の気落ちも健太郎以上のものがあった。

思い悩んだ末、固め難い了簡《りょうけん》をやっと固めた矢先だったから、この通告に喜和は突然、足許の根太《ねだ》が抜け落ちたような心地であった。これでこの家の障子の破れもまた一つ増えたばかりかますます大きくなると思うと、火鉢の前に坐ったきり身動きもしたくないほどに心が陥込む。飯刻を外し、人の居ない時刻を見計らっては釜屋へ茶漬を掻《か》き込みに起きて来る健太郎の顔を見るのも辛《つら》く、ものをいいかけようとしても何の言葉もみつからないのであった。気のせいか、一中の学生という肩書きのない健太郎は親の目からでさえふと腑抜《ふぬ》けのようにも見え、喜和は先《ま》ず、そういう自分の気持と戦って健太郎と共倒れになるのを防がねばならなくなっている。

岩伍は男だけに内心の動揺は見せないものの、健太郎に向っては、

「阿呆《あほ》な奴《やつ》よ。その気になれゃ、大学まで行けたのに」

と怒気を露《あら》わにし、学校のやり方に対しては不満この上ない思いを隠そうともせず、ことごとに痛烈な言葉でやっつける。

書付け一枚で岩伍を呼び付け、家庭教育の、環境の、と尤《もっと》もらしい訓戒を垂れる教師という名の小心な男たちは、親の銭でぬくぬくと学校を出、僅《わず》かな月給を貰っている了簡の狭い哀れな人間であり、一人の生徒の素行を長い目で包んでやる度量も持たないのを、独力で今日までやって来た岩伍は心から軽蔑《けいべつ》するふうであった。何処から割出したのか、

「教師と巡査は無料酒《ただざけ》を飲む故、人間が卑《いや》しい」

といいいしては、岩伍とは世界の違うこの職業の人間を毛嫌《けぎら》いするようになった、そのきっかけは、この時からではなかったかと喜和はひそかに推察するのであった。口でこそ鵜《う》の毛で突いたほども健太郎を庇いはしなかったけれど、

「ああいう非人情な学校へ子供は出せん。こっちから断わる」

と猛《たけ》り立っていた口裏を考えれば、これが岩伍の子に対する情愛というものではなかっただろうか。

健太郎は、流石《さすが》に改悟の思いなのかふっつりとハルの家へ足を向けなくなっているようであったが、三畳に閉じ籠《こも》っていれば嫌でも目に入る学校の勉強道具に対して、どん

な気持であろうと思うと、喜和のほうが却って切ない思いがする。それでいて時折は呑《のん》気《き》なマンドリンの音も聞えたりするけれど、しかしそれを叱《しか》る気にはなれず、

「あの子も先行き真暗三方の思いで居るらしい」

可哀想《かわいそう》に、と思うのであった。

こういう場合、世間の狭い喜和には健太郎の将来について何の才覚もなく、口の悪い町内の連中から、〝ブラブラのへちま野郎〟といわれるのを恐れながら、岩伍の指図をじっと待つよりほか仕方ない状態でいる。

そのうち健太郎退学の噂《うわさ》はじわじわと世間に拡《ひろ》まり、楼主の中でも学校出の錦水楼《きんすいろう》の大将など岩伍に知恵を授けて、

「何も騒《うど》む事はない。早速に私立へ転校さしたらええ。県立は小六敷《こむずかし》い事ばっかりいうて生徒を締付けるきに、水商売の家の者は大体私立へ行くが建前になっておる」

と、新町の私立商業を勧めてくれたが、岩伍は口では礼を述べても心ではそれを受付けないようであった。岩伍の胸の内には学校への頑固《がんこ》な不信感もあり、一旦瑕瑾《いったんかきん》を蒙《こうむ》った息子を立直らせるにはもう学校などでなく、親の自分が十《とお》の歳《とし》から米屋の丁稚《でっち》に住込んだように身一つで世間に放り出し、他所の飯を食わせるに如《し》くはない、という考えに傾いてゆくようであった。

喜和は、一中にまで行った者が今更丁稚奉公を、と胸の潰《つぶ》れる思いがしたけれど、暮

以来用事以外の細やかな話はしなくなっている岩伍に差出た口は利けず、また思い切って自分が差出たところで他にいい知恵がある筈もなかった。

岩伍は一人話を進め、大阪飛田《とびた》遊廓《ゆうかく》の懇意な楼主に詳しい手紙を書いて懇《ねんご》ろに頼んだところ、折返しの返事には、飛田遊廓に下駄を入れている花園橋の下駄屋の職人なら世話が出来るという。自ら学業を放棄してしまった健太郎の将来を考えれば、下積みの職人生活の忍耐を充分に嘗《な》めた挙句手職が付くとなると、これはこれで世間に立派に通用する男の一つの生きかたとなり、旁々《かたがた》遠い大阪の地は、さんざんに降りかかる世間の勝手な噂《うわさ》から身を隠す煙幕でもあった。ただ、これまでの呑気な学生生活から、我が身であって我が身でない手厳しい丁稚奉公へと、生活の激変に立向うだけの本人の覚悟がこの際では一番の問題となって来る。

岩伍は改まって健太郎を呼び喜和をも立会わせて下駄職の話をしたところ、健太郎はさして驚きもせずこの子の癖の、黙って爪《つめ》を噛《か》んでいるばかりであったのには、岩伍のほうが拍子抜けのていであった。

「お前は自分の将来についてどう考えておる。いったい働く気があるのか、無いのか」

と問い詰めると、

「うん、働いてもええ」

と、うっそりという。

「住込みの丁稚奉公じゃぞ。辛抱が出来るか」

「うん、行けというなら何処へでも行てやるよ」

行先は高知―大阪と隔っていても、健太郎は多分親父《おやじ》の差金で今までとさして変りない庇護《ひご》を感じ取っていたものででもあろうか、ほんのこんな程度の軽い決心の仕方で話は決まり、三月上旬、高知を発《た》つ事になった。

喜和は、柳行李《ごうり》も支那鞄《しなかばん》も嫌だという健太郎の為《ため》にトランクを買いに行き、その中へはこれからの質素な職人暮しを考えて着物は地縞《じじま》、足袋は雲斎底ばかりを揃《そろ》えてやりながら、この家の中で健太郎の大阪行きをしんから悲しんでいるのは自分だけではないかと思うのであった。人は誰でも我が身が可愛《かわい》いのが常ながら、健太郎をここまで唆《そそのか》したと思える益さんでさえ、

「大将、丁稚奉公だけは堪《こら》えてやってつかされや」

の執成《とりな》しもせず、庄はなおさら、

「健ちゃんはこれから上方の暮しが出来るきにええ事よ。羨《うらや》ましいよ」

などと煽《おだ》てているのを小耳に挟《はさ》むとふと身贔屓《びいき》に心が捻《ね》じれ、健太郎の身がいっそう酷《むご》く思えて来る。

出立の日が近付くにつれて、喜和は濡《ぬ》れそぼれて羽を垂れた鳥のように、次第に元気を無くしてゆく自分が判《わか》るのであった。男の子は世間様のもの、女の子はいずれ他所様《よそさま》

へあげるもの、という親の弁《わきま》えを知らぬではないけれど、健太郎出たあとの我が身を思えば胸に風穴が明いているような淋《さび》しさが吹き通る。巴吉《ともきち》が子を生むはもう間もなくの四月半ばと聞いており、それ以後の月日がこの家の中をどのように変えてゆくのか想像もつかないだけに、少々頼りなくはあっても、一の力綱の健太郎をいま手離す事はなかなかに辛い思いであった。

愈ゝ《いよいよ》家を発つその日、今年名残りの寒さか朝から粉雪がちらつく中を喜和一人岸壁まで見送る事になり、家を出しなに岩伍は、

「ええか、健太郎、一人前になるまで家の敷居は跨《また》ぐなよ」

としっかりいい渡すのへ、

「ああ」

と健太郎は他人事《ひとごと》のように気のない返事をし、新しい革の西洋鞄を抱えて人力車に乗込むのであった。

岸壁で船出を待つあいだ、沈み切っている喜和の脇《わき》で健太郎は両手をズボンのポケットに差込み、口笛でも吹きそうな気配でいる。親許を離れての奉公の辛さよりも、この子にとってはまだ見ぬ都会への憧《あこが》れが強いのであろうか、愬ろな話は何もなく、心はもう疾《と》うに高知を離れ去っているらしく見える。大阪商船の浪速《なにわ》丸は間もなく賑やかな銅《ど》鑼《ら》を鳴らし、船尾に夥《おびただ》しく白い泡《あわ》を噴き上げて岸壁を徐々に離れ、やがて大きく迂回《うかい》す

ると長く長く水脈《みお》を引きながら、孕《はらみ》の山に隠れ去って行った。

喜和は、髪にも肩掛けにも淡い雪片を載せたまま、その雪片が水の上に落ちては消え落ちては消えするのを、船の出たあとの岸壁に立ってじっと眺《なが》めていた。とうとう最後まで、健太郎と巳吉の件について話し合わなかった事を考えているのであった。

岸壁に着いてから、実はいく度口に出かかったか知れないが、折角出立を前にして勇みの立っているらしい健太郎に今更水を掛けたくない思いがあり、旁々親とはいえ子に女の話を聞かせる羞《はずか》しさも手伝って、ずっとその言葉を嚥《の》み下し、嚥み下ししている。照れ臭さに、手をのばしては背の高い健太郎の鳥打帽子を直してやったり、上衣《うわぎ》の埃《ほこり》をはたいてやったりして喜和のほうも自分を胡魔化《ごまか》しているのであった。

次第に人影の引いてゆく夕暮の岸壁に立っていると、喜和の胸にはゆくての心細さが限りなく大きく膨れ上がって来る。恃《たの》むは、健太郎が近い将来生れ変った人間になって戻る事で、「都会へ行ったらそれなりの、行き抜け路地」という懸《け》念《ねん》の掛った人の悪口を撥《は》ね返して欲しいと、今は一人祈るだけであった。

二

高知市の花は三月の二十日前後から始まり、先ず浦戸の孕《はらみ》から開いて次に八頭《はちす》、招魂様へと南から北に移り、打上げが高知公園で、この花は四月の二、三日頃《ごろ》まで保《も》つのが例となっている。

景気のいい年は、町内の店屋から応分の寄付を集め大口は岩伍《いわご》の自腹で薦樽《こもだる》を買い、花と日和《ひより》の按配《あんばい》を見て高知公園二の丸の夜桜のもとでそいつの鏡を抜くという寸法で、この日は殆《ほとん》ど町内の女総出で富田が振舞いの弁当作りをする。裏長屋の女たちには、喜和が見立てて「ふく」というモスリンの一反ずつも買ってやる年もあれば、直履《じきばき》一足ずつで堪えて貰う年もあり、町内の消防団青年団の制服、女達の衿元《えりもと》には揃いの手拭《てぬぐい》を巻いて繰出し、皆底無しに燥《はしや》ぎ切ってこの日を娯《たの》しむのであった。

今年は、花の便りにざわざわし始めた頃、岩伍は自分が団長をしている消防団青年団に二十円の金を差出し、この催しから身を引かせて貰うべく既に手を打ってあった。去年の暮、世間を騒がせた事の始末は巴吉の出産を見るまでまだ付いておらず、花見どころではない慎しみを見せたものなのを、男の、甲斐性《かいしよう》あって為《す》る事に何の遠慮が要るものか、と執拗《しつこ》く勧めに来る世話焼きの人達もいる。

喜和はそれを、世間を憚《はばか》って岩伍が身を低くしているのではなく、とても己の楽しみどころではない気持の苛《いら》立《だ》ちから出た事、と察していた。四月に向って岩伍の心の昂《たか》まりが次第に大きくなって来るのが、傍の喜和にもしんしんと伝わって来る。岩伍が喜和に向って、巴吉のとの字も口にしないのを男の意地というなら、喜和もまた、無論問いもせず素知らぬ顔で通しているのを女の意地というのかも知れなかった。意地は、いつとはなし夫婦のあいだに往《ゆ》き来も叶《かな》わぬような深い溝《みぞ》となって横たわり、いまは世間の手前と、この家を廻す必要から一日のうち僅かに口を利《き》くだけとなっている。

喜和はしかし、目だけはきっかりと瞠《みひら》いて岩伍を凝視《みつ》めているつもりであった。喜和の出産の際には曾《かつ》て狼狽《うろた》えを見せた事のない岩伍が、今回は大貞《だいさだ》の口を通じてしか様子の知れない初産《ういざん》の巴吉の身をどれほど案じているか、それは日々、焦立《いらだ》った岩伍の仕作《しぐさ》を見ていれば充分喜和には判る。岩伍の不安が拡がってゆくだけ大貞への連絡は頻繁《ひんぱん》となり、大貞もまた繁々《しげしげ》と富田へ足を運んで来る。

肚《はら》の底に怨《うら》みはどっしり溜《た》まっていても、再々顔を合せていれば顰《しか》め面《つら》ばかり見せる訳にも行かず、大貞の来訪に喜和は茶も出し、近頃は小話のひとつもするようになっているのであった。元より向うは名うての世馴《よな》れ者の事とて再び面倒な話はおくびにも見せず、時たま、長火鉢《ながひばち》の前に坐《すわ》っても、

「日が薬や。なあお喜和はん、日が薬やで」

くらいの所で止《と》どまり、供の男衆《おとこし》を促してさっと忙しそうに引上げてゆく。

日が薬、とはなるほどそうかも知れぬ、とも喜和は思える。ここで殺されてもよい、とまでに燃え熾《さか》っていた怨みの炎はこの幾月かの日の内にいつとはなし衰え、今は少なくとも岩伍と大貞の動きに無益な神経を尖《とが》らす邪《よこし》まな気持は薄らいでいる。思い立てば

何事もやり通す岩伍の前に、喜和の抵抗など車輪の下の小石、ほどにもなるまいが、それを考えて手控えたというのでなく、大貞のいう日の薬が少しずつ傷を癒《いや》しているような感じであった。

三月の半ばになると、身の廻《まわ》りの物を小さな風呂敷《ふろしき》包みに纏《まと》め、絹が巴吉の家へ移って行った。喜和への挨拶《あいさつ》は岩伍からも絹からも無かったが、これは大凡《おおよそ》察していた事で喜和はさして動揺もせず黙って見送った。こういうとき人の身上《しんしょう》往来を誰も根問いしない富田の習慣は善し悪《あ》しで、女手が一人減った代りには以前通り抜けた事のある銀蠅《ぎんばえ》の伝八がまたふらりと現れ、若干《そこばく》の釜屋《かまや》の用なら果してみせる。ひょっとするとこれは岩伍にいい含められていたのかも知れず、それと察した後は喜和は気兼せず水仕の用を頼むのであった。

乳母の件は早くから手を廻して捜していたらしいが、農人《のうにん》町の裏町に、昔から鎹膏《かすがいこう》を売って廻っている源爺《じい》の家の嫁の安江という女子に決まった由《よし》を、喜和は大貞から聞いた。安江はこの三月末に二番目の子を生む事になっており、最初の子の折、乳が余って始終搾《しぼ》り捨てているのを聞いて近辺から常時四、五人も貰い乳に来たという話で、富田への給金付きの住込み奉公を舅姑《しゅうとしゅうとめ》、日傭《ひよう》の亭主までも喜んで承諾したという。

喜和はそういう運びを聞いても、まだ少しも話が身近には感じられなかった。家中に産着《うぶぎ》の一枚、襁褓《しめし》のひとつ無く、だいいち赤子の無事な誕生を待ち兼ねる弾んだ空気のかけらさえ受取れないこの家に、「御繁昌《はんじよう》」という祝い言葉で囃《はや》す日がやって来る事など考えられもしないのであった。

巴吉の家へ行った絹は、使いの途中などちょいちょい富田へ寄る折もあり、

「菊やん、私此《こ》の頃巴吉姐《ねえ》さんに三味線を習いよるぞね。もう〝高い山〟ひとつ上げたよ。次は〝金比羅《こんぴら》舟々〟」

と鼻をうごめかしている囁《ささや》き声を耳にしても喜和は不思議に気持が騒がなかった。絹の口から巴吉の日常が知れても、岩伍はもう決して其処《そこ》へ行きはしない事が判っているせいもあり、万事大貞の筋書き通り進んだとしても、母子共に肥立《ひだ》って子がこの家にやって来るのはまだ遠い先の事、と踏んでいるせいもある。去年一年のあいだ、さまざまな出来事に会った喜和が、あてにもならない廻りの他人の一憫《びん》一笑に決して煽《あお》り上げられまいと、据《すわ》りをよくしている事もあった。

聽《やが》て春の大掃除が終り、町内のあちこちで寄せ集めた芥《ごみ》を焼く煙が上って市役所から「清掃済」の丸いアルミ札が各家の門口に打ちつけられた、四月半ばの日であった。

其《そ》の日岩伍は大阪から来た紹介人を宿に訪ねて出掛けており、喜和も龍太郎《りゆうたろう》の夏蒲団《ぶとん》を頼みに行って留守の富田へ、裏木戸を押して絹が慌《あわた》だしく、しかし足音だけは気を使いながら入って来た。

狭くても中庭はもういちめん繁《しげ》って蒸せるほど緑の香が立っており、花も盛りを過ぎ

た小米桜の枝の蔭《かげ》に盥《たらい》を出して洗濯《せんたく》していた菊に絹は一寸《ちよつと》目配せしてから、

「お母さんは？」

と聞き、「京町」と菊が答えるのへ、両掌《りようて》で胸を撫《な》で下ろす仕作《しぐさ》をして見せてから、急いで電話口へ駈《か》け上って行った。

水を使う手を休めて菊が聞いていると、暫《しばら》く「あのう、あのう」ばかり繰返していて、

「巴吉姐さんが今朝から腹が痛いといいまして……お湯を沸かして、といいまして……いや、その前に産婆《さんば》さんを呼びに行きましたけんど……産婆さんはまだ……」

しどろもどろながら、大貞楼へ掛けているらしい。

大汗搔《か》いて受話器を元に戻した絹は、菊の盥の傍《そば》に下りて来ると、モスの前垂れの中に両手を差込んでくるくると巻き上げ、

「菊やん、いよいよ赤子《やや》が生れるらしいよ」

と声を潜めていう。

葉の間から溢《こぼ》れ落ちた陽《ひ》の光が盥の中の洗濯物に斑《ふ》を作っている上に、菊も凍傷痕《しもやけあと》の見える巴旦杏《はたんきよう》のような赤い手を投げ出して休め、

「そうお、愈ゝやねえ」

「ねえ菊やん、私ねえ。巴吉姐さんを見よると真実《まつこと》酷いと思うよ。赤子が生れても親子の縁は薄いもんじゃきに。

独りで居るとき、姐さんは何時《いっつ》も泣きよるぞね」

一つ家に寝起きしていれば自然巳吉への同情も湧《わ》くのを露《あら》わに口にする絹に、菊はもう根の抜けている桃割れの髷《まげ》で振り仰ぎ、

「けんど絹やん。酷いのはうちのお母さんの方じゃないかね。巳吉姐さんは、肥立ったらまた上方《かみがた》へ戻って好きなように出来るけんど、うちのお母さんは此処《ここ》で一生、その子の顔を見よらんならんもの」

絹は立っていての話がもどかしくなったのか、前垂れから手を抜いて盥の脇に蹲《しゃが》み込んで、

「けんど人のいうにはねえ。巳吉姐さんは富田の本妻にして貰《もら》えるもんとばっかり思うて、浄瑠璃《じょうるり》のお師匠《つしゃ》んやら皆々に、そういう挨拶はもうちゃんと済ませた後やったそうな。もう一遍舞台へ上るのやったら、子供を生むじゃなかった、と泣いたというきにねえ」

菊は、小米桜の下枝越しに離室《はなれ》を透かし、障子が固く閉まっているのを見届けてから、

「けんど、うちのお母さんの事考えてみなはれや。龍ちゃんの世話だけでも生易しいもんじゃ無かろ。その上赤子《やや》まで引受けるは、そっちの姐さん以上の苦労ぞね」

「いやあ、そんでもねえ。お母さんは赤子は弄《つつ》かん筈《はず》やろ。自分の子を手離す方がずっと辛《つら》いと思うよ」

菊は、日頃いいなりの絹がなかなか譲らないのに腹を立て、

「絹やん、お前、あっちい行てからというもの、ここのお家の事、忘れてしもうちょるねえ」

「そんな事無いけんど」

「そんな事無いこたなかろ。巴吉姐さんに天鵞絨《びろんど》横緒の下駄《げた》一足買《こ》うて貰うたぐらいで、はやあっち贔屓になってしもうて。いやらしいひと」

「違う、違う」

絹は菊の剣幕を恐れて慌《あわ》てて手を振り、菊は及び腰になっていいまくろうとしているところへ、表を掃除していた米《よね》が竹箒《たけぼうき》を持ったまま走り込んで来て、

「こらお絹、こんな所で油売りよらんと早う常盤《ときわ》町へ去《い》なんか。大貞の法被《はっぴ》の若い衆《し》が、いんま自転車へ大きな荷を積んで西へ飛ばして行きよったぞ」

いわれて絹は真赧《まっか》になり、日和下駄の音を忙《せわ》しなく立てながらまた裏木戸から駈け出して行った。

菊は、方角違いの大貞楼の若い衆がこの前を走ってゆく話が腑《ふ》に落ちず、

「米やん、今の話ほんま？」

と訊《き》くと、米は鸚鵡《おうむ》返しに、

「嘘《うそ》の皮よ」

とけらけら笑い、

「ああでもいわん事にゃ、丑年《うしどし》のお絹が腰上げやせん」

というのは、米でさえ先程の絹の電話に耳を澄ませていた証《あかし》なのであった。

其の日の夕刻、陽足が伸びて外はまだ薄明るい釜屋の点《とも》ったばかりの電燈《でんとう》の下で、富田一家は揃って晩飯を始めていた。この家に何事があろうと外からの飯刻《めしどき》の客頭が減る試しは無く、今日も仰山な数が箸《はし》を動かしていたが、その全員、巳吉の出産が間近い事を知っている筈であった。しかしそれを口にする者は一人も居らず、岩伍と喜和の顔色を窺《うかが》いながら町内の噂《うわさ》も色話もすべて今日ばかりは押殺し、それぞれに茶碗《ちゃわん》の音を立てている。

それは普段の富田から見れば異様な情景ではあった。家の内外、誰もが考えているのは、出産の報《し》らせが届いた瞬間の挨拶で、世間普通に「目出度い」といえば喜和に対して具合悪く、喜和の胸の内を推し測って黙っていれば岩伍に対して義理を欠く。無論岩伍は第一に立てねばならぬ此《こ》の家の主《あるじ》ではあるけれど、釜屋を宰領する喜和の機嫌《きげん》を損

ねてはこれもまた、飯刻の座に顔を出し難《にく》くなる。

要領のよいチョビ髯《ひげ》の寅《とら》など最初から利口に廻り、

「儂《わし》や、今日は此処で」

と八つ折草履を脱ぎもせず、表に近い土間に立ったまま、飯と菜を貰い、さも後に用ありげに忙しそうに掻き込みながら、終ったが最後、さっと飛び出そうと構えている。

喜和はその中で案外に落着いていた。

今朝、青物売りが届けてくれた掘り立ての筍《たけのこ》を鉄砲町へ持って行ってやり、〝すぐに炊《た》いたら茹《ゆ》でいでも蘞辛《えぐ》うは無いきに〟と嫂《あによめ》の里江にいい添えてから長居はせず、京町へ廻って戻ると、閾《しきい》を跨《また》ぐなりその日がやって来た事を知った。

「とうとう生れるのか」

堕《お》りもしないで、とふと坂本の姐さんのひそやかな目付きが瞼《まぶた》の裏に泛《うか》んだけれど、それは喜和の胸を格別乱しはしなかった。初産は手間取るし、出産の報らせは早くて今夜半、遅ければ明日も半日は掛かるものと踏み、それに子が此の家に移って来るのは母親の肥立った一月後の事、と考えれば、巴吉の出産に何の関《かか》わりもない喜和まで廻りに煽られて狼狽えるはみっともないもののように思える。喜和はそれに、話の種ひとつにしてもおよそ赤子とは縁遠い富田の商売に、これから先、出来子《できご》の噂が日々入り込んで来るなど、まだとても信じられなかった。子育ては子やらいといい、家に赤子が生れるのは、先《ま》ず家中の浴衣《ゆかた》の古を解《ほど》いて襁褓《しめし》に拵《こしら》える事から始まり、その心構えがだんだんと廻りに及び、家中出産を待ち兼ねる言葉の中で軈て授かりものがやって来る、という段取りでなくてはならず、此の家のように誰一人子について大っぴらな口をきく事も出来ぬ大人ばかりの場所へ、赤子の姿など到底似つかわしくないのであった。

重苦しい空気の中で、皆がそろそろ飯も終ろうという頃、表の四枚の格子戸《こうしど》が左右一杯に開かれる威勢のいい音と共に、何やら涼しい風がつーっと釜屋まで吹き通って来た感じがあって、そのすぐ後、

「さあ、さあ、岩さん、岩さん」

と上ずって呼び立てている大貞の声が聞えて来た。

箸を置いた岩伍と良吉がすぐ立って店の間の鎧戸《よろいど》を引開けると、大貞が黄色い富士絹の巻蒲団にくるまった赤子を更に毛布で深く包み込み、両側に介添えの男衆を従えながら、毀《こわ》れ物を捧《ささ》げる慎重さで、そろそろ、そろそろ、と摺《す》り足で店の間を渡って来るところであった。

物見高さを抑え切れず、岩伍と良吉に続いてぞろぞろと覗《のぞ》きに上った飯刻の連中は、その様子を見るなり、

「ひゃあ」

と魂《たまぎ》消るような声を挙げたが、先ず出産の報らせ、それから日柄《ひがら》を見ての引越し、と

誰しも思っていただけに、いきなり目の前に臍《へそ》の緒《お》切ったばかりの赤子を見ては、目を瞠《みは》らざるを得ないのであった。

大貞は赤子から目も離さず、

「岩さんどうや。どっちと思う？

あんたは男の子の方が望みやろけど、これはなあ、女の子や。

これでええ、ええ。なあ」

なあ、なあ、と毛布の中へ呼び掛けながら電話室の脇《わき》を通り、元健太郎のいた三畳へと入って行く。

大貞の前に立って戸障子を開け放ち、邪魔物を取除けて先導していた岩伍が、良吉にいいつけて床を延べさせたその上に、大貞はやっこらしょ、と大事そうに赤子を下ろし、電気の笠《かさ》に手を掛けて傾け、毛布の中を覗き込んでから、

「ああ、元気や元気や。すうすういうて息してる。これで私も一安心」

その声にどっと周囲に頭が集り、争って覗こうとするのへ、

「こら、こら。見るのは後でゆっくりにしい。さ、さ、これから忙しいで。さ、あんたは湯たんぽ。すぐ沸かしいな。あんたは農人町へ安江を呼びに行くのや。すぐや。

それからな。あんたは巴吉の家へ置いたある襁褓《しめし》やら産着《うぶぎ》やら、皆ここへ運んどいで。

盥もな。あ、それから産婆にな。明日からは赤子の湯はこっちへ使わせに来てつかはれ、いうてな。

さあ、そこに立ってるあんたは」

大貞は、ほっとした笑いを見せて、

「私の肩でも一寸揉《も》んで貰おか。

赤子いうても持ち重りのするもんやなあ。常盤町から此処まで、揺られたらあかん思うて、俥《くるま》にも乗らず歩いて来たお蔭《かげ》で、肩は凝り凝りや」

「大将」

わらわらと人が立ったり坐ったりしている中で、そのとき、大貞楼の男衆が一寸改まった目になり、しかし口調は半ば戯《おど》けたふうで膝《ひざ》を付いた。

「ええお姫さんのお成りで。御首尾が良うて何よりで御座んした」

お姫さんのお成り、というそのいい方は如何《いか》にも此の場に適《かな》っていて、パッと一時に空気のほぐれた感じがあった。岩伍もすっと表情を解《ほど》き、

「これも皆のお蔭さんで。ようやってくれやした」

と気軽く頭を下げる。巴吉が難産でもなく赤子が不具でもなく、すべて無事にこの峠を越した安堵《あんど》をそのままに、岩伍は柄にもなく目頭を熱くしているさまを大貞の前に隠そうとはしないのであった。

表のこの騒ぎを、喜和は飯台の前に坐ったまま、じっと聞いていた。

最初岩伍と良吉が立ち、次に庄《しょう》と長屋の将棋指しが立ち、それから喜和の顔色を見ながら順に一人ずつ立って遂《つい》には皆、赤子の部屋へ行ってしまい、後の釜屋には喜和と菊だけが残っている。菊は亀《かめ》につられて一旦《いったん》は立ちかけたが、目を落して坐っている喜和を見て思い直したのか、袂《たもと》から出した襷《たすき》を掛けて汚れ物を洗い桶《おけ》の中に重ねていた。

喜和は、茶碗に入れた番茶をゆっくりと飲み干し、それを菊の洗い桶に差出しながら、

「菊やん、お前も行て来なはれ」

と声を掛けてやった。

「え！」

と顔を上げる菊に、

「赤子《やや》を見たいろうがね？　行て見て来なはれ」

と穏やかにいった。

一瞬戸惑いながらも矢張り気持を抑え切れず、前垂れで手を拭《ふ》き拭き駈け出してゆく菊に代って、喜和は洗い桶を片付けながら聞くともなし聞いていると、話し声の様子で

赤子はどうやら女の子らしい事が判《わか》る。

喜和はしかし、自分でも不思議なほど生々しい感情が燃え上って来ないのであった。暮以来四ヵ月、呪《のろ》わしい思いの明け暮れに苦しみ、今突然その日が廻《めぐ》って来たというのに、その子に立向う血みどろな思いは胸の底に重く沈んでしまっている。少なくとも一月は後、と心積りしていた赤子の引越しがこんなに早く、何の前触れもなく、まるで大貞が自分の孫か何ぞのように気易《きやす》く連れてこの家に入って来た事も、喜和の気持の昂《たか》ぶりを抑える役目を果していたのかも知れない。生れる子に何の罪があろうか、と繰返しいっていた大貞の言葉通り、少くとも今やって来た赤子は娘義太夫《ぎだゆう》巴吉の翳《かげ》など引摺ってはいないように喜和には受取れる。赤子を取巻いての騒ぎを、一人釜屋《かまや》で聞いていれば喜和にも思い出す遠い自分への懐《なつか》しさがあり、ふっと心が揺らぎ立ちそうになるのであった。

しかし喜和には喜和の立場があり、子に罪はない事と、我が手で育てる覚悟とははっきり別物である弁《わきま》えを喜和はまだ少しも崩そうとはしていなかった。

そのとき、赤子の部屋から急に人が散り始めた気配を機《しお》に、喜和は離室《はなれ》の龍太郎の膳《ぜん》を下げるため水仕履きを穿《は》いて中庭に出た。

着ている袷《あわせ》を通して闇《やみ》がもうむっと温かく、今日があの辛かった冬の日々を越した四月も半ばになっているのを、いやでも肌《はだ》に感じさせられる。そういえば、喜和はもう長い間龍太郎に会っていなかったような思いが湧《わ》き、その懐しさに取縋《とりすが》る気持で小走りに中庭を渡って離室の障子を開けると、龍太郎は殆《ほとん》ど箸を付けていない膳を敷居際《ぎわ》に押しやり、じっと仰臥《ぎょうが》していた。

長病人にとって夜の静寂ほど侘《わ》びしいものはなかろうけれど、喜和は電燈のかげの、頬髭《ほおひげ》の疎《まば》らな龍太郎の淋《さび》しげな顔と、灯《ひ》の明るい母屋《おもや》の賑《にぎ》やかさとの残酷なばかりの対比が、今夜ほど胸に来る事はないように思えた。

喜和は障子を後手に閉めると、

「龍太郎、肩でも揉んでやろかね？」

と寝床の傍へ寄って行った。

こうやって見ると、無茶をいって暴れる日の龍太郎にはどこやらまだ駄々っ子の幼さが感じられるのに、いま素直に、「うん」と寝返りを打って右肩を上にする龍太郎にはまるで初老の人のような衰えが見え、とても二十《はたち》前の青年とは思えなかった。寝ついてからずっと灯が眩《まば》ゆすぎるのを嫌《きら》い、この離室には五燭《しょく》の電球しかつけない習慣で、それでもまだときどき、光が顔を刺して痛いといっては笠《かさ》に黒木綿の布を被《かぶ》せてあるのを、その丸い光の輪まで避けて向うむく頬はげっそりと肉が殞《お》ちてしまっている。喜和の掌の下の肩も、元来骨細の骨骼《こっかく》が露《あら》わに浮いて、これでは力を入れて揉みようもない。

母屋では入り乱れて人が立働いているらしく、中庭を隔てて、

「お湯はどれほど？」

「お猪口《ちょこ》出して、早う」

「手拭《てぬぐい》、手拭」

などと、甲高い声がときどき聞えて来る。

富田で、この程度のざわめきは決して珍しくはないけれど、今夜は此の家では曾《かつ》て経験の無い、中身の変った奇妙な興奮がその中に潜んでいる事が、離れて聞いている喜和にははっきりと判る。たかだか一貫匁《かんめ》足り足らずのあの小さな生き物の到来が、如何なる上得意の客来にも優《まさ》ってこんなに大勢の人を駆り立てさせるものなのか、と喜和は不思議に思うのであった。

そのとき、この仄暗《ほのぐら》い部屋の中でうとうとと眠りに陥ちているとばかり思っていた龍太郎が、向うむいたままで、

「お母さん、母屋は今晩、何事？」

と聞いた。

喜和は咄嗟《とっさ》の返答に困り、

「はあ」

と一旦意味もなく頷《うなず》いた後で、常日頃《ひごろ》母屋の動きに敏感な龍太郎をここで騙《だま》すよりはあっさりいっておいたほうがいい、と肚積《はらづも》りして、

「今晩から、生れたばっかしの赤子《やや》が家へ来ることになってねえ」

とだけいい、言葉の足りない照れ隠しに喜和の振った頭の髷《まげ》が電燈の布に触って光の輪はふらふらと揺れ、その輪の中に一瞬浮き上った龍太郎の頸動脈《けいどうみゃく》が踊るように波打ったと見ると、龍太郎は、

「それは親父《おやじ》の子じゃろ?」

と問い返して来た。

寝てばかりいる龍太郎がここまで知っていた驚きで、俄《にわか》に返答も叶《かな》わずにいる喜和に龍太郎はおっ被せるように、

「お母さん。俺《おれ》あその子に何の用事もないぜ。顔を見たいとも思わん。今からいうておくが、その子を此処《ここ》へ連れて来たりなんぞせんようにしてくれよ。俺あ、そんなもんとは何の関係もないようにしておりたい。病人じゃきに」

若《も》しかするとその言葉は、龍太郎がうすうす事情を感付いたその日から繰返し巻返し口の中に用意していたかも知れないほどの、へんに度胸の据《す》わったいい方であった。にも拘《かかわ》らず、喜和はそのとき龍太郎の言葉の裏にある響きを察する事が出来ず、この騒ぎから詰め出されている一人ぼっちの母親への同情、とそれを受取り、

「はいはい。お前さんは自分の病気を癒《なお》すことばっかし考えよったら、それでええわ

ね」

と都合よく聞いていたのであった。

それに気付いたのは、下げた膳を持って母屋へ帰る途中の中庭で、今は大阪にいる健太郎の事をふと考えたとき続いて頭に泛んだのは、今夜の赤子が喜和にこそ他人だけれど、龍太郎健太郎にとっては腹違いの妹に当るという、動かしようもない事実であった。

此の家の中で、喜和はときに自分の身の廻りにしらしらと孤独感が立つ折、二人の息子に己の味方を求めて慰めたものだったけれど、これから先、三人が三人共水も洩《も》らさず一つ思いに固まる事の救いが果して喜和に齎《もた》らされる日があるであろうか。母親は別であっても血を分けた兄妹ともあれば、喜和のように〝関わりもせず、手出しもせず〟と身構えはならず、むしろ情が先立ち何の拘泥《こだわ》りなく睦《むつ》み合っていくのではあるまいか。

今は家に居ない健太郎も、修業を了《お》えれば孰《いず》れはこの家に戻って来る。まして、赤子と一つ家に暮す龍太郎は気質が激しいだけに情も濃く、或《あるい》は病床のつれづれに幼ない弟妹を可愛《かわい》がる日を想像しては、これまで一人慰めていたのかも知れなかった。それを今夜、「此処へは連れて来んようにしてくれよ」と殊更《ことさら》に頼んだのは、腹違い故《ゆえ》に赤子が憎いのではなく、自分自身の情が妹に傾くのを何よりも恐れているのだと喜和は気付くのであった。

肺病は伝染《うつ》るし、龍太郎の命数は測り知れぬ。いっそ顔も見ず、交渉もなく、深い関わりを作らず過したら病床の平穏を乱される事はあるまいと、妹となる赤子に一度は会ってみたい欲を堪《こら》えての、それはよくよく決心の上の言葉に違いなかった。

こんな判り切った兄妹の関係について、喜和は最初から思い到《いた》らなかった自分の迂闊《うかつ》さが思われる。一件は自分達夫婦と巴吉の事のみと考えていて、久しい別れとなる健太郎とも遂にその話はせず終《じま》いであった。岩伍《いわご》が巴吉と別れ、子を引取ればそれで一切のかたがつくと思っていた自分の疎《うと》さ、突き当ってのちにやっとものが判る癖は今に始まった話ではないといいながら、今度ばかりは骨身に徹《とお》って悔まれる。

赤子はこれから日に日に太り、龍太郎健太郎のみでなく、もの心つけば此の家の人間の一人一人にさまざまな形ですべて関わって来る。それを思えばこれから先の難しさは、今までの胸のうちの戦いとは較《くら》べものにならぬ難しさに思えるのであった。

三

農人町《のうにん》からやって来た源六の嫁の安江は、全身どこを押しても濃い乳の噴き出そうな、よく肥えた躰付《からだつ》きののっそりした女子《おなご》で、また実際、子の吸い方の悪い日は乳振《ちぶ》るい起して熱を出すほどだという。口の悪い男衆《おとこし》たちは、見るなり、「ありゃあ、南瓜《ぼぶら》に目鼻！」だの、「立てば蒟蒻《こんにゃく》、坐ればぼた餅《もち》、歩く姿は豚の金玉！」だのと戯《ひょう》げるが、喜和の見るところ、その如何にものどかな気質はこの家の面倒な事情に打ってつけのように思われる。

外からの誰ぞにも、

「お乳母《んば》さんは、八分目《はちぶんめ》ほどのお方では御座いますまいか」

などといわれるだけ万事に廻りが遅く、うっそりとしているのも喜和には却《かえ》って好都合であった。

それでも岩伍にいいつけられているのか子の世話はその割にまめに小綺麗《こぎれい》によくやり、手が空いている頃合を見てこちらの用事を頼めば、「あいー」と独特の、抑揚のない返事をして何でも手伝ってくれる。此の家に来た晩からもう蟒蛇《うわばみ》のような鼾《いびき》を搔《か》き、昼は昼でよく舟を漕《こ》いでいる安江も、農人町の姑《しゅうとめ》が朝晩二回、二タ月前に生んだ我が子を負うて乳を呑《の》ませにやって来るときは、さすがに気兼そうに、三畳を閉《た》て廻してひっそりと胸をくつろげる。

赤子がやって来たあの晩から、富田の日常は何処《どこ》かの螺子《ねじ》を締め過ぎたように家中きりきりと廻り始め、騒々しさは以前にも増したものとなったようであった。第一皆の朝が早くなったし、家の中での人の動きが違った。喜和に向って誰も目出度い話の挨拶《あいさつ》は無いけれど、此の家では初めての赤子に対する物珍しさは人皆の心を煽《あお》り立て、何時《いつ》の間にか一日の流れは赤子中心になって来ているようであった。

飯刻《めしどき》の前後、喜和の坐《すわ》っている長火鉢《ながひばち》の前をぞうぞうと埃《ほこり》を立てて人は赤子の部屋へと向い、

「ひゃあ、足の指まで五本ある！」

などという声と一緒に笑い声がどっと三畳に弾《はじ》け返る。

赤子の顔も差覗《さしのぞ》かぬ喜和にすれば、その燥《はしや》ぎは時に気分にも障り、離室へ逃れようと出れば中庭一杯に掛け渡した仰山な襁褓《しめし》の下を搔いくぐらねばならぬ。

干物《ほしもの》は物干台《やぎり》に干す定めなのを、梯子段《はしごだん》を上る手間を省いてこんな所に、と上を仰げばその物干台も赤子の襦袢《じゆばん》や合羽《かつぱ》で既に一杯、ひらひらと威勢を張って風に靡《なび》くさまを見れば押黙って溜息《ためいき》を吐《つ》くよりほかないのであった。

赤子の支度をそれとなく見て、喜和《わか》がさすが大貞《だいさだ》、と思えるのはまるで升で計るほど、とみられるその量と質で、性別の判らぬ出産前の支度は無難な黄色を使う慣《なら》わしから、主に黄色、それに薄桃色水色の富士絹、羽二重で産着《うぶぎ》をたんと拵《こしら》えている上、襁褓は並の倍以上も数を用意しているらしい。干してあるものを見れば、素人《しろうと》は着ない大きなさや形や市松、錫杖繋《しやくじようつな》ぎの楽屋浴衣《ゆかた》、大貞楼と染め抜きの客浴衣から鳴海《なるみ》有松絞りの古浴衣まであり、如何にも大貞が抱えの妓《こ》たちに号令掛けて出させたらしいものばかりで、素人家では見る事の出来ぬ一風変った襁褓風景ではあった。

喜和が仔細《しさい》に見れば、金を掛けてある割に無益なものが多いのは大貞に子養いの経験

ている。これでは赤子がさぞ暑かろう、とは胸の内で考えるだけで、子に関《かか》わる話は仮るで大名のお世継でも見るように柔らかな物で包み込み埋め込んでいるような按配《あんばい》になっう肌着に何の絹物か、と思えるし、この温《ぬく》さに何の綿入れか、と思えるのに、支度はまの無い為《ため》かと思われ、ふと一言、いい添えてやりたいような気にもなる。例えば毎日洗

の無い為《ため》かと思われ、ふと一言、いい添えてやりたいような気にもなる。例えば毎日洗う肌着に何の絹物か、と思えるし、この温《ぬく》さに何の綿入れか、と思えるのに、支度はまるで大名のお世継でも見るように柔らかな物で包み込み埋め込んでいるような按配《あんばい》になっている。これでは赤子がさぞ暑かろう、とは胸の内で考えるだけで、子に関《かか》わる話は仮に寝言でさえ喜和は口には出来ないのであった。

お七夜の日の朝、喜和は岩伍に呼ばれて店に出てみると、

「子供の祝いは一切すまいとしておったが、世話になった人等に対してそうもいかず、今晩は内輪だけで名付け祝いをする。人の手前もあるきに、お前も席へだけは出てくれよ」

といわれ、更に重ねて、

「この子はお前と俺との実子として市役所へ届けるきに、それも承諾してくれ」

ともいわれたとき、喜和は何もいい返さず黙って頤《あご》を引いた。いい返したい言葉が無い訳では決して無いけれど、それを今口にすれば此《こ》の諍《いさか》いはまた最初へ戻る。世間の詆《てい》笑《しょう》をもう再び浴びたくない気は喜和にあったし、それに今は「堪えて堪えて堪え詰めん」一思いは大分遠退《とおの》き、岩伍のいいつけ通り動いていても噴き上げて来るような腹立ちは薄れているのであった。

岩伍の立場なら子の名付け祝いを省くわけにも行かないのは道理だし、籍も、岩伍に

は実子である以上養女というわけに行かないのも喜和には頷ける。そればかりではなく、客宴の料理に釜屋《かまや》を使えば、全部の采配《さいはい》とまでは行かなくても二、三枚の皿鉢《さわち》作りなら助けてやってもよい、とまで喜和は譲っていた。が、岩伍の思いはどうなのか料理は一切仕出し屋に頼み、家では酒の燗《かん》をするだけでよいという。それを岩伍の喜和への意地、と見ればまた心が平らでなくなるけれど、此処は詮索《せんさく》抜きにあっさりと〝自分への劬《いた》わり〟と喜和は受取っているのであった。

あの日以来、大貞は一日置きに赤子の様子を見にやって来ていたが、この日も八つ下りにはもう現れ、

「おお、おお、ええ子や、ええ子や」

と覗き、

「毎日ずんずん肥《ふと》りよる。見い、岩さん、この唇許《くちもと》から鼻、あんたにそっくりやないか。こら別嬪《べっぴん》になりまっせ。上玉や。私なら二千円出しますな。いや二千五百円や」

などと廻りを笑わせた後で、釜屋に入って来て喜和の前に坐り、

「なあお喜和はん、ちょっと相談に乗ってんか」

と風呂敷《ふろしき》を拡《ひろ》げて、羽二重の産着を取出して見せた。

「今日の名付け祝いに縫わせたんやけど、どないやろ。あの子に似合《うつ》るやろか」

赤の地に観世水と桜を描いた友禅模様の産着は大きな元禄袖《げんろくそで》の綿入れになっており、

それに白羽二重の重ねがついて紐《ひも》は桃色錦紗《きんしや》の半幅もの、と大仰な仕立てになっている。

見るなり思わず喜和は口が出て、

「これはあの、お宮詣《まい》りの？」

と訊《き》くと、

「いいや、お宮詣りはお宮詣りで別にええの、もうちゃんと頼んだある。これは今日の名付けに着せたらあとは普段に下ろして、そう思てるけど」

大貞の答えを聞いて喜和は、寝てばかりいる赤子に余るほど拵えた産着の数といい、今日のこの仰山な仕立てといい、四月は土佐の夏、といわれる陽気をも考えて一膝《ひとひざ》乗出さなくてはいられない気持を抑えながら、しかし素直にいった。

「これはまあええ柄《がら》ですこと。けんどねえ大貞さん、赤子というものは大人の考えるほど寒がりじゃないですきに、この陽気に綿入れはどんなもんですろ。今日のお客が済んだらすんぐに綿を引抜いて袷《あわせ》にしちょいたら、夏頃までは着れますわね。そのとき、この元禄袖は小んまい平袖に直して貰《もろ》うて、序《ついで》にこの錦紗の紐も前紐はいきません。後から一本、木綿紐を千鳥《ちどり》絎《ぐ》けで綴《と》じて置いたら上等。

それから」

と、喜和は一寸《ちよつと》考えたが、口に勢いがついていて、

「この赤子《やや》は、産着の割に涎掛《よだれか》けを持っておらんようですけんど、ここの衿元《えりもと》が濡《ぬ》れるのは涎ばっかしじゃない。乳でも濡れるし、お湯もお茶も飲まさんならんときもありま す。産着で一番先に朽ちるはこの衿元ですきにね」

珍しく流暢《りゆうちよう》に喜和が話すのを、大貞は柔和な目で受けて、ほうか、ほうか、と頷きながら、

「こんな事はやっぱり子の二、三人も手掛けた人やないとあかんなあ。私は落第や。お喜和はん、遠見でもええさかいこれからも頼んまっせ」

火鉢の鉄瓶《てつびん》越しに手の甲を撫《さす》られんばかりの優しさでいわれると、喜和は途端に気羞《きはずか》しくなり、首筋の赧《あか》くなるのを隠す為に用事のある振りをして土間に下りた。

日頃廻《めぐ》りの遅い喜和でも、こうまで向うに身を引かれると、これが大貞からの「仲直り」の申入れである事は判る。それが算盤《そろばん》ずくなのか気が折れたのかは推察もつかないけれど、一旦《いったん》は大立廻《おおたちまわ》りをした相手からたとえ策略でも頭を下げて頼まれると、固く鎧《よろ》っている心の内も崩れそうになって来る。

その夜、ほんの内輪で、と断っても岩伍のやり方なら二階二間を打抜いた座敷に、皿《さ》鉢《わち》の物据えは三十枚からになった。床を背にした二尺ものの鯛《たい》の生け作りを見て、目のある客は、

「ほう、こりゃ網鯛じゃない。釣《つ》り鯛じゃ。見事なものよ」

と声を挙げたが、縁起を担《かつ》いで随分と念入りに注文したその皿鉢料理を見て、喜和は岩伍の心の籠《こ》めかたが判るように思えるのであった。

赤子の名は岩伍が選んで「綾子《あやこ》」と命名され、大貞が抱いて上座に坐り、朱塗りの盃《さかずき》を挙げて名付けの式を終った。この名を裏のイービーの先生にいわせると、

「さすが大将。白楽天の『繚綾《りょうりょう》』の詩から取りなさったか。『一尺の繚綾、織る事容易ならず』というてのう。大した名前じゃ。こりゃあ必ず、綾絹のように値打ち高く綺麗な娘さんに育つ事じゃあろ」

と岩伍に花を持たせた祝いようをしてくれるのであった。

客の座は箸拳《はしけん》も出ず、酔い乱れこそしなかったけれど、釣り鯛の生け作りを前にした祝いの席らしい華やぎと弾みはあり、喜和はその末座に連なって燗をしながら、心の内ではしきりに懐《なつか》しいものを呼び戻している感じがあった。

昔、二人の子供達がこのような赤子の頃《ころ》は喜和もまだ若くて、夜中に年子の一人が泣けば必ず一人も連れ泣きするのを、あやそうにも自身目を開けていられないほど睡《ねむ》く、遂《つい》には子を泣かしながら寝入り込んでしまって岩伍に叱《しか》られた事、決して子煩悩《こぼんのう》とはいえぬ岩伍も、一人を負い一人を抱き、子と共に途方にくれている喜和を見兼ねては手を助けてくれた事など、この酒の席の中で折々泣声を挙げている床前の赤子に重なって思い出されて来る。頑是《がんぜ》ない赤子を仲にした夫婦というのは、その小さい命一つの為にど

うしても一筋、強く繋がらざるを得ないのだと思えるのであった。

岩伍が使いを走らせて、「お前さんも是非」と招いた鉄砲町の楠喜《くすき》は少々の酒に真赧《まっか》になり、土産の折をぶら下げて宵《よい》の内に帰ってしまったが、その帰り際《ぎわ》、喜和を戒めて、

「お前も滅相《めっそう》意地を張るもんじゃないぜよ。自分が働いて赤子を育てんならんというじゃなし、甲斐性《かいしょう》持ちの岩さんが乳母まで雇うて当てごうてくれちょるじゃないか。こんな無益な費用《いりめ》は早うに省いて、お前自身で赤子を大事に見てやり。うちの子みたよに不具にせんように、のう」

としみじみいった言葉もずっしりと胸にこたえている。

無益な費用、と傍《はた》から見た楠喜もいう通り、暮以来岩伍から大貞に渡される巴吉《ともきち》の出産準備の金の嵩《かさ》は堆《うずたか》いものになろう事は喜和も察しがついている。その上、人増せば水増す、で、大貞への礼金から安江の給金、どれも法外に弾んでいる様子まで誰に聞かないでも判って来る。しかしその為に、喜和に渡す水仕の金を削っている訳ではなく、むしろ常より多めに渡してくれるのは内に気兼しているのではなくて、却って岩伍の気の張り、だと喜和は見ているのであった。

その証拠に、岩伍は今、曾《かつ》てこの緑町《みどりちょう》に宿替えした当座のように身心共に若々しく昂《こう》揚《よう》していて、脇《わき》にいる喜和からでさえ眩《まぶ》しく見える折もあった。気が向けば遊びに打込んでいた以前の斑気《むらき》はすっかり消え、このところ家業に精出して機嫌《きげん》も良く、店での客

との高話をこちらで聞いているると笑い声にさえ力の漲《みなぎ》っているのが感じられる。益《まつ》さん長《ちょん》さんを追立て追立て、取引先へも小まめに出向き、裏長屋へも朝晩に足を踏入れる。岩伍のその張りようはひとりでに家中の者に伝わり、ひと頃陰気な翳《かげ》の差していた家の内は、いま引緊《ひきしま》って明るくなっている。それは赤子の無事な誕生以来の変化であり、子に対する岩伍の変りようも喜和の目を瞠《みは》らせるものがあった。

古くから地震とびいびい泣きの女の子が何よりも嫌《きら》いな筈《はず》だった岩伍が、名付け祝いの後、ぐらりと一揺れ来たとき、先《ま》ず何は置いても赤子を横抱きにして往来に飛び出すほどこの子には濃い情を隠そうともせず、外から戻ると必ず赤子の部屋を真先に覗いては、

「泣かすなよ」

と、

「乳は腹一杯飲ましてやれよ」

と、安江に向ってくどいほど繰返す。

世間では乙《おと》は血の緒ともいい、乙子の、それも遅子ほど可愛《かわい》い事をそう譬《たと》えるけれど、岩伍の場合、歳《とし》の弱りなどではなく、先ず世間に対する責任と喜和は見る。あいだに大貞楼が入ってさえ女房が引取りを拒んだ外腹の子を、乳母を入れてまでも自分で育ててみせると一旦いったからには岩伍には岩伍の、男の意地というものがあり、その意地の

前には「子にかかずらうは男一番の恥」という建前も今は捨て去っているようであった。それはそれだけ岩伍がこの子育てに打込んでいるせいとも或《あるい》はまた、決して忘れてはいまい巳吉に対する思いの表明とも受取れなくはない。

喜和がそう判るのは子の誕生以来、陽《ひ》の射《さ》したように明るくなっている岩伍の胸の内にも唯《ただ》一点、喜和にだけは未《いま》だ心を開いてはおらぬと思えるふしで、それはどう間違っても喜和に向って「綾子」のあの字すら口にしない岩伍の態度から推測されるものであった。ああいう磊落《らいらく》な気質故《ゆえ》、「子を引取る位なら殺したらええ」と動転して叫んだ喜和の言葉を根に持っている訳ではあるまいけれど、僻《ひが》んで考えれば〝子は喜和に触らせぬ〟ふうな、頑《かたく》なな意地から出てあのような可愛がりかたをしている、と思えない事はないのであった。

五月の末、巳吉は大貞との約定《やくじょう》通り、産後三十三日が肥立つと家を畳み、もうその頃は土佐を打上げて大阪に戻っていた元の師匠小巴太夫《こともだゆう》の許へ旅立った話を喜和は聞いた。世間を憚《はばか》って、出産の前後百日近くも家から出なかった巳吉は、その日、銀元結《もっとい》の地味なつぶし島田に取上げ、黒の単羽織《ひとえ》を着て、ほんの近所廻りだけ挨拶を済ませたという。

絹と一緒に岸壁まで巳吉を送りに行った大貞はその帰り富田に寄り、二階の岩伍に顚末《てんまつ》を詳しく報告したあと、階下の長火鉢の前にも坐って、

「お喜和はん、あんたはしやわせ者だっせ。岩さんを大事に思わなあかんで。

巴吉はげっそり窶《やつ》れて、沈んでてなあ。とても子を生んだ女子のようには見えなんだ。私、酷《むご》うて酷うて、桟橋《さんばし》でひとりでに泣けて来てん」

と襦袢の袖口を引出して目に当てた。

この人の以前を考えれば、またもや人を騙《だま》す空芝居ではないかと却って要慎《ようじん》するほど大貞も今は喜和の前に気持を曝《さら》け出しており、喜和はまだいくらか戸惑いながらもそういう話を聞かされて嫌《いや》な気持ではなかった。

富田へは二ヵ月振りで戻って来た絹も目を泣き腫《は》らし、釜屋で菊を相手に、

「私、巴吉姐《ねえ》さんに上方《かみがた》まで付いて行てやりたかった。真実可哀想《まつことかわいそう》で」

と昂《たか》ぶった声で話している。

喜和の気のせいかも知れないけれど、大貞はこの日を境に妙に気弱になり、この人らしくもない愚痴を、それも特に巴吉の一件についての悔み話を、岩伍ばかりでなく、喜和にまで憚らず溢《こぼ》すようになっているのであった。今更何の仏心か、と思えなくもないが、それをこの人の胸の内に黒い禍心の取除かれた証《あか》し、と見れば、喜和も穏やかな思いでその我儘《わがまま》を聞いてやれるような気にもなる。

赤子が生れた日の夕刻、産婆《さんば》が臍《へそ》の緒を切って湯を使わせるなり、待ち構えていた大貞がすぐ抱き取って其《そ》の場で立とうとするのを、巴吉は産婆が止めるのも聞かず産褥《さんじょく》から這《は》い出して来て、せめて一晩その子と一緒に寝させてくれるよう狂おしげに頼んだと

いう。

「強《きつ》いとは思うたけどなあ。私は気を振り絞って、巴吉にはこの子の顔もろくろく見せんようにして真直《まつす》ぐ此処《ここ》へ連れて来てん。

巴吉はそらしっかり者やさかい、予《かね》てからこの日の覚悟はちゃんと決めてましたわ。決めてましたけどな。実際、何時間も痛い目えして生んだ我が子を目の前にしたら、せめて一晩でも親子として一つ蒲団《ふとん》で寝てみたい欲が出るのはこら当り前や。せやけどな。ここで私が巴吉の情に負けてしもうて、一回でも乳飲ませたりすると母子の契《ちぎ》りいうもんが出来る。巴吉かてなお情も移る。

これがな。赤子と巴吉がほんの一時《いつとき》の別れというねやったら話は別やで。いつぞまた、晴れて母子の名乗りが出来るねやったら、そら私かて、あの場を見たら一晩ぐらいの猶予《ゆうよ》は置いたります。けどな。この子はもう、巴吉とは生れたその時から縁切れや。腹を借りたというだけや。

なあ、そうやろ。この子の親は岩さんとお喜和はんやろ。一生涯《いつしようがい》、死ぬまでそうやろ。それやったらここで情は要らん、お互い顔も知らん方がええ、乳も飲ましたらあかん、こない思うて私は鬼の役目、果しましたのや。

なあ岩さん。お喜和はんも聞いてや。私ももう歳やろかいなあ。こない役目はもうもう嫌や思います。しみじみと酷うて、自分も辛《つろ》うてなあ」

これが以前、抱えの妓が妊娠しても臨月まで客を取らせ、流産しても商売を休ませなかったという、鬼の大貞の言葉かと疑うくらいそれは意気地の無いもので、聞いていて喜和は、これが何の魂胆も無い仕方話だとしたら大貞も僅《わず》かなあいだに随分と変ったもの、と思うのであった。聞くところによると大貞楼は昔、新地の脇の二間しかない素人《しろうと》家を借りて抱えの妓《こ》一人で始めたといわれており、夜は大貞自身往来に出て客引もし、妓の部屋とは障子一重の隣の部屋にいつも坐《すわ》っていて、妓を片時も休ませる事の無いよう次々客を廻したという。こんな話はどこから洩《も》れるのか、客を取っている最中の妓に大貞が合図を送って、煙管《きせる》を一つ叩《たた》けばあと一人客が待っている故早うおしやす、二つ叩けばあと二人、三つは三人、とんとんとんとんと立て続けに叩けば、今日はもう終《しま》いやさかい今の客にようサアビスして裏を返して貰うよう勧めなはれ、と抱えの妓をまるで犬猫《いぬねこ》以下に扱ったという噂《うわさ》であった。今の大貞楼は、潰《つぶ》れ掛かっていた旭《あさひ》楼を以前から続いていた旦那《だんな》との手切金に買って貰ったものだけれど、それを大きくしたのは大貞がこうして貯《た》めた金であった。娼妓《しょうぎ》を強く締めつける経営は自身締めつけられた経験の上に成り立つもので、それを思えば細かい事実は知らなくても、大貞の過去はほぼ窺《うかが》う事が出来る。つい近頃も抱えの一人が、

「うちのお母さんにはほんまに赤い血が流れておるものか、一遍腹断ち割って見てやりたい」

と泣いて岩伍に訴えていたのを喜和は聞いているだけに、自分から鬼の役目などという俄《にわか》な心弱りは不思議なものとさえ目に映るのであった。

どんなに打解けても自分の身上話を口にするような人ではない故《ゆえ》憶測しか出来ないけれど、或はひょっと大貞は若い頃、今の巳吉に似た事情で子を生み捨てではいまいか、と喜和には思えるふしもあった。抱えの妓の妊娠沙汰《ざた》を度外れて嫌がるのもその事情の裏返しかも知れず、いま巳吉の子の仲立ちしながら昔の我が身を沁々《しみじみ》と悔いているところかも知れなかった。そう思えば情無し、と人にいわれた大貞の胸の内も涙を乾《ほ》してしまった挙句の、商売に徹した覚悟かも知れず、自分を固く縛っていた縄目《なわめ》をほどけば大貞も矢張り世間並の、涙も鹹《から》く血も噴き出る一人の女と見るのは喜和の考え過ぎであったろうか。

この大貞の涙混りの述懐を聞いていると、喜和は自分の怨《うら》みは別として、巳吉という若い女の姿が儚《はか》ない哀《かな》しみを誘って思いに泛《うか》んで来る。大貞のいう、〝まるで朝影のように薄く痩《や》せ細り、喪中の人のように辛そうで〟との言葉から推す巳吉は、曾て喜和の前に牡丹《ぼたん》の花のように咲き傲《おご》り、朗々と〝朝顔〟の節を伝えて寄越《よこ》した巳吉とは全く別人のように感じられ、喜和は一瞬、未《いま》だに根強く残っているその人への怒りを何処《どこ》へ向ければよいか、ふと困ってしまうような思いにもなる。

それにしても、「寒空に透徹《すきとお》りけり鶴《つる》の声」と謳《うた》われた豊竹呂昇《とよたけろしょう》に似て、声を枉《ま》げず殺さず、天然のままの持味で芸を伸ばし、人気も器量も次第に上昇してやがては本人念願の、上方に席を持って真打を語る日も満更夢ではないと思える時期に、あの華やかな舞台衣裳《いしよう》を惜しげもなく脱ぎ捨てる羽目に、巴吉は何故《なぜ》自分を追込んでしまったのだろうか、と喜和はときどき、その人の身の上を思いやってみる日もあった。女が、桃割や結綿から好きな男の為《ため》に赤い手絡《てがら》の丸髷《まるまげ》に結い変える嬉《うれ》しさは女だけが知るもので、巴吉も、「入り易《やす》く達し難い」といわれる浄瑠璃《じようるり》の世界の長さ厳しさの疲れから、大丸髷で長火鉢《ながひばち》の前に坐る安楽さにふと憧《あこが》れたのかも知れぬ、と思うと、利口者といわれた巴吉の女心が、それはそれでふといじらしくもあった。喜和にとっては日々溜息《ためいき》の出るような、ただ忙《せわ》しなく騒々しく気苦労ばかり多い富田のこの宰領の座が、巴吉にはこの上もなく住み良く温かな場所と見えたものでもあろうか。

それとも、この家の苦労は充分承知の上で、これまで積み上げて来た自らの芸を抛《なげう》ってまでも、岩伍《いわご》という男に女の生涯を賭《か》けたというべきなのであろうか。

孰《いず》れにしても、喜和は巴吉のこの結末を見て、〝あの人も凶《わる》い夢を見たものよ〟と思うのであった。人気上昇中に高座を引き、噂の中で子を生み捨て、一旦は丸髷に結った身を今更またつぶしに返し、元の師匠に詫《わ》びを入れて一人旅立ってゆくは、その身になればどれほど恥多い思いであろう。かの豊竹呂昇も最初岐阜へ縁づき、一男一女を挙げて後一人離別の憂《う》き目に会ってはいるけれど、これは芸の道に入る以前の話で、巴吉のように現在打っている高座を引いてまで子を生むのは、矢張り一つの大きな躓《つまず》きであろうと思えるのであった。

子を手離す母親の辛さは、赤子がこの家に来て以来、喜和は夜半にふと醒《さ》め、軒下にひょっと巳吉が佇《たたず》んでいるのではないか、と感じた事が一再ならずあった。特に雨の夜など、傘《かさ》に当る雨音を現《うつつ》に聞き、余程立って雨戸を繰ってみようかと考えた折もある。それを抑えたのは喜和が同じ子を持つ母親であるが故で、仮に自分と巳吉とを置き換えてみた場合、子に惹《ひ》かれて本妻の家まで忍んでゆく姿は決して人の目に曝すべきものでない、と考えるせいであった。

巳吉は若いだけに、吸う子の居らぬ乳房の張りに堪《こら》え難い幾晩かは定めしあった事であろう。そんなとき、常盤《ときわ》町からはいくらも離れていない緑町まで夜道をふらふらと辿《たど》ってゆき、せめて富田の軒下で子の泣声なりと聞いて胸を撫《さ》する、そんな場面を喜和は思いやり、寝床でじっと雨の音を聞いているのであった。

日が経《た》つにつれ、喜和の心はだんだんと平らに宥《なだ》められ、日常赤子の事で波立つ例はもう極く少くなっている。人の身は月の盈虧《みちか》けというけれど、去年の暮、鉄砲町であてどない涙を流していた頃を星も見えぬ宵闇《よいやみ》とするならば、今はその相手と入替って三日月もやや肥えた頃、とでもいうべきであろうか。まだ満月の思いに立ち到らないのは、顔も差覗《さしのぞ》かぬ赤子を仲にして岩伍との隔たりが縮まらぬ事で、それは一寸見《ちょっとみ》では人に判《わか》らぬ喜和の心の内の悩みでもあった。

折に触れ思い返してあの節、子を引取らず手切金一本で話をつけていたとしたら、外腹へ子の生ませ放しを岩伍が世間から非難され、今のような平穏はこの家に戻って来なかったかも知れぬと思うと、喜和は大貞のやり方も時に適《かな》ったもの、と今頃になって考えられて来る。今は喜和も其の心の和《なご》みをそのままに、子の襁褓《しめし》の干場を明けておいてやったり、安江の乳の出を良くする為に朝夕の汁に餅《もち》を入れてやったりの心遣いを、別に恩着せがましい思いでなく、自然にやれるようになっているのであった。

自分は手を下さないでも家に赤子の居る日常とは妙に小忙《こぜわ》しいもので、それもしかし次第に習慣となるに従って喜和は自分の身の廻りを眺《なが》める心のゆとりを取戻しつつあった。この年の気候はどうにも不順で、今にも夏が来そうにじっとり汗ばむかと思えばまた袢纏《はんてん》が欲しくなったりで、なかなか定まらなかった。

五月ももう末の朝、陽のずんと差登らぬうち、と中庭に蒲団を干していて喜和は思わずよろめいて植込みの中に踏込み、椿《つばき》の木の根元を振返って砂糖のように細かく光ったものを見つけ、

「まあ、忘れ霜！」

今年の名残りの霜、とちいさく声を上げた。そういえば昨夜は常なく冷えて、と思ううちふと去年ここで蜥蜴《とかげ》を見た日の事が泛び、何気なく根元を覗き込むと、どういう偶

然かいまもまた躰面暗緑色の小さい一匹がじっと蹲《うずくま》っているのであった。

喜和は見るなり急いで飛び退《の》いたが、何故か躰《からだ》中を熱いものが駈《か》けめぐり、胸ははあはあと喘《あえ》いでいる。去年は病いに向う龍太郎《りゅうたろう》の酷さの前に、蜥蜴の命のしぶとさが堪《たま》らなく憎々しく見えたのだけれど、今はそれとは違った血の揺さぶられかたであった。よく見れば蜥蜴は一匹しか居らず、それもまだこの寒さに悴《かじか》んでいるのに喜和が見た幻は何であったろうか。蜥蜴は一匹ではなく二匹がじっと重なったまま、夫婦の契りという美味を思うさま飽食しているかに見え、その恣《ほしいまま》な姿は此《こ》の頃ずっと間遠な我が身に引き較《くら》べ、目に灼《や》きつくほどの残酷な刺戟《しげき》ではあった。そういえば二人寝の閨《ねや》のほっこりとした温《ぬく》もりを、喜和はもう何時《いつ》の頃から忘れているのであろうか。虔《つつ》しみを忘れてはならぬ女の身でいながら、しかも朝の庭で、思わずも蜥蜴に夫婦の姿を見てしまった自分に喜和は赧《あか》くなり、いったい岩伍との仲が元通り打解ける日は何時の事か、と思うのであった。

喜和の胸の内の揺れを知ってか知らずか、岩伍はこのところますます仕事と赤子に打込み、ほんの僅かな心の隙間《すきま》さえ誰にも覗かせないように見える。その頑なさは喜和の前に取付く道さえないほど高く聳《そび》え立っている感じがあり、これではこちらから軽口を利《き》いて夫婦の仲をほぐそう術《すべ》もない。喜和の思いは、いま岩伍が身構えを解き、

「矢張り馴《な》れぬ子やらいはしんどい。お前に渡す」

とても冗談めかしていってくれたら、喜んで、とまでは出来なくてもせめて文句の一ついわず、そっくり子を引受けるだけ、胸の氷は解けているつもりであった。

しかし富田の家の習慣は岩伍から男衆の端に至るまで、喜和は赤子に手を出さないもの、と決めて掛かっており、手ばかりか、子の話さえも正面切って聞かせてはならぬもののように誰も心得ている。赤子の話で沸いていても喜和が入れば当然のように口を噤《つぐ》むし、遅まきながら次第に事情の判って来た安江なども喜和にはおどおどとし勝ちになる。三日に上げず子の顔を見にやって来る大貞でさえも、遠見には頼んまっせ、とはいっても、今更子はあんたが引取りなはれ、などと角の立つ話は口にする筈も無いのであった。

取越し苦労かも知れないが、喜和は人にも明かせぬ胸の内を一人往来していると、子が育ったときの、この家の中に打樹《うちた》てる位置と自分とのちぐはぐな関係が目に見えるように泛んで来る。父親、兄二人の強い庇護《ひご》のかげにいれば喜和も菊や絹を扱うようには行かず、ましてこの子には世間の目も集っている。女の子故、表立って威勢を張る事はあるまいけれど、大貞の後楯《うしろだて》など考え合わせると万一の場合、喜和のほうで位負《くらいま》けするような事になるかも知れなかった。それを思えば、この難しい関《かか》わり合いを乗切るには、曾《かつ》て大貞もいったようにこの子とは「一生涯母娘」でいるのが一番いい方法のように思える。それはまた、岩伍との仲直りをも意味しており、喜和はその日の来るのをいまは心待ちする思いであった。

喜和のその思いが通じたのか、機会は向うから極く自然にやって来たが、それは七月も半ばの、梅雨明けと共に蚊帳《かや》を吊《つ》り始めたばかりの蒸暑い夜の事であった。

喜和は階下から聞えて来る赤子の泣声の、いつもとは少し違った響きに箱枕《はこまくら》から片頬《かたほお》を上げ、じっと耳を澄ましている。自身手を下さなくとも、喜和は遠くからの泣声で赤子が日に日に肥《ふと》りつつある模様を捉《とら》えており、此の頃《ごろ》では元気な泣声を耳にしてから自分も眠りに就くのが、一日の終りの慣《なら》わしになっているのであった。

赤子はいつも「おわ、おわ」と短く泣き、添寝の安江が乳房を当てがうといっとき鼻を鳴らしてやがて寝入るようで、その様子は喜和には目に見るように判る。それが今夜は何故か元気が無く、「ふあー」と長く弱々しく引き、何処《どこ》ぞ躰具合でも悪そうな様子に受取れる。

今日は昼間、皆で家の廻《まわ》りの溝《どぶ》を浚《さら》い、釜屋《かまや》へも蚤取粉《のみとりこ》を撒《ま》いたりして一寸した大掃除をやってのけた関係から家中早目に床に就いており、岩伍も組合の寄りに出掛けて静まり返ってはいるが、まだ夜はそんなに更《ふ》けていない筈《はず》であった。さっき階下の、ゼンマイの緩んだ柱時計がけだるそうに打つ音が聞えたけれど、あれは十一時ではなかったろうか。

喜和は床の上に起き直り、暫《しば》く階下の様子を窺っていたが、赤子の声は次第に弱って来るように思えるのにそれを宥める安江の言葉も気配も聞えず、何やら胸騒ぎが昂《たか》まって来る。子の病いは一寸遅れが命取りになる、と思えばこの上の油断はならず、喜和はやっと決心して寝巻の紐《ひも》を締め直すと暗い階段を下りて行った。

茶の間の菊と絹、奥の男衆達の部屋からは鼾《いびき》が洩れているばかりで起きている気配は無く、安江の部屋も五燭《しょく》の電燈を点《とも》したまま、引息の弱い赤子の泣声以外もの音も立てぬ。喜和は青蚊帳の外から目を凝らして覗いた瞬間飛び上るほど驚き、蚊帳をめくって赤子の傍《そば》に駈け寄ると、顔を塞《ふさ》がれていた重い大きな安江の乳房の下から赤子を引摺《ひきず》り出して抱き上げた。

殆《ほとん》ど仮死状態、とも見える赤子は喜和の手の中で揺すられているうち、大人が嚏《くさめ》をする直前のような痙攣《けいれん》を五、六度繰返したと思うと、やがて小鼻を張って激しく泣き始めた。喜和はほっとし、急に両腕に重みを感じると共に、何やら目頭の滲《にじ》んで来るような、気恥しいような熱い感動に捉われているのであった。足許《あしもと》では安江が蚊帳の吊手を外し、じっと項垂《うなだ》れている。

考えてみれば、この子の瀕死《ひんし》の泣声が遠い二階の喜和の耳に届いたのは誠に偶然というよりほかなく、それを聞いた喜和が初対面のこの子の許へ躊躇《ちゅうちょ》なく駈けつけたというのも不思議な符合であった。腕に赤子の躰の重さを覚えたとき、喜和は何故ともなく、何かが自分の掌《て》の中に戻ったという確かな手応《てごた》えを感じたけれど、あれは昔、死産した女の子の小さな魂が喜和の懐《ふところ》に甦《よみがえ》ったものではなかったろうか。それを思えば途中の悶着《もんちゃく》はあっても、この子は矢張り喜和の育てるべき運命であったかも知れぬ、と喜和は今更のように思えるのであった。今はもう迷わず、喜和は足許の安江にいった。

「今晩からこの子は私が連れて二階で寝る事にします。あんたは今まで通り階下に居って乳を飲ませるだけでええ。さ、この子の着換えやら襁褓やらを二階へ上げて来て」

この失策の為に、この場で暇を出されるのではないかと震えていた安江は、いわれて一旦《いったん》金時人形のように真赧《まっか》になり、それがすぐ安堵《あんど》の色に散ると、この夜中にいそいそと赤子の引越しに物音を立てるのであった。

この話は、夜中の騒動に「何？　何？」と寝呆眼《ねぼけまなこ》で起きて来た男衆たちの口から、翌《あく》る日はもう昼前に町内に拡《ひろ》まり、拡まってしまえば喜和も落着いて人との応対も出来る。喜和が珍しく見せた子を受取らぬ、という意地の強さは忽《たちま》ちのうちに昔話となり、安江は矢張り八分目《はちぶんめ》、として人々の失笑の的となるのであった。

喜和の瞼《まぶた》にこの夜の情景は後々まで灼《や》きつき、折に触れ、一種の後めたさとなって自分を疑う事もあった。それというのも、あの夜は昼間の疲れで皆眠りこけており、当の安江でさえも夢うつつ、としか憶《おぼ》えのないものだとすると、事実を見たのは喜和一人、という訳になる。中庭に蜥蜴の夫婦の幻を見て以来、心が急に靱《しな》やかに和み、赤子を我が手に受取るのを秘《ひそ》かに望んでもいた喜和が、夜更《よふけ》にふと内なる自分の誘いに唆《そその》かされ、ついふらふらと降りて行って安江を刎《は》ね除《の》け、赤子を手に取上げたとしたら、と思うと、喜和はあの晩、ひょっと自分は夢を見ていたかも知れぬ、と心が揺らいで来る。気質から考えれば、見え透いた小細工など立てようもない人間だけど、赤子中心に廻り始めている此の家の中で、もうあれ以上除け者の憂さには耐えられなかった事を思えば、若《も》しや、と自分で自分を怪しんでもみるのであった。

そう考えると一人悪者になってしまった安江に対して負目を持つ事になり、喜和が子を預かれば乳母は通いで事足りるのは判っていても、その年一杯、九ヵ月も住込みのままで止め置いてやった。菊の口から、

「安江さんは、富田は御馳走《ごちそう》ずくめで躰も楽じゃきに、農人町へは去《い》にとうないといいよります」

という告げ口を聞き、それが安江の本音であるのを確かめ、少しでも叶《かな》えてやりたく思ったからであった。

肝腎《かんじん》の岩伍はあの晩、寄りから戻って喜和の傍に寝ている赤子を見出《みいだ》し、驚きの余り口も利けぬ、という態《てい》でじっと暫く瞠《みつ》めていたが、軈《やが》て黙って寝床へ入ってしまった。喜和は岩伍がこの仕儀を喜んでくれぬ筈はない、と信じていたのに男には女子に覗かせぬ深い淵《ふち》を胸の内に湛《たた》えてでもいるのか、以後も格別嬉《うれ》しそうな様子は無く、無論何も

聞きもせずいわずじまいになっている。

四

土佐でいう「ほんそ」の言葉は、秘蔵の、とか、大切な、とかの意味を持つもので、仮に字を当嵌《あては》めるとすると「本蔵」が一番ふさわしい趣となる。それは主に子供に対して使い、赤子の綾子《あやこ》が育つにつれ、誰からともなく家の内外、「ほんその嬢《いと》さん」やら、「富田のほんそ」とやら呼んで、本名を口にするものは僅《わず》かな身内だけとなっている。

喜和が綾子を引取ってからというもの、家の中で赤子の話題は天下晴れて大っぴらとなり、ましてこの家に珍しい女の子ならこの子の守《も》りは皆引奪《ひきば》いで、綾子は小さい時分から米《よね》の背中、亀《かめ》の背中、庄《しょう》の背中、良吉の背中、と按配《あんばい》され、中でも菊と絹の、この子を仲にしての諍《いさか》いは毎日のようにあった。菊が綾子の頭を持ち、絹が足を持って互いに譲らず、

「私が守《も》りするきに、お前はその手を離しや」

お前こそ離しや、お前こそ、といい張って綾子を泣かしている図はしょっちゅうで、仲裁に入った男衆が腕力で綾子を引っ攫《さら》い、肩くまに乗せてそこら中を逃げ廻ったりす

るのであった。

小んまい生きものながら赤子というものの力は偉いもの、と喜和がつくづく思える事は、綾子は富田の家ばかりでなく、いってみれば何の関わりもない鉄砲町の皆の顔付きさえ変えてしまうのを見ても判る。喜和が背に負うてほんの一寸、と立寄っただけでも手を置いて家中入替り立替り弄《つつ》きにやって来、「一寸」がつい子を仲にした長談義になってしまう。ここも男の子ばかり故《ゆえ》、女の子は可愛《かわい》く、赤子も珍しいのは頷《うなず》けるものの、面白いのは楠喜《くすき》の情の示しようで、無口の上に無愛想、と来ている男が、綾子を見ると顔中の造作が毀《こわ》れてしまったような相好《そうごう》の崩しかたをする。二人の我が息子には歯を見せる折も滅多にない楠喜が、綾子にはまだ赤子の時分から「伝馬《てんま》」やら「玄米パン」やらと綽名《あだな》をつけて呼び、心《しん》から楽しそうにじゃれ合うのを見ると喜和は不思議な思いがするのであった。

綽名の「伝馬」は、母船にくっついている伝馬船の事だから判らない事はないが、玄米パンとは、それはまた何？ と訊《き》くと、楠喜は照れ臭そうに横を向いて、

「ほやほやよ」

という。そういえば下町一帯、「玄米パンのほやほやー」と長い呼び声を引いて売りに来るパン屋があり、白い晒《さらし》の布きんを除けるとしっとりと湿った、あたたかい白い玄米パンがむくむくと籠《かご》に盛り上って美味《おい》しそうに現われる。その餡《あん》パンと綾子の何処が

似ているのか、まともに考えればまるきり関わりはないようだけれど、あたたかいパンの「ほやほや」という言葉の響きは、皆にほやほやと大切にされている綾子の身を、何となく象徴している感じはあった。

綾子を育てるようになってから、喜和がさいさい鉄砲町へ行くようになったのは、自分自身の安堵を確かめる為《ため》ではないか、と喜和はときどき変化《へんげ》したいまの自分を思う事もあった。その子は受取らぬ、といった身が今はけろりと忘れ、綾子の食べさしでも平気で自分の口に入れるほどののめり込みようを、人はどう見ているのかとときには気にならぬ事もなく、醒《さ》めた目で辺りを見廻す思いもある。世の中は人それぞれ、坂本の姐《ねえ》さんのように、

「これでええええ。傍《はた》の者も寛《くつろ》ぎました」

といってくれる人もあれば、喜和の下心を探るように、

「姐さん何ぼかやり難《にく》かろうが、相手は子供じゃきに、ま、またやりようを考えて気を晴したらええですわね」

と、暗に継子《ままこ》苛《いじ》めを嗾《け》しかけてゆく、保険集金人の青木さんなどもある。

喜和はそういうとき、多少の後めたさときまり悪さへの言訳として、鉄砲町の楠喜を初め、「ほんそ」を訛《なま》って「ほん子よ、ほん子よ」と嘗《な》めつくようにいとしがる母の梅や、

「うちは赤い切れの用事はないきに、綾ちゃんに」と貯《たくわ》えてあった自分の若い日の羽織の胴裏などで、小さなそうたを縫ってくれる嫂《あによめ》などを、心強く胸に喚《よ》び起すのであった。他人でいながら綾子に打込むは、何も自分一人じゃない、と思えば聊《いささ》か胸も広くなる。世間でも普通「生んだ子より抱いた子」といっているのも、これから先の喜和の心の味方でもあった。

岩伍《いわご》はあの蒸暑い夏の晩、組合の寄りから戻って喜和の手に引取られた赤子を見て以来、また元の不機嫌《ふきげん》が徐々に戻りつつあった。それは何故《なぜ》？と人に問われても岩伍自身明白に答えようもない、心の襞《ひだ》かげに隠れている、それでいて絶えず自分を圧迫して止《や》まない思いでもある。強《し》いていえば、綾子が生れたとき岩伍には近年憶えのない力が身内に漲《みなぎ》り、男手一つで子を育て上げてみせるという、張り詰めた思いがあった。それは、喜和に対する意地のような小さい了簡《りようけん》ではなく、かといって別れた巴吉《ともきち》への未練がましい義理というでもなく、元来闘い事の好きな男の、四十の厄《やく》を過ぎた自分自身に課してみる、力試しのようなものでもあった。その胸の奥には、二人の息子が思い通りに育たなかった事についての喜和への失望も無いとはいえなく、女親の甘やかしなど届かぬ場所で思うように子を育ててみたいという、たまたま内に目を向けた男親が惹《ひ》き入れられる儚《はか》ない幻影の一つであったともいえる。一つ家に居て女房に触らせず、馴れぬ手で女の子を育てるなど難しいわざを、岩伍はどう誤まって決意していたものであろうか。

子が喜和の手に移ってからまだ思いは捨て切れず、喜和の懐の中の綾子を差覗《さしのぞ》いてはあれこれ指図はしていたけれど、もともと話合いの苦手な、気短かな岩伍に綾子はなついて行かないのであった。もの心ついてから、大人たちがさあ、と出した手にこの子が飛び付いてゆくのは喜和の膝《ひざ》だけで、夜など騙《だま》して岩伍の閨《ねや》に入れてもじき泣き喚《わめ》いて喜和の許に逃げ帰る。それを岩伍はときに岩伍らしくもなく、「また自分流に手なずけて」と喜和を見たくなり、喜和は少々の誇らしさと共に、それはこの子の病弱故、と考える。

喜和は、安江の乳の出が悪くなってから牛乳を補ったが、長屋の牛乳配達の爺《じい》さんから「一升飲みの嬢《いと》さん」といわれるほど肥えていたにも拘《かかわ》らず、綾子はひどく癇癖《かんぺき》の強い病い勝ちな子に育って行った。

病気は躰中順廻りで切れ目なく、重いのはジフテリヤを筆頭に、腸加答児《カタル》扁桃腺《へんとうせん》は問屋とばかり、軽いのは足の裏の魚の目の手術まで、小児科は帯屋町の竹内病院、耳鼻科は本町の加藤耳鼻科、眼科は中島町の黒岩眼科、と、年中入院通院を繰返す。綾子は躰の加減の悪いときほどますます喜和を自分に引きつけ、他の者を寄せつけない気難しさがあった。庭に七面鳥の遊んでいる竹内病院への入院は、帯紐解かない看病ではあっても緑町《みどりちょう》の日常から外される気楽さがあって喜和はむしろ楽だけれども、通院の苦しさはときどき「好かれる身の因果」をこぼしたい折もある。冬は風邪引きから必ず扁桃腺中耳炎、夏は決まって赤目の結膜に罹《かか》り、綾子を背に毎日の電車通院を見て家中の誰かが手代りを申出ても、肝腎の綾子が泣き喚いてどうしても受付けないのであった。冬、綿入れの仲子《なかこ》で背負うのはいいとしても、俗に目病みの一廻りは七十日といい、炎熱の日盛り、二タ月も黒岩病院に通う喜和の単衣《ひとえ》は肌《はだ》の白さが滲《にじ》み上るほどぐっしょりと躰に貼《は》りつき、これも汗疹《あせも》だらけになった綾子と共に難行苦行という態たらくになる。

喜和はしかし、綾子を手掛けていて思うのはこの子は子育ての張合いというものを、親の自分にたっぷり味わわせてくれる事で、それは男の子二人には曾てない確かな手応えであった。一度、綾子の寝た間にほんのちょっと、と思って一人で鉄砲町の法事に出掛けてゆき、夕方から思わぬ大暴風《おおしけ》雨になったときの事、綾子は喜和の後を慕ってどうしても泣きやまず、遂《つい》には米が決死の覚悟で背負って連れて来た事件は、その後も喜和の胸に長くちいさな灯《ひ》を点《とも》しているのであった。

鉄砲町に着いたとき、米も綾子も、飛んで来るトタン屋根や石や瓦《かわら》を避《よ》ける為、頭には座蒲団《ざぶとん》を括《くく》りつけ、躰は毛布夏蒲団雨合羽《あまがっぱ》で雁字《がんじ》搦《がら》めに縛って異様な装立《いでた》ちであった。その上、泣き疲れて声の嗄《か》れた綾子の顔は涙で泥《どろ》のように汚れており、手には喜和の拵《こしら》えてやった黍皮《きびかわ》の人形をしっかり握っている。それだけ見れば喜和にはもう何を聞かなくても判り、電燈の消えた暗い店の蠟燭《ろうそく》の灯《あか》りに家中集っては入替り立替り綾子を宥《なだ》めているさま、その執拗《しつこ》さに癇癪《かんしゃく》を起した岩伍が綾子を怒鳴りつけているさま、それに怯《ひる》

まずますます声を挙げて泣く綾子、とうとう、

「誰ぞこの子を鉄砲町へ連れて行てやれ」

と見廻《みまわ》す岩伍の声も外の風雨に吹き消され勝ちになり慴《おび》えて尻込《しりご》みする男衆たち、その様子は目に見るように泛《うか》んで来る。

　これは綾子の、二つになるやならずの頃《ころ》ではなかったろうか。喜和が感じ入るのは、何事にあれ岩伍の大喝《だいかつ》に会って家中縮こまらない者は一人もいない中で、女の子ながら頑《がん》として自分を貫く強さは、曾《かつ》て「火の玉の岩」などといわれた岩伍の激しさそのままと見る。同じ岩伍の気質の受継ぎでも、龍太郎《りゆうたろう》は病いから来る自らの制御に耐えて人を巻添えにはしないのに、綾子は家中を掻《か》き立てて憚《はばか》りもないのであった。

　女の子は母親の伽《とぎ》、というけれど、綾子の場合、病弱も手伝ってあまりにも楠喜のいう母親の「伝馬」になりすぎ、子供らしさが薄れているのではあるまいか、と喜和は折々気にも掛かる。町内の子供は朝から日の暮まで家の中などに居りはせず、群になっては裏の原っぱの虫獲《むしと》りからお稲荷《いなり》さんの銀杏《ぎんなん》拾い、一銭貰《もら》えば躍り上って喜びその場で菓子屋へ走るのに、綾子はどんなに勧めてもこの群に入ろうとしないばかりか、往来に出るは嫌《きら》い、蜻蛉《とんぼ》も虫も恐《こわ》がるだけと来ていて、家にさえ居れば喜和の前掛の端を握って離さない一日になってしまう。食べ物でさえ綾子は変っており、沢村に並べてある黄粉《きなこ》をつけたべろ羊羹《ようかん》、「山羊《やぎ》の糞」の黒飴《くろあめ》、ねじりん棒から金米糖《こんぺいとう》、割箸《わりばし》で巻《もく》う水飴《りようせん》

など一切口にせず、好物は魚《うお》の棚《たな》の焼竹輪を指に差して菓子代りに食べる事や、秋になると岩伍の釣《つ》って来る鰡《ぼら》の臼《うす》の串焼《くしや》きなど、大人の舌に似たものなら喜んで飛び付いて来る。

喜和はこんな綾子の手を引いて、遠い昔のようにまた菜園場《さえんば》の畳屋へ出掛けて行くのであった。喜和が娘の頃店番をしていた老婆《ろうば》は疾《と》うに亡《な》くなり、品物も時代と共に移って今はハイカラなキューピーや眠り人形《でこ》、紙の着せ替え人形や塗絵など珍しいものが仰山出廻っている。喜和は綾子を長火鉢《ながひばち》の前に坐《すわ》らせ、支那鞄《しなかばん》のお蔭《かげ》で今は用の無くなった柳行李《ごうり》に詰めてある着物の出切れを掻き混ぜては、人形の着物を縫ったり、前垂れの紐《ひも》の亀甲絎《きっこうぐ》けをしたり、接合《つぎあわ》せのおじゃみには小石、米、小豆、をさまざま混ぜて作ったりしているとき、いつとはなく心がふっくらと膨らんで来て、忙《せわ》しない日常に追われている身の憂《う》さも忘れてしまう。それは、いくつになっても胸の隅《すみ》に残っている喜和の中の「娘」の部分がよい遊び相手を得て起き上り、憚りなく声を挙げてじゃれ合える楽しさであった。男の子は喜和が念入りに拵えた人形でもおすべ紙でもその場で引毟《ひきむし》り、引破く荒っぽさだったけれど、女の子は箱に蔵《しま》い切れに包んで大切そうに取って置くのも、女の子を育てる甲斐《かい》、と胸がやわらいで来る。

綾子は、喜和が拵えるさまざまの手遊びものの中で赤子の頃から一番「菊板」を喜び、菊の葩《はなびら》を毟ってちり紙に包み、火鉢の下に敷いて作る平らな花の板を、秋になると待ち兼ねるように喜和にせがむ。そのうち自分でも作れるようになると一人で工夫して、黄と白のだんだらや、芯《しん》に赤を入れた白菊の丸板や、鴇色《ときいろ》と白の斑《ぶち》など綺麗《きれい》な模様の板を縁側に並べては香りを立てて上機嫌であそぶのであった。

喜和は綾子と遊んでいるとき、

「富田の姐さんはよくよく暇な人よ。ええ事よ。年中子供と遊びよって」

という皮肉混りの声が聞えるのを知らない訳ではないけれど、今はもう町内の噂《うわさ》に憎《おび》えるほど心は弱くはなく、綾子を恃《たの》んでいれば恐《こわ》いものなし、ほどの強さにもなっている。町内の声の蔭には巴吉の因縁《いんねん》が絡《から》んでいる事もうすうすは判《わか》っても、喜和にとってそれはもう忘れてしまいたい遠い昔の事であった。

昔、菊や絹を育てたように、四六時中相手の生れを頭に泛べていては気分は伸びず、今日から我が子、と無理矢理信じるところに親も子も生きる道がある。ただ綾子の場合、生みの親が喜和と激しい関《かか》わりのあった間柄《あいだがら》故、全く念頭に無いといえば偽りかも知れないが、喜和は今、一種勝ち誇っている思いもあって、その迷いは身の内から弾《はじ》き出している。幸い、綾子の気質が岩伍に似ている事もあり、それにまだ赤子の時分から、差覗いた人が必ずいう、

「これはまた、お父さんによう似た赤さんで」

との言葉も喜和の安堵《あんど》を裏打ちしており、今となっては相手の巴吉を見たのはたった

一度、それも高く装い上げた舞台の上下、という出会いだったのは却《かえ》って幸いかも知れなかった。

喜和の変りようを文句なし喜んでいるのは大貞《だいさだ》で、誕生以来、綾子を実の孫ででもあるかのようにはらはらと案じては一週間と富田への足が遠退《とおの》いた試しはない。この人、若い頃から沢山の人の涙を見、数々の修羅《しゅら》場《ば》を経て来ている筈《はず》なのに、喜和の憶測が当っているのか今度の件は余程こたえているらしく、綾子への常ない打込みようは何かの罪亡《ほろ》ぼしの思いもあるらしかった。

来る度に、綾子の好きな木履《ぼくり》屋町《やちょう》の煎餅屋《せんべいや》にわざわざ寄って必ず花あられを買い、高価な手土産を欠かさず、来たら来たで長火鉢の前にゆったりと腰を据《す》えて、綾子を背負う紐《すけ》は本モスは皺《しわ》にはならんが弱い、新モスは強いがじき引扱《ひきしご》けて棒のようになる、どっちゃがよかろ、などと喜和と二人、女同士の綾子を仲にした話がいつまでも続く事になる。以前喜和は大貞の産着《うぶぎ》の支度を見て、仰山な、と眉《まゆ》を顰《ひそ》めた日もあったのに、今ではこれが女の子を養う一の楽しみ、とばかりに、大貞の口に蹤《つ》いて着るもの履くものの品定めに時を忘れてしまう。

しかし大貞は、気の張りがなくなればこうも違うものかと傍《はた》の目でも思えるほど、綾子の成長とは逆に少しずつ弱って行くように見え、自分でも前々から、

「どんなにでもして私、綾子の背合せ（七五三）までは生きてて頑張るで」

といいいしていたが、綾子が三つになるなり手前からもう大した騒《うど》みようで、

「お喜和はん。お宮詣《まい》りは飛切り上等のええもん、拵《こさ》えような。人に負けたらあかん。綾子の衣裳が一番ええもんでのうてはあかん」

と力を入れ、春のうちから喜和と連れ立って京町帯屋町の呉服屋を念入りに廻り、それで気に入らず京から染見本を取寄せて一反分、別誂《べつあつら》えで染めさせたのであった。

その年の夏、綾子はまたも腸加答児《カタル》で竹内病院へ入院し、俥《くるま》で見舞に日参する大貞をやきもきさせたが、秋口には何とか本復して退院する事が出来た。

当日、綾子は薔薇《ばら》の造花で飾った天鵞絨《びろんど》の帽子を被《かぶ》り、秋草をいちめんに染め出した緋縮緬《ひぢりめん》の長襦袢《ながじゆばん》に、長着は黒地に大きな薬玉《くすだま》を散らせた小浜縮緬の振袖《ふりそで》を着、帯と草履は揃《そろ》いの西陣、その上に紫の房が重いばかりに垂れた綸子《りんず》の被布《ひふ》を羽織り、手には流行《はや》りのビーズのオペラバッグを提げているという、眩《まば》ゆいばかりな装立《いでた》ちとなった。前の俥には、髪を染めた大貞が銀鼠《ぎんねずじ》地の派手な裾《すそ》模様を着て乗込み、後の俥にはこれも黒紋付に盛装した喜和が綾子を膝に抱き、ゆっくりと潮江《うしおえ》の天満宮指して向うのを、町内は総出の人集《ひとだか》りで見送った。

天満宮では御祓《おはらい》をして貰いお守りを頂いたあと、もう疲れてぐずぐずい始めた綾子を宥め賺《すか》して本町の写真館に寄り、腰掛けの後から喜和が隠れて支えていてやっと撮影を終る。家に戻ると、すぐ寝てしまった綾子の傍で大貞は裾模様を脱いで衣桁《いこう》に掛け、

ああ、やれやれ、と一服つけながら、

「お喜和はん、なあ。私、今日はほんまに嬉《うれ》しい気持や。日本晴や。この子は矢っ張り、あんたが育ててよかった思いましたな」

若《も》し巳吉に渡していたなら、こんな晴れがましい背合せの日を迎える事は出来なんだに違いないよって……と大貞が胸に畳んだあとの言葉は喜和にも充分通じており、喜和はその上に、大貞は自分の執った仕打への安堵の為にこんな形で確かめたかった事も、よそながら察せられるのであった。

喜和は、綾子を受取って以来、こうも順調に濃く確かにこの子と母子になれたのは、蔭に大貞の力が大きくものをいっている事を感じる。

綾子がジフテリヤで危篤《きとく》のとき、竹内病院の若い代診が呟《つぶや》きのようについ洩《も》らした、

「このお子さんは心臓が弱い。こんな調子では人並に生きれんかも知れませんよ」

という言葉尻に喜和はすぐ取乱し、

「心臓が弱いなら今すんぐに強うしてください。それをするのが医者の役目というもんじゃありますまいか」

と本気で喰《く》って掛かろうとするのを傍の岩伍に止《と》められ、見ると岩伍は、喜和の様子に何ともいえぬ渋面《おくめん》を作っているのであった。喜和は、綾子故《ゆえ》の自分に似げないこういう強い態度を、臆面もなく見せて恥じない相手は、父親の岩伍ではなく大貞である事

を思えば、大貞のありようは喜和にとって今は有難いものとなる。

「たかが子供の事に、そう騒ぎ廻らいでもええ」

と岩伍が苦々しげに制するときも、傍に大貞がいればそれ以上は尖《とが》らずに済み、女二人のいい楽しみと諦《あきら》めるところに、この家の綾子を仲にした平衡があった。

その大貞も、綾子の背合せまで余程気を張っていたのか、この日が過ぎると幾日も経《た》たないうち床に就き、まる二タ月も患《わずら》わず昭和三年の暮に、六十五歳の生涯《しょうがい》を閉じたのであった。大貞は予《かね》てから、

「病院は嫌《いや》や。私、死ぬときはうちの帳場で死ぬ」

といい張っていたが、とうとうその通り、お稲荷さんを祀《まつ》った帳場の脇《わき》の、長火鉢の傍に敷いた床が最後となった。後から考えれば大貞の俄《にわか》な気の弱りの中に既に病いが萌《きざ》していたものかも知れず、躰《からだ》の不調をだらしなく口にするのが嫌さに土壇《どたん》場まで堪え詰《こら》めた挙句、この脆《もろ》い逝《い》きようとなったとも思える。

喜和が綾子を連れて見舞に行ったとき、背合せの日に染めた髪が、生え際《ぎわ》から斑《まだ》らに地の白髪を見せている小鬢《こびん》に頭痛膏《こう》を貼《は》って大貞は寝ていたが、瘦《や》せこけた指で綾子の手を握り、

「せめてこの子の学校《がっこ》行き姿を見るまでは生きてたい思うたけど、どうやらそれは叶《かな》わんようや。

お喜和はん、この子の事、よう頼みまっせ」

これだけいうのさえ喘ぎ喘ぎで、見ているこちらが却《あえ》って辛《つら》い思いであった。大貞は、枕元《まくらもと》の道具筥《どうぐばこ》から女子《おなご》仕《し》に命じて鼈甲《べっこう》の照斑《てりふ》の櫛《くし》を取出させ、見違えるほど膩《あぶら》の落ちた掌《て》で二、三度櫛の背を撫《さす》ってから、喜和に差出した。これが遺品《かたみ》、と思えば喜和は胸が迫り、櫛を押戴《おしいただ》いて蔵うのがようようで気の利《き》いた見舞の言葉もいえず、ずっと目頭を押えたままであった。大貞は、以前から古い奉公人の男仕に実の姪《めい》を嫁合《めあわ》せて大貞楼を継がせる話を決めてあり、後見を岩伍に頼んであったから後の商売に差障りはなかったけれど、当座は抱えの妓《こ》一同も皆気落ちして火の消えたような淋《さび》しさであったという。

大貞の病いは胃に出来た凝《しこ》りで、床に就いてのち苦しむ様を見て、「あれは、昔苛《いじ》めた娼妓《しょうぎ》の祟《たた》りよ」などと知ったかぶりをいう人もあったけれど、この人の持っていた強さは人と場合によってしたたかな毒となった事を、喜和は自分に引き較《くら》べて沁々《しみじみ》と思い返す。気丈な大貞は、喜和にさえ遂《つい》に身の上を語らず己の業因《ごういん》深さを口にしなかったけれど、痛みに苛《さい》なまれる合い間にはさぞかしさまざまな思いもあった筈、とも思われる。たとえ躰は叶わずとも生きてさえいてくれたら、この先、喜和の為《ため》にはどれだけ頼りになる人であったかと思うと、ある意味では鉄砲町の親を喪《うしな》うよりももっと大きな痛手であった。

大貞の死は、富田の家全体にもさまざまな変化を齎《もたら》したが、喜和が目に見えて感じる事はこれまで何かと天秤《てんびん》の釣合っていた夫婦の仲が、少しずつ少しずつ罅割《ひびわ》れて来ているように思えるのであった。

このところ家業も順調で、御大典のあとやって来た世間の不景気風の中でも、娘を売る親が増えた関係からむしろ繁昌《はんじょう》の向きもあり、岩伍の恚乱《いらいら》はそれから来ているのではない事は判る。思い当るふしといえば綾子の事以外にはないけれど、相手が子供だとはいえ、今更喜和一人がどう仕向けたところで綾子の好き嫌いの激しさは枉《ま》げようもない。喜和は曾《かつ》て、綾子を仲にして物見遊山《ゆさん》に出掛ける夫婦、病気の綾子の枕許《もと》で額を寄せ合っている夫婦、綾子に習わせる稽古《けいこ》事について相談し合っている夫婦の円満な姿に憧《あこが》れ、その為にこそ夢現《うつつ》の思いで綾子を引受けた筈だったのに、どこで算用が狂ったのかその思惑は悉《ことごと》く外れ、綾子は喜和一人のもののようになってしまって今では一方で岩伍に気兼しいしいという、逆さまな形で綾子の世話をするようになっている。

岩伍は以前、喜和の手に移された夜の綾子を見たとき、何やら不吉な思いが俄に拡《ひろ》がって来るのを止どめ得なかったが、案の定、その後は徐々に我が掌から綾子は離れてゆくようであった。躰中張《みなぎ》っていた力をふいと躱《かわ》された口惜《くや》しさ、家中綾子を中に据えての垣《かき》がいつのまにか出来ており、その垣の外に居るような自分にしらしらと立つ淋しさ、あれほどまめまめしかった喜和でさえ綾子にかまけ切って平気で釜屋《かまや》の用事に手を抜いていて、それをまた、癇癪《かんしゃくも》持ちの龍太郎でさえ文句のひとついわず、一緒になって綾子には目を細める。

一度、陽暉楼《ようきろう》で俄に改まった寄りをする事になり、喜和に、「袴《はかま》！」といいつけると、簞笥《たんす》に首を差入れて搔き廻していて、やっと摑《つか》み出した仙台平《せんだいひら》はさんざんな皺の上に折目ももう昔に消えて使い古した風呂敷《ふろしき》のように丸くなっている。岩伍は思わず、

「何じゃ、この態《ざま》は！」

と怒鳴って袴を畳に叩《たた》きつけたが、そのときの喜和の様子にはこちらがたじたじとなるようなものがあった。

喜和が簞笥を捜しているときまだよちよち歩きの綾子が出て来て腰に絡《もつ》れついており、岩伍の大喝《だいかつ》に怯《おび》えて叫ぶように激しく泣き出したのを喜和は慌《あわ》てもせず抱き上げ、笑顔を見せてあやしながら岩伍の鼻先を掠《かす》めてゆったりと階下へ下りて行った。

以前の喜和なら、おどおどと言訳しながら袴を差出し、前掛の端を捻《ひね》りながら項垂《うなだ》れていたのに、言訳もせず火熨斗《ひのし》を当てようともせず、悠々《ゆうゆう》と綾子を抱き上げる横着さ、いや横着ではなく面当《つらあ》てかも知れぬ、と岩伍は思うのであった。本来ならば、我が子でもない病弱の綾子に帯紐解かず十日二十日の喜和の看病を、父親である岩伍は感謝しなければならない筈なのに、長年の癖から優しい犒《ねぎら》いの言葉ひとつ岩伍は掛けてやった覚えもない。喜和が綾子を我がもの、と思う心根でいれば構いはしないものの、岩伍から

の預りものと見ている限りにおいては、袴の皺も、其処《そこ》までは手が廻らぬ、と口を叩ける事になる。女子が子を持てば強くなるのは判っているものの、子が綾子である限り、人に譲る事の大嫌いな岩伍でさえ一歩譲らねばならないこの有様を、ときに岩伍はどうにも我慢出来なくなる折もあった。

　岩伍は、心中鬱屈《うっくつ》すれば少々の横車押しても思うさま振舞った昔とは違って、もう決して若くはない自分を感じており、また、喜和に対してといえば少々大人げなく、綾子の事のみといえば一概にそうとも譬《たと》えられぬこの恐しいほどの不満を消すために、一日や二日、沖釣りに行ったところで大した効きめのないのは判っているのであった。今は、流れ者の乞食《こじき》たちに救恤《きゅうじゅつ》を施しても以前のように心足らわず、有金の総《すべ》てを吐き出して町内のために尽しても、それから受ける感謝の言葉も虚《むな》しいものに思われる。夜、眠れないままに青表紙の講談本を買込んで来て腹這《はらば》いで読んでいるうち、隣の寝床から眠りに就く前の綾子の鼻声、それを宥《なだ》めている喜和の、

「昨夜《よんべ》貰《もろ》うた亀《かあめ》の子、

　まあだ目が明かん」

の平和な守唄《もりうた》など聞くと突然瘧《おこり》のように衝動が突き上げて来て、目の前の「白井権《ごん》八《ぱち》」の頁《ページ》を思わず真っ二つに引裂いたりするのであった。怒り、というにはまだ理に捉《とら》われる目があり、悲しみ、というほど女々しくはない気持でいて、岩伍は次第に何かに

追詰められてゆくようであった。若い頃、母親への反抗もあって喧嘩《けんか》と聞けばすっ飛んで行ってその渦中《かちゆう》に身を投じたように、今もまた、この焦立《いらだ》たしさの果てには我が身をでも苛《いじ》めて苛めて苛め抜かなければどうにも納まるまいという気がしている。家業は順調、躰は息災なのに胸の内には一滴の霑《うるお》いもなく、少々の事にでも心はすぐぱりぱりと亀裂《きれつ》を生じるのであった。

五

喜和の上を流れる月日には、ゆったりと穏やかに過ぎてゆく時期と、さまざまな出来事にぶつかりながら行きなずむ時期とがあり、綾子の生れた大正十五年の前後に越し難い思いがあったとするなら、昭和六年の今はまたそれによく似た、月日の波の寄せかたであった。

この五、六年、富田の家の内には綾子の入院退院以外取立てての出来事はなく、離室《はなれ》の龍太郎も一進一退の日を送り、また一頃《ひところ》より大分減ったとはいえ相変らずの流れ者を送り迎えしながら、男衆《おとこし》たち四人と菊と絹も達者でいる。ただ、健太郎については、あの年の三月大阪へ丁稚《でつち》奉公に出て、一人前になるまで家の敷居も跨《また》がない筈が、丸一年の辛抱もならず、その年の暮に突然戻って来ていた。健太郎の行った後、仲立ちを頼ん

だ飛田の楼主に岩伍はたびたび消息を問合わせていたが、返事はいつも決まって、

「御子息様常に御出精の様子にて、蔭《かげ》ながら御慶《およろこび》申上候《そうろう》」

との事で、それならば店を出させてやる日もそう遠くはあるまい、と考えているところへ何の前触れもなくぽっかりと戻り、

「藪入《やぶい》りか」

と岩伍が訊《き》くと、

「もう大阪へは行かん」

と格別拘泥《こだわ》りなくのったりといい、その通り年が明けても一向に腰を上げる気配は無かった。

僅《わず》か十ヵ月ながら都会生活は健太郎をすっかり軽い人間に変えてしまったようで、以前は重すぎると思った口も、今は憶《おぼ》えたての大阪弁で男衆たちに向うの暮しを語り、

「朝は四時起きや。晩は十一時に店の戸を下ろすまで走り使いやら掃除ばっかり。店閉めても後片付けやら帳付けやらで寝るのは十二時、一時やで。これでは遊ぶ暇なんててんであらへんがな。たまあに店に坐《すわ》らせてくれる思たら、くじりで下駄《げた》の台に穴明ける事だけや。この穴明けだけで一年、鼻緒に緒通すに一年、つまり一人前に下駄すげられるようになるには最低三年の年季が要るいうのやからなあ。気長い話やろ。

それでも、飼いでもよかったら何とか辛抱出来るけど、朝昼晩、皆おこうこや。晩にはほたれのカチカチがつく事あるけど、飯かて丼《どんぶり》に盛り切りやしなあ」

家を出る際、丁稚の辛抱をキッパリいい渡した岩伍が聞いたら思わず怒鳴りつけたくなるような調子で、健太郎は屈託なげに喋《しゃべ》っているのであった。

喜和は、丁稚奉公から健太郎が立直るのを思い描いていただけにこの変りようには落胆もし、また一方では、女親の甘さで暫《しばら》くは手許に居て貰える心丈夫さもあった。健太郎はまた元のように毎日家でごろごろする事になり、小遣いが無くなれば岩伍の居ない折を見計らって、

「お母さん、五十銭無いかえ」

などと声を掛けて来る。一言いいたい思いを堪《こら》え、人目につかないよう毎度黙ってそれを渡してやるのも喜和の内に二度と健太郎を遠くへ手離したくない勝手さがあるせいでもあった。

岩伍は苦り切った顔で、

「健太郎、毎日遊びよってもいくまいが、何をやりたいか、何ぞやりたい事があったらいうてみよ」

と尋ねると、

「そうやなあ、何でもええわ。しんどい事だけはごめんやけど」

と相変らずの、はっきりしない答えが返って来る。

岩伍もこの家の、子供にとって悪い誘惑の多い事は判っており、遊ばせると碌《ろく》な結果にならないとすれば、仕事先の相談相手には矢張り手近な陽暉楼の大将をおいては考えつかないのであった。大将は話を聞くなり早速に膝《ひざ》を叩き、それならうちの自動車の運転手に恰度《ぽっちり》、という。高知の町ではまだ此処《ここ》と県庁にしかないという黒塗りのシボレーが陽暉楼には二台もあり、それは極く上等の賓客の送迎にだけ使っている関係から、運転手といえども人品卑《いや》しくない人間でなければ勤まらぬ由《よし》を、岩伍を通して聞いた健太郎はこの子には珍しく奮い立ち、助手として根気よく通った末、二十《はたち》の歳《とし》には正式に免状も貰って陽暉楼に抱えられる事になった。

そうなると不思議なもので、健太郎の身の廻《まわ》りからはもやもやした怠惰の相はすっかり消えて無くなり、毎朝、真白いワイシャツを衿元《えりもと》に覗《のぞ》かせたハイカラな背広姿できちんと海岸通りの陽暉楼本店に通う。ぎゅっぎゅっと鳴るキッドの靴《くつ》に巻煙草《まきたばこ》は十二銭もするエアシップをほんの先だけ吸い、身だしなみよく頭は叮嚀《ていねい》にチックで撫《な》でつけ、毎日取替える白いカラーは絹と菊が争って洗ってやり、ガラス板に糊《のり》でぴんと貼付《はりつ》けて切れ味のいい形に仕上げる。自動車が珍しければ運転手という職業もまた珍しく、健太郎は以前、一中に合格した頃のように人々の注目を浴び、晴れがましく町内の話題を集めているのであった。

喜和は昔、岩伍が字を習った松永弁護士の家へ代理で一度歳暮の礼に行ったとき、取次ぎに出て来た息子の真白なワイシャツ姿を見て、その上に秘《ひそ》かに健太郎の将来を思い描いていた事もあり、また陽暉楼での評判もまずまずらしく、男衆たちの聞いて来る噂《うわさ》では、「健ちゃんは人善しで金に綺麗な故《ゆえ》、上にも下にも受けがよい」との事で、ここに来て喜和はやっと眉間《みけん》の皺《しわ》が取れる思いであった。それでもまだ欲をいえば、子供だけは堅気な仕事を持たせたかったと、これは岩伍には聞かせられぬ喜和だけの心の内側の呟《つぶや》きでもあった。その上女親の心配というのは果てのないもので、「人善しで金に綺麗な」人間が嵌《はま》り込む罠《わな》について考えたくなり、健太郎の身を置く場所が場所だけに数年前の年増《としま》のハルとの件が再び思い出されて来る。健太郎を放蕩《ほうとう》から防ぐにはよい嫁を持たせるに如《し》くはなく、喜和の思い描くよい嫁とは先《ま》ず何といっても素人《しろうと》の、それから心和やかな利口者でいてその利口を鼻先にぶら下げないしっかり者、と欲張った夢に拡がってゆく。

兄が病弱なら、次男ではあっても嫁は喜和の後を継ぐこの家の宰領にならなくてはならず、そうなるとまだ見当もつかぬ先の話ながら今からそろそろ方々へ当って早くはあるまい、と喜和は一人胸算用を始めている。此《こ》の、病人からまだ学校へも上らぬ子供までいる騒々しい大家内の家に、また一人他人を迎える事は一つ荷の増える訳でもあるけれど、そうやって健太郎が次第に落着き、重ねて親の役目も果せるとなると、これは避けられない大切な仕事なのであった。

嫁取りも、喜和がその目で見渡すとなると、何となく好ましく思える心当りの娘が一人目に泛《うか》んで来る。それは健太郎の小学校の同級生で山崎光子といい、いつも胸に級長の赤印を離さない賢こそうな子でいて、家が貧しい為《ため》女学校へも進めず、六年終えるとすぐ片倉製糸の女工になって行ったと聞いている。その光子が年季を勤めて戻り、家で賃縫いしていると聞いて喜和は鉄砲町の帰り、綾子の手を引いてふと訪ねる気になった。

光子の家は日の出町の小路《しょうじ》の奥で子供相手の小さな駄菓子屋をしており、光子は店の隅《すみ》に裁板《たちいた》を置いて針を運びながら店番をしていた。面影《おもかげ》は小学校の頃と少しも変らず、地味で行儀正しく几帳面《きちょうめん》そうな光子の様子に喜和はすっかり気に入ってしまい、

「そのうち是非家へも遊びに来てつかはれや。健太郎も待ちよりますきに」

と心からそういって戻った。この日をきっかけに、光子は仕立て物を請負ってちょいちょい富田へ足を運ぶようになり、ときには健太郎と顔を合せて口を利くようにもなっている。昔から「嫁は下から貰え」という通り、とくに富田では嬢《いと》さん育ちの娘では間に合わぬ事は判っており、光子の家を見下げていうではないけれど、ここは将来光子が一番叶った嫁だと喜和は密《ひそ》かに決めているのであった。

土佐では正月十日の恵美須《えびす》講を昔から貝釣《つ》りといい、祭がどこでどんなに行われているのか知らない人でも、その夜はさまざまに扮装《ふんそう》した若い衆たちが、「貝釣っとうぜ」

と口々に喚《よ》びながら家に飛び込んで来るのを心待ちする。飛び込まれた家ではお恵美須《えべっ》様《さん》が舞い込んだ、と湧《わ》き、餅《もち》やら饅頭《まんじゅう》やら寿司《すし》やらを振舞っては景気をつけて貰うのがしきたりで、旁《かたがた》々扮装の品定めをする楽しみもあった。町内の青年団ではいつも富田を根城にして扮装の打合せをするのだけれど、今年は良吉と庄《しょう》が坊《ぼん》さんかんざしをやる事になり、庄の鋳《い》掛屋《かけや》お馬《んま》の衣裳は何とか内々で調うものの、良吉の純信が着る袈裟《けさ》や衣はどないしょう、大将が日頃昵懇《じゅこん》な比島《ひじま》の龍乗院のお住《じゅ》っさんに頼んで借って貰おか、などと前々から騒いでいる。

昭和六年も明けた貝釣りのその晩、綾子を寝かせつけた喜和は長火鉢《ながひばち》の前で一人、足袋の繕いをしていた。家中店の間に集り、間を置いてはやって来る「貝釣っとうぜ！」に、釜《かま》で炊《た》いたぜんざいをよそっては食べさせ、内も客も互いに戯《ふざ》け合っては賑《にぎ》やかに笑い声が咲いている。

喜和は、去年の暮から目に見えて弱って来た龍太郎の容態を思うと店へ出る気にもならず、心が沈む一方であったところへ不意に健太郎が現れて火鉢の向うに坐り、

「お母さん、俺《おれ》あ女房貰う事に決めたよ」

とさっぱりした顔付きでいう。

まあ、矢庭にそんな事を、と喜和は歯で糸を切って針を髷《まげ》に刺し、

「それは山崎の光子さんかね。それなら異存は無いけんど、何というてもまだちっと時

期が早いわねえ」

と掌《て》を揃《そろ》えて焙《あぶ》りながらいうと、健太郎は鼻の頭に竪皺《たてじわ》を寄せた薄笑いで暗に否定し、

「存外ええ娘《こ》じゃきに、お母さんも気に入るに違いないと思うよ。何なら一ぺん家へ連れて来てみよか」

と今にも腰を上げて呼びに行きそうな気配に喜和は度胆《どぎも》を抜かれてしまい、

「そんな大事な話をお前《ま》さん、お父さんにも相談せんとに。

それは一体、何処《どこ》の誰？

そんで、何かね。どうしても嫁に貰わんならんような訳になってしもうたがかねえ？」

嫁の話は自分一人の胸算用、とばかり考えていた喜和はだしぬけな話にしどろもどろになりながら、しかし合点出来るまで問い詰めようとせき込むのを健太郎は窘《たしな》める口ぶりで、

「そう吃驚《びっくり》せえでもええよ、お母さん。俺もう子供じゃなし、月給も貰いよるきに女房の一人くらい飼えん事はない。

ま、親父《おやじ》に話して貰えたら有難いが……」

娘の名と家はこれこれ、と喜和に憶えさせると、健太郎はその娘との経緯《いきさつ》を母親相手にくどくどと話す気はないらしく、すらりと立って店へ行き貝釣りの仲間に入ってもう

笑い声を挙げているのであった。

凶《わる》い事はいつも闇夜《やみよ》に牛、とばかりにやって来る、と喜和はまだ高鳴っている胸を静める為に銅壺《どうこ》の湯を注《つ》いで飲み、やや落着いて来ると、まだ凶い話と決まった訳ではない、と一人自分を宥めにかかる。日頃から自分の考えをはっきり見せぬ健太郎が、進んで今日打明けにやって来たからにはその娘と深い仲にいると考えねばなるまいが、或《あるい》はひょっと山崎光子以上の出来た娘やらも知れぬと思うと、大切な縁話をここで早合点は慎まねばならないのであった。

喜和はこの由をすぐに岩伍《いわご》にいい、岩伍は内輪の事とて様子の知れた益《まつ》さんを使って調べさせたところ、持って来た益さんの報告を一口聞いただけで喜和は再び、昔、健太郎がぐれ始めたとき以上の深い悲しみに打たれ胸も重く閉ざされてしまった。中川小夜《さよ》子《こ》、という素人名しか健太郎は告げなかったけれど、娘は「小蝶《こちょう》」という芸名を持つ、八百屋町の料理屋「福田屋」抱えの半玉《はんぎょく》なのであった。

益さんの調べでは、父親は市役所の掃除人夫、母親は縫物の賃受けで小綺麗に暮しており、格別食うに困りはしないのに器量自慢の一人娘に綺羅《きら》を飾りたさに、見栄張《みえっぱ》りの母親が宰領して半玉にしたという。話を聞き、岩伍は自分の仕事の手前、

「そういう妓《こ》が一番困る」

とさすがに渋面を作っていう。

小夜子の小蝶は福田屋の丸抱えではなく自前で出ており、十八歳という、半玉では随分長《た》けた歳で初めて座敷に出たというから、九つ十から仕込まれた芸者とはまるきり違い、芸は立たず気転は利《き》かず、第一借金を返そうという励みを持っておらず、ただ器量だけを買われて座敷に坐るおっとりした勤めかただそうであった。

岩伍は喜和を前にして手を拱《こまね》き、

「まあこのままじっと様子を見よって、自然にほとぼりを醒《さ》ます以外手はなかろう」

という。

喜和は、岩伍が進まぬ訳が何処にあるのかいまはもう、突き詰めて考えようとは思わなかった。喜和の場合は、自前であろうと芸無しであろうと相手が玄人《くろうと》というだけではほと嫌《いや》だけれど、岩伍の場合はむしろ、玄人の中の心掛けのよい者を嫁にと望んでいるのかも知れず、その点を深く考えていると喜和がこの半生、悩み続けている素人出の自分の至らなさへ突き当たる。綾子《あやこ》という楽しみを得ていま漸《ようや》く落着いて来た喜和は、今更岩伍に根問いしてそれを掘り返すのは億劫《おっくう》で、岩伍が自然消滅を待つというならそれ以上喜和が差出た口をきく必要はないのであった。

それに、今喜和の気懸りなのは龍太郎《りゅうたろう》が暮から気力躰力《たいりょく》ともにどっかりと陥込んでおり、往診の吉沢先生から、

「この夏を越すのは難しかろうと思いますよ」

と引導を渡されている。

大正十四年の正月に風邪を引いてから丸六年、普通峠といわれている三年目もどうやら越して一進一退を繰返して来たのに、去年の暮頃から目に見えて食が減り、ときどき、

「お母さん、俺はもう不可《いか》ん。もうよう癒《なお》らん」

と弱気な音《ね》を上げるようになっている。

喜和の思いでは、兄のこういうどん詰まりの状態を知らない筈《はず》はなかろうに、今平気で嫁の話を持出して来る健太郎の了簡《りようけん》が読めない気がする。兄に対する思いやりが薄いのか、それとも自分の話を急がねばならぬ事情があるのか判《わか》らないまま、幸か不幸か、まもなく龍太郎は満足に起き上る事も出来ないほど弱って来て、両便の世話、食物の世話と喜和は俄《にわか》に忙しくなり、勤めの健太郎とは顔を合せる折も少ないうちに日が経《た》ってゆくのであった。

どうぞこのまま、健太郎があの娘の事を忘れ去ってくれますように、と日々祈るような思いで過す喜和の前に、話はまた四月の末になって向うからぶり返して来た。

岩伍は一頃《ひところ》の、全身枳棘《いばら》で刺されているような苛立《いらだ》たしさから漸く脱し、いまは家にも落着くようになっていたが、その岩伍が恰度《ちようど》居合せた晩、夜更《よふ》けてから掏摸《すり》のように小狡《こずる》い目付きの、一目で三百代言と知れる男が懐手《ふところで》で入って来て、大将に会いたいという。店に上げて岩伍が会ってみると男は、中川小夜子の父親《てておや》の代理で来やした、とのっ

けから凄《すご》んでいて、

「富田の大将ともあろうものが、おうちの嫁をまさか妊《はら》んだなりで勤めに出すつもりは御座んすまいね」

という絡《から》みかたで、小夜子を落籍《ひか》せて嫁に直らせるようじりじりと詰めて来る。鎧戸《よろいど》のこちらで息を堪《こら》えて聞いていた喜和は、これでもう望みの綱も切れてしもうた、と唇《くちびる》を噛《か》む思いであった。最初から凶《わる》い予感はあったものの、人の家の揉《も》め事を商売の種にする三百まで使って乗出して来る、まだ会ってもいない中川家に対して喜和は決していい気持は持てなかった。

岩伍はべつに大仰に驚きもせず、相手のいい分を聞いてしまってから、

「何分にも今晩は健太郎が留守ですきに、戻り次第よう話を聞き、仲に立つあんたの顔が立つよう計らいやしょう」

とその場は穏やかに男を帰してしまったが、話はこのあと三月余りの間、ずっと揉め続けた。

妊娠、とは男女の縒《より》を戻す際によく使う手ではあるし、口には出さずとも岩伍も喜和もそれを頭からすぐに信じてはいなかったが、念の為《ため》健太郎に糺《ただ》してみると、「うん、まあ」という頷《うなず》きかたでその事実を認めるのであった。差出者の益さんは、

「若《も》し相手が転び芸者じゃったら、腹の子は、健ちゃん一人が責任負わんならん筋は無

い」

と、喜和の胸が顫《ふる》えるような事をずばりといい、尻軽《しりがる》に、

「序《ついで》に儂《わし》が調べちゃろ」

と福田屋の大将に当ったところ、小蝶にはまだ特定の旦那《だんな》も無く座敷だけの綺麗な勤めだとの事であった。

そうなれば岩伍は顔を顰《しか》めてでも、世間態《てい》もある故《ゆえ》、小夜子を落籍《ひか》すだけの金は出す、といい、片手に病人を抱えている喜和は、まあもう一寸《ちよつと》待ちよってつかはれ、とひたすら延引を願う。例の三百はその隙《すき》につけ込み、まともなぶつかりようでは岩伍に位負けする事が判っているのか、粘り一方の手で富田へ通って来る。

喜和はこういう事態に立至ってもまだ山崎光子への望みを捨ててはおらず、折を見ては、

「光子さんはえ?」

と水を向けてみるのだけれど、健太郎からはその都度、

「あんまり利口な女子は鬱陶《うつとう》しゅうて叶《かな》わん、俺には性に合わん」

と手を振っていなされてしまう。

その健太郎も、三百が現れ始めてからは表面からすっかり身を退《ひ》いてしまい、何も彼《か》も親に任せっきりになっている。大体、芸者を落籍せて女房にするほどの気概のある男

なら、親に煩《わずら》いを掛けず一切を一人差配するが当り前なのに、と喜和はときどき惑乱気味になる自分を感じる事もあり、気が立って来ると健太郎の裾《すそ》を引据《ひきす》えて、

「龍太郎の病気の事をどう考えちょる。あんな娘を貰《もろ》うて、この家でやって行けると思うちょるかね」

と詰《なじ》っても、

「ま、お母さんのええように」

とぬらりと躱《かわ》され、結局は向うの望み通りになってゆくしかないこちらの分の悪さを嘆くのであった。

中川の父親という人は、年中齷齪《あくせく》と働くだけが取柄《とりえ》の、人前では碌《ろく》に口も利けない由《よし》で、例の三百を操って攻めて来る知恵は利け者の母親だという。益さんの見たところ、三百の男は、一寸垢抜《あかぬ》けのした母親のレコに違いない、と拇指《おやゆび》を立てる話になり、喜和の気分をいっそう滅入《めい》らせる。話が縺《もつ》れ込めば他からも水を注《さ》されるは縁組話の常とはいいながら、そのうちにも喜和は、「健ちゃんには早う嫁を貰うてやらんと、以前の年増との縒《より》が戻りよる」という口を耳に挟《はさ》み、これでは進みも出来ず退くも叶わぬ雁字搦《がんじがら》めの身を考える。せめて嫁だけは素人《しろうと》を、と踏ん張っていても、こう前後から攻め立てられてはつくづくと自分の無力さが嘆かれるばかりであった。

時候が移るにつれ、薄着になれば小夜子の腹が目立つ、という矢の催促にとうとうこ

ちらも折れて三百に金を渡し、夏前に小夜子は福田屋を引いた。退いて家に籠れば次の寄せ手は式はどう挙げるか、婚礼の日取りは、という内容になり、岩伍がその鉾先《ほこさき》を躱《かわ》して外へ出勝ちになると、三百は、

「ま、姐《ねえ》さんでは談《だん》も詰むまいが」

と嫌がらせをいいながら、わざとゆっくり一服しては帰ってゆく。この騒動の中で健太郎は、宝永町の実家に帰って縫物などする小夜子の許《もと》へたびたび通っているらしく、それは町内の、

「人の善い健ちゃんが、中川の母娘《おやこ》に巧《うま》い事嵌《は》め込まれたものよ」

などという噂《うわさ》になって届いて来る。

喜和も、身贔屓《みびいき》とは判っていても相手に「嵌め込まれた」という感じは強く持っており、このままでは何の覚悟も臍《ほぞ》も固まらないうち、ずるずると小夜子を嫁に迎えそうなさきゆきの不安を覚える。一つの手として、玄人が訳ありの子を生んだときは里子に出す方法を見習う術《すべ》もあるけれど、富田では外腹の綾子を喜和が育てている以上、世間に対してもそういう阿漕《あこぎ》な真似《まね》は通用する筈もない。考えてみれば、一旦《いったん》玄人社会へ堕《おと》した娘を引戻し今更しらじらしく、婚礼の式のと煽《あお》って来る中川の母親の胸の内も可笑《おか》しなもの、と思える。この世界の出世とは金のある旦那を見つけて囲って貰うのがせいぜいなのだから、どう間違っても素人の生娘《きむすめ》のように晴れがましい婚礼とは無縁なのであ

った。中川の母親もきっと、娘が一生安楽を保証してくれるよい旦那に当る事を願って勤めに出したであろうけれど、それがよい目に出て日陰の身どころか相手は初婚、しかも正妻と来ては、ここはなりふり捨ててまでこの話を纏《まと》めたいに違いなかった。それを思えば追手には執念が籠り、逃げる身には男の「お手付き」があるだけ土壇場に弱い。

喜和はしかし、ここはどれほど後へ退いたとしても、瀕死《ひんし》の龍太郎の枕許《まくらもと》で、「高砂《たかさご》や」を祝う羽目にだけは陥りたくないと思うのであった。

健康な弟がしたい三昧《ざんまい》に暮している傍《そば》で、この病身の兄はどれだけの羨《うら》やましさと口《く》惜《や》しさに身を苛《さいな》まれている事であろう。龍太郎が病みつきの初め頃まで二人はまるで双《ふた》児《ご》のように仲が好《よ》かったのに、此《こ》の頃では健太郎が離室《はなれ》に入るのを喜和はついぞ見掛けなくなっている。健太郎も、一中の退学、上方《かみがた》ゆき、また舞い戻っての混迷、陽暉楼《ようきろう》への就職と、自分の身の振り方を決めるのに精一杯だったかも知れないが、寝ていて弟の消息を人から聞かされる兄には少しずつ僻《ひが》みが育ってゆくのも無理からぬ話と喜和には思える。

今回の嫁の騒動も、喜和はまだ滅多な事は病人に聞かされもすまいと思っているけれど、龍太郎がほぼ知っているのはこちらも察しており、それだけになるべく波風立てず事を納めたいのであった。喜和は以前、龍太郎が肺病の宣告をされるのが怖さに長い間胸が騒いだものだったけれど、それは未《いま》だに不動の覚悟とはならず、またこれが長の別れともなれば悲しみと怖《おそろ》しさに心はいっそう深く閉ざされる。病気とは意地悪な相手との鬼ごっこにも似て、隠れては見え、見えては隠れしたこの六年間ではあったが、今は龍太郎も完全に鬼の手に捕えられてしまっているようであった。

喜和のいまの心残りは、龍太郎が何より好物の朝倉針木《はりぎ》の新高梨《にいたかなし》を最後に口に入れてやりたい事で、その新高梨は秋も十月に入らなければ出廻《でまわ》らない時期を考えるとこの夏を何とか保《も》たせたい欲になる。新高梨は土佐針木の今村梨と越後《えちご》の天の川の交配によって近頃出来た有難くたわわなもので、極く小粒でも赤子の頭ほどもあり、滑らかな黄金《こがね》色《いろ》の皮を剝《む》いて米の字に庖丁《ほうちょう》を入れる片端から、蜜《みつ》のような汁が指の股《また》からぽたぽたと滴《したた》り落ちる。その豊かさを龍太郎は喜び、まだ胃腸の丈夫だった頃は汁の落ちるままを掌《て》に持ち縁側に首を突き出すようにしてむさぼり食べたものであった。芯《しん》の実を取り、皿に盛って楊枝《ようじ》で食べる行儀よさより、土堤《どて》や原っぱを駈《か》けずり廻った挙句、梨も桃も皮ごとかぶりついた子供の頃を、僅《わず》かに懐《なつか》しんでいたものでもあろうか。

暑い、苦しい危険な夏はその内にも徐《おもむ》ろにやって来、喜和は思いを込めて鶏のソップ、卵粥《がゆ》、焼魚の身を挘《むし》ったもの、菜園《さえん》の柔らか煮、それに鉋《かんな》で削った木屑《きくず》のように軽い鰹《かつお》節《ぶし》も添え、まるで赤子の食べ物のような膳《ぜん》を朝夕に運んでは口に入れてやったが、その甲斐《かい》あってか大きな変動は来ず、何とかこの夏を越せそうに見えた。

八月二日のお稲荷《いなり》さんの晩の事、話の捗《はかど》らないのに焦《いら》だった三百代言が不意に今度は中川母娘《おやこ》を連れて現れ、今日はどうでも白黒つけて貰いやしょう、という。宵祭《よいまつり》の事とて岩伍も健太郎も家に居り、喜和はそこは店先で人目も多い故二階へ、と誘うと、いいや此処《ここ》で上等、と三人共上り端《はな》で動かぬ気配は、最初から打合せて人目を惹《ひ》く強談判《こわ》のつもりで来た事が判る。往来には祭に行く人の足音が絶えず、簀戸《すど》一枚でその人達の目に曝《さら》されているまま皆向き合うと、中川母娘を後に控えた三百は今夜は威勢がよくて、

「小夜ちゃんの躰《からだ》がこう目立ち出すと世間の口もいろいろな事をいう。大将が、腹の子は健ちゃんの子じゃないきに放って置けというたやら、生れた子は里子に出したらええというたやら、それが何処まで真実《まこと》か、今日はひとつ、大将の腹を割って貰いやしょう」

と口を切ると、張り詰めて額を青ませていた勝気そうな母親が脇《わき》から、

「私らは貧乏人ですけんど、間違うた事は此処から先もしてはおりません」

と、肩を震わせながら最初からもう抗議の姿勢なのであった。

商売の談判屋より、詰まり詰まりいう母親の言葉がこちらにはずっと耳に重く生々しく聞え、岩伍が三百でなくその母親を相手にあれこれ事情を尋ねると、涙声ながらそれにもちゃんと筋道の立った返答が返って来る。母親のいい分では、

〝この件は最初から健ちゃんが小夜子を女房にするという約束があったからこそ、小夜子も身を任せたのであり、それが未だに結納の運びにならない事の理由を富田では病人

のせいにしているが、聞けば病人は長の患《わずら》いで今日明日という容態ではないそうな、たかが病人一人の為に婚礼もせぬうち娘が子を生むようになれば、親の身として黙ってはおられぬ〃

というのであった。

岩伍はそれに対し、傍の喜和が歯痒《はがゆ》く思うほど龍太郎の病状について何の反駁《はんばく》もせず、最初から健太郎がそういう約束をしていたのなら責任は取らせよう、とはっきりいい、これからはこちらで然《しか》るべき仲人《なこうど》を頼んで両家を往復して貰う事になろう、という譲りに譲った返事で漸《ようや》く三人に引取って貰った。

店先での談合のあいだ、健太郎は一言も口を開かなかったが、喜和もまた何一ついう事もなく、母娘の様子を脇からじっと眺《なが》めていた。器量自慢というだけあって小夜子の顔立ちは美しく整ってはいるけれど、難をいえば飾り物の京人形のような表情の無さがある。冷たいというではなく勿論《もちろん》高く止まっている訳はあるまいが、何となくこの場に恐《お》せてしまっているのを見ると、これが座敷に出て客商売をしていた娘であろうかと怪《け》訝《げん》に思えて来る。この娘も健太郎同様、自分を話題にされているにも拘《かかわ》らず終《しま》いまで遂《つい》に一言も喋《しゃべ》らず、帰り際《ぎわ》にちらと見せた右頰《みぎほお》の靨《えくぼ》を見て喜和は初めてほっとした感じを持った。

小夜子に面差《おもざ》しのよく似た母親のほうは、力んで喋っていたせいか生き生きと活潑《かっぱつ》に見え、つややかに結い上げている富士額の庇髪《ひさしがみ》といい、いま流行《はや》りの更紗《さらさ》帯を風よく締めている姿の良さといい、傍の、野暮ったい束髪で気の抜けたように坐《すわ》っている元半玉の娘に較《くら》べれば、ずっと垢抜けて粋《いき》にも艶《えん》にも見える。この人は、実態《じってい》な掃除人夫の女房には過ぎた才覚を持つが故に目が眩《くら》み、間違って娘を勤めに出したのだな、と喜和もそこまでは読み取れる。こういう分立《ぶんた》ちの母親に育てられた娘は決まって世帯廻しも下手、手捌《てさば》きも鈍く、と大凡《おおよそ》の見当も立つのであった。

向うの三人が帰った後、こちらの三人も暫《しばら》くは口を利《き》く気にもならずじっと黙り込んだまま、同じ所に坐っていた。座敷の隅《すみ》の扇風機はまだ首を振っており、氷のかち割にイチゴのシロップを入れて客に出したコップもまだあちこちに散らばっている。往来に祭の人足が一寸途絶えたとき、岩伍は、

「仲人は二丁目の時計屋の兄さんにでも頼むか」

とぽつりといった。聞くなり喜和の目に、斜め前の岩伍の帷子《かたびら》の黒がみるみる滲《にじ》んで膨れ上り、とうとう堪え切れなくなって浴衣《ゆかた》の袂《たもと》で涙を拭《ぬぐ》いながら、

「龍太郎の見窮《みきわ》めがつくまで、何故《なぜ》待っては貰えなんだろう」

とせき上げて来る声を、胸の軽そうな健太郎がすぐ引きとってのいい草に、

「お母さん、兄貴はこの夏を越したらまた持ち直すよ。長患いじゃもの、今までもその繰返しやったやないか。

中川はそれまで待てんといよるきに」

まあ何という罰当たりな、と喜和は健太郎を睨《にら》んで、

「健太郎、お前《ま》さんには龍太郎の今の容態が判《わか》らんかね。酷《むご》い事をいうて。今からはや中川の家に引かれてしもうて、そんな事でどうなる？　あの娘に会う暇があったらちっと離室《はなれ》を見舞《みも》うてやりなはれ」

と声を顫《ふる》わせる喜和を、

「黙らんか！」

と岩伍は大喝《だいかつ》し、また扇風機が唸《うな》っているだけの沈黙が来たあと、一番先に健太郎がふいと立ち、門口の御祭礼の赤い提灯《ちようちん》を肩で除《の》けて表へ出て行った。

喜和は岩伍に、この荒波の為《ため》に富田は引いて引いて引き退き、たった一度の巻返しもせず、遂に波は瀕死の病人の枕許にまで押寄せている口惜しさを涙のありったけで訴えたいと思ったけれど、考えてみれば岩伍だって辛《つら》くない筈《はず》はなく、此の頃よく更《ふ》けて写経などしているのも、龍太郎の身を案じての事かも知れなかった。岩伍には岩伍の立場があり、一旦口に出した言葉を翻《ひるがえ》す事の出来ぬ物堅さが身上というなら、今更もう愚痴はこぼさず事を進めてゆかねばならないのであった。

二丁目の時計屋の兄さん夫婦というのは町内一の穏やかな人柄《ひとがら》の上、仲人役はよく馴《な》れており、この話は婚礼の日までまだ一揉《ひとも》めも二揉めもあるが故に陽暉楼の大将などに

は頼めぬ事情も充分心得た上で、快く岩伍の請いを容《い》れてくれた。普通仲人は七足片方下駄《げた》を穿《は》き潰《つぶ》す、といわれるほど両家を往来しなければならないが、富田中川の場合はその倍も三倍もの足と気長さが要った。お蔭《かげ》であの目付きの悪い三百代言はふっつりと現れなくなり、これだけは厄病神《やくびょうがみ》でも追払ったように喜和は胸を撫《な》で下ろしている。

式は、十一月末が出産だという小夜子《さよこ》の躰を考えれば一日も早い方を中川は望むけれど、富田としてはこの婚礼は跡取りの披露《ひろう》も込められており、それならばほんの内輪で、という訳には行かなくなる。岩伍の取引先は無論、義理ある先のここを招《よ》べばあちらも、と指を繰れば夥《おびただ》しい数に上り、そうなれば陽暉楼本店の大広間借切りにでもせぬ限りは捌けまいという岩伍の考えを時計屋は聞いて、

「町内表も裏も、健ちゃんの婚礼には大将がこじゃんと（たっぷり）飲ましてくれるそうな、と今からもう、そりゃあ楽しんじょります。

むさ苦《くろ》しい普段着しか無い連中が、廊下へ顔の映るような陽暉楼へ招ばれても、第一恐《お》じてよう上りもしますまい」

という意見は真実《まこと》に尤《もっと》もで、長屋の連中も気易《きやす》く来て貰える場所を、といえば今までの寄り合いのように富田の母屋《おもや》を襖打抜《ふすまぶちぬ》いて使うよりほかなくなってしまう。岩伍も喜和も、病人の枕許でのどんちゃん騒ぎはどう譲ってもこれは承諾出来ず、焦《あせ》っている中川の方では、「そんな、たかがお客の場所くらいの事で一日伸ばしにされよったら、小

夜子は子連れで角隠しをせんならんようになる」といい、宝永町の家の廻りが刈入れの済んだ田圃《たんぼ》であるを幸い、そこを借りて桟敷《さじき》を作ればよいという。養子にやる訳でもないのに嫁の実家で式を挙げ、客宴もその家の廻りで張るのは岩伍の気性として甚《はなは》だ寝醒《ねざ》めが悪いけれど、今はその申出を呑《の》むよりほか知恵のない状態に居り、式日も吉曜を選んで十月三十日と決まった。

十月三十日、喜和は病人お構いなしで決められたその日を、不吉な思いなしでは考えられなかった。病人はいま、この夏を何とかやり過そうと、日々薄氷を踏む思いで辛《かろ》うじて生き延びてはいるけれど、これがいつ急変を来《きた》すか測り知れないところにいる。婚礼まで待たずに葬式を出すか、婚礼と葬式とを同時に出すか、それを考えると胸は暗闇《くらやみ》となり、この混乱の真只中《まっただなか》にいる自分のおぼつかなさにへたへたと崩折れそうになる。しっかりせないかん、ここで踏ん張らんといかん、と喜和は朝から晩まで休みなしそれを自分にいい聞かせるのであった。祈るのは、龍太郎があと半年は長らえて、婚礼の興奮が鎮《しず》まるのを待ってから旅立って貰いたいのだけれど、それが叶《かな》うべくもない夢だとは、長年看取《みと》って来た目に映る病人の衰えを見ても判る。

喜和の、戦《そよ》ぎやまぬ胸の内とは別に、日取りが決まるとその日から富田の家うちは忽《たちま》ち目の廻るような忙しさに捲《ま》き込まれてゆくようであった。

親として初めて迎える息子の婚礼は喜和にも勝手の判らない事が多く、時計屋の夫婦にいちいち使いを走らせながら、健太郎、岩伍夫婦、当日酌取《しゃくと》りをする綾子と四人の紋付の誂《あつら》えから、料理と引物、酒の手配、人力車桟敷幔幕《まんまく》などの用意、手伝人の依頼、客の案内など、細々した用事は山のようにあり、少しは健太郎にも分け合って貰いたいと思っても、

「俺《おれ》には判らん。お母さんのええように」

という逃げ方も男の子故《ゆえ》に無理からぬところもあり、勢いすべては喜和一人の肩に掛かって来る。

喜和は、片方では一寸一刻でも傍にいてやりたい病人の事が頭を離れず、一方では万一の手落ちがあってはならない婚礼の用事がぎっしり頭を占めており、絶間なしやって来る客を捌いて毎晩、躰の芯がとろけるように疲れ果ててしまうのであった。朝、真先に離室に行き、痰壺《たんつぼ》の始末をし、便を取ってやり、顔と手を拭《ふ》いて口を養ってやるうち、もう母屋からは、

「お母さん、呉服屋さん」

やら、

「姐《ねえ》さん、時計屋の兄さんが一寸《ちよつと》」

やらの声で呼び戻され、呼び戻されないまでもふと、纏頭袋《ぽちぶくろ》は買《こ》うてあるかしらん、手伝人の首に巻く桃色の手拭《てぬぐい》は注文したかしらん、貰った御祝儀《ごしゆうぎ》のつけ落ちは、など気

に懸かり慌《あわただ》しく母屋に引上げる。たった今、病人の背を撫《さす》った手で紅白の熨斗《のし》の掛かった贈物を仕分けしているうち、耳は離室の咳《せき》の音を聞いており、しかしそれも、日が込んで来るに従って次第に母屋の騒動に手を食われてゆくのであった。

喜和自身は抑えていても客の中には事情をよく知らぬ人の高話、高笑い、鼻唄《はなうた》もあり、家の者でさえ誰も彼もうわずり勝ちになって家事の手順も狂って来る。その中で龍太郎の目だけは冷たく澄んで、この騒ぎをじっと窺《うかが》っているようであった。往診の吉沢先生は、越し難いと思えたこの夏を何とか過せそうなのは、長い間の滋養と気力のせいだと感じ入ったように仰《おっしゃ》る。常々、自分の世話を疎《おろそ》かにされるとすぐ癇癪《かんしゃく》を起すのに、もうその力もない故も手伝ってか、この頃では飯刻《めしどき》の遅れにもじっと耐え、枕許《まくらもと》の呼鈴も殆《ほとん》ど鳴らさなくなっている龍太郎を見て、喜和は却《かえ》って恐しいほどの無念さを沈黙に換えている事が読み取れる。

病気という邪悪な魔物の為に仲の好かった兄弟二人の仲は次第に隔てられ、弟が誰に気兼もなく自由に若さを楽しんだ挙句、病床の兄を差置いて芸者と華々しい婚礼を挙げるというそのかたわらで、兄は二十四歳の今日まで死の恐怖と闘いながら六畳の天地に虚《むな》しく青春を埋め尽している。吉沢先生のいう気力、がそれを指すなら、龍太郎の胸には弟への怨《うら》み以外何物も無い筈であった。

喜和は、婚礼もあと半月と迫った夕方、やっと出廻って来た新高梨を擦り卸し、絞り汁を吸呑に入れて離室へ持って行った。もう大分以前から龍太郎はものをいうのも苦しくなり、手真似《てまね》で事を足していたが、咽喉仏《のどぼとけ》を大きく踊らせて吸呑の汁を二口ほど飲んだあと、珍しく喘《あえ》ぎ喘ぎ口を開いて、

「健太郎の婚礼が近いそうなが、それが済んだら二人を何処《どこ》に居らせるつもり?」

と聞いた。

「さあ、それよねえ」

喜和もその件では考えあぐねており、岩伍との相談もまだ出来てはいなかった。婚礼のあと一ヵ月足らずで小夜子は出産の筈であり、まもなく子連れになる若い二人をこの手狭な家に住まわせるのは無理、かといって小夜子の実家へ健太郎が引越す事は岩伍が到底許す筈もない。忙しさに紛れて親の自分達がそこまで話を進めてない件を、閑《ひま》だとはいえ病人がよう気が付いて、と喜和は一寸たじろぐ思いで頬の瘦《こ》けた龍太郎の顔を瞠《みつ》めた。

龍太郎は全身で言葉を絞り出すように、肩を波打たせながらもゆっくり、休み休み喜和にいった。

「俺あねえ。あいつら二人の顔を見るも胸が悪い。

俺が死ぬるまで小夜子をこの家に入れる事は俺が許さん。

ええかね、お母さん。

たとえ親父《おやじ》が許しても長男の俺が許さん。これは俺のいい置きじゃ。親父にもそういうて、これだけは固《かと》う守ってくれよ。頼むきに」

聞くうち喜和は胸が一杯になり、指の腹で両瞼《りようまぶた》をきつく押えながら小刻みに何度も頷《うなず》いた。

寝たきりで何の抵抗も出来ぬ龍太郎の、今の事態に対する、これは精一杯の抗議ともいうべきもの、と喜和はそれを受取った。小さい頃《ころ》から病い勝ちの故に、人並の楽しい恋の味も知らず過して来た龍太郎にとって、病苦など曾《かつ》て知らぬ弟の、己を先越す婚礼ほど考えてみれば残酷な刺戟《しげき》はあるまいと思える。罪のあるなしは別として、弟嫁ともなる小夜子への怨みを遺言に込めてぶっつけた龍太郎の心根が、喜和は哀れでならなかった。

愈《いよいよ》々婚礼の日、喜和は家中で一番龍太郎の気に入りだった絹を手許に呼び、兄妹同様に親しんだ健太郎の晴姿をさぞかし覗《のぞ》きたかろうが、龍太郎もまた目離しのならぬ危険な状態にある訳を話し、

「済まんが今日は家に居ってつかはれね。この埋合せは考えるきに」

と頼むと、絹も嫌《いや》がらず引受けてくれ、それに裏長屋の女房一人をつけて留守番をし

て貰《もら》う事になった。

喜和は紋付に着換えて離室へ行き、何なら吉沢先生に眠り薬でも貰うて置こうかと問うと、龍太郎は手真似でしきりに、

「心配要らん」

という。

一同揃《そろ》って俥《くるま》で宝永町へ向う間、喜和は病床の龍太郎の眼尻《めじり》に見た、微《かす》かな涙の粒の事ばかり考えていた。

あの顔がひょっと今生の別れになるのでは、と後髪引かれる思いの身では、紅白の幔幕ではれやかに装ったこちらの様子がいちいち目を刺すように痛い。この日、田圃の桟敷を使うには絶好の秋日和《びより》で、手狭ではあるものの腕の立つ中川の母親がこの日の為に磨《みが》きに磨いた床の間の一室でまもなく式は始まった。

「まあ器量良しの嫁さん！」

「人形《いちま》さんみたよな！」

と人々が口々に褒《ほ》める小夜子の装束は、喜和の差配で石水《いしみず》のお師匠《つしゃ》んに引受けて貰っただけに、臨月間近い面窶《おもやつ》れも目立たず腹も巧《うま》く隠しおおせている。お酌取りには中川の親戚《しんせき》の娘が綾子と二人並び、三々九度の盃《さかずき》を神妙に廻していたが、どういう訳か子供二人は三宝の上のするめを押戴《おしいただ》いて袂に入れるとすっと立って釜屋《かまや》へ隠れてしまった。

途端に婚礼の座には笑いが小波《さざなみ》のように拡《ひろ》がり、もの馴れた時計屋の姐さんが替って、

「富田のほんそもまだ六つじゃもの、無理もないない」

といいながら、にこやかに長柄《ながえ》の銚子《ちょうし》を取上げるのであった。

この座の中で笑わぬは自分一人、と喜和は気付いていながらも、この祝いに酔うたが最後龍太郎は永遠に暗黒の孤独地獄に落ちる事になる、とせめて気持だけでも傍《そば》にいてやりたく、胸に今朝の涙顔を泛《うか》べ続けている。式のあいだ中、喜和は絶えず胸騒ぎに襲われており、こうして自分が悠長《ゆうちょう》な時間を送っている内にも龍太郎には最後が訪れて来はせぬかと思うと心は空《うつろ》であった。式のあと、中川の前の坪庭に出て一同写真を写して貰ったまでが喜和の我慢の限りで、後は岩伍に全《すべ》てを頼み慌しさを周りに隠しながら俥を呼んで貰う。もう田圃の桟敷にも電気を点《つ》け、道々、披露宴に招いた客たちが三々五々群れながら宝永町へ向うのに幾度も出会ったが、いちいち挨拶《あいさつ》の時間さえ惜しく、前幌《まえほろ》を垂れたまま、喜和はひたすら俥を急ぎに急がせるのであった。

龍太郎は案の定、暗い死の翳《かげ》に包まれて昏睡《こんすい》状態に陥っており、薄い躰《からだ》を蒲団《ふとん》に沈み込ませるようにして眠り続けていた。絹に聞くと、喜和たちが揃って出たあと、大波のような胸苦しさが幾度も襲って来て苦しみ続け、手伝いの女房は慌てて吉沢先生を迎えに走り、絹は胸を冷やしたり背を撫ったりしているうち、先生の注射で今ようよう眠ったところだという。

婚礼の式服をその場で喪服に脱ぎ換えるような真似はしとうない、と喜和が前々からあれほど願っていたにも拘《かかわ》らず、どうやらその仕儀になりそうで、岩伍《いわご》も喜和も息を詰めて見守っている中を、龍太郎はそのあとなおも五日という時間を生き続け、十一月五日の午過《ひるす》ぎ、とうとう息を引取った。吉沢先生が苦しみを和げる為に打ち続ける注射の合間に、ぽっかりと目を明け、

「婚礼は無事済んだかえ？」

とか、

「あいつら二人の顔も見とうない」

とか、意外に静かな声で短くはっきりといって退《の》けたが、口にする言葉が弟の婚礼に関《かか》わるものばかりだったのは、それが如何《いか》にこの病人を苛《いじ》める元となっていたかの証《あかし》と見られ、喜和はこの日を思い出すたび、堪《こら》えても堪えても内から噴き上げて来る悲しさに負けてしまうのであった。夏までという命数が幸いにも秋まで長らえたにせよ、あの十月三十日の騒擾《そうじょう》が無ければもっと心安らかな終りの日を迎えられたのではなかったかと、喜和は悔んでも悔んでも悔み足りない思いになる。

それを思えば龍太郎のい置きは真実《まこと》に無理からぬ話で、婚礼の終った二人は坂本の煎餅屋《せんべいや》の隣、ポペン吹きの兼やん家に間借《く》させ、三度の食事は母屋へ通って来る形にしたのを、婚礼の前、喜和が龍太郎の耳許に唇《くちびる》を寄せて話しておいたのが唯一《ゆいいつ》の慰めとな

り、臨終の日は、もう注射を打つ必要も無いほど朝から意識が濁って誰の顔も判らないまま、頤《あご》を二、三度強く振るようにしたのが最後であった。

満六年に渡る長い患《わずら》いは、二十四歳のこの若者の躰中の肉という肉を悉《ことごと》く蝕《むしば》み尽した上、若さにまで止《とど》めを刺してしまったかのようで、喜和はまるで苧殻《おがら》のように頼りなく軽い、老《ふ》け込んだ龍太郎の亡骸《なきがら》を支え、伸びた頬髭《ほおひげ》を剃《そ》ってやりながら、止めどもなく涙が滴《したた》り落ちた。暴れ者の癇癪持ちだったとはいえ、龍太郎が今日までの長い月日をじっと堪え詰め、病いと闘い続けたのは、何時《いつ》の日か訪れる全快の日を夢見ての事だったと思うと、衰えた亡骸の至るところに生きる執念がまだ生々しく染《し》みついているように喜和には思える。

岩伍も、この五日間ずっと枕許を離れなかっただけに目に見えて肩が落ちてはいるものの、男だけに喜和ほどの涙は見せず、

「長い事、苦しかったのう。

安らかな最後でよかった」

と呟《つぶや》きながら瞼《まぶた》を撫ってやっている。

喜和は、一人冥土《めいど》に旅立つ龍太郎が淋《さび》しくないよう、朝夕慰んだ手遊びものの歌留多や活動俳優のブロマイドや、尺八やハーモニカなど、棺の中の、経帷子《きょうかたびら》を纏《まと》った龍太郎の亡骸の脇《わき》に叮嚀《ていねい》に詰めてやったが、その中の大正琴だけは遺品《かたみ》としてそっと残して置

くのであった。

告別式は、比島《ひじま》の龍乗院のお住《じゆ》っさんがすべて取仕切ってくれ、岩伍も昔習い覚えた経文を共に誦《ず》して淋しいうちにも賑《にぎ》やかな弔いになった。香りの高い菊秋に逝《い》った龍太郎は、黄菊白菊の中から元気な写真がこちら向いて微笑《ほほえ》みかけており、それをじっと瞠めていると病気も死も一切夢のように思えて来る。霊柩車《れいきゆうしや》の出る際、長いあいだ使った龍太郎の茶碗《ちやわん》を門口で割った音に喜和はふと引戻され改めて悲しさがこみ上げて来るのであった。龍太郎の骨は、富田家先祖代々の墓所のある五台山桃の木谷の、今はもう実の生《な》らない古い大きな楊梅《やまもも》の木の下に葬《ほうむ》ったが、埋葬には岩伍と健太郎が立会い、喜和は山へは行かなかった。

喜和は、一日がかりで隅々《すみずみ》まで消毒を済ませた六畳に風を通し、まだ消毒薬の匂《にお》いのつんと来る、急に広々と見えるようになったその座敷に、ときどき気の抜けたように呆《ぼ》んやり坐《すわ》ってみるのであった。子が親を野辺に送るは順だけれど、親が子を送るは逆縁故、世に一番辛《つら》い廻《めぐ》り合せだという。坂本の姐さん、茂八ちゃん家《く》の姐さん、安岡の姐《も》さん、皆代る代る喜和を慰めにやって来ては、普通なら一、二年で終る命を丸六年も保たせたのはお前さんの看病が良かったせい、龍ちゃんも定めし満足してあの世へ行た事じゃあろ、ともいい、また、呆気《あつけ》ない病いとは違い、長患いの間には親も心のたけを話し子も訴える故に、お互い心残りのない別れよねえ、ともいう。死人を送るにはさまざまの思いがあろうけれど、喜和の身になれば龍太郎を一度、人並な五躰《ごたい》に戻してやりたかった思いがいつまでも付纏うのであった。

喜和から一寸も離れない伝馬《てんま》の綾子は、寝床の無い離室を見ては不思議そうに、

「龍たん、何処へ行た？　お医者さん？」

と執拗《しつこ》く喜和に根問いする。

龍太郎は昔、「俺はその女の子に何の用事も無い」ときっぱり喜和にいい渡した日もあったくせに、綾子の成長はいつも気懸りであったらしく、喜和の往復に消息を聞きたがったものであった。小さい頃は抱いて遠目に見せるくらいで納まっていたのに、綾子が一人歩きをするようになると喜和の隙《すき》を狙《ねら》っては呼鈴で招き寄せようとし、綾子がクレヨンで訳の判《わか》らぬ人の顔でも描き、

「これ、龍たん」

などと差出そうものなら忽《たちま》ち目を細め、自分では使いようもなくて枕の下に蔵《しま》ってある金を、気前よく綾子にくれてやったりするのであった。

臨終の夜、綾子には兄の死が呑み込めないのか、喜和について中庭を渡りながら夜空を見上げて、

「星が光りよる。ビーズみたいにいっぱい光りよる。

龍たん星になった？」

と、喜和を泣かせたものであった。
喜和は膝《ひざ》に綾子を抱き、六畳の仏壇の前にじっと坐って思いに沈んでいるうち、これからは自分一人だけ寝間を此処《ここ》へ移そう、と思った。龍太郎が業病《ごうびょう》の為《ため》に六年も苦しめられたこの離室《はなれ》に綾子と共に起伏しし朝祈暮賽《ちょうきぼさい》していれば、亡《な》き子への供養《くよう》ともなろうし子を先立てた心の痛みも少しは薄らぐかも知れないように思うのであった。喜和はそのときふと、岩伍の思惑を考えたけれど、二階で並んで寝ていてさえ次第に遠くなってゆくような夫婦の仲より、若くして死んだ子の悲しみに心は傾いてゆく。神信心《かみしんじん》に篤《あつ》い岩伍は愛別離苦に打克《うちか》とうとして、ときに夜明けまで写経しているのを見掛けるけれど、信心を持たぬ喜和はせめて位牌《いはい》の番などしていたい思いなのであった。

六

離れて聞いていると、蚊帳《かや》を畳むときの環の触れ合う音は、暑苦しい銭勘定に似ているようでその実もっと涼しい響きがあり、涼しそうでいて案外暑苦しい音は、冷蔵庫の下の水の滴りで、それは受けてあるバケツが一杯になっていはせぬかと始終気に掛かるせいかとも思える。富田の釜屋に冷蔵庫が入ったのは龍太郎《りゅうたろう》が死んで後の事で、今では岩伍の好きな甜瓜《まくわ》や郁李《いくり》、このお蔭《かげ》で少しは延命するようになった十市《とおち》の楊梅《やまもも》も味噌漉《みそこ》しのまま入り、折々表に噴き出る緑青《ろくしょう》の銹《さび》を拭《ぬぐ》いながら、家中重宝しているのであった。

喜和は子供の時分から、五躰がぐうーっと伸びてひとりでに動き出すような夏の季節が好きで、心まで伸び伸びした感じになる。

富田では十市の姐さんが現れたあとはもうすっかり夏で、家中の襖《ふすま》障子を全部取払っては簀戸《すど》に入替える。簀戸は軽く、敷居のすべりも滑らかで、明るい方からは簀戸の内側は覗けないけれど、こちらからは明るい方はよく見えるという便利さがあった。また、夏の飯は飯櫃《めしびつ》でなく籠《めご》に移すのが慣《なら》いだけれど、その籠の底にこびりついた飯粒を水に漬《つ》けてほとびさせ、糊袋《のりぶくろ》に入れて揉《も》み出しては洗濯物《せんたくもの》に飼う。雑品屋の安岡で売っている糊よりもこちらの方がずっと利《き》き、また飯粒の無駄《むだ》も出なくて都合がいいのであった。物干台《やぎり》から取込んだばかりの、その飯糊が利いて棒のように突っ張った浴衣《ゆかた》を座敷に拡げ、ブリキの霧吹きでのした後畳んで莫蓙《ござ》に巻き、その上に坐って押しをしていると、何となくだるくなり瞼が重くなって来る。そんなとき、すうーっと簀戸を引いて手枕《てまくら》で横になると人にも見られず、何処《どこ》からか吹き廻《まわ》して来るひいやりとした風で快い午睡が出来るのであった。午睡は、洗い髪で藺《い》の枕のうたた寝ほど心地良いものは無く、喜和はこの頃、ふと気が付くとよく離室でうとうとしている自分を見る事があった。

浅い眠りのせいかうたた寝にはよく夢を見、夢には龍太郎の死の前後、それ以後の出来事など取りとめもなく泡沫《うたかた》のように泛んで来る。うたた寝が出来るほど躰が楽になったかといえばそうでもないのに、長病人の始末がついた気の緩みもあってか、近頃の喜和はもの事に根気の無くなっているのを、自分でもつくづくと感じる。以前のように、しち面倒な客の長話をいちいち嚙《か》み分けて聞いてやるのも億劫《おっくう》になり、家の中の仕事も、手の抜けるものはなるべく控えて置きたい気持であった。もの事を見ても聞いても昔ほど目新しい感じが無くなって来たのも、考えてみれば長男の死と次男の婚礼を一時に迎えるような衝撃的な経験を嘗《な》めたせいかとも思える。今では下手に情を動かす虚《むな》しさも少しは判るようになっており、その上、龍太郎の死後この二年の月日に見た家うちの人間の移動も、何となく喜和の思いに影を射《さ》しているという事もあった。

新しく家族となった嫁の小夜子《さよこ》はあの日、龍太郎の四十九日も済まないうち長男の政《まさ》彦《ひこ》を生み、今また二人目を妊《みごも》ってもう臨月も近い。喜和が姑《しゅうとめ》としての腹も漸《ようや》く据《す》わり、その気で触れ合ってみると、小夜子という嫁は呆《あき》れるほど素人《しろうと》素人していて、これが座敷に出て「浅い川」など客の前で踊っていた妓《こ》とは到底信じられぬおぼこさがあった。間借りの部屋にはちゃんと人並に新しい簞笥《たんす》鏡台が持込まれたが格別化粧をする様子もなく、喜和がその目で見渡してみても小夜子の勤めの名残りは何ひとつ見当らず、強《し》いていえば客に貰《もら》って貰ったという博多《はかた》人形が一つ二つ、飾ってあるだけであった。ただ、喜和が見透した通り万事に手粘《てねば》で、一寸《ちょっと》連れ立って出ようにも、「長い日にふたつと出来ぬ嫁の髪」ほどにも暇が要り、飯の後の洗い空けには小半日も時間を喰《く》う。そのうち、

仕事の早い男衆《おとこし》たちからは親しみを込めた、「丑《うし》年の若姐《わかね》さん」の名で呼ばれるようになり、小夜子が箒《ほうき》を持てば、

「ちょっと、ちょっと、儂《わし》らが掃きます」

と取上げられ、流しに立てば、

「私らが洗いますきに、若姐さんは休みよって」

と菊と絹に追いやられる。

喜和は昔、鼻の頭に汗を掻《か》いて働いてものが捗《はかど》らなかった自分の姿を小夜子に打重ね、無口、口下手、悪心を持たぬ様子まで似ているとすれば、どうしてそれを決めつけられようと一人胸に頷《うなず》くのであった。

初孫の政彦は取込み中の事とて小夜子は中川へ帰って生み、年が明け肥立ってから緑《みどり》町《ちょう》へ戻って来たが、喜和は六歳で政彦の叔母になった綾子《あやこ》を傍に引連れて、宮詣《みやまい》り、箸《はし》揃《ぞろ》え、節句、誕生祝い、と金と手数を掛けて世間並以上にこれはちゃんとやって退けた。赤子の政彦は神経質な生れ合せでよくかん高い声で執拗泣《しわな》きし、喜和は時折仲子《なかこ》で負うてやりながら、この子はひょっと龍太郎の生れ変りではないかと思ったりする。その気で見れば顔の輪廓と唇許《くちもと》が龍太郎の幼な顔に瓜《うり》ふたつ、とも思え、子に対するものとはも一つ違った可愛《かわい》さがあった。

子の綾子は、去年田淵《たぶち》の第一幼稚園に上る頃から次第に病気とは縁が切れ始め、ほぼ

この一年間、入院騒ぎもなく過している。毎日の規則正しい通園生活が綾子の躰によい結果を齎《もたら》したように、綾子に蹤《つ》いてたびたび幼稚園を訪れる喜和の上にも、思いも掛けぬ新しい世界が開けて行くようであった。種崎《たねざき》町京町の買物にしても、これまで無縁であった洋品屋靴屋《くつや》へしげしげと足を運ぶようになり、長い間呉服物ばかり見立てて来た目で駱駝《らくだ》やらポーラ、ボイル、ポプリンなどの生地《きじ》の洋服の可愛らしい仕立てを選ぶ事になる。本屋の「富士越」もまた素通り出来ない店で、綾子が手に取って離さない「幼年倶楽部《クラブ》」「少女倶楽部」は買って戻ったあと喜和もときどき長火鉢《ながひばち》のこちらから首を差伸べて覗《のぞ》いたりする。家の土間には頭巾《ずきん》のついたゴムの雨マントが小さな長靴と共に掛かり、茶の間には赤い羅紗《らしゃ》の鞄《かばん》が吊《つる》されて、その中を開けると喜和の知らなかった「騙《だま》し舟」や「奴《やっこ》さん」の折紙が入っていて、喜和はその珍しさに惹《ひ》かれ殆《ほとん》ど毎日、送りがてら幼稚園を覗きに行く。それぞれの子に付添って来る着飾った若い母親たちは、連合いが学校の校長先生、会社の社長、官員さん、物堅い商売人などの、今まで水商売の相手しか知らない喜和が垣間見《かいまみ》た事もない上品な人達ばかり、脇で黙って話を聞いていても喜和には初めての愕《おどろ》くような話題が多かった。

幼稚園の門の脇には豊かに蔓延《はびこ》った藤棚《ふじだな》があり、父兄たちはよくその下に塊まって子供たちの遊ぶさまを遠見していたが、一日、束髪の若奥さんが喜和の傍に寄って来て、

「奥さん、お構いなかったら今度うちのお茶会へおいでませんか。お子さん連れで。

そしたら子供らも仲好《なかよ》うなりますし、大人《おせ》もねえ、気晴しになりますもの」

いわれて喜和はその意味が判らず、お茶会？　と口の中で思わず呟いて目を浮かせたが、相手はそれと悟ったのか、薄く笑って、

「そう大袈裟《おっこう》なもんでは御座いません。お気が向きましたらどうぞおいでてつかさいませ」

といい捨てて、すうーっと離れて行った。

ええ氏《し》の暮しにはお茶がありお花があり、琴鳴物の稽古《けいこ》があり、奥さんの一日はそういう付合いで暮れる事を喜和が知ったのはこれが初めてであった。生れてずっと鉄砲町常盤《ときわ》町緑町の暮ししか知らなかった喜和が、幼稚園の綾子の友達を通して少しずつ世間の広さに触れ、素人の世界を覗けるのは一つの面白さでもあった。今更その仲間に入って稽古事こそしようとは思わず出来もしないけれど、喜和は綾子が幼稚園の行事に踊り手、歌い手に選ばれるたび、家の電話を使っては共に選ばれた相手の父兄と連絡取合い、

「頭の飾りは花にしますかリボンにしますか？　衣裳《いしょう》はお内が白じゃったらうちも白がよう御座いますねえ」

などと心を弾ませる。身分は紹介人の女房でも綾子にその力がある限り、ものの支度では奥さん連と肩を並べられるのは、ともすれば卑屈になりがちな喜和の救いではあった。

喜和はそういうとき、口には出さない岩伍の不機嫌《ふきげん》な目を全身に感じる事がある。綾子の幼稚園行きを最初から岩伍は進んでおらず、この辺りの子供と同じように尋常から始めたらよい、というのを、新築の第一幼稚園に入れたがったのは喜和のほうだという引け目もあった。

喜和はしかし、どんなに違った世界を見たとて自分がこの富田の家の、或《あるい》は下町の習慣から脱け出せないのは判っており、ただ綾子の為に叶《かな》わぬまでも背伸びもし、精一杯の装いもしてみるのであった。綾子は今年春から第五と下知《しもじ》の二つの小学校が合併新築した明和小学校に上り、毎日金歯の谷川の家の下を近道しながら、近所のめりやす行商の浜田の雪子たちと共に元気に通っている。

喜和はこの二年間を振返って、歯が抜けたような淋しさを感じるのは矢張り、菊と絹の嫁入りであった。

以前から喜和は、吃《ども》りの亀《かめ》が菊を何となく好いているらしい気配を感じていて、本人同士承知なら夫婦にさせて良く、それは富田にとっても好都合と考えていたところ、米《よね》が談義《どうぎ》の口に、

「姐さん、〝成るは嫌《いや》なり思うは成らず〟ですぜ」

と喜和に向って謎《なぞ》を掛けて来る。

喜和はぎょっとして、成るは嫌なり、は菊が亀を嫌《きら》っている様子とは察しがつくが、

思うは成らず、とは誰の事？　と問い詰めると、

「お目当ては片目の春さん」

という。そういえば店での青年団の集りに小兵で片目の菓子職人がちょいちょい群に混っているのを思い出し、喜和は、まあ、と呆れ、見場ならまだ亀のほうがよっぽどましなものを、と思ったものであった。菊の判らなさは今に始まった話ではないけれど、八金八鷹《はちきんはったか》といわれるほど猛々《たけだけ》しい子が珍しく女子らしゅう、傍目《はため》にも察しがつくほど男に情を寄せたと思えば、相手は見るからにしょぼたれた貧相な不具の男だという。

喜和は、ここは一番岩伍《いわご》にいい含めて貰って亀と一緒にさせたほうが本人の為ではないかと考えて岩伍に相談したところ、岩伍はその場で、

「亀と一緒にしたところで一生うちの下使いじゃ。手職があるという男ならその方へ話を持って行てみたらええ。人は外見だけでは判らん」

と決め、ここはいい出しべえの米に一役買って貰う事になった。

春は近くの菜園場《さえんば》に八丁四方鳴り渡るという口矢釜《やかま》しい母親と男ばかりの兄弟六人の大家内で住んでおり、菓子職もまだ一人前ではないけれど、人間は実態《じってい》で、菊を貰うについても異存はないという。矢釜しい母親と兄弟六人、の話に喜和は一瞬怯《ひる》んだが、本人の菊がそれを気にも掛けておらぬ様を見て、改めて菊のたくましい生い立ちを恃《たの》む気持であった。

一日、喜和は菊を連れて種崎町へ行き、鏡台、箪笥、水屋を揃えたあと「徳右衛門《とくえもん》」に上って差向いで月見うどんを食べた。前から欲しかったという刺繍《ししゅう》の半衿《はんえり》とキルクの草履をいとしそうに弄《いじ》り廻している菊を前にし、喜和はこのままこの子を他所《よそ》へやる事の惜しさが急に募って来るのであった。欲目かも知れないが、汚れた小犬のようだった子供の時分から一枚ずつ皮の剝《む》けるように娘らしくなってゆき、今はもうちゃんと身装《みじま》いさせれば十人並には見える。この子も縁あって富田の娘となってもう足掛け十三年、骨身惜しまず釜屋の手助けをしてくれた事を喜和は今更に思うのであった。

菊と絹の婚礼支度については、随分以前から石水のお師匠《つしゃ》んが、

「二人の拵《こしら》えは私に一切任して頂戴《ちょうだい》や」

といっており、揉上《もみあ》げの長い菊、赤毛の絹には髪の結い方化粧の仕方がある、と気張っていたのに、菊は耳も藉《か》さぬふうで、

「私は人の知らん間にこっそり嫁《ゆ》きたい」

としきりにいい、嫌というたら嫌！と頑《かたく》なな菊の気性を知っている喜和は強いて抗《あらが》いもせず、いう通りの形にして出してやった。

節分の晩、婿《むこ》の春が一人で普段着のまま迎えに来、内同士で盃《さかずき》のやり取りをしたあと、夜更《よふ》けの町を菊は自分で結ったエス巻きの束髪に銘仙《めいせん》の上下という装《なり》で、春と共に去って行った。荷物は男衆たちが先に車力で送りつけてあったから、菊が当夜手に提げてい

たのは小さな風呂敷《ふろしき》包み一つで、まるで夜逃げのようなひっそりした嫁入り、と喜和はさすがに胸が痛かった。それでも、喜和が石水で分けて貰った鴇色《ときいろ》の小さな薔薇《ばら》の花を髪に飾ったのがせめてもの彩《いろど》りで、寒い夜更けの路上を、下駄の音を響かせながら遠ざかってゆく菊の後姿の、その衿元の淡い薔薇だけがいつまでも喜和の目に浮いて見えた。

改まった婚礼をしなかったのは絹も同じ事で、こちらはめりやす行商の浜田の姐さんの口利きで、兄さんと同じ仲間の大林という男の写真を見せられ、絹が飛び付いて承諾すると廻りも致しかたなく話が進み、菊が嫁入りした年の暮にはもう大林は絹を連れにやって来たのであった。喜和は大林の役者のように整った顔立ちの写真を見て、これでは先々絹が苦労するばかりではあるまいか、とふっと思った。家は京都にあり、大林は関西一円を廻っていて十日に一度、二十日に一度の帰宅になるという。喜和はそれを聞いて、今となっては春に嫁いだ菊のほうが女の幸せではなかったかと思える。行商という女房の見届けの利かない仕事は留守を預かる身には不安であり、まして女にもてそうな顔立ちの男ならその不安も倍となる憶《おぼ》えを喜和も持っている。男が不実と今から決めつける訳ではないけれど、第一、絹を遠い京都へやるのも嫌だったし、男前の大林の写真を見て以来、絹がえらく燥《はしや》いでいるのも何処《どこ》か危なっかしい感じがあった。しかしこれも結局は仲に立った浜田の姐さんの顔も立て、絹も望む通りにこちらは異議もいわず、婚礼支度はそっくり現金で大林に渡し、町に誓文払《せいもんばら》いの始まる日、売出しの触れ太鼓を聞きながら喜和は二人を岸壁まで送って行った。

喜和は二人をばたばたと嫁《かた》づけたあと暫《しばら》くは気の抜けたようになり、紋付きも着せず角隠しもさせず平服のまま送り出した残念についていつまでも拘泥《こだわ》っているのであった。考えてみれば昔、二人を我が娘に仕上げようとして事成らなかったように、菊は自分に相応《ふさ》わしく見栄《みば》えのせぬ働き者の男を選んで派手やかな婚礼を拒み、絹は相棒の去った後はもうこれ以上自分も面倒掛けられぬとばかりに慌《あわただ》しい門出《かどいで》であった。こちらは親として心を解いていても、二人は二人なりに孤児の持つ遠慮もあったものであろうか。

それにしても、本人が望んだにせよ世間態《てい》の良くない嫁入りのさせかたで済ませてしまった事を、喜和は此の頃《ごろ》の何事も物倦《ものう》い自分の躰のだるさに結びつけて考える。逆にいえば、息子たちの、死、婚礼、の翌年には片腕とも頼んでいた二人に去られた事の気落ちがいまも尾を引いているのだと思えるけれど、近頃不意にときどき襲って来る眩暈《めまい》の為にもの事が少々投げやりにもなっているようであった。自分の齢《とし》など、節分の晩厄《やく》落《おと》しに四つ辻《つじ》へ捨てる豆を数えるとき以外思い出した事はないけれど、繰ってみれば喜和ももう今年は四十三になっている。四十三といえば女の躰の変り目にそろそろ差掛っており、こういうとき、喜和より三つ四つ齢上の坂本の姐さんはいつも按摩《あんま》膏薬《こうやく》を顳顬《こめかみ》に貼《は》って堪《こら》えたといい、隣のお竹さんはもっとえらくて殆ど寝たり起きたりの医者通いだったという。眩暈ぐらいは軽いうち、と喜和は二人に折々慰められ、そんなものかと諦《あきら》めては日を延ばしているのであった。

菊と絹の手代りには、岩伍が早手廻しに役所の口入れ屋に申込み、鈴と勝という名の女子仕を雇ってくれたが、昔、新しい人間をこの家に迎えたときのような心の弾みがすっかり薄れているのを喜和は感じる。

鈴は遠い上《かみ》の加江《かえ》、勝は窪川《くぼかわ》の出で、二人とも高知の西の郷《ごう》だけに下町の暮しに馴《な》れるにはかなり戸惑っているふうに見えた。菊の出たあとすぐにやって来た二十《はたち》の鈴は、どういう訳かいつも泣いているように目が赤く、白いエプロンが嫌いで、最初から古びた青いモスの事務服を着て袖口《そでぐち》をゴムで縛り、黒いセルの前掛を離さないのであった。勝は鈴に半年遅れ、まだ絹のいるうち来て貰ったのだけれど、三十も半ばという歳に似合わず万事がのどかで、それが癖なのか一銭で買えるゴムの酸漿《ほおずき》をいつも口に含んでは鳴らし続けている。

喜和は、勝気な鈴、嫁《い》き戻りという勝のときどきの小諍《こいさか》いを見ていると、この家もだんだん変りよる、と深い思いが湧《わ》いて来る。これまで、通り抜けの銀蠅《ぎんばえ》以外家に他人を考えた事はなかったのに、今はいつまで経《た》っても鈴と勝は他人であった。月末の日、五円札の皺《しわ》を伸ばして紙に包み、二人にそっと渡すときその感じは一番強く、金が惜しい気はさらさら無いものの、給料という約束の金の遣取《やりと》りはそれだけでお互いの間に遠慮という溝《みぞ》を掘るように思われるのであった。金だけでなく、男衆たちとの溶け合いにし

てもそうで、米たちが菊や絹並に、

「兎目《うさぎめ》の鈴やん、酸漿提灯《ぢょうちん》の勝やん」

とでも戯《ふざ》けようものならすぐ本気に受取って勝は膨れて不機嫌になり、鈴は便所に駈《か》け込んで泣いたりする。からかわれたら倍にして返せばよいものを、と喜和が傍《はた》から思ってもこの調子では男衆たちのほうで滅《め》ってしまい、以前のように情ある故《ゆえ》の小いさかい、という釜屋《かまや》の内同士の親しさは薄れて行くのであった。

この夏は特に暑かったせいもあって富田では早くから趣向好きの岩伍が思いつき、夕食は一同、物干台《やぎり》で摂る事になった。湯殿から雪隠《せっちん》、物置へ掛けて組上げてある屋切への段梯子《ばしご》は狭い上に背抜きの急勾配《こうばい》と来ており、ここを伝って大家内の皿小鉢《こばち》を運び上げるのは女達にとって大変なしんどさとなる。米は一計を案じ、予《かね》て志願の大工の腕を揮《ふる》って大きな広蓋《ひろぶた》を拵えそれを上から鉤《かぎ》の手で釣《つ》り上げるようにしたところ、これはなかなかの好評を呼び、岩伍からも、

「鰯《いわし》網に鯨、とでもいう出来じゃ。米もたまにはええ働きをするのう」

と褒《ほ》められ、当分天狗《てんぐ》の鼻で高かった。

屋切には電燈が無く、岩伍の夕飯はいつも早目だったから、此処《ここ》での食事は廻《まわ》りの瓦《かわら》の照返しもあって思ったほど涼しくはなかったけれど、広々とした感じはせせこましい釜屋では味わえないものであった。喜和は飯台の上に冷たい鰆《さわら》の刺身や九万疋《くまびき》のぬたや

淡い緑色のみずみずしい蓮芋《りゆうきゆう》の酢揉《すも》みや、柚子《ゆのす》を卸した冷しそうめんのガラス鉢を並べながら、この頃は眩暈もだんだんひどうなる、と思っている。降って照るのが土佐の夏、といい、日中でもさっと来る驟雨《さだち》の為《ため》に夏は必ず一日二、三回干物の取込みにこの屋切の段梯子を往復するのだけれど、此の頃では夕飯の勢揃《せいぞろ》いでその倍もこの強《きつ》い坂を攀上《よじのぼ》らねばならなくなっている。女子仕が二人いても米が広蓋を作っても、家に居る限りは喜和が先に立たねばものが進まず、狭い段梯子を踏み締めながら上ったあとは暫く胸が喘《あえ》ぎ、折角涼しそうな趣向の夕飯も、何となく箸《はし》が進まないのであった。

此の頃は夜もときどき動悸《どうき》がして目が覚め、喜和は暫く目覚めたままでいる事もある。女の躰《からだ》の変り目にはそれらしい験《しるし》があり、月厄《つきやく》の始まる十三、四、女盛りを厄年として戒めてある三十三を無事潜《くぐ》り抜けて来た身には、最後のこの厄も何とか事無くやり過したい思いになる。余程気分が悪くても喜和が決してそれを口にしないのは、女なら誰も通る躰の変り目だと思っているせいであり、ずっと執拗《しつこ》く続いている下りものや、空腹時でも付纏《つきまと》って離れぬ腹部の膨満感も全部そのせいにしてしまい、加えて今年の夏の凌《しの》ぎ難い暑さもあると考えている。鉄砲町の梅など昔から、

「女子は自分の躰の病いを口にしては不可《いか》ん。連合いに嫌われる元となる」

と喜和に戒めており、未《いま》だに何となくその言葉にも拘泥っているのであった。それでも、なかなか動悸の鎮《しず》まらない夜など、背筋に水を注《さ》されるような不安を覚え、或はひ

ょっと重い病気の前触れではないかと怯《おび》えたりする。長い間病人を看取って来て判《わか》っているだけに、今度は自分の番、と思えばぞっとするほど喜和は恐しく、踠《もが》き廻ってでもその手から逃げ出したくなる。これは女の厄故、もう暫くすればもとのように息災になる。病いじゃない、病いじゃないと喜和は闇《やみ》の中の不安に向って懸命に打消しているのであった。

土用干も終った八月のある朝、喜和は糊《のり》づけした浴衣《ゆかた》を干そうとして屋切の段梯子に片足をかけ上を仰いだ途端、晴れ渡っていた空に突然恐しい黒雲が拡《ひろ》がりぐーっと頭上近く降りて来たのを目に捉《とら》え、あ、これは危い、と逃げようとする後頭部を誰かにしたたかに撲《なぐ》られた感じがあって、それっきり意識は底なしの闇へ真直《まっす》ぐ陥《お》ちて行くようであった。

傍《そば》にいた鈴が、

「いやあっ、誰ぞ来てえ、誰ぞ来てえ」

と金切声を挙げ、駈け寄って来た皆が見たものは、段梯子に崩折れている喜和の裾《すそ》からぽたぽたと滴《したた》り落ちている紫蘇汁《しそじる》のような血であった。血には異臭があり、踝《くるぶし》から爪《つま》先《さき》までその血に塗《まみ》れた喜和の顔色は草の葉の絞り汁のように青い。幸い、岩伍はまだ家にいて喜和を抱えて離《はな》れ室の寝床に運んだが、身に触れる喜和の手足はもう井戸水のように冷たくなっている。

家中誰も彼も、岩伍でさえ慌《あわ》てていて、その中で気転を利《き》かした庄が自転車の後に乗せて来て貰《もら》った吉沢先生は、見るなり、

「これは婦人科じゃないと手に合いません。逸《へん》しも、急いで下さい」

と自分から電話室に入り、駅前の徳橋産婦人科に連絡を取ってくれた。まもなく、狭い緑町の通りへ大型のハイヤーが入って来、夏蒲団《なつぶとん》にくるんだ喜和の躰を膝《ひざ》に抱いて岩伍と健太郎、それに庄が乗って去ったあと、俄《にわか》に暗い洞穴《ほらあな》のような静寂が来た留守の家に、綾子の執拗《しつこ》い泣声が何時《いつ》までも続いている。何も彼《か》も一瞬のあいだの出来事でありながら、富田が今、大事な瀬戸際《せとぎわ》に立たされている事実は痛いほど皆の頭に灼《や》きついているのであった。色白で華奢《きゃしゃ》な躰付きではあっても滅多に風邪さえ引かず、口下手ではあっても人を劬《いた》わる一方だった喜和が病気で殪《たお》れるなど、家中の誰が今まで考えた事があったであろうか。突然残された良吉や亀《かめ》など、こういう場合のなす術《すべ》を知らず、かといって落着いてもいられず、泣き続ける綾子を庇《かば》いながら皆一塊りになってひそひそと話し合い、知恵を絞るのであった。

病院へ着いた頃、喜和の正気はは だら斑《まだ》らにときどき戻り掛けており、冷たい金具の皮膚に触れる合い間に、院長先生らしい声で、

「長い事出血していたようですね。赤ん坊の頭ほどもある大きな子宮筋腫《きんしゅ》が壊死《えし》を起しています。すぐ手術に掛からんと

命が危い」

と岩伍たちに話しかける言葉を耳に捉えている。そういえば腹の膨れた感じやこの頃の腰痛も思い当たり、小用も近かったけれど、いまはただ無性に眠く、金縛りに遭っているように躰が重く、何を考える気力も喜和にはなかった。

手術はその日の午後一時から始めて、おおよそ三時間ほど掛かる見積りといい、〝筋腫がここまで大きくなるにはかなりの年月が経っている筈《はず》で、長い間の出血から貧血症状を起している故《ゆえ》手術中万一の事態も考えていて下さい〟と岩伍は院長先生からいわれている。万一の事態といわれて岩伍は不意に眉間《みけん》を殴られたような痛みを覚えたが、それはいま、喜和が死の間近にいるという不安よりも、長い間喜和の健康について思い廻《めぐ》らせた事もない自分への責めであった。

手術前、岩伍は牢屋《ろうや》のように情の無い四方コンクリート壁の手術室に入り、エーテルの点滴で深い眠りに陥ちている喜和の白く乾いた腹部をじっと凝視《みつ》めていた。目を刺すように白いガーゼ、夥《おびただ》しい金属の道具を脇《わき》に院長先生自らの手で手術は始められ、黙っていかめしく進められてゆく。喜和の血が膿盆《のうぼん》の中にガーゼに塗《まみ》れて積まれ、溢《あふ》れ、そのうちの一つ二つは床にもこぼれ、時間がどんどん経ってゆくのを、岩伍は自分の躰の内も冷え上る思いで見守っている。思うは六年に渡る長病人の看病、そのかたわら引いたり寄せたりでやって来るさまざまな出来事、根が口数の少いたちだからそれらをことごとしく岩伍に訴える事はないけれど、それだけにどれほど喜和は身心を擦り減らしていた事であろうか。その上、龍太郎の死後、岩伍は二階、喜和は離室、と寝間も遥《はる》かに遠くなり、日常の喜和に対する心遣いも殆《ほとん》ど無くしている。これを、任せておける安心故といえば体裁はいいが、実は男の身勝手であった悔いが三時間を過ぎてもまだ終りそうもない手術の不安と共に大きく膨らんで来る。

手足を固く手術台に括《くく》りつけられている喜和の躰は医者看護婦に遮《さえぎ》られ、今は岩伍の立っている場所からは足先だけが僅《わず》かに見えており、その足の爪は水漬《みずづ》けにされたように白くふやけて到底生きた人間のものとは思われなかった。この爪が、元の薄桃色に戻る日が果してあるのだろうかと思うと、はっと心が陥込み、思わず何かに取縋《とりすが》るように口の中で低く普門品《ふもんぼん》を誦《ず》しているのであった。

喜和の腹の中で根を張っていた筋腫もろ共、子宮全摘除の大手術がやっと終ったのは、もう六時であった。まだ無意識のまま荷物のように病室に運ばれてゆく喜和を見送り、汗を拭《ぬぐ》いながら岩伍が廊下に出ると、鉄砲町の楠《くすき》喜夫婦を始め町内から取引先の席主まで、たくさんの人の頭が岩伍を取巻いて来る。この中には喜和の為に自分の血を差出そうという奇特な人もいくたりか居り、また町内の青年団が俄に組んだ自転車隊は、手分けして叶《かな》う限り寺社の護符を頂いて来てくれている。岩伍は皆の好意に改めて頭を下げ、五時間の手術は何とか保《も》ったものの、喜和の生死はまだこの後の二時間に掛かっている

事を小声で報告した。手術が終ったあと、院長先生は喜和の腹から取出した、無花果《いちじく》を潰《つぶ》したような褐色《かっしょく》の臓物を岩伍に見せて、

「大体八時頃までに麻酔が醒《さ》めなければ、はっきり申上げて危いと思います。出来る限りの手は打ちますけれど、何しろ心臓が大へん弱っておりますから」

といわれ、それとなく家族の覚悟を促されているのであった。

面会謝絶、と貼紙《はりがみ》をした病室には岩伍、健太郎、楠喜が付添い、庄や町内の有志は廊下に坐って沙汰《さた》を待つ中で、喜和は蒼《あお》ざめて生色なく昏々《こんこん》と眠り続けている。元気で立働いているときは屈託ない瓜実顔《うりざねがお》も、薄暗い寝台に仰臥《ぎょうが》した姿に見ればどこか黝《くろ》ずんで、意外に痩《や》せた面差《おもざ》しに見える。小鼻を膨らませ、浅い息をしているだけが生きている証《あかし》で、その息もじっと瞠《みつ》めていると何時ハタと止まるやも知れぬおぼつかなさでいる。岩伍は枕許《まくらもと》で腕を組み、心の中ではずっと普門品を唱えながら傍の置時計の針ばかり気にしていた。針の進みは恐しく早いのに、喜和の目覚めの兆《きざ》しは一向に見えぬ。長い夏の陽《ひ》も暮れ、病室の電燈が点《とも》ったとき、楠喜がふと立上って電気の笠《かさ》に手を掛け、光をまともに喜和の顔に当ててみたけれど、眠っている白い顔は固い面でも被《かぶ》っているように眉毛《まゆげ》一筋動かそうともしない。詰めている医者も、時折脈を見ては注射を打っているものの、その針の痛みにさえ喜和は何の反応も示さないのであった。

皆が息を詰めて見守っている中を、時計の針は院長先生に告げられた八時を指し示し

たが、喜和の目は明かなかった。岩伍は、このまま一言のいい置も叶わず龍太郎の後を追うか、と思うといい難い愛惜が胸に溢れ、今は傍の医師に構わず、普門品は次第に声高になってゆく。時計の針が九時を示すと医師はたまりかねたように院長先生を喚《よ》びに立ち、健太郎も楠喜も顔を見合わせては声もない。しかし喜和の胸は微弱ながらまだ脈打っており、あるかないかの浅い息が僅かに続いているのを岩伍は目も離さず瞠めている。

喜和はそのとき、長い堤の上を一人、急ぎ足に歩いているのであった。足も躰もふわふわと軽く、ここ一、二年喜和を悩ませた重苦しい肩凝りも眩暈《めまい》もすっかり消えていて、首筋から後頭部へかけては皮膚を剝《は》ぎ取ったようにひやひやと涼しい。風があるのか、着ている小千谷縮《おぢやちぢみ》の袂《たもと》が丸く脹《ふく》らんでときどき裾前が吹き上げられる。道のゆくては黒い雨雲が垂れ込めており、雨雲は徐々にこちらの方向へと拡がって来つつあったが、不思議に足許は暗くなく、不安な思いは少しも無かった。堤の下はなだらかな傾斜の向うに笛のように清い音を立てて流れている川があり、雨雲が一ヵ所切れて陽が呆《ぼ》んやり射《さ》している石の河原には虹色《にじいろ》に彩られた小舟が舫《もや》っているのが見える。小舟の廻りには、上等の羅物《うすもの》を身に纏った男女が五、六人踊ったり笑ったりしているのも見え、天の一角からは笙篳篥《しょうひちりき》の美しい音楽が流れて来るようであった。少しも疲れてはいないけれど、喜和は此《こ》の道をもう随分と長い時間歩き続けて来たように思った。一時間や二時間ではなく、ひょっとすると二日も三日も、或《あるい》は二年も三年もただひたすらに歩いて来たとさえ思える。ここらであの綺麗《きれい》な舟に乗って少しは遊んでも構いはすまい、とちらと気が弛《ゆる》んで堤の上に立止り目を凝らすと、小舟の傍の人の中に死んだ筈の龍太郎がいて、楽しげに笑いさざめいているのが見える。龍太郎は、臨終のときのあの鬼気迫る面差しではなく、病気になる以前のふっくらとした若々しい顔でこちらを向き、見ようによってはそれが喜和を招いているとさえ取れる手振りで、音楽に合せて踊っているのであった。

喜和は、龍太郎が元気にここで遊んでいる不思議さは思わず、自分もその傍へ行こうとして堤から河原へ下りる柔らかい草の道を踏出したとき、ふと誰かに自分の名を呼ばれたような気がした。「お喜和さん」とも、「姐《ねえ》さん」とも、「お母さん」とも確かではないけれど、廻りを見渡しても雨雲の下の長い堤の道はしんと静まり返って人影も無い。気のせいか、と思い直して進もうとした時、今度は再び「お母さん」と呼ぶ声を耳に捉えた。咄嗟《とっさ》に喜和はその声が思い出せず、お母さんと呼ぶなら龍太郎があの七彩の舟に乗せる為、自分を急《せ》かしているのに違いあるまいと考え、小走りに駈《か》け下りようとして今度こそはっきりと、「お母さあん」と長く尾を引く綾子の声を聞いた。

「あ、綾子」

と喜和は思わず足を取られ、家にこの子一人残してあった事を思い出し、

「そうじゃ、帰ってやらにゃあ」

と思う身に、「お母さあん」の声は次第に大きく次第に繁《しげ》く近付いて来る。声がおん、おんと割れた響きを引きながら喜和の頭上まで来たとき、チカッ、と瞼《まぶた》に鋭い光が射し、その痛みで一旦《いったん》強く閉じた眼《め》をゆっくりと明けたとき、喜和は目の前に呆んやりといくたりもの顔を見た。置時計の針は十時を少し廻っている。

「人の顔が判るか」

と覗《のぞ》き込む岩伍の声がひどく遠方からのように聞え、まだ痺《しび》れている頭の底で見定める廻りの人の顔は遥かな虚空《こくう》に浮いて見える。あの土堤《どて》から自分をここへ呼び戻した筈の綾子がこの場所に居合せないのを不審に思い、喜和は力の無い視線を朧《おぼ》ろに這《は》わせているのであった。

院長先生は、喜和の意識が戻ったのは奇蹟《きせき》に近いといってくれたけれど、それだけに病いの重さは一通りでなく、寝台の上にようよう起き上れるまでに凡《およ》そ一ヵ月、退院までに四ヵ月半という長い月日を費したのであった。

退院の後もすっかり本復という訳にはならず、この病いが元で喜和は生涯《しょうがい》、貧血が持病となり、頭痛足腰の冷えに付纏われる身となった。その上怨《うら》めしいのは、石水《いしみず》のお師匠《つしゃ》んから「ようけあって、黒うて」と褒められた柳の黒髪が、無残にもあらかた失われてしまっている。白い枕掛の上に、初めは秋の脱け毛ほどにこぼれて紆《うね》っていたものが、やっと一人で櫛《くし》を使えるようになった頃《ころ》、朝一搔《ひとか》きすれば両掌《りようて》に余るほど、昼一搔きすればどうどうとこそげ落ち、晩はまた束になって頭の地肌《じはだ》から離れてゆく。

「これではお岩！」

と喜和は背筋の寒くなる思いがし、暫《しばら》くは櫛を手控えてはみたけれど、ほんの首を振る拍子にでも髪は脆《もろ》くも抜け落ちてしまう。自分ではどう止《と》めようもないその凄《すご》さを見て、喜和は悲鳴を挙げるほどの思いで院長先生に訴えたところ、

「髪はあなたの命と引換えだったのですよ」

と却《かえ》って慰められ、目尻《めじり》に涙を溜《た》めながら仕方なし頷《うなず》くのであった。

女の髪は執念の集りといい、たとえ亡骸《なきがら》は墓の下に埋められても髪だけは未来永劫《えいごう》生き続けるだけに、それを失うは断ち難い思いが残る。とりわけ喜和は、手に皹《あかぎれ》は切らせても髪を赤熊《しやぐま》のように放って置いた憶《おぼ》えはないだけに、脱け落ちた黒い髪へのいとしさは言葉にいい尽せないものがあった。病後の疲れでうとうとまどろんでいる昼間でさえ色の鮮やかな夢を見、夢には必ず長い髪を洗って漬菜《つけな》のように搾《しぼ》り上げている自分、それをつややかな髷《まげ》に結い上げている自分が現れる。初めて桃割れを結った十三の年、誰ぞに見て貰いたくて江の口川の土堤を往《ゆ》きつ戻りつした自分もその夢の中に泛《うか》び、あの鬢《びん》付け油のつんつんとした匂《にお》いが鼻を擽《くすぐ》るように纏わって来たと思うと惜しい夢はいつも其処《そこ》で切れてしまう。喜和はもうこのとき限り丸髷を結う日もなくなり、生涯「蓑《みの》」

というつけ毛を被った鬱陶《うっとう》しい耳隠しで頭を整える事になった。退院ののちも鏡台の前の髪道具を見るたび不覚にも涙が滲《にじ》み、油の染《し》みた筋通し鬢張らし、叮嚀《ていねい》に使い込んだ黄楊《つげ》の櫛、笄《こうがい》、珊瑚樹《さんごじ》の簪《かんざし》、大貞《だいさだ》の遺品《かたみ》の前櫛一切を添え、いっそ嫁の小夜子《さよこ》にくれてしまおうか、と考えた日もあったけれど、若い者の髷の型とは大きさも違い、まだ充分な未練もあっていま以《もっ》て畳紙《たとう》に蔵《しま》ったままになっている。

岩伍は、喜和の病気を機《しお》に少しずつ心を内側に向け始めた様子であった。あのまま麻酔が醒めなかったら、という胸の冷え凍る想像は、もう中年も長《た》けたお互いの日々に、少しでも悔み事を残すまいと細やかな心遣いをするようになって来る。これまでの岩伍なら、女房子に対する己の建前もあり男の含羞《がんしゅう》もあって、人前で喜和に優しい言葉を掛けた事もなかったのに、今度ばかりは毎日必ず病院に現れ、容態など親しく聞いてくれるのであった。

喜和は手術直後の部屋から、岩伍の計らいで次の間つきの清潔な一等病室に移され、腕の立つ付添婦まで雇って貰って、夏から秋、秋から冬へと移ってゆく季節を、生れて初めてゆったりと過す。モザイク模様の天井、その天井から吊《つ》り下ろされた乳いろの丸い電燈、白い窓掛の揺れる窓からは手入れのゆき届いた青い芝生も見え、緑町のせせこましい町並に住む身にとってここはまるで別世界の住居《すまい》であった。その上髪さえも脱け落ちた自分を劬わり、岩伍が初めて見せてくれる濃い情は何よりも嬉《うれ》しい。寝て考えていれば巴吉太夫《ともきちだゆう》の一件以来、夫婦仲の難しさが身に沁《し》みていた喜和には、「髪との引換え」は岩伍の心であったかも知れぬとも思える。

恢復《かいふく》の兆しが立つと三度の食事もまことに美味《おい》しく、特に喜和が口に含んで沁々その甘味を嚙《か》み締めるのは温御飯《ぬくごはん》の味であった。鉄砲町の頃から女子は冷飯を食べるものと躾《しつ》けられ、緑町では女主《おんなあるじ》の座にいても、自分の茶碗《ちゃわん》に温飯《ぬくめし》をよそっていては下の者に示しがつくまいと考え、たとえ男衆《おとこし》たちにはそれを食べさせても喜和はいつも菊と絹と同じく、飯櫃《めしびつ》の内の側からこそげ落した冷飯ばかりであった。いま付添婦が七輪で炊《た》く小さな行平《ゆきひら》からいつも一番飯を膳《ぜん》に載せて貰い、熱い湯気をやや納めてから口に入れる有難さを四十三年このかたの、身の冥加《みようが》とも思うのであった。見舞客の優しい言葉も嬉しく、毎日入替り立替り訪れる人の中には思い掛けぬ珍しい顔も見えたりして、退屈な筈の病院の一日も何となくすぐに暮れてしまう。中でも喜和を愕《おどろ》かせたのはあの日の出町の山崎光子と、緑町裏長屋のお巻さんの娘豊美《とよみ》の訪問であった。聞けば光子は未《いま》だに独り者のままだといい、いわれて繰ってみればこの娘を嫁にと秘《ひそ》かに望んだ日から三年の年月が流れている。まだ嫁《い》かず後家、といわれるには若いけれど、何一つ足らぬところのない賢いこの娘にその話もないのは幾分自分にも責めがありはせぬか、と喜和には苦い思いも胸に往来する。相変らず白粉気《おしろいけ》もない、地味な束髪の後姿がひっそりと扉《とびら》の外に去って行ったあと、暫くはしんと心を凝らせているのであった。豊美の「染勇《そめゆう》」は見違えるほど垢抜《あかぬ》けし、もう大年増《おおどしま》の貫禄《かんろく》で舞三味線を若い妓《こ》たちに教えているという。喜和に差出した果物籠《かご》の立派さといい、着ている物の品の良さといい、孰《いず》れはいい旦那《だんな》の後楯《うしろだて》あっての自由な勤めに違いなかろうが、今お巻さんが生きていればどんなに喜ぶかと思うと、早く死んだ身の不運を喜和も共に嘆いてやりたくなる。ここで、僻《ひが》みっぽい長屋の人なら、

「お巻さんは貧乏故《ゆえ》に脆《もろ》うに死んだ。姐さんは金のある故助かった」

という愚痴をさすがに豊美は口にもせず、

「お母《か》やんの七年には、私、張込んで御影石で石塔建ててやりました」

とさらりというのであった。

嫁に行った菊は、去年生れた男の子を背に負い、朝に晩に走り込んで来ては付添婦に差出し難《にく》い喜和の下着など、手早く洗っては干して行ってくれる。長年共に暮している だけに喜和の癖はすべて心得ていて、二言と頼まずとも、ネーブルという臍蜜柑《へそみかん》を食べやすいよう切って置いてくれたり、腰巻に真田紐《さなだひも》を縫い付けてくれたり、枕許の見舞品を仕分けしてくれたりするのであった。

綾子は、喜和の留守中ずっと不機嫌《ふきげん》で皆を困らせており、病院へ向けて使いの出るときは泣き喚《わめ》いて同行をねだったが、弱り切った喜和の許へ跳ね廻《まわ》る綾子が行くを岩伍が許さず、ようよう抜糸のあと容態を見てから一日喜和に会わせて貰《もら》い、その翌日には自

分の着換えから玩具《おもちゃ》、勉強道具一切をハイヤーで運んで貰って病院へ引越している。

喜和は、今度の病いの命の瀬戸際《せとぎわ》から自分を救ってくれたものは、手厚い医者の処置、夥《おびただ》しい寺社の護符にも増して綾子の必死の呼び声であった事を一人秘かに思っているのであった。堤の上の道は冥土《めいど》とやらへ通じていたものに違いなく、龍太郎の招きに応じてあの小舟に乗っていたら二度と生き返る事はなかったと思うと、自分をこの世に引戻したのは何の血の繋《つな》がりもない綾子であった事に深い因縁《いんねん》を感じる。それだけに、喜和はこの話を誰にもしなかった。ときどきは打解けた話をするようになった岩伍にも、いえば「何の世迷《よま》い言《ごと》を」と一笑に付される恐れもあり、この上綾子との情をひけらかしたくはない思いから、ずっと押黙ったまま通している。

喜和は病床で手が利《き》くようになると、夏休み前綾子の貰って来た一年一学期の通知簿の、縦に揃《そろ》った甲の字を、仰臥したまま、飽かず眺《なが》め入るのであった。確か健太郎も尋常では全甲が多かった筈《はず》なのに、その記憶は殆《ほとん》ど薄れており、いま綾子にだけ新鮮な喜びを感じるのは一体どういう訳なのかと自分ながら首を傾《かし》げてみる。この子を我が手に受取るとき、「枷《かせ》となるか杖《つえ》となるか」の賭《かけ》があったけれど、今はまことに心丈夫な命杖となった事への喜和の心の反応というべきものかも知れなかった。外出が出来るほど元気になったら、真先に綾子の授業を覗きに行く楽しみは喜和の病中の励みでもあった。

外遊びの嫌《きら》いな綾子は夏休み中、母親の寝台の傍《そば》で退屈もせず日を過していたが、二

学期の始まる九月一日、病院前から電車に乗って登校して行ったと思うと、やがて昼前にはにこにこしながら戻って来て、

「お母さん、こら」

と胸を突き出して見せた。

夏の初め、白い富士絹で拵《こしら》えてやったよそゆきの洋服の胸には、Ｉと金文字の浮いた赤い羅紗《らしゃ》の級長の印がついている。病後で感じ易《やす》くなっているのか見るなりもうほとほと涙の溢《あふ》れる喜和の脇《わき》に腰掛けて、綾子は今朝、全校千五百人の生徒の前で名を呼ばれ、入学後最初の級長に任命された晴れがましさを事細かに、熱心に、母親に報告するのであった。

喜和は嬉しさでそわそわし、すぐ家に電話を掛けさせようとしたが、ふと思い立って、

「電話よりもねえ綾子、今から一寸《ちよつと》家に帰ってそれ、皆に見せておいで」

と勧め、立上ろうとする綾子の背へまた、

「家の内ばかりじゃ無《の》うて、町内も廻って見て貰いなはれや。なるべく広う、石水の辺まで行て」

と後追いして知恵をつける。

綾子が家に帰ったあと喜和は甘い悲しみに浸りながら、この子と過して来た月日を胸に懐《なつか》しく喚び戻しているのであった。聞分けのない事をいって一途《いちず》に暴れ、喜和を困ら

せた日や、数多い病いの苦労も、今こうして綾子が人に先立って級長を貰えば一度に報われる思いになる。後から考えれば何故《なぜ》こんな無謀な事を思いついたか悔まれるけれど、それだけ綾子の級長は喜和を有頂天にさせているのであった。綾子は夕方近くまた舞い戻り、付添婦が剝《む》いてくれる見舞品の果物を機嫌よく頰張《ほおば》りながら、級長の赤印を見た皆の様子を喜和に真似《まね》てみせる。話の模様では岩伍は喜和ほど浮きはせず、綾子が、

「褒美《ほうび》はオルガン！」

と怒鳴ると、すぐ切返して、

「級長ぐらいは当り前の事！」

と怒鳴り返されたという。喜和はその話を聞いて面白く思い、病後初めて声を出して笑った。

町内の人それぞれの反応も面白く、坂本の兄さんは、

「それを捥《も》ぎ取ってこのフクトクの中へ入れちゃおかあ」

と赤褌《あかふん》のまま、綾子の赤印を追いかけ廻したというし、茂八ちゃん家《く》の姐さんは綾子に、

「手を出してみいや」

といい、その掌の中に入るだけの搔き氷を搔き串《くし》を差して団子に固め、イチゴの蜜《みつ》をどっさり掛けてくれたという。

喜和は綾子の話を一つ一つ頷きながら聞いていたが、その中の、「味噌《みそ》屋の小母《おば》さんはうちの頭を撫《さす》って、『綾ちゃんはお母さんに似て、定めし歌も上手な事じゃあろ』というたよ」

の一言で、不意に高い崖《がけ》から深い奈落《ならく》へ突き落されたような気分になった。長い間、絶えず恐れていたそいつがとうとうやって来た、と思えば、命を拾った今の喜びさえ曇り硝子《ガラス》のように儚《はか》なく呆《ぼ》けて来る。綾子三歳の背合せの日、着飾って天満宮に向う母娘を見送った町内の沢山の目の殆どは綾子と巴吉との関係を知っている筈だったから、晴れがましさのかたわらほんの一筋、この緊密な安泰が何時《いつ》まで続くかを危ぶむ思いがあった。何《いず》れは綾子に真実を明かさんならん日が来る、と思えば胴震いの来るおぼつかなさで、隠しおおせよう、と思えば、廻りの人の口さえ怯《おび》え、尾花も幽霊、ほどに強く警戒したくなる。

喜和が大貞の死を殊《こと》のほか惜しく思ったのは、大貞ならこの迷いの方向を正しく指し示す力を持っていて、

「世間の口に戸は閉《た》てられん、いうやないか。綾子かて他人の口からあんたとの生さ《な》ぬ仲知らされるよりも、あんたから事分けた事情聞きたいに決まってる。綾子に聞分けの出来次第、早うに話しておいたほうが安心や」

と教えてくれるかも知れないし、或《あるい》はまた、

「そんな阿呆《あほ》な事ありますかいな。世間の口がどないいおうと、綾子はあんたが腹痛めた子やいうてようい聞かせておく事や。戸籍にかて実子と書いたある。あんたは胸張っててええのやで」

と、しらを切り通す事を嗾《け》しかけてくれるかも知れない、と思うのであった。

綾子が生れてからまだ八年、当時の事情を知る町内の人々は殆どそのままだ居ついており、それを考えると綾子を敵地の中へ一人置いてでもいるような心配が、病後の躰《からだ》に動悸《どうき》となって昂《たか》ぶって来る。味噌屋の姐さんはおそらく悪気があってではなく、ついうっかり口から出た言葉であったろうけれど、もう人の話も判るように育った綾子を見ての印象が「お母さんに似て歌も上手」というのは、生来音曲無知の喜和の頭上を通り越し、綾子の背後に未だに巴吉太夫を見ている証拠に違いなかった。

喜和は寝台に仰臥《ぎょうが》し、天井の青いモザイク模様に庭の水溜《みずたま》りの陽《ひ》が反射して眩《まぶ》しく揺れるのを、一日、意味もなく眺めている事もあった。陽が移るにつれて天井の光も少しずつ移動しているのを目で追いながら、困り果ててなす事を知らぬ自分を考える。晴れて人に相談出来る事ではなし、それを思えば綾子もいよいよ難しい時期にさし掛かったと思える。小さい時分から外遊びを嫌った故《ゆえ》にこれまでこの危険から喜和は逃れ得ていたのだけれど、これから先、綾子が学校でよく出来れば出来るだけ、世間の目は親の喜和と子の綾子との相似た箇処を較《くら》べ見るようになり、中には明らかに企《たくら》んで綾子にそれを告げるような人間も現われる事になるかも知れない。どうしよう、どうしよう、と揺れる不安の内側を引きめくってみれば、それは綾子自身の事よりも、事実を知った綾子が自分から離れ去ってゆく怖さに戦《おのの》いている自分自身の姿があった。

七

喜和の退院は十二月半ばとなり、町中もうすっかり師走《しわす》の景になってからやっと許されたが、その日、毛糸の襦袢《じゆばん》毛糸の腰巻と着膨れた上、頭には白い手拭《てぬぐい》を被《かぶ》っている自分の姿を初めて玄関の大鏡で見て、喜和は溜息の出る思いであった。それでも、両側にモダンな達磨杉《だるますぎ》の植えてある鋪石《しきいし》の道を車までそろそろと歩いてゆくうちには、「生きてこの門を出れるとは思わざったお前の病状」といっていた岩伍《いわご》の言葉を思い起し、自分の足で緑町《みどりちよう》の家に帰れる幸せも身に沁みて来る。

家では離室《はなれ》に厚く閨《ねや》を敷き、何かといえばすぐ横になる、半病人の暮しがまだ続いている。寝床で聞いているとこの家の動きは手に取るように判《わか》り、病院のように、自分の躰の事ばかり考えていればそれでよい穏やかな日々とは少々程遠い。病院では、早く元気になって緑町に戻りたい思いは強かったけれど、いざ戻ってみるとこの家の騒々しさは喜和にとって次第にうとましいものとなって来る。傍へ寄っていえば小さな声で事足りるものを、大声で呼び交って遣取《やりとり》し、一日中ざわざわと入乱れる様子はまるで年中神祭か客事のような浮かれよう、とも取れる。それが水商売の家の活気、といえば陰気な家うちよりはいいかも知れないけれど、病後の安静の躰にとって大声は顳顬《こめかみ》が疼《うず》き、騒々しさは波のように離室にまで押寄せて来て廻りの静けさを掻《か》き混ぜる。

見舞がてら談義《どうぎ》してゆきたい町内の人も昼となく夜となく訪れて来、半ば眠りかけていてもずかずか踏込まれては起きて相手をせねばならず、長話はすぐ逆上《のぼ》せてしまって、これでは却って有難迷惑のようにさえ思える。考えてみれば、この騒がしさ、この町内交際《づきあ》いの中に身を置き、かたわら病人を抱えながらの長い年月の疲れこそ今度の病いの元となったかも知れず、そう思えば身を守る事についての要慎《ようじん》が漸《ようや》く喜和の心の内に根ざして来るようであった。

快気祝いは、本来なら病み上りを床前に据《す》え薦樽《こもだる》の鏡を抜いて客を招くのが慣《なら》いだけれど、今の喜和にはとてもそういう勤めをする気力はなく、岩伍もそれを承知の上で、特製最中《もなか》を桐《きり》箱に入れて誂《あつら》え、男仕たちにそれぞれ断りをいわせて見舞客たちに配った。

離室に籠《こも》っていると、一日は長いようでいて冬の日射《ひざ》しはすぐ傾いてしまう。

朝、傍で寝ている綾子を起し、寝たまま指図して学校に出したあと暖い日は起き上り、石水《いしみず》のお師匠《つしゃ》んが届けてくれた蓑《みの》で頭を調え火鉢《ひばち》の前に坐《すわ》ればもう昼、午後は綾子相手の気晴しや人の応対のうちに障子には何時の間にか西日が墨絵のような庭樹《にわき》の影を映し出す。そうなれば長い夜を心地よく過す為《ため》に行火《あんか》か湯たんぽでもう閨を温めておく必要があり、毎度つい忘れ勝ちになる鈴か勝かを呼んで早くから手配を頼んで置かねばならない。

死んだ龍太郎《りゅうたろう》は長い夜の呪《のろ》わしさをよく口にしていたけれど、喜和にとっても夜の静寂は嫌《いや》なものであった。少しずつ快方へ向っている喜和には、龍太郎のように夜毎《よごと》近付いて来る死の跫音《あしおと》を聞く恐しさはないが、その代り、いつも頭を離れない胡麻粒《ごまつぶ》のような不安な黒点が、夜になると急に胸いっぱいに膨らんで来る。病院以来、どうしよう、どうしよう、と思い惑っても思案はつかず、この頃では闇《やみ》の中にきっかりと目を明けて、

「大貞《だいさだ》さん、いうてつかさいませや。綾子の事をどうしたらええか……」

と口に出して呟《つぶや》いてみる事もあった。

そのくせ喜和は、もし大貞が生きていて、

「今の内ほんまの事を綾子に話しておいたほうがええ。そうしなはれ、そうしなはれ」

と勧められたとしても、おいそれとそれに従う訳には行かぬ思いを頑《かたく》なに胸に育ててもいる。それは綾子に恩を売るのが嫌さではなく、自分に自信が無い故でもないけれど、ここでいますべてを暴露すれば自分の立つ瀬がない、生きる望みも失《う》せてしまう、とまで考え詰めているせいでもあった。

喜和が退院以来笑いもせず不機嫌な顔を見せ勝ちなのは、考えれば考えるほど疑心が

途方もなく拡《ひろ》がって来るせいで、以前はつゆ思いもしなかった家の男衆女子《おとこしおなご》仕《し》の言葉の端にまであらぬ神経を使うようになる。思い返せば遠い以前、顔に青痣《あおあざ》のある保険集金人の青木さんが冗談に、

「嬢《いと》さん、あんたは此《こ》の家へどうやって来たか知っちょるかね。木の箱へ入れられて桃《もも》太郎《たろ》みたいに、ぎっこぎっこ大川を流れて来たがよね」

というのを綾子もまだ小さいせいで喜和は気にもせず笑い捨ててしまったけれど、あの種の言葉を綾子は他からも聞いてはいなかったであろうか。青木さんは其《そ》の頃必ず富田で昼弁当を使い、喜和に菜など振舞われていたから多分追従《ついしよう》の一つ、のつもりであったろうが、いまそれを綾子が聞いたらどう思うか、と思い廻《めぐ》らせば不安は果てのないものとなる。喜和は此の頃少々病的と思えるほど以前にも増して綾子を自分の傍に引きつけ、当時を知っている家の男衆たちからもなるべく自分を楯《たて》に遮《さえぎ》るようにしているのであった。

病気は養生していれば癒《なお》るけれども、綾子の件は日が経《た》つに従い逆に末広がりに喜和の怯えを昂《たか》めて来る。これを逃れる術《すべ》といえば唯《ただ》一つしかなく、それは岩伍も綾子もすべてもろ共、この緑町から何処《どこ》か遠くへ逃げてしまう事であった。

岩伍の商売に深く関《かか》わっているこの緑町から逃げ出す、という大それた一家の一大事を、喜和は一旦《いったん》思いつけば何かに魅入られたように執念深く思い続ける。この家では長《なが》

患《わずら》いの果て龍太郎が死に、喜和の辛《つら》い苦労もじっとりと籠ってはいるけれど、いまはその思いをすべて抛《ほう》ってまでも綾子との安全を計りたい願いが強い。大病を乗越えて来た度胸というのはさまざまに働いて、喜和の思いは緑町脱出へ一途に傾いてゆくようであった。

昭和九年の正月は喜和の病後を理由に手を抜けるだけ抜いた簡略なもので、喜和には身に覚えてから初めてののんびりした正月であった。喜和が息災な時の富田の正月は色街のしきたりに習って厳しいもので、元日の朝は皆が若水を使って膳《ぜん》につき新年の挨拶《あいさつ》をするまで口をきいてはならず、ぞう煮おせちの食べかたは移り箸迷い箸《ばし》突っつき箸を戒められ、毛氈《もうせん》を敷き屏風《びょうぶ》を立て廻して設《しつら》えた名刺受け台がある故、玄関からの出入りは箒《ほうき》を使う事と共に正月三日《さんが》は固く差止められる。家の中の忌み事も正月中は特に難しく、その上元日に銭を弄《つつ》いてはならん、火を焚《た》いてはならん、というなら大晦日《おおみそか》は纏頭《ぽち》袋《ぶくろ》の束を次々解いて銭を詰めておかねばならず、家中の火鉢という火鉢には樫炭《かしずみ》の火種も埋《い》けておかねばならない。今までは取込みがあろうと病人があろうと、餅《もち》の量、大晦日夜通しの料理支度、正月礼、と女達の手を抜く事などいい出しもならず許されもせずの習慣だったのだけれど、一家の宰領の喜和の病いは岩伍の胸にもしたたかにこたえたものであろう。今年は家に人を集める事はせず正月三日、家中皆遊びに出たかん、とした家で、喜和は岩伍と差向いでぞう煮を祝いながら、胸の内を話すなら今だと思った。

「正月早々こんな話は縁起《えんし》でもないけんど、病いのせいかしらん、妙にこの緑町ももう飽《た》ったような気がして……何処ぞもうちっと静かな所で暮してみたいような気がして……」

女子の口から宿替えのいい出しなど、と喜和は幾度も考えたけれど、病院以来気遣いなく話の出来るようになっているのを頼みに恐る恐るいい出したところ、岩伍は驚きもせず機嫌も損わず、むしろ喜和のいい出しに乗ったかたちで、

「それは儂《わし》も考えよる」

との意外な返事であった。

実をいえば、喜寿を過ぎた陽暉楼《ようきろう》の大将も去年辺りから急に岩伍に手近にいて欲しい旨《むね》たびたび催促する弱りを見せており、大将のいい分では、

「もう富田も緑町へ尽せるだけは尽したし、裏長屋への手入れも済んだ。これからは自分の事を考えてもええ時期に来ておろう」

との尤《もっと》もな勧めで、かたがた喜和の病いでこれからは長年のさまざまな習慣も崩さざるを得なくなる緑町の生活に岩伍もさして未練はないようであった。

岩伍は正月明けから家は早速に捜そう、といい、実際自分でもあちこち歩いて見て廻った挙句、「此処《ここ》」と決めたのは節分前、場所は上町《うわまち》の通りを五台山へ抜ける海岸通りで、陽暉楼大将の望み通り本店からは一丁と離れてはおらぬという。目当ての家は元、

前に舫《もや》う船の船乗り相手の旅館だったといい、金取りはよくても貯《たくわ》えを持たぬ岩伍にとっては過ぎた物ではあったが、これは陽暉楼大将が一時立替えてくれ、岩伍は初めて自分の家を持つ事になった。自分の家ともなれば住みよく手を入れたくもなり、連日家へ大工を呼んでは注文をつけているのを喜和は傍で聞き、安堵《あんど》で胸が膨らむ思いがするのであった。

離室で一人過す長い夜、喜和はふと、自分のいい出しがあまりにとんとんと進むのをときにあやしみ、岩伍はひょっと自分の胸の内を見透かしているのではないかと思えたりする。岩伍が病後の自分をすべて恕《ゆる》してくれている事の中には綾子との結びつきをも含まれていると喜和は考えており、そこまで踏込んでの岩伍の決意なら今度こそ、長い間胸に描いた親子三人の幸せが新しい家で始まる筈《はず》であった。

引越しの噂《うわさ》が広まるにつれ町内はざわざわし始め、時計屋の兄さん初め誰彼が入替り立替りこの町内に止《と》どまるよう懇願しにやって来て、喜和は蔭《かげ》で岩伍の決心が揺らぐのではあるまいか、と案じたが、岩伍は一に陽暉楼大将の薦め、二に病後の喜和に海風の吹く海岸通りがよい事をいちいち話し、相手に鉾《ほこ》を収めて貰《もら》うのであった。

春の彼岸が近づくと宿替えの弾みもあってか喜和の躰は目に見えて快《よ》くなり、もう床も払って度を過ごさない程度なら家うちの仕事も出来るようになった。

一日喜和は思い立ち、綾子の手を引いて新しい家を見に出掛けた。退院以来、遠出はこれが初めてではあったけれど、うららかな春の光を燦々《さんさん》と身に浴びながら通りを行くのは命あっての幸いを今更に思う気分のよいものであった。喜和は、もう間もなく別れる東条の将棋屋、入口も見えぬばかりに大束小束を積み上げてある薪屋《まきや》、いつも土間にじっとり塩を噴いている味噌屋《みそや》、涼しい笛のような音を立てている羅宇替屋《ラオがえや》、それから何事につけ世話になった安岡の雑品屋に、ひとつひとつ叮嚀《ていねい》に目を当てながら通り過ぎる。三丁目には酒屋米屋風呂屋《ふろや》があり、二丁目には薬屋時計屋があり、一丁目は洗張屋と、つねづねよくものを頼んだ主な店を覗《のぞ》いて通り、緑町が尽きた四つ辻《つじ》は先頃伸びた電車道の、新地終点になっている。終点はまた種崎桂浜《たねざきかつらはま》通いの巡航船の発着所と並んでいて、ここでもう大川は出口、海に面した海岸通りであった。

陽暉楼はこの海岸通りをそぞろ歩きながら二、三丁行くと左手に本店玄関が見える。看板には昔ながらの網行燈《あんどん》が吊《つる》され、甃《いし》で畳んだ玄関は今、幾重にもとぐろを巻いた青いホースの口からとくとくと水を溢《あふ》れさせながら、法被《はっぴ》姿が掃除の最中であった。玄関の東側は帳場らしい腰高障子の出入口で、それからは一族関係者の長屋がずっと続き、次の切れ目は坂下の下《しも》の新地遊廓《ゆうかく》へ繋《つな》がっている。此処まで来れば、町の様子も緑町とは何と違ったものよ、と喜和は思った。前に海があるせいか町に掃除がゆき届いている為か、それとも色街の故か、通りも広くすっきりとしていて気も晴れやかに目の醒《さ》める思いがする。

岩伍は、

「大西という軒燈《けんとう》が目当て。うちはその東隣」

と教えてくれたが、角の岩津、隣の大西、と二軒ながらに構えの大きい子方屋《こかたや》で、間口奥行共一跨《ひとまた》ぎという家ばかりの緑町に住み馴《な》れた身にはその檐《のき》の高さは見上げるほどに眩《まぶ》しい。富田はその大西と回漕《かいそう》問屋に挟《はさ》まれ、如何《いか》にも元旅館らしい、客商売に向いた、入りよさそうな家であった。

喜和は綾子と手を繋《つな》ぎ合って新しい家の前に立ったが、雨戸を閉めてある筈が間口いっぱい開け放たれ、大工の散らしたままの鉋屑《かんなくず》を踏みしだいて法被の男たちがわらわらと群れている。よく見ると、それは一抱え以上もある桜の大木を奥へずうーっと運び込もうとしているところであった。座敷中の建具を悉《ことごと》く取外し、縄《なわ》でびっしりと隙間《すきま》なく巻いた桜の枝を痛めぬよう、男達は抱えた幹をくるくると巧《うま》く廻《まわ》しながら、奥の庭へ抜けようとする。庭木は岩伍がぼつぼつ見立てては植えさせている話を予《かね》て喜和も聞いていたから、桜もその内の一本ででもあろうかと喜和は脇《わき》に除《よ》けていると、この群を指図していた角刈の小柄《こがら》な男が寄って来て鉢巻を取り、

「これは富田の姐《ねえ》さんとお見受け致しやしたが、儂は陽暉楼御用達《ごようたし》の升形《ますがた》の植仙《うえせん》で御座いやす。

この度は立派なお住居を調達なさいやして」

と挨拶してから、

「この桜は、陽暉楼の大将がお家へ御祝儀《ごしゅうぎ》じゃそうに御座いやして」

との話なのであった。

喜和はだしぬけの話に驚いて挨拶を返したが、見れば手伝いの法被は植仙のものばかりではなく、二重丸に陽の字の染め抜きも混っている。

植仙から改まった挨拶を受けて現場を見た以上、ここを素手で皆を帰すとは出来ない相談で、喜和は咄嗟《とっさ》に財布の中の銭を勘定しているのであった。ほんの足馴らしがてら、というほどのつもりだったから財布の中身は頼れる銭の高ではなかったけれど、ふっと思い返せばここに来る道で目に留めた巡航船の船着場の前には恰好《かっこう》なすし屋がある。若い頃の喜和なら慌《あわ》てふためいてどうしていいか判らなかったこの場を、今は落着いて取って返し、すし屋の電話を借りて家の男衆《おとこし》を呼ぶ一方、その信用ですし桶《おけ》と酒の用意をさせて、桜の植付けの労を犒《ねぎら》う事が出来たのであった。

桜は品のよい吉野の大木で、最初陽暉楼の大将は本店別館の庭にある鬱金桜《うこんざくら》と同じものを贈りたいといい、植仙をさんざん走り廻らせたが、鬱金桜の大木がそう滅多とあるものではなく、やっと吉野に落着いたという。

喜和はふと気になって、

「けんど植仙さん、こんな太い木が無事ありつきますろうか？」

物が大きいだけに立枯れを見るのは無慙《むざん》なものだというと、植仙は笑って、

「いや姐さん、このお家なら保険付きですらあ。家の運が傾いたら必ず一緒に立木も枯れる。生木というなあ不思議なもんでがしてね。家の勢いがよけりゃ、こら放《ほ》っちょいてもすんぐ根を下ろします」

それを聞いて、病気以来すぐ縁起を担《かつ》ぐようになっている喜和は、気懸りな話を聞いた、と暫《しばら》く胸を戦《そよ》がせたけれど、桜は宿替え後、植え痛みも極く少く、すぐ葉を拡げ始めたのであった。

植仙と陽暉楼の男衆たちが引上げたあと、駈《か》けつけて来た米《よね》と良吉も入れて喜和は鉋屑を足に纏《まと》いつけながら家の中を見廻った。店の六畳納戸《なんど》の三畳、茶の間の六畳控えの四畳半、と階下の間取りは緑町に似ていても、こちらは土間も広く便所への廊下もあり、それに大きく違うのは庭の風情《ふぜい》と二階の五室、もう一つの大きな儲《もう》け物はその二階からの見晴しであった。南を明け払うと、東西の孕《はらみ》が互い違いに突き出ているおだやかな浦戸湾がすぐ目の前に展《ひら》け、恰度《ちょうど》出船の巡航船が芸者の座敷着の袘《ふき》のような波をやさしくしずしずと引きながら湾内を遠ざかってゆく。息を吸うと、此処では緑町のような溝《どぶ》の匂《にお》いや、時折風に乗って来る裏長屋の匂いではなくて、微《かす》かに潮の香の混った新鮮な風が如何にも躰《からだ》に効くように、やわらかく胸に入って来る。

喜和は二階の手摺《てす》りに靠《もた》れ、飽かず景色に眺《なが》め入りながら、涙の滲《にじ》むような嬉《うれ》しさが

こみ上げて来るのであった。以前常盤町《ときわ》から緑町への宿替えは殆《ほとん》ど身一つで、しかも先行き安堵の保証は何もなかったのに、今は往《ゆ》くてに黒い不安のかげとて見えぬ。それのみか大家ばかりのこの界隈《かいわい》では、喜和の望んでいた静かな明け暮れも思われ、ここでこそ綾子をのびのびと過させてやれると胸を撫《な》で下ろすのであった。

富田の家うちでは、宿替えが決まると早くからそわそわし始め、特に男衆たちが浮足立って誰と誰が海岸通りへ移ってゆくか、四人で毎晩のように談合しているらしかった。岩伍《いわご》は別に人数を減らすともいってなく、此のままを向うに移す算段もあってあれほどの広さを決めたらしいが、長い年月、知らぬ顔してこの家の世話になって来た身も、宿替えという一つの区切りに立至ると矢張り自分の立場を振返るものと見える。元を糺《ただ》せば自分達の方から寄添って来た弱みもあり、別に岩伍から何もいわれなくても身の振り方を考えるようであった。

岩伍は、本人たちの将来を考えれば富田に居たところで手職のつく見込みのない事を思えば、自身思い立ったを幸い、それぞれの道に進むのは結構な話といい、手の限りを尽して相談に乗ってやった。男衆四人のうち、本人もそれを望まず引取り手もちょっとない亀《かめ》を除いて、米《まつ》は最初から大工志望の事とてこれは本丁筋の英次親方宅へ住込み奉公と決まり、庄は益さんの口利き《くちき》でやって来ただけに益さんが才覚を働かせて高知の西、須崎《すさき》の町の料理屋の板前見習に入れるという。なかなか決心が定まらなかった良吉は二人にずんと遅れ、宿替えのあといずれ折を見て稲生《いなぶ》の石灰山へ働きに行く事になった。

喜和がほっとしたのは、出てゆく三人が三人とも、富田の居易《いやす》さに較《くら》べ、ゆくての苦労を怖げにいう割には愁嘆のない事で、長い年月隔てなく睦《むつ》み合って来た者同士の別れの辛さを僅《わず》かに救ってくれるようであった。その上、人にはいえぬ胸の内を明せば、信じてはいても綾子の出生を詳しく知る男衆たちが綾子の身辺を去る事については深い安堵があり、それだけに喜和は叮嚀に三人を送ってやりたくなる。病後をいとって喜和はゆっくりと躰を動かしながら、子を奉公に出す親のようにこまごまと行李《こうり》に詰めてやり、ちょちょらの米には、

「米やんはもう、『あ、いかん、あ、いかん、合缶《あいかん》の鍵《かぎ》』は通用せんぞね。落着いて親方に仕込んで貰いなはれや」

といい、一度は苦い思い出もある要領使いの庄には、

「庄やんの『えてつん』も、もうここ限りにしなはれよ。藪入《やぶい》りにはうちへ骨休めに戻ってええきに。遠慮は要らん」

といい、また剽軽者《ひようきんもの》の良吉には、

「良やんもそう。これからは『腹が北山』じゃというても摘《つま》み喰《ぐ》いは叶《かな》わん境涯《きようがい》じゃきに、三度の御飯は有難うに大事に頂きなはれ」

と心を込めていうのであった。

一晩、もうそろそろ家中の荷拵《にごしら》えも近い頃合《ころあい》、坂本の兄さん夫婦が改まってやって来て、大きな包みを差出していう事に、

「これはほんの、長い間の大将の労に対する儂《わし》らの志で御座いやす。初めは表通りだけで運びよりましたところが、長屋の連中が乗込んで来て〝俺《おれ》らを除《の》け者にするとはどういう了簡《りょうけん》なら〟と談判され、つまりは町内全部になりやした」

兄さんの目の前で包みをほどくとそれは大きな柱時計で、白い文字盤には赤字で〝贈、緑町四丁目一同〟と鮮やかに書かれてあった。岩伍も喜和も、全く思いがけなかっただけに一瞬言葉がなく、黙ったままその文字盤を瞠《みつ》めていると明日の米代も無い誰彼の顔が目に泛《うか》び、中にはなけなしの質草を抱えて角の松村へ走った帰り、掌《て》の中で温《ぬく》もった銭を坂本の兄さんに渡している光景も見えて来る。能筆で礼儀正しいイービーの先生、相変らず新聞を配って歩く真鍋《まなべ》の爺《じい》さん、次第次第に髪の薄くなって来る裏の姐さん、算盤珠《そろばんだま》のように節くれだった手で前屈《まえかが》みに車力を引くどん平さん、緑町へ宿替え以来馴《な》染《じ》んだ顔は一人一人それぞれに懐《なつか》しく、喜和にはさまざまな思いが籠《こも》っているだけに今一つ足を踏出すとわーっと声を挙げて泣き出しそうに名残り惜しい感じがあった。

岩伍は、この緑町の家には引続き健太郎一家が住む由《よし》を話し、自分同様宜《よろ》しゅうにと懇《ねんご》ろに頼んだが、その胸の内には喜和以上の深い思いがさぞ往《ゆ》き来《き》していた事であろうと喜和は秘《ひそ》かに思うのであった。

宿替えは、大島岬《みさき》の招魂祭で海岸通りの賑《にぎ》わう四月二日を避け、翌三日、朝早くから始まった。町内からの申出で宿替え屋には頼まず、その代り町内の手の空いている家は何人と限らず出て来たし、それに子連れの菊夫婦から取引先の楼主たちが寄越《よこ》した男衆も入れると手伝い手は夥《おびただ》しい数に上り、その昼飯の賄《まかな》いに町内の女達は先に海岸通りの家へ走って、ここで新火《さらび》の釜初めをする。手伝いは、新顔も混って右往左往する中に、一際《ひときわ》目覚ましい働きを見せているのは飯刻《めしどき》の常連たちで、勝手知った家の中をすいすいと泳いでは手を束《つか》ねている人を見つけて頭ごなしの指図までする。

大正七年に移って来て以来、足かけ十七年の緑町であった。この家のものは柱の傷ひとつ思いの染《し》みていないものはない、と喜和は考えながら門口に出てお稲荷《いなり》さんの大《おお》銀杏《いちょう》を仰いだ。あの透通《すきとお》るような浅緑の若葉にはまだ遠いものの、それでも気のせいかほつほつと膨らんで見える梢《こずえ》は春霞《はるがすみ》の空にぐっと肩を張って見える。目の前に並んだ山積みの車力の列はやがて先頭から動き始めて繹々《えきえき》と列《つら》なり、喜和は綾子の手を引いて列の一番後から、ゆっくりと緑町を離れてゆくのであった。

第四部

一

店の岩伍《いわご》の机は、羅紗《らしゃ》を張った斜面の蓋《ふた》がもの書き台になっており、蓋を開ければ中は仕切りなしのもの入れになっている。その前に坐《すわ》って頭の上まで高く蓋を開けると、一番奥に厚い日記帳、次に人名簿、便箋《びんせん》、吸取り紙と薄いものへ順に一分の歪《ゆが》みもなくきちんと並べられてあった。こちらに来てから、店の隅《すみ》の物入れの棚《たな》に新しく赤い鳥居のお稲荷《いなり》さんを祀《まつ》り、机はそのお稲荷さんのお使いの白い狐《きつね》の置物に常時見下ろされながら、往来に面した硝子《ガラス》戸の脇《わき》にどっしりと据《す》えてある。緑町《みどりちょう》と違い、こちらでは建具にふんだんに硝子を使ってあるのと、道の向うが海であるのとで家中に陽《ひ》が充《み》ちわたり、何時《いつ》も眩《まぶ》しいほどに明るい。眩しさ除《よ》けの為《ため》には厚い天竺《てんじく》木綿で窓掛を縫い、いつもは机の隅の方へたくし込んで片寄せてあった。

綾子《あやこ》の授業をさいさい差覗《さしのぞ》くせいか、此の頃《ごろ》では大分漢字も読めるようになって来ている喜和は、ときどき明るい机の前に一人坐《すわ》り、岩伍の日記帳をそっと手に取って開いてみる。

日記帳は、此の海岸通りへ宿替えして来た昭和九年、続いて十年、現在の十一年と、日付入り一年一冊分で三冊あり、その中身は使い擦れた昭和九年分を除いては殆《ほと》んど新《さら》のまま、机の奥の隅に積まれてあった。岩伍が日記をつけ始めたのは、四月三日の宿替えのあと、物の場所もそれぞれに落着き手伝いの人波も退《ひ》いてしまってからの事で、その字の跡をじっと見ていると、この家で初めて落着きを得た岩伍の心の静もりを、よそながら喜和は覻《うかが》う事が出来る。

筆跡はそのときどきの気分に依《よ》るのか藍《あい》インクのGペンと墨汁の水晶ペンとあり、稀《まれ》に小筆で丹念に記してある日もあった。中身は殆ど営業中心のものだったから、心憶《おぼ》えの必要あるものは目立つよう赤字で書き込んであり、岩伍が最初この日記を座右に置いて如何《いか》に重宝していたかが判《わか》る。

四月十五日　清天朝大西風
午前六時半起床す　直ちに犬を引いて明和小学校一巡
中村安馬氏に金壱千五拾円託す本日若松へ出発す

扇亭門田久恵三吉咲子来《きた》り仕替の談し、大阪希望

晩友人宮本武吉氏方へ久々にて行、妻君仲居希望の談し、種々談して当座の凌《しの》ぎに金五円、座蒲団《ざぶとん》の下に敷いて帰る

本日陽暉楼《ようきろう》染弥《そめや》の店出し日なり

来信八通、発信三通

四月十六日　清天

午前六時二十分起床、犬を引いて青柳橋葛島橋《かずらしま》を廻る

赤岡の木田元子の件、話の行違いにて錦水楼《きんすいろう》に行、自分は一銭の金も取り居らざる事を談し了解して貰《もら》う、主人立会にて改めて残金五百円本人に渡す

益吉《ますきち》新居浜より妓三名連れて戻り、自動車にて直ちに安芸《あき》一力楼へ送るべく出立

朝鮮京城大和楼の席主御夫婦来訪、芸の立つ妓五、六名入用の由《よし》、大阪今里の玉の家より自分当座へ弐千円入金之有《これあり》

来信二通　発信三通

四月十七日　清天

午前六時起床　犬を引いて緑町高橋梅吉宅へ

長三郎に高橋の娘の公正証書巻く件頼む

吉良川《きらがわ》山本より至急来て呉れとの電話有

亀に使させ益吉安芸より帰高後、直ちに吉良川に行く様頼む
今村光江、西内和子親来宅、西内親より土産に魚貰う　糸より二匹
下の新地栄楼丸山楼廻り、夜間は陽暉楼二代目の供で堀詰座《ほりづめざ》へ京山幸枝聞きに行
来信三通、発信三通

昭和九年分の日記は以下、一日の懈怠《けたい》なく埋まり、字の重さだけでずっしりと手にこたえる感じがある。この家における当時の暮しも日記の字のように隙間《すきま》がなかった、と喜和は頁《ページ》を繰りながらときどき思い返す。過ぎた年月が文字となって残っているのは懐《なつか》しいものだけれど、昭和十年の夏頃からぼつぼつ始まっている白紙の部分があるだけに、それはいっそいとおしいものであった。殊《こと》に昭和十一年は年頭に二、三日、それも一、二行の記帳がある限りで、後は月一回ほどの、取引先の所書きやら金銭の為の備忘録だけとなり、昭和九年のあの厚い日記の文字がひとりでに語り掛けてくるような、岩伍自身の温か味《き》は感じられないのであった。

喜和は今でも、この机の前の緞子《どんす》の座蒲団にきちんと坐り、頭を右に左に傾けながら如何にも記帳を楽しんでいた岩伍の姿をふと見る事があった。それが幻とは判《か》っていても、そういう落着いた岩伍中心の家がこの家の真実《まこと》のありようで、今は何も彼も仮の姿だという了簡《りようけん》が胸の内にある。日記の白は目にちかちかと沁《し》みるけれど、孰《いず》れはまた紙

のであった。
面に溢《あふ》れるほど心の籠《こも》った黒い文字で埋まる日も来ようかと、今は一人心を慰めている

海岸通りの此の家は喜和が望んだ通り、心を伸びやかにさせてくれるさまざまなものに充ち、一寸《ちよつと》気張っていえばまるで安養浄土《あんにようじようど》に居るように心地良いものであった。浦戸湾の春秋は金では買えぬ宝物で、東に法師ケ鼻の松が藹々《あいあい》と煙り、西に中之島の柳が嫋々《じようじよう》と風を受け流している中に、日によっては名物の帆傘舟《ほがさぶね》、投網《とあみ》の廻し打ちも二階の欄干《てすり》から手に取るように眺《なが》められる。湾内に浮ぶ丸い巣山目指し、夕焼空の四方から夥《おびただ》しい烏《からす》が帰ってゆくのを見るも面白いもので、その烏が悉《ことごと》く塒《ねぐら》に斂《おさま》ってしまうと同時に湾内は黒く暮れ、夜釣《よづ》りのカンテラの鈍い灯《あか》りが水の上で瞬《また》き始める。それに何よりも、海風にはオゾンという病後の躰《からだ》に効く薬が含まれている事を聞いて、喜和は冬でもときどき障子を開けて胸いっぱい吸い込んでみたりする。

外の景に飽きれば、内の庭もまた楽しく、陽暉楼から贈られた中央の吉野桜を取巻いて築山《つきやま》、花壇、盆栽棚がほど良く配置されてある中に下り立ち、手遊びがてら果樹の脇に青萵苣《ちしや》など植えていると西隣の子方屋《こかたや》の大西からは、大勢の妓たちの弾く波立つような稽古《けいこ》三味線の音が聞えて来る。緑町の家では三味の音は稀にしか聞いた事がなかったから喜和には珍しく、耳馴れて来ると大凡《おおよそ》の上手下手の区別も判るのであった。その音締めも春秋の温習会《おさらいかい》が近付くといっそう激しくなり、口跡の入る長い常磐津《ときわず》から、とう

とうたらりの大鼓小鼓《おおかわこつづみ》、「いや、はっ」と気合の掛かる太鼓まで勢《きお》い立って稽古に入るさまが窺《うかが》える。

こちらでは気の張るような近所付合いは全く無いが、東隣の回漕店《かいそうてん》松下は威勢のいい商売だけに冬も間口を開け払い、陽焼けした男達がどかどかと出入りしていて、ほんのときたま、髪の艶《つや》のよい、肥《ふと》り肉《じし》の若い後妻の姐《ねえ》さんが憂《う》さ晴しに話しに来る事はあった。姐さんの話によると、大西は此の界隈《かいわい》一の難しい子方屋で、大西の辛抱に較《くら》べれば監獄のもっそう飯がずっと楽じゃ、とかねがね泣いている妓もあるという。以前、この家の仕込みの子が急に死んだ事があり、人の噂《うわさ》では、ゴム毬《まり》をつきたささに三味線の稽古を休んだところ、姐さんに打《し》でて打《し》でて打《し》で上げられ、打《し》で殺されたという話であった。今でも大西の離室《はなれ》の、妓たちの寝部屋では夜中にときどきゴム毬をつく音がするそうなといい、

「おうちじゃ、その音を聞いた事はないかね？」

と松下の姐さんは声を潜めて喜和に囁《ささや》く。

ゴム毬をつく小さな幽霊とは何と悲しい話よ、と喜和は思った。冬、臍《へそ》の固く締まったゴム毬をつく面白さはそれをしんから楽しんだ者でなければ判るまいが、大西の姐さんはどういう子供時代を過した人なのであろうか。鉄砲町辺りでは昔、皆訛《なま》ってゴブ玉と呼び、五号、五号半、六号、と大きさによって値段も違えば、ほんの電球ほどの小さ

なものを買って貰っても嬉《うれ》しくて大事に大事についたものであった。ゴブ玉は平らなセメントの庭が一番つき易《やす》く、喜和などセメントの庭のある家から家へ、片端から追われながらも声高らかに数え唄《うた》を歌った昔を思い出す。臍が緩んで来ると暫《しばら》く日向《ひなた》に乾《ほ》せばまた弾みもよくなり、お手返しやら股《また》抜けの高等技術まで覚えると、陽の暮れるのが怨《うら》めしいほどであった。まだ九つ十《とお》の仕込みの子なら定めし飯の間さえ惜しんでゴム毬をつきたかった事であろう。

そういえばたっぷりと赭《あか》ら顔の兄さん、見るからに勝り顔の姐さんなど、人善し揃《ぞろ》いの緑町界隈では見掛けた憶えもないしたたかな顔付きで、そういう顔付きは大西に限らず、ここではちょいと門口に立てば行き交う人の中にぽつぽつ見掛ける事が出来る。ここが色街の真只中《まっただなか》、という感じは最初から判っていたけれど、それをまざまざと見せつけられるのは夕刻の往来に多い。

富田から東へ、子方屋に混って回漕店も多いだけに年々岸に舫《もや》う沿岸通いの貨物船が増え、船乗りばかりでなく、肩に大きなズック布を当てて船荷の上げ下ろしする仲仕まで目宛《めあ》てに、岩津の脇の坂下の遊廓《ゆうかく》から首白粉《おしろい》の娼妓《しょうぎ》たちがぞろぞろと繰出して来る。船に向って呼ぶ言葉はどれも淫《たわ》れたもので、時折パッと赤い裾前《すそまえ》をめくって見せたりするたび、船も陸《おか》もどっと賑《にぎ》やかにどよめき返る。それを見ていると、二十年近い間この稼業《かぎょう》の脇に居ても、こういう様子は目に馴《な》れていないだけに、喜和は顔を顰《しか》める前に自分だけの深い合点があった。

「娼妓の商売とはこういうものやったの」

と思い、身柱《ちりけ》まで抜いている白粉に塗《まみ》れた赤衿《あかえり》や、如何にも勁《つよ》そうな太い猪首《いくび》を見ると、一晩五人や七人、客を廻しても平気、という稼《かせ》ぎ手の妓の言葉が生々しく思い出される。

かと思えば、客引する娼妓達を下目に見下し、つい先の陽暉楼へ急ぐ褄《つま》取り姿の芸者もあり、その間を縫って箱屋やら仲居やら、短い髪を眼鏡に結ったおちょぼやらが忙しそうに往《ゆ》き来《き》するのを見ると、緑町の夕景とは何と変った趣よ、と思うのであった。

変ったといえば家の内の暮し全般からしてもう緑町は遠く、此処《ここ》では物売りは滅多に見掛けず、青物鮮魚は電車に乗って魚《うお》の棚《たな》まで買いに行き、判っているものは電話で注文して届けさせる段取りになっている。以前のように物売りの荷の中からあれこれ談義《どうぎ》の末、好きな品を選び出す楽しみが無くなった代り、こちらでの飯刻《めしどき》は小人数で落着きがあり、時間を掛けて、ものそれぞれの味をゆったりと味わう事が出来る。此処まで追掛けて来る以前の連中もたまに居ないではないが、革《あらたま》った家の空気に戸惑うのか妙に他人行儀になり、用事が済めば早々と帰ってしまうのであった。宿替えを機に男衆《おとこし》の手が三人もがったりと減り、これで果して家の内が廻るかしらんと喜和は一時心配していたけれど、考えれば緑町の家の手という手は大抵通り抜けの銀蠅《ぎんばえ》や、流れ者の世話や町内への奉仕に喰《く》われていた事を思えば、今は亀《かめ》一人に鈴と勝で充分で、毎日火消し壺《つぼ》の中まで洗うほどに掃除も足りている。どの部屋を覗いてもざわざわと人塗《ひとまみ》れだった緑町と違い、こちらでは埃《ほこり》も立たぬ静かさが家中の何処《どこ》かにいつもしっとりと根を下ろしているのであった。

此処に居れば表町のせいか緑町とは段違いに世の移り変りも目に見え、新聞を読まない喜和にもよく判るように思われる。宿替えのあとすぐ取付けて貰った馬蹄《ばてい》形のラジオを見て最初は呆気《あっけ》に取られ、家中で代る代る、いったい音が何処から出るのか、幾度も裏を返して調べたものであった。蓄音機はさらに面白く、義太夫《ぎだゆう》や浪花節《なにわぶし》や流行唄《はやりうた》を聞きながら、これもわざわざ芝居小屋へ出掛ける手間の省けるのと、繰返し聞けるのを喜び、擦り切れるまで掛け続けて遊んだりした。話に聞いていた水上飛行機の滑走も喜和は二階から見たし、電車着きにある仕出し屋では夏になれば電気で凍らせて拵《こしら》えるアイスケイキを売出しているのを知り、冷たさに歯をしいしいと鳴らせながら舌先で転ばすようにして食べた事であった。

家の前の往還は東に伸びて青柳橋で国分川を渡り、海水浴場の種崎《たねざき》へと通じていて、夏場になると赤いバスが道いっぱい巨体を揺らせながら一日に幾回も通り過ぎる。バスの通ったあとは表の敷居も硝子戸も真白に埃り上り、満潮を待ち兼ねて亀が往来に出、長い柄《え》の柄杓《ひしゃく》で海水を掬《すく》ってはたっぷりと道に湿《しつ》を打つ。昔はバスに乗ってまで人が水泳に出掛ける事は先《ま》ず無く、大抵は鏡川の橋の下か、遠出しても棒堤、丸山台止まりであったのに、此の節は進んだものよ、と喜和はバスを見て折ふし思う。それは水泳の場ばかりでなく、着る物にしても、頑固《がんこ》な鈴でさえあの青い上っ張りを脱ぎ捨てて白いエプロンにしたし、喜和は逆に、窮屈な帯を結ばないでよい上っ張りをこちらに来て重宝し、合いにはサージ、冬には毛糸の現代風《いまふう》のものをよく羽織る。着物の似合う岩伍でさえ此の頃では旅行などにアルパカの服を着、スイッツルの時計を腕に巻き、莨入《たばこい》れなどもう腰に差さず巻煙草《たばこ》の朝日を喫《の》んだりする。小さな怪我《けが》には、あぶらうんけんそわか、と三遍唱え、袂《たもと》くそをつけていた喜和の呪《まじな》いも今では綾子にさえ笑われ、薬箱の中にはメンソレや赤チンも並んでいる。此処に居れば緑町の裏長屋の変りようは判らないけれど、今では昔ほどの貧乏人も余り見かけなくなったように思えるし、暮し一般が上ったというか、日常の食物から言葉遣いまで何やら次第に目まぐるしく変って来ている感じであった。

岩伍も、宿替え当座はこちらの暮しが気に適《かな》ったと見え、ここまで付いて廻って来た、相変らずの益《まつ》さん長《ちょん》さんを追立てては自分は以前ほど外に出ず、家の内に目を置いているようであった。

緑町では台所も茶の間も含めて釜屋《かまや》と呼んだけれど、こちらはそれぞれの区分けが出来るほど離れていて、殊に茶の間の六畳は広々として居心地よく、真中に据《す》えた長火鉢《ながひばち》から目を上げた真向いに、暈《ぼ》かしの化粧硝子を通して築山の松竹梅と吉野桜が程よい配置となって風情《ふぜい》を添える。以前は釜屋に岩伍の座などなかったのに、こちらでは上衿《うわえり》の掛け目に楊枝《ようじ》など差しては穏やかな顔付きでよく此処に坐り、喜和が病後の躰を励ましながら心を込めて作る鱸《すずき》の膾《なます》や、鯊《はぜ》の飴煮《あめだき》や、黒鯛《ちぬ》の潮煮《うしおに》や、松茸《まつたけ》、昆布《こんぶ》、鰹節《かつおぶし》を幾日もとろ火で煮込んだ煮好《にこう》という佃煮《つくだに》など、まことに旨《うま》そうに満足そうに口に運ぶ。気晴しには庭木の手入れに立ち、築山の石垣《いしがき》に蔓延《はびこ》るすいすい草を引き、花壇の牡丹《ぼたん》の芽には唐傘《からかさ》を差しかけ、鉢植の五葉の松を剪定《せんてい》し、植込みの桃、茱萸《ぐみ》、梅桃《ゆすらうめ》などの果樹についた虫《むし》獲《と》りなどもする。家の中もまめに見廻《みまわ》り、二階床の間の掛軸の取替えや、飾り物の選択ばかりでなく、しょっちゅう大工を招《よ》んで小普請《こぶしん》や造作をさせては心からこちらの暮しを楽しんでいるふうであった。

御時勢で乞食《ほいと》が減ったのかどうかは判らないが、以前のように流れ者を拾って来る事もなく、自分の遊びといえば「那智《なち》」と名付けたシェパードを飼っている事と、動力船を買って稀に沖釣《おきづ》りに出る以外、ふっつりと忘れたように捨てており、その分だけ綾子《あやこ》に対し、世間普通の父親らしい優しさを少しずつ見せ始めているようであった。こちらでは町内の目を気にする必要もないのか、喜和にも綾子にもふと思い掛けない劬《いた》わりの言葉を掛けてくれたりする。緑町では見るべくもない、また喜和の病気以前には窺うべくもなかった岩伍の心の和みを見て、喜和はときどき自分が夢を見ているように思え、

それは女房の身の嬉しさばかりでなく、曾《かつ》て想像も出来なかった岩伍の姿であるせいでもあった。昔、博奕打仲間《ばくちうち》が、

「火の玉の岩に女房子が居《お》ったとは」

と呆《あき》れたという話を聞き、喜和は喜んでいいのか悲しんでいいのか判らず、思わず真《まっ》赧《か》になって俯《うつ》むいたものだったけれど、これを歳《とし》というのか心弱りというのか、今は誰が見ても一家の主《あるじ》らしい落着きと慈愛に充《み》ちて喜和と綾子を包み込んでくれて居るように見える。

そうなると不思議なもので、小さい頃《ころ》から父親の傍《そば》に寄り付こうともしなかった綾子がいつとはなし隔てない笑顔を見せ始め、夜、親子三人でラジオを聞きながら桜茶など飲んでいるときなど、顔付きが子供らしくふっくらと無邪気に融《と》けているのを、喜和はほっとした思いで眺める折もあった。

手応《てごた》えのある綾子を伽《とぎ》にしていれば岩伍も面白いのか、父娘の仲が濃くなるに従ってよく連れ廻り、陽暉楼の出入りは無論、京阪神の商用にまで、学校を休ませては連れ立って行くのであった。商用となれば料理屋遊廓の帳場にまで上り込む羽目となり、媚《なま》めいた風俗を見るばかりでなく、如何《いか》にも水商売らしい贅沢《ぜいたく》な美味や名所見物の饗応《もてなし》に与《あずか》る事を思えば、綾子の為《ため》に喜和の胸は騒ぎもする。一人家で留守番をしていれば、好奇に充ちた目差しで綾子が遊廓の洗滌室《せんじょうしつ》など覗《のぞ》いている図や、箱屋に大きな丸帯を結ばせ

ている芸者の出を、目を丸くして眺めているさまが前に泛《うか》び、思わず手を振ってその妄《もう》想《そう》を打消したりする。しかし考えてみれば昔から、子の前に己の稼業を愧《は》じぬところに岩伍の父親としての権威というものがあり、その為にこそ龍太郎《りゅうたろう》にも健太郎にも近寄り難い父親ではあった。きっと岩伍は、自分だけが知っている旅路の快闊《かいかつ》な気分、料亭の卓の上の旨いもの、広大な料亭の中に見る水商売の活気などを綾子にも頒《わか》ちたさに、面倒な子連れの旅行を思い立ったものであろう。その上父娘《おやこ》して上方《かみがた》の百貨商店へ入り、喜和に土産の東京浴衣《ゆかた》など買って来てくれる事を思えば、岩伍の浸っている家庭の幸せとは所詮《しょせん》仕事とは縁の切れぬ事を思うのであった。

喜和は、今では此の近辺の質屋の在処《ありか》さえ知らぬ身の冥加《みょうが》を思いながら、一方ではまだ貪欲《どんよく》に此の上の安心を求めようとする自分を折々は振返る。此の上の安心とは紹介業という虚業から岩伍がそろそろ足を洗って欲しく、それが無理なら幾分商売を細めてでも、自分の、素人衆に対するときの口にはいえぬ長年の苦い引け目を拭《ぬぐ》い去ってしまいたい願いなのであった。それは、食べても食べても満腹せぬ餓鬼道地獄に似た欲かも知れないけれど、底にこの稼業がある限り、喜和には「あと一つ足りぬ幸せ」のように思える。既に自分の家も持ち、下男下女を使い、主も家に落着いた上それを望むは身の程を弁《わきま》えぬ横着者、といわれるかも知れないけれど、そういう暮しの成り立ちには、躰を張って稼いでいる女の涙も混っているという思いが喜和には未《いま》だに離れないのであった。

その癖、人間の勝手さは、ようやっと出来上って来たこの水入らずの家庭を、掌の中からもう再び取り毀《こぼ》したくない思いも強い。

しかし、喜和の希《ねが》いとは逆に、その掌の中の幸せの感じが少しずつ痩《や》せ、虧《か》けてゆくのを感じ始めたのは何時頃《いつ》であったろうか。それは岩伍の日記に見る白紙の部分が一番よく捉《とら》えているけれど、喜和の身の感じかたからいえば、家に四人の仕込みの子が来てから、と思える。仕込みとは、親出《おやで》の子のうち将来芸者にするべく子供の時分から舞と三味線の手をつける事で、料理屋子方屋は親から若干の金で子を買取り、二、三年仕込んでのち披露目《ひろめ》をして座敷に出す。無論その間の仕込料、食代衣類は子の借金に細かく加算され、最初、十やそこらの子の百円前後の借金も、十四十五の披露目の節には千円前後になっているのが普通であった。

稼ぎ始めたのちは、子は売られた先の「お父さん」「お母さん」への義理の為に座敷を励み、かたわら生家の両親の暮しをも見る為さらに励まねばならないけれど、ただ、芸者の道で身を立てようと志すならば、早くから厳しく仕込んで貰《もら》った方が本人の身の為ではあった。

小学校六年の美代子が此の家にやって来たのは綾子三年の春で、続いて半年ばかりの間に美代子より一つ年下の節子、また一つ下の君江、芳子《よしこ》とみるみる増えて、親子三人と使用人だけの静かな家内は子を入れて十人に膨れ上り、喜和はまた手に憶《おぼ》えがあるとはいながら、わやわやとした子養いを致しかたなく引受けさせられているのであった。

富田は子方屋ではないのに、この子等の親達はどういうつもりで此処へ子を連れ込んで来たものであろうか。喜和の密《ひそ》かな憶測では、この商売で最初に手掛けた緑町裏長屋のお巻さんの子豊美《とよみ》のように、親から身売りの斡旋《あっせん》を岩伍が頼まれ、何処ぞええ先を、と考えるうちふと気が変り、手《て》許《もと》に置いてやりたくなったのではあるまいか、と思える。その憶測の元は、子等が来てからというもの、昔、流れ者を拾い集めていた当時のように岩伍の顔付きにはまた何処やら生き生きとした気が漲《みなぎ》り、まだこの家の様子にも馴れぬ四人を集めては、

「お前等の中で、勉強の好きな者は女学校へも行かせてやるぞ。遠慮は要らん。そうしたい者はいいなさい」

とたびたびいう様子を聞いていても判るのであった。

男の三十四十を「情《じょう》ざかり」といい、女房以外の女にまで情を掛け易くなる状態をそういうけれど、岩伍の場合は三十四十どころではなく、一生殆《ほとん》ど情ざかりなのではあるまいかと喜和には思える。しかもそれは情人としての女というに止どまらず、酷《むご》いやら可愛《かわい》いやら、胸を擽《くすぐ》られた相手なら畜生までも手を差出さずにはいられなくなるようであった。きっと岩伍の胸にはたっぷりした熱い情がいつも漲り溢《あふ》れ、女房子を愛しただけではまだあり余る情のやり場に、流れ者を拾ったり飼い付けたり、或《あるい》はいっとき娘義

太夫に踏み迷ったりし、そしていままた紹介業の家では無理と知りながら四人もの仕込みの子を抱える羽目になっている。

喜和は、病後の不自由な躰《からだ》もさる事ながら、今度この子達を引受けるのは少なからず気が進まなかった。昔、菊と絹を育てたように、家で水仕事針仕事を憶えさせた上で孰《いず》れ素人《しろうと》に嫁入りさせる子達なら不服はいうまい、大抵の苦労も怺《こら》えようと了簡《りようけん》するけれど、この子等の小さい躰には美代子で三百円、他の三人は二百五十円という大枚の金が岩伍から既に親の手に渡されている。岩伍はいつも、家が出した金の事は考えるな、本人次第でいつでもそれは棒引するというけれど、子等の後にはそれぞれの親が控えていて、親は子に、将来たかだか二、三百円どころではない過ぎた望みを掛けているのであった。

この家に子を置いてゆくとき、どの親の口も必ず、

「そうする方がこの子の為にもなりますきに」

というのだけれど、その裏には、早う一人前の芸者にして貰えば先々自分等の金蔓《かねづる》になる、強《きつ》うに仕込んでつかされ、という含みがあった。それを知れば喜和が乗出して家事廻《まわ》しの躾《しつけ》をする訳にはいかず、手控えて岩伍の指図を待つばかりでは心の弾みもなく、世話の甲斐《かい》もないように思える。繰り言の嫌《きら》いな岩伍の前でこぼすは禁物、と戒めていても、ようよう固まって来たおだやかな家庭が、芸者の仕込みという不意の闖入者《ちんにゆうしや》によ

って掻《か》き乱される事のほかに、これではまるで子方屋、という長年の願いに反した深い気落ちは、こわごわ積み上げた石を突き崩されるに似た残念さがあった。

それでも、「此の子等は家に居るより此処に居る方が幸せ」ときっぱり岩伍がいい切るように、昔、菊が人間か畜生か判り難《にく》いほどの装《なり》でこの家に入って来たほどでなくとも、四人は最初皆、生家の暮しの貧しさをそのまま見るように、頭には虱《しらみ》を飼い、手足は根太《ねぶと》の痂皮《かさぶた》だらけなのであった。喜和は女中たちの手を借りて、庭先で着ているものを脱がせ、風呂《ふろ》に入れて垢《あか》をこそげ落し、爪《つめ》を剪《き》り耳垢を取り、頭には水銀軟膏《なんこう》を擂《す》り込んで手拭でこっぽりと蒸す。四人もの子供に次々と試していれば手順も立って巧者になり、喜和はふと自分の物馴れたさまに一人苦笑いする折もあった。これを気長く続けているうち頭の虱は死に、一ト月も経《た》てば根太も殆ど癒《なお》って来る。痂皮が剝《む》けて素顔が現れ、髪もふさふさして来ると、どの子も皆尋常な顔をしていて可愛く見え、それに小ざっぱりとした着物を着せると別人のように生れ替る。まるで他所《よそ》の檻《おり》に突然投げ込まれた小さい動物のように、初めはきょとんとしていた子供達も、馴れるに従って互いに笑い合い戯《ふざ》け合い、恰度《ちょうど》修学旅行の宿をでも見るような賑やかさとなるのであった。

聞けば美代子の家は昔、お稲荷様《いなりさん》の西で岩伍が頭を預けていた散髪屋だったが、父親の死んだのがこの子の不運の始まりで、血縁では叔母に当る継母が美代子を抵当に岩伍から金を借出し、今では若い男と一緒になっているという。岩伍はきっと気に入りだった散髪屋の忘れ形見という情の寄せかたで美代子の面倒を見てやりたくなり、一人引受ければあと三人も序《ついで》とばかり抱え込んでしまったものと思われる。節子は農人町裏町の子、君江は安芸《あき》の漁師、芳子は山の炭焼きの子で、三人はそれぞれ父親が博奕好きやら放蕩者《ほうとうもの》のため、切羽詰まった金に代えられているのであった。この子達は酷い事に、四人とも自分達の将来をよく知っていて、親との別れに際しても誰一人、「お父さん」と後も追わず泣きもせぬ弁えがあり、岩伍に女学校へ進む話を持出されても黙って話を躱《かわ》すつつましさを持っているのであった。

　富田の暮しに馴れるに従ってたまさか訪れて来る親達の穢《きたな》い風態《ふうてい》を嫌い、邪慳《じやけん》に「お父やん、早う去《い》にや、早う」と追立てて背を向けたりする。ここ十年ほど前の身売りの金というのは働いても働いても食えぬ為の米代であったものを、今では親の不心得の為というのがおおかたの理由であれば、子もそれなりの態度にもなろうか、と見ていて喜和には深い思いがあった。

　岩伍は最初から、曇り顔の喜和の胸の内を察してか、「此《こ》の子等の事は俺《おれ》が宰領する」といっていたが、軈《やが》て間もなく子供達に似合った舞三味線の師匠を見つけて来て、毎日稽古《けいこ》に通わせ始めた。子供達は年上の美代子から順に癖がついて小学校は半日で戻り、家で長袖《ながそで》の着物に着換えると四人は前後してつい先の、若柳のお師匠んに舞を、陽暉楼の長屋に一人住いする小万姐《ねえ》さんに三味線の手をつけて貰うのであった。

若柳のお師匠んは陽暉楼の芸者衆ばかりでなく素人の稽古まで見ているだけに、憶えの悪い子を扇子で打ち据えるというような強さはないが、その代り一つ上げるのに念が入り、短い期間に叩《たた》き上げねばならぬ玄人《くろうと》の家の仕込みはここへはやらぬという。美代子たちはいつも鬘下地《かずらしたじ》に結ったもの静かなお師匠んから、先ず「一夜明くれば」を手ほどきして貰い、渋紙を表紙に綴《と》じた稽古帳へ次が「我がもの」「夕暮」と順々に端唄《はうた》舞を一つ上げるたび筆で書き込んで貰って行く。

三味線は杵屋《きねや》の名取りが店を張っていたが、これは弟子たちに冬の屋切《やぎり》で寒稽古を命じ、撥《ばち》で打《し》でるという噂《うわさ》があって素人衆は寄りつかず、もう年増《としま》だけれど心立ての優しい小万姐さんに岩伍から頼み込んで四人とも引受けて貰った。小万姐さんは小柄《こがら》なだけに指先は鋏《はさみ》で剪り揃《そろ》えたように短いけれど、その指で締める音はツボが決まってとても音《ね》いろがよく、温習会《おさらいかい》の大きな舞台は必ず姐さんが黒紋付を着て一の三味線に坐《すわ》る。美代子たちは「金比羅《こんぴら》船々」やら「竹に雀《すずめ》」やらの短いもので手慣らしをした上で、舞と並行して端唄を順に上げ、長唄は難しい合いの手から入ってゆくのであった。

子供等がこの家へ来てからというもの、開業以来の富田の雰囲気《ふんいき》はがらりと変ってしまった、と喜和はときどき、冷たい他所者の目になって家中を見渡す事もあった。

玄人の家ではあっても三味の音の響かぬが自慢だったのに、今は店の書類棚《だな》の脇《わき》にこうきの棹《さお》にかりんの胴、という、ものの良い三味線が三挺《ちょう》も掛かり、午後になると稽古から戻った誰ぞが懸命で弾く、たどたどしい音締めが二階から聞えて来る。三味線の脇の小物棚には稽古用の木撥、上物の象牙《ぞうげ》撥や上駒下駒《うわごましたごま》、取替え用の糸の箱、赤い毛糸の指嵌《ゆびは》め、滑り止めのゴムなど付属品一式から、舞扇、縮緬《ちりめん》手拭、絹傘まで、鮮やかな色目が並んでいる。

京町の呉服屋かめやの番頭も、緑町に倍して頻繁《ひんぱん》に訪れて来るようになり、子供達の普段着には可愛らしい真岡《もおか》木綿の花柄を、稽古に通う長袖には大幅物《おおはばもの》のモスリンか銘仙《めいせん》を大凡《おおよそ》選んで運んで来、此の頃では真先に披露目をする筈《はず》の美代子の座敷着にと、錦紗《きんしゃ》縮緬の上物も混ぜて来る。半幅に畳み、色糸で綴じた常着の反物にはそう騒がない子供等も、軸に巻いた柔らか物を広げるときには鈴や勝まで巻き込んで店の間に垣《かき》を作る。番頭の杢《もく》さんは滑らかな手つきで反物の端からずーっと繰り延べ、自分の座を芯《しん》に、開いた葩《はなびら》のようにぐるりと拡《ひろ》げて糸の目方から打込みの強弱、染めの良し悪《あ》しを講釈する。喜和は座敷着を選ぶ目にはからきし自信がなく、それに披露目とはいってもまだ先の事、とは思っても、そのときはまたそのとき、美代子の肩身の狭くないよう今からぽつぽつ揃えて置く、と岩伍からいいつけられていれば矢張り柄選びに心を打込み、いいものがあれば銭目をいわず抜いて置くのであった。

反物を扱う杢さんの手は魔物のようで、軸の両端へ掌を宛《あ》ててとろとろと巻くと、しっとりと重い絹物は波打ちながら巻き取られてゆく。いい反物を見るのは目の保養になり、束《つか》の間《ま》酔い痴《し》れる思いでいて後で必ず、これは売物に花を飾る所業、と考えられ、嫌《いや》な気分が襲って来るのであった。

喜和は、この子等の取締りもこういう衣裳《いしょう》選びまでが境で、それ以上は手幅《てはば》に叶《かな》わぬ、とほとほと思える。何よりも置屋の真似事《まねごと》は嫌じゃと思う気持が先に立ち、隣の大西の姐さんのように炊事場に居ても稽古三味線に耳を澄ませていて、

「お前、調子の合《お》うて無い事が判らんかね。二上りやら三下りやら判らんものを弾いて、この莫迦《ばか》」

と常住手離さぬ先のちびた矩尺《かねざし》で仕込みの子の撥《しば》を持つ手をぱんと打く、そんな躾が喜和に出来る筈もないし、第一余程の狂いでなければ三味の調子など聞き分けられないのであった。

松下の姐さんの話によると、大西の姐さんの二尺差しは此の近辺では有名で、あれはお針の為のものではなく専《もっぱ》ら仕込みの折檻《せっかん》用に使い、長年の間に尺の尖端《さしせんたん》はちびてささらのように割れているという。それを松下の姐さんは、

「あのひとは先でええ死に様《よ》をせんと思うよ、ねえ」

と喜和に同意を求めるけれど、喜和は自分が四人の仕込みを扱ってみて此の頃、此の世界の商いは妓達《こ》を締めて締めて締め上げ、汗の一滴までも指につけてねぶるほどにしなければ成り立ち難い内幕が略《ほぼ》ゝ判って来ている。緑町では岩伍の許でこれを正しく人

助けと思い、入った金はまた妓たちやその身内に見返りして充分快かったけれど、子方屋が目白押しに並ぶこの花街の中ではそれは善根などではなく、人に後指差して嗤《わら》われる、商売を知らぬ素人のする事なのではあるまいかと思えて来るのであった。

子方屋では一旦《いったん》買取った子には正月と雖《いえど》も渡しはしない小遣銭を、喜和は一日五銭ずつ必ず手渡している事を考えても、それだけで喜和は自分に資格無し、と思える。妓達を宰領するには並みの強《きつ》さでは到底間に合わず、新調の座敷着は稼《かせ》ぎのよい妓に、夜な夜なお茶引くばかりの腑甲斐《ふがい》ない妓には染め返しの古呆《ふるぼ》けた着物を着せる知恵も商売に真底打込んでいるところから生れるものと判る。報奨を鼻先にちらつかせ妓たちを駆り立てて稼がせてこそ、妓自身の得、抱え主の得となる絡繰《からくり》が判らないでは、いや、判ってはいてもそれを受付けぬ心がある内は生半可なものでしかないのであった。

喜和は昔、大貞《だいさだ》から、「この世界、素人出も居てるけど、皆早うに水に馴《な》れて垢抜けて捌《さば》けて来るもんや。あんただけや、未だに気《き》い利かんのは」といわれた言葉が今でもふと風のように遠くから聞える日もあるけれど、それは仕込みの子を世話するようになってから特に自分の真実を射当てていると思えるのであった。子に借金と親が付いて廻る限り、喜和のようにこの商売嫌じゃ嫌じゃと首振ってばかりでは解決出来はしないのに、喜和には矢張り今も酷さが先立ち、馴れて捌けた仕打というものは此の先も出来難く思えるのであった。

四人の子に対する情は岩伍と喜和では松の木と藤の蔓ほどに違い、岩伍が、どうせ座敷に出るなら人に引けを取らぬよう、と子供達に今から髪を伸ばす事を命じているのを喜和の目で見ればそれはどうにも痛ましく映る。この節、女の子の髪は短くなる一方で、綾子など後を刈り上げて涼しくしているわきで、孰れは髷《まげ》を結う筈の、切る事を許されぬ長い髪をゆさゆさ揺《ゆす》って遊んでいるのを見ると、子等の将来を今から目の辺《あた》り《ま》眺《なが》める思いがする。

それに、いくら岩伍が一人宰領すると力んでも、子の母親役は喜和が受持たねばならず、稽古に通う着物の手入れからお師匠《つしや》んへの盆暮のつけ届けも考え、風邪のときは薬も飲ませ腹痛《はらいた》には粥《かゆ》も炊《た》いて、と面倒を見ているとひとりでに情も移って来る。世話していればそれぞれの性質も判り、一番年嵩《としかさ》の美代子は少々慌《あわ》て者だけれども利発で、貝爪の指で器用によく小切れ細工などするし、のっそりと無口な節子は頑固《がんこ》で余り表情を動かさぬ。君江はまた、男そっちのけのお転婆《てんば》で喜和はときどき菊の子供の頃《ころ》を打重ね、芳子はまことにのんびりしていて、四人の中ではいつも尻《しり》について行動する。

喜和はこの、寺子屋のように集った子を見分けして統営するのに、下駄《げた》のちびかたで自分の心得としたものであった。

子供達は動きが激しいから、少々重いけれど堅い栴檀《せんだん》台の下駄を穿《は》かせているのだけれど、せかせかした美代子は前歯から先にちび、用心深い節子は真直《まつす》ぐに穿いて板のように減らせて行く。乱暴《がい》な君江は外足だから歯の外側が斜めに減り、のろい芳子は引摺《ひきず》って歩くせいか台は坂になって後歯がちびる。四人が四人違った気質を持っていればすべて一律に、という訳に行かず、昔、菊と絹をしっかり摑《つか》まえていた感じが今は全くないのも、此の子達の将来がついそこに見えている故《ゆえ》の喜和の胸の内の躊躇《ためら》いでもあった。岩伍が、店の机に坐って丹念に日記をつけなくなったのは、四人の子供達が富田の暮しにすっかり馴れた半年ほど後の事だったから、子の落着きを見届けての上、次第に次の仕事へと心を移して行ったものであろうか。

　家を明けるようになった最初の頃は、仕事が次第に拡がって忙しくなり、海岸通りのようなこういう辺鄙《へんぴ》な場所で無く、市の中心部に事務所を構えて置かなければ客に迷惑を掛けるといい、手頃な素人家を見つけてそうするべく人にも頼み、自分も走り廻っていた様子であった。昔の女衒《ぜげん》が今の紹介業であるように、仕事も時勢につれて変るものなら事務所という現代風のものも必要かと思い、また岩伍をこちらに呼び寄せた陽暉楼《ようきろう》の初代は、昭和十年の夏、八十二歳の高齢で亡《な》くなっていたから、それについて直接喜和は格別不審も持たなかった。

　大将の葬式の日、喜和は弥次馬《やじうま》に混り普段着のままで岩津の角まで出て人垣のあいだからときどき爪立《つまだ》っては葬列を覗《のぞ》いていたが、そのとき何となく胸騒ぎを覚え、途中で水を呑《の》みに家に戻った不安をいまもまだときどきは思い起す。葬儀は盛大を極め、大将の柩《ひつぎ》を見送る人の列は陽暉楼本店別館を幾重にも取巻き、バスの往来も暫《しばら》くは止めるほどであった。参列者は陽暉楼の抱えばかりでなく、高知市の芸者という芸者は殆ど集っていたから、それを見る為の人集《ひとだか》りでもあった。

芸者衆は此の日、一本も半玉も区別なく揃って頭を銀元結のつぶし島田に取上げ、白《しろ》衿《えり》黒紋付、黒帯の虔《つつし》んだ姿で並び、それは正月の出初《でぞ》めの衣裳とはまた違った、重々しく荘重な威勢と見えた。同じ黒とはいっても一列に並べばさまざまな色違いがあり、新しい羽二重を二回染めした冴《さ》えた黒は売れっ妓《こ》が着、座敷着の錦紗を染め返した黒は盛りを過ぎた年増が着ているのを、弥次馬の目で見れば面白い。時間が来て、人波を除《よ》けながら金ぴかの霊柩車《れいきゅうしゃ》が大きく迂《う》回《かい》して下の遊廓《ゆうかく》方向からやって来たが、車が本店の表玄関で止まると、中からわらわらと大勢の羽織袴《はかま》が出て道路に立ち、供の手配やら彼是《あれこれ》の指図をしているらしかった。喜和は遠目にその中からいち早く岩伍《いわご》を見つけたが、どういう訳か岩伍一人もう葬儀用の藺《い》笠《がさ》を被《かぶ》っているのであった。藺笠は葬儀用として女の白手拭《てぬぐい》に対して男の被るもので、岩伍は多分、手に持って立働くのが小面倒になり、ついと頭に載せてしまったものであろう。間もなく柩を車に移し、一族関係者が続く車に分乗するところまでを見届け、喜和は口の渇きに気がついて戻ってしまったけれど、そのときにはもう全員藺笠手拭は頭に載せており、喜和が目に止めたのは他の人達よりほんの一息早いだけの岩伍の姿ではあった。

その印象を、何故《なぜ》、と聞かれれば答えようはないけれど、喜和の胸にはそのとき、岩伍は孰《いず》れ喜和の手の届かない広い世界へ飛び立って行くのではあるまいか、という何とない怖《おそ》れが浸《し》み透《とお》った。若い頃岩伍はよく、

「なあに、編笠一蓋《いっかい》の身よ」

という言葉を口にし、身の軽さを身上にしていたのに、一面を見れば今はその烈《はげ》しさは鈍《なま》り、女房、子のなかにぬくぬくと埋もれて見える。喜和はそういう岩伍を何時《いつ》までも摑まえていたいのに、岩伍はその座に安住してこのまま終りはすまいという予感みたいなものであった。

編笠一蓋、という言葉と、葬式用の蘭笠とが打重って生む不安は無理に符牒《ふちょう》を合せようとする喜和の怯《おび》えかも知れないけれど、もうひとつ胸の奥に踏込んでみるなら、岩伍の得意先の主《あるじ》の死によって齎《もた》らされる夫婦のあいだの不和には、以前、大貞の死があった。大貞の死後、喜和はどんなに心を砕いても悉《ことごと》く擦れ違ってしまう岩伍とのあいだがほとほと悲しく、そしてそれは喜和の大病までずっと捻《ねじ》れたままであった。陽暉楼の大将は大貞のように家うちの指図まではしないけれど、しかし岩伍の心を占める重みには大貞以上のものがある。この海岸通りに越してのち一年半ほど岩伍がじっと落着いていられたのも、ほんの一足の距離に、老齢ではあっても大将が居た故であり、いわば足止めの用もなしていたといえなくもない。この葬式がきっかけになって、また前のように

始終行違いにならねばよいが、と、まだ言葉にするほどの事もない小さな気懸りがあった。

岩伍の事務所開設というのは、大将の死後、陽暉楼の営業が次第に中店《なかみせ》中心に移り始め、こちらの本店は遠出の客の為《ため》の寮、というかたちになって、岩伍は殆《ほと》ど毎日、電車に乗って目抜きの浦戸町にある中店まで出掛けなければならぬ仕儀になっている事にあった。海岸通りには他に下の新地の遊廓もあって、陽暉楼の営業方針ひとつ変ったところで岩伍まで身を変えなくてもいいのだけれど、それでも浦戸町周辺に檐《のき》を並べる料亭の数や、また上の新地の遊廓からの距離にしても、向うとこちらでは賑《にぎ》やかさも得意先の数も段違いなのであった。開業後もう二十年近い岩伍の稼業《かぎよう》は揺ぎなく安定していて、今更自分から目抜きの場所に進出する必要は少しもないものの、自分は坐《ざ》していて客を此処《ここ》まで通わせるのを潔《いさぎ》よしとしない岩伍の気性は喜和にも判る。それに大将亡き後ならなおのこと陽暉楼への勤めは怠れず、むしろ自分から打って出て二代目を助けようとしている考えも判る。時勢に応じる敏《さと》さも岩伍にはあり、店の窓口を増やそうとしている勢《きお》いも察しがつくけれど、喜和はただ、事務所そのもののありようが想像出来ないところから来る微《かす》かな不安はあった。隣の回漕店《かいそうてん》の事務室というのは土間にいきなり「立ち机」を据《す》え、椅子《いす》に腰掛けて大将と姐《ねえ》さんが算盤《そろばん》を弾《はじ》いているけれど、素人《しろうと》家というのは矢張り畳に「坐《すわ》り机」の、家の店と替りない様子ではあるまいか、とその程度しか目には泛《うか》ばず、そこから先は半分諦《あきら》め、半分判らなさのままであった。

喜和が此の頃あの葬儀の日の岩伍の藺笠姿をときに思い起すのは、日を追うて岩伍の事務所に寝泊りする回数が増えて来る事にあった。昔から、ここらで恰度《ぽっちり》、という地点に踏み止《と》どまれない人故、一旦やり出したらこのまま遠い世界へ行き抜けてしまうやも知れず、喜和はそれを何故？　どうして？　と自分の胸に幾度も問い返してみる。

本当に仕事が面白忙《せわ》しゅうて打込んでいるがであろうか。何ぞこちらに気に喰《く》わぬ事でもあって憂《う》さ晴しにそうしているがではあるまいか。気に喰わぬ事といえば、以前は胸に蔵《しま》っていたこの稼業の情なさ口惜《くちお》しさを喜和が今では折々口にする事とは違うろうか、と考えているとどれが図星かは判らぬながら、岩伍が躰《からだ》だけでなく心まで浦戸町へすっかり移してゆくのではないかとさえ思える。事務所とやらに坐っている岩伍の日常とせめて心だけは通わせていたくても、ここ暫く裏長屋の消息も聞かず、妓の親達の世話もしていない喜和には一旦岩伍が外へ出てしまえば皆目見届けは利かないのであった。それに此処では緑町《みどりちょう》のように、「大将はどこ？」「何時戻る？」と追廻《おいまわ》す町内の人も居ないだけに人の口から様子の知れる事もなく、留守の日の空《うつ》ろな思いは空ろなままで重くなって行く。また、これほど長い留守ともなれば綺麗《きれい》好きの岩伍が毎日取替える下着やら、味の難しい飯の菜はどうしているのか、などの細々した心配も湧《わ》き、それも知らず、ただじっと手を束《つか》ねて待っている自分の所業がこれでいいのか、とふと疑えて来る。岩

伍はそれについて、

「女子がうろうろ、事務所を覗くな」

と堅くいい、身の廻りの世話は人を雇うておる、と細かくは話さないのであった。

岩伍の居場所が殆ど浦戸町の事務所へ移るにつれ、客もまたそちらへ足を向けるのか、こちらの日常はめっきり静かになっていたが、それでも時折は訪れる妓の親たちへの応接と郵便など見るために、益《まつ》さん長《ちよん》さんが一日おきくらいに顔を見せては暫く机の前に坐ってゆく。喜和の気懸りを二人に糺《ただ》せば浦戸町の岩伍の日常も判る、と思えるけれど、喜和がそれをじいと押堪《おしこら》えているのは、二人が二人共、喜和に対して此の頃何やら含みのある様子で対しているような感じがあるせいでもあった。それは、強《し》いて勘ぐれば何か大きな秘密を知っている為に、わざと身の廻りに垣を作っているせいかとも、岩伍自身のこの頃の変りように二人まで影響されているせいかとも見えなくもない。緑町なら、心易立《こころやすだ》てに強い口も利く一方ではまた釜屋《かまや》に入って来て戯《おど》けもいい合い、ときには岩伍に内緒の金を喜和に借りてもいたのに、此の節では戯けが糸口になって底が割れるのを要慎《ようじん》するかのようによそよそしく店の間だけに坐り、老眼鏡を掛けて鹿爪《しかつめ》らしく書類などめくっている。そういう益さん長さんに、最近は女中達も盆に載せて茶を運ぶようになっており、何時の間にこんな他人行儀な間柄になったのやら、と相手が益さんだけに喜和の胸にはよくない思いも掠《かす》める。二人はまた、岩伍にいい含められているのか、来

ると必ず一度は、

「子供等は稽古《けいこ》に行きよる？　戻ってうちでも浚《さら》あよる？」

と聞く事を忘れないけれど、それも疑えば喜和の仕込みの子に対する躾《しつけ》の出来なさ情の薄さ、と受取っているらしい岩伍に代って子の取締りをしようとしている魂胆とも見える。

考えてみれば岩伍の事務所開設の前後から、いっとき朝凪《あさなぎ》の浦戸湾のようであった夫婦のあいだに折々小波《さざなみ》の立つようになった直接の元は、矢張り確かに四人の子に対する岩伍と喜和の胸の違いから来ているもののようであった。それは、岩伍が思い立って四人を富田の籍へ入れようとしたのを、喜和がたっての思いで引止どめた一件からではあるまいかと喜和には推測も成り立つ。

四人の入籍について岩伍は、

「子方屋の思惑もあるきに、四人共うちの娘とする」

というけれど、本当は子方屋よりもこの子等の不愍《ふびん》さの余り思い付いたのだと喜和は判るのであった。

子方屋の思惑というのは、もう大分以前から高知にも検番制度が布《し》かれ、料理飲食業と置屋業とははっきり分れて妓達はそれぞれすべて芸妓《げいぎ》置屋業の鑑札を持つ子方屋に属し、検番を通じて座敷へ出る仕組になっている。この制度では料理屋が抱えの妓を持つ事は許されなかったから、一頃夥《おびただ》しい抱えを持っていた陽暉楼などは身内や関係者に置屋鑑札を取らせ、妓達をそちらに振分けて改めて検番から呼び寄せるかたちになっている。置屋の中には陽暉楼の古手の芸者などもあり、芸者と置屋の二枚鑑札を取って妹芸者と二人でやっているところもあった。

岩伍は無論置屋の鑑札はなかったから、規則からいえば仕込みの子は置けない事になるけれど、制度も新しい故《ゆえ》警察は矢釜しくいわずその代り、この制度を推し進めて来た古くからの置屋の目には何となく鋭いものがあった。気のせいか、富田にたどたどしい三味の稽古が始まり出した頃から隣の大西では妙によそよそしくなり、喜和など、芥《ごみ》を捨てに往来へ出て塵箱《ごみばこ》の並んでいる場所で姐さんと顔を合せてもふいと横を向かれ、気《き》拙《まず》い思いをした事も一再ならずある。商売清浄、といつも日誌にも書き口にもする岩伍は情愛からいって子供達を自分の家の娘としてやりたく、また少々規則違反の後めたさもあって入籍を思い立ったものであろう。

喜和がそれを拒んだのは、この先長いあいだ実の親を見てやらねばならぬ重荷を背負っている子等と、また新しく親子の契《ちぎ》りを結ぶ事が果して双方の幸せであろうかと思えるせいでもあった。この子達は実の親の為に将来さらに借金を増やさねばなるまいが、その取引高をめぐって、それが本業ではない富田と親たちとのあいだにいざこざが起らないとは、誰がいい切れるであろうか。もう一ついえば、喜和にとって戸籍とは軽々しく扱うべきものではなく、事実上は綾子が富田の長女であるにも拘《かかわ》らず、菊と絹の入籍の為三女となっている事を考えても、これ以上もう単に思い付きだけで汚されたくない思いも強い。それは、長い曲折を経てやっと固まりかけた親子三人の暮しを今更乱されたくない思いと同じもので、決して喜和一人の好き嫌《きら》いをいっているのではないつもりであった。しかしそれも、この子等が皆親無し子の、先ゆき苦界《くがい》に身を堕《お》とす運命でなかったら、喜和は決して引止めはしなかったであろう。

情が無いじゃない、情はむしろ日常の世話をしているだけ自分の方が深いように喜和には思えるけれど、籍の話とこれとは別、という喜和の胸がどれだけ岩伍に伝わっているか、この諍《いさか》い以来岩伍は二度とそれを口にせず、喜和の感じではその代り、というふうな意地に似た姿勢を見せて浦戸町の事務所の仕事に打込んで行ったように思える。

事務所開設からほぼ一年経《た》った今では、岩伍は月に一度、家計の金を喜和に渡すだけに戻るようになっており、その月一度の日も以前の幸せな日の岩伍のようについ口許《くちもと》の綻《ほころ》ぶ柔和な顔付きではなく、誰をも傍《そば》へ寄せ付けぬ身構えの険しいものになっているのであった。これでは喜和が甘え半分、怨《うら》み半分の「もっとさいさいこっちへ戻ってつかはれや」と懇願する隙《すき》はなく、いつも岩伍は慌しく、泊りもせず、用事だけを喜和と話してはさっと引上げてゆく。何時の間にこんな穴の明いたような家になってしもうたか知らん、と喜和はときどき目をこすりたいような思いになって、店の岩伍の机の前に坐《すわ》ってみる。机の前の小《こ》格子《ごうし》も細かに指図して建具師に拵《こしら》えさせ、襞《ひだ》のある緑の紗《しゃ》を掛けた観音開《かんのんびら》きの大きな書類棚《だな》も指物師《さしものし》を呼んで誂《あつら》え、すべて細やかに住み良く暮していたのに、仕事への逸《はや》りの前にこういうものは何の足止めにもならなかったものであろうか。陽暉楼の葬式の日の蘭笠を見て覚えたように「朝風呂《あさぶろ》丹前長火《ながひ》鉢《ばち》」が性に合わない人なら致しかたもないけれど、それにしても月一度だけのこの家の主とは、余りに激しい変りよう、と思える。こういう淋《さび》しい暮しが何時まで続くかと思えばおぼつかなく心は揺らぎ、飯の後の茶の茶柱一つにも此の頃では心が戦《おのの》く。主の留守の日常の味気なさと来たら、欠け茶碗《ちゃわん》で飯を食うような、剝《は》げた塗り箸《ばし》で菜を摘《つま》むような、と思いつつもそれに半ばは馴《な》らされつつある自分を喜和は感じる。しかしいまが仮の姿という思いはしっかりと喜和の胸にあり、既に一年、仮の姿のまま月日を越して来た身にはどこまでがこの姿の境か、と始終不安を占い続けるのであった。

この頃《ごろ》では、二階の欄干《てすり》に凭《もた》れて、海の上でのんびりと鳶《とび》の舞うさまを見ている余裕も無くなり、波立つ気分で過す日が多いせいか、喜和の躰はまた眩暈《めまい》や肩凝りがぶり返して来ている。それはなまじ一時快《よ》くなって来ていた一年前の平安な日と較《くら》べるだけに、気分からして暗く陥込《おちこ》むのであった。

二

新湯《あらゆ》のせいなのか桶《おけ》の檜《ひのき》の匂《にお》いなのかは判《わか》らないが、立罩《たちこ》めている湯気の中に香りがつんと立っている。

使った年月は争えず、底の廻りがもうほこほこと凹《へこ》んでいる真鍮《しんちゅう》の金盥《かなだらい》へ漉《こ》したふのりをとろりと明け、その上に卵を一つチャッと割り落して喜和は、

「そら、綾子《あやこ》」

と裸のまま遊んでいる綾子の背をぴしゃぴしゃと濡《ぬ》れた平手で叩《たた》いた。

セルロイドのキューピーに石鹼《せっけん》の泡《あわ》をまぶして洗ってやっている綾子はまだ自分の髪洗いどころではないが、放って置けばこの子は一人で果てもなく遊ぶ。殊《こと》に人形の髪洗いが好きで、膠糊《にかわのり》ごと頭の地肌《じはだ》が脱け落ちるほど、一緒に入っている相手が幾人替って上って行っても、催促されるまでは裸で何時までも遊んでいる癖があった。

喜和は、三年前のあの大病以来長湯は禁物になっていて、普段は綾子を置いて先に上ってしまうのだけれど、週に一度の綾子の髪洗いは人手に任せられなくて日の高いうちから風呂を立て、用心しいしい自分でやってのける。赤子の頃から町売りの粉シャンプーなどでぞんざいに洗った覚えはないだけに、学校の集りでも後から頭を見ただけです

ぐ見分けがつくほど、綾子の黒くて多い、つややかな髪は喜和の自慢であった。

まだ肉の着かない繊細《かぼそ》い小学四年生の躰は、喜和に押えつけられると敢《あ》えなく金盥の中に逆さに突っ込まれ、喜和の指先はその髪の根を掻《か》き分けては青づいた地肌へ卵とふのりを摺《す》り込んでゆく。綾子は両腕を湯殿の羽目板に突っ張り、首を伸ばして喜和に頭を預けていたがふと思いついたように、

「お母さん、今日ねえ。三郎がうちのことを芸者の子ーっ、いうて手戯《てご》うたよ」

とはっきりしない声でいった。

白い湯気が舞っている中の、濡れた髪を垂らして俯《うつ》むいて出す声の為喜和はよく聞き取れず、暫《しばら》く経ってから「ええ？　何？」と聞き返した。

「三郎がねえ。うちの事を芸者の子、いうたわね」

そのままの姿勢で怒鳴った綾子の声が湯殿の硝子《ガラス》戸に当って小さな谺《こだま》を引いたとき、喜和は、不意に飛んで来た飛礫《つぶて》に急所をやられたような強い衝撃を躰に感じ、いつも気を失う前にやって来る、あの後頭部から地底に引摺り込まれるような気分の悪さが襲って来た。これはいかん、と思わず湯桶の縁に摑《つか》まって額を付けると、突然止まった指の動きに卵塗《まみ》れの頭を上げた綾子が驚いて声を挙げた。

「お母さん、しっかりして。鈴ちゃん呼ぼうか？　勝ちゃん呼ぼうか？」

母親の気を失うのを幾度か目の前に見ている綾子は、慌《あわ》てながらも裸のまま走り出て

台所から水を汲《く》んで来るだけの気転はある。

喜和は、口の中の青い生唾《なまつば》を冷たい水と一緒にぐっと飲み下し、傍の濡れ手拭《てぬぐい》で顔中噴いた汗を拭うと、自分を瞠《みつ》めている綾子の目を隠すように、

「お蔭《かげ》ではや良うなった。さ、早う早う」

と再び綾子の頭を押え込む。

髪を洗いよる最中で良かった、と喜和は思い、此《こ》の頃急に大人ぶって来た綾子とまともに向き合っていれば不審を持たれるところだった、とまだ肩を喘《あえ》がせて濯《すす》ぎにかかりながら、

「その三郎という子は、確か緑町の魚屋の子やったわねえ」

「そう。うちと同じ学年」

「あんたは三郎と喧嘩《けんか》でもしての上で、そういわれたがかね？」

「ううん」

「そんなら何故《なぜ》？　どうして？」

「さあ、うちは知らん。今日学校の帰り、新道の向うから大きな声で手戯《てご》いよったもの」

「ふうん。そんで三郎のほかには誰が居《お》ったぞね？　大人が居ったかね？」

綾子はぐいと顔を上げ、滴《しずく》の垂れるに任せて目を瞑《つぶ》ったまま、喜和の何時《いつ》にない根問

いに向っていった。

「お母さん、どうして？」

擡《もた》げた鎌首《かまくび》を喜和はさあさあ、とまた押し付けて、

「そんな嘘《うそ》の皮をいうて女の子を手戯う子は悪い子じゃきに、よう聞いておこうと思うて」

「そうや。三郎は悪い子や」

綾子の不審はそれでけりがついたのか、雀《すずめ》の立ち子のような濡れ髪のまま湯桶の縁に片足を掛け、飛沫《しぶき》を上げて中へ飛び込む。

湯殿の二方は庭に向って硝子窓になっており、庭の隅《すみ》の薪《まき》小屋から束を抱えて風呂の焚口《たきぐち》へ歩いて来る鈴の影が、庭木の縞目《しまめ》に重なって呆《ぼ》んやりとその刷《すり》硝子に映っている。

綾子はそれに向って大声で、

「鈴ちゃあん。うちがここへ書く字、当てて」

と呼びながら、刷硝子の内側へ濡れた指で打ち立てをして大きく漢字を書く。勝も鈴も、勉強の件で綾子に挑戦《ちようせん》されるのを日頃から嫌《いや》がっていて、いまも少しばかり不機嫌《ふきげん》になり、

「知らあん」

と窓下の焚口から冷淡に答えたが、それは湯殿の内側へはひらん、、、と聞え、綾子は湯

を跳ね散らしてけたたましく笑い出した。

「いやあ、ひらんやと。ひらんという字じゃないよ、これは。

これはねえ、ホリベヤスベエの安。ほら、うちの浪花節《なにわぶし》のレコードにあるろ？　高田の馬場の十八人斬《ぎ》りいうて。判った？

鈴ちゃん今日は零点や。明日はええお点取って頂戴《ちょうだい》」

綾子は勝手放題を喋《しゃべ》ると、脇《わき》の継ぎ目から躰《からだ》の中へ湯の入ったキューピーをじゃっ、じゃっ、と振りながら、珍しく先に上って行った。

この様子では綾子は何も感付いていない、と喜和はほっと息を抜き、手を伸ばして北側の硝子窓を明けた。白い湯気が一塊りとなって庭になだれ出るのと入れ代りに、冷たい外気が喜和の肩へも胸へも膏薬《こうやく》のようにぴたぴたと貼《は》りついて来て、先程からの気分を幾分は鎮《しず》めてくれるようであった。

まだ西陽《にしび》の高い明るい湯殿の中で見る凝脂のような喜和の下腹には、縦に蚯蚓《みみず》のような傷痕《きずあと》が未《いま》だに生々しい。病気の後遺症なのか近頃喜和は少しずつ肥《ふと》り始めているようだけれど、傷痕は逆に引攣《ひきつ》れてゆくばかりで廻《まわ》りの肉を醜く緊《し》めつける。病気以来、喜和が風呂を億劫《おっくう》がり始めたのは、すぐ逆上《のぼせ》、眩暈《めまい》がやって来る事のほかに、嫌でもこの鮮やかな傷痕が目に入るせいでもあった。傷痕が目に入れば、手術してそれを取除いてしまった故に大分前から月のものも無い我が身を思い、しんしんともの憂《う》さがやって来る。若い頃には洗い立ての白菜の根のようにみずみずしく目に眩《まぶ》しかった肌も、今はしんなりと艶《つや》が失《う》せ、それは身に大きな傷を受けたが為《ため》の人より早い衰えではないかとも思われる。もう五十の坂も目の前なのだから怨《うら》みとも思わないけれど、この頃の岩伍《いわご》の留守を思うたび、風呂場は喜和の一番気の萎《な》える場所ではあった。この場所で闇夜《やみよ》の礫《つぶて》を受けたのは如何《いか》にもこたえる、と喜和は思い、その衝撃のまだ醒《さ》めない心をどう宥《なだ》めようかと惑っている。

その晩、喜和は動悸《どうき》が昂《たか》ぶってどうしても寝付かれず、何時の間にか閨《ねや》の上に起き上って寝衣の袖《そで》で胸を庇《かば》っているのであった。

岩伍が家を明け勝ちになってから喜和は寝床を六畳から納戸《なんど》の三畳へ移し、枕屏風《まくらびょうぶ》を囲い廻して垂れ込めて寝ているけれど、犬の遠吠《とおぼ》え、遊廓《ゆうかく》の火の用心の拍子木の音にもすぐ目を覚すほど、眠りは浅くなっている。夜半に目覚めると、不安な思いが膨れ上って来て必ず動悸を呼ぶのが癖になっているものの、今日は風呂場で綾子の訴えを聞いたせいもあって、宵《よい》から既に気持が昂ぶっているのであった。

辺りは深海の底のように静まり返っていたが、枕時計を見るとまだ十一時にはなっていない。耳を澄ますと遊廓のざわめきとも潮騒《しおさい》とも知れぬどよめきが風に乗って聞えて来る。岩伍が留守になってから家中早寝の習慣がついてしまい、働き者の亀《かめ》が吃《ども》りながらも毎度、

「世の中に寝るほど楽なものはない。知らぬ阿呆《あほう》が起きて働く」
と唱《うた》うように呟《つぶや》き呟き、梯子段下《はしごだん》の三畳へごそごそと引込んでしまうのを皮切りに、今では岩伍を除いた一家九人の大家族でいながら十時にもなれば人の寝息以外もの音もしなくなっている。

喜和は蒲団《ふとん》の上に掛けてある絆纏《はんてん》を引掛け、襖《ふすま》を開けて茶の間へ出ると長火鉢の前に躙《にじ》り寄って銅壺《どうこ》に掌《て》を当てた。熾《おき》を埋めてある為か銅壺はまだ温かく、薬箱から振出しの中将湯の袋を取出して茶碗に入れ、その上から銅壺の湯を一柄杓《ひしゃく》注ぎ込むと、金巾《かなきん》の薬袋はぷくぷくと茶碗の中を泳ぎながら濃い茶色の薬液を徐々に滲み出す。喜和は箸でなおその薬袋を幾度も押しつけて絞ったあと、苦い薬湯を一滴一滴口に含みながら飲み干した。薬が効いたのか暫くすると胸の動悸はいくらか鎮まって来たようであった。

長火鉢の猫板《ねこいた》の上には、火に炙《あぶ》られて縁の縮れた綾子のセルロイドの筆入れが、宵に喜和の削ってやった鉛筆の頭を揃《そろ》えて入ったまま、置かれてある。鉛筆削りは綾子の入学以来、毎夜欠かさない喜和の日課だけれど、以前は茶の間の真中に据《す》えてあった長火鉢を、今は向い合って坐《すわ》る人も滅多にいない淋しさからこの壁際《かべぎわ》に片寄せてしまったときから夜の鉛筆削りは喜和の物思いの時間となり、つい考え込んで筆入れの縁を熱灰で焼いてしまったりする。

喜和は茶碗で掌を温めながらふと、もう今は思い出す日も殆《ほとん》ど無くなっていた巴吉《ともきち》太夫《だゆう》の事を思った。あの当時、益《まつ》さんは「盛りはこれからよ」といっていたけれど、この見通しは見事に外れ、娘義太夫はあれ以来全国でも高知でも先細りに衰え、今は全くその消息さえ聞かなくなっている。それは当の巴吉だけでなく、大阪の娘義太夫席で二枚目三枚目を語っていた沢山の女太夫たちも、今は何処《どこ》へ埋もれたか、消息通の益さんでさえ知らないもののようであった。節《ふし》が出来、義太三味線が弾けるのだから、落魄《おちぶ》れても常磐津《ときわず》清元への移り替りの中で巴吉は案外巧《うま》く生きているやらも知れず、またあの器量故《ゆえ》望まれて何処ぞよい先へ縁付いたかも知れないとも思える。いったい巴吉は、高知を離れてのち綾子の事を思い出す日があったであろうか、と思うと、纔《わず》かながらも喜和はもう十一年少しの破綻《はたん》もなく綾子と母娘でいる自分の果報に胸を張りたい思いにもなる。腹は借り物というけれど、綾子の場合ほどその言葉が生きている例《ため》しはなく、此の子の母親が自分以外に居る話など、今の喜和の身では誰ぞの寝言、というほどの感じでしかない。しかし世間は喜和の矜《ほこ》りを慢心と見るのか、魚屋の子の口を借りて喜和の目を醒ましにやって来るのであった。

三郎の「芸者の子」というのはどういう意味だったか、巴吉は芸人ではあっても芸者ではないが、三郎は綾子に向って「芸人の子」といおうとしたのか或《ある》いは「芸者屋の子」といおうとしたのか、其処《そこ》が子供の口の判らなさでもある。芸者屋とは置屋の事であろうけれど、富田にはいま仕込みが四人もいて、世間から置屋とも見られて居ればそれは巴吉に関《かか》わりなく、今の稼業《かぎょう》を手戯《てが》われたと考える事も出来る。ただ、推察出来るのは訳も知らぬ子供が親達の噂《うわさ》話を聞き齧《かじ》り、日頃苛《いじ》めもならぬ手戯いもならぬ級長の綾子を、そういって囃《はや》し立てたかったのではなかろうか。喜和の目には、よく知っている三丁目の魚屋の店先で辺りを見廻しながら、ひそひそ、ひそひそ、と目口して話し合う昔の町内の誰彼が泛《うか》んで来る。一人が思い出して口にすれば疾《と》うの昔死んだ話はむっくりと生き返り忽《たちま》ちのうちに緑町《みどりちょう》の新顔にまで燃え拡《ひろ》がるのではあるまいか。今はただこれだけの事なのかも知れないが、用心を忘れるなという戒めに「初めのささやき、後のどよめき」という事もある。こちらはすっかり忘れていても、緑町では未だに談義《どうぎ》の種になっているのは間違いない事実と思わねばならず、此処《ここ》まで家ごと逃れ得たと安心していても矢張り水の洩《も》れるは元の町内からかも知れなかった。喜和はこちらに来て、時折、下町の付合いを懐《なつか》しむ思いもあり、言伝《ことづ》けを頼んでは盆正月の休みに煎餅屋《せんべいや》やら雑品屋の姐《ねえ》さんに遊びに来て貰《もら》った事もあったけれど、今日、この三郎の話を聞けばもう皆々一切、緑町の人間は自分にも綾子にも仇《かたき》のように思えて来る。自分の家のあらをいわず、此処まで逃げて来た富田の昔話まで掘り起したいものなのか、と口惜《くや》しさやる方ない思いであった。

　今日は幸い、綾子は気にもしていないようだけれど、こういう事が度重なれば綾子も次第に不審を持ち、人の口からでも事実を知った暁には喜和の一番怖《おそ》れている、

「うちはええ着物も美味《おい》しいものも要らん。ほんまのお母さんの所へ行きたい」

などといい出しはすまいか、或はまた、

「うちをよくも長い事騙《だま》し続けて」

と怒り狂うのではあるまいか、と心細い想像ばかり押寄せる。

綾子にそれをいわしてはならぬ、いわしたが最後自分との縁が切れる、という怯《おび》えの為に度の過ぎた育てようをして来た喜和にとって、今更ここですべてを打毀《うちこわ》されては死んでも死にきれぬ、とまで思えるのであった。

それに、ここ一年、秋の団扇《うちわ》のように、岩伍から忘れられている身をじっと堪《こら》えているのも喜和の心恃《だの》みに綾子という子がいるからこそであり、喜和の傅《かしず》きようを人から見れば今ではこの家の主《あるじ》は喜和ではなくて小さい綾子になってしまっている。喜和は、以前岩伍にそうしていたように代りに綾子を立て、風呂も綾子が新湯《あらゆ》なら炊《た》き立ての飯も先《ま》ず綾子、ものの使い初めも綾子なら家の中の采配《さいはい》は大抵綾子の思惑を聞いてからというふうに万事計らい、飯刻《めしどき》にしても綾子の脇に坐って汁の熱くないよう冷めぬよう加減を見、漬物《つけもの》には味の素を振り、魚の身は叮嚀《ていねい》に毟《むし》って行届いた世話をするのであった。世間では「主人がこう申しますきに」という挨拶《あいさつ》を喜和は平気で「うちの綾子がこういいまして」といい、そこに躊躇《ためらい》も疑いも感じないところに岩伍の留守のあいだの、富田の習慣が出来上りつつあった。

稀《まれ》に戻る岩伍は、自分の留守のあいだにみるみる増長して来た綾子の様子を見て、

「女の子をこれほどつけ上らせてどうなる」

と叱言《こごと》の一つも忘れないけれど、喜和は密《ひそ》かに、長年やり馴《な》れたお前さんの世話を俄《にわか》に躱《かわ》され、私も手淋《てさび》しい暇淋《ひまさび》しい、と心の内で一人呟く。主の岩伍が留守ならすぐ取って替って一家を制統出来るような気質ではなし、富田に嫁入って以来躾《しつ》けられた主に傅く習慣を今更変えようもないと思うのであった。それに、気が替れば仕事に喞《かこ》つけて平安な暮しをも捨て去る岩伍と違い、綾子は決して自分を裏切らぬ、とまで喜和はいいたくなる。しかしその裏切らぬ、といい切る自信も、綾子が事実を知った後まで持ち続けられるかどうかは矢張りおぼつかないものであった。

こんな時一体どうしたらええやら……喜和は飲み干した茶碗の中の薬袋を爪先《つめさき》で引き裂き、箸《はし》で中身をほじり出して小さい木の実の粒を二つ三つ口に含んで前歯で嚙《か》み締める。苦みが頰《ほお》の肉を絞るように口一杯に拡がると逆に爽快《そうかい》な感じが立って、気分は幾分落着いて来る。

こういう場合、跡取りの健太郎でも頼りになればいいけれど、これは常々力綱の当てにはならない上に、こと綾子に関しては気のせいか白い目で見ており、話したところで、

「綾子の事は親父《おやじ》の責任や。

お母さんはそんな事より、俺等《おれら》の子の世話でもしてくれたらええじゃないか」

と不平がましい口付きでいわれるのは判《わか》っている。健太郎のその口は、喜和が血も引いておらぬ綾子の世話に掛ける労を犒《ねぎら》うよりも、血を引いている自分の世話を疎《おろそ》かにしている、喜和の綾子への場違いな逆上《のぼせ》を醒まそう、としているふしが受取れる。

健太郎一家は今、緑町の家に替って住まっているけれど、嫁の小夜子《さよこ》は年中明腹《あきばら》なしに子を拵《こしら》え、長男の政彦《まさひこ》、長女の麗子《れいこ》、次女の優子の小さいのを連れている上に今はまた四人目を妊《みごも》っていて、子育てと生活に塗《まみ》れている様子では自分一家の面倒で精一杯となり、人の相談に乗るどころではない事情に見える。喜和も綾子も、こちらへ来てからはほんの数えるほどしか緑町の家へは行かず、そういう疎遠《そえん》な仲でもあって綾子も昔から年嵩《としかさ》の兄にはなつかなかった。

喜和は薬袋の木の実を幾粒となく噛んでいるうちふと戸籍の事に思い到《いた》り、戸籍を考えると急に躰中に気力が恢復《かいふく》して来るのを覚えた。綾子の出生届のとき、岩伍に実子とする旨《むね》いい渡され不服を腹に溜《た》めて黙って頷《うなず》いたものだったが、今はそれがよい目に出て、いざというときは誰にでも、

「家の戸籍を見てつかはれ。綾子は私の実の子ですきに」

と威張ってしらを切れる事の元となっている。

岩伍と四人の子の入籍の件で口諍《いさか》いしたとき、喜和がつい口にした、

「それだけは止《や》めにしてつかはれや。綾子の籍の事もありますきに」

の一言が岩伍の怒りを買い、

「お前は綾子さえ良けりゃそれでえぇがか。此の子等を酷《むご》いと思わんか」

と強くいわれたけれど、若《も》し綾子が長じて自分の戸籍を見たとき、紛らわしい養女の入籍が六人もあるのを見て自分の戸籍にさえ疑いを持ちはしないか、という心配は親なればこそ、と喜和には思える。親は子を守ってやり子は親を信じて疑いも起さぬところにだけ堅い親子関係が成り立つものと喜和は思い、それを人の出入りの多い富田の家でいえば、綾子の生れの秘密を伏せておく為に妄《みだ》りに戸籍を弄《いじ》ってはならないのであった。

喜和は考えているうち何となく綾子の顔を見たくなり、袢纏の前を掻《か》き合わせて立上ると足音を忍ばせて暗い梯子段《はしごだん》を登って行った。

綾子は小さい頃《ころ》から喜和が添寝しなければ寝つかない癖があり、それはこちらへ移った小学校二年頃まで続いていたが、仕込みの子等がこの家に来てからは二階の勉強部屋に決めてある六畳で一人寝る、と突然いい出し、喜和は気儘《きまま》にさせてあった。この六畳間の床には岩伍が何処で手に入れたか、楠正成正行《くすのきまさしげまさつら》の桜井の駅の別れの軸が掛けてあり、その前の刀架には新刀の不動義旨《よしむね》が掛けてある。綾子は昼間でもこの六畳に一人籠《こも》るのを嫌《いや》がり、

「あの楠正成の顔、怖い。嫌《きら》い。幽霊みたいに真青や」

などといってはすぐ下へ降りて来ていたから、二階で寝るといい出した魂胆は喜和に

もほぼ読めている。

二階は真中の廊下で分けて南二室、北三室と分れているが、暗闇の嫌いな綾子の為に点《つ》けておく青い豆電球は、楠正成の六畳からではなく、こちらの六畳から洩れているのを見て喜和は、

「ああ、やっぱり」

と一人ひっそりと笑った。

四人の子供達が富田へやって来たとき、家中で一番喜んで迎えたのは綾子ではなかったかと喜和には思える。小さい時から大勢に取巻かれて本蔵《ほんそ》で育ったものの、それは皆大人ばかりだったから、家に同年輩の子が集まるのは大きな心の弾みだったと見え、蔵《しま》ってあった仰山な人形やらおすべ紙やら塗絵やらを忽《たちま》ち気前よく皆に分配してしまった。遊び盛りの子が五人集ると、ときには学校の宿題も忘れ舞三味線の稽古《けいこ》も忘れ、一塊りとなって庭に出てはゴム飛び、ドッジボールに日の暮れるまで興じ、座敷でははじき、おじゃみなどしていつまでも戯《ふざ》け合う。喜和はときに叱《しか》る事を忘れ、まあ、仔犬《こいぬ》がじゃれ合うような、とその平和な様に見惚《みと》れる事もあった。それでいて入り乱れて派手な喧《けん》嘩《か》もし、その挙句には、

「お母さん、綾ちゃんがうちを捻《ひね》くったもの」

と赤くなった手の甲を見せに来たり、

「お母さん、綾ちゃんを怒って頂戴《ちようだい》。悪い事ばっかりする！」

と、当り前のように平気な顔していい上げにも来る。

岩伍は最初から、四人の子等と綾子とを分け隔てしては不可《いか》ん、と固く喜和にいい、四人の小遣いが一日五銭なら綾子も五銭、四人が家の掃除を手伝うときは綾子も手伝う、飯の菜も皆平等、着る物さえ先ず酷い境遇の仕込みの子等から順、と教えているけれど、喜和はそれについては心秘《ひそ》かに反駁《はんばく》の思いがあった。境遇の酷さは判るけれど、子供ながらも皆それぞれに立場があり、将来は本人の望みに任せて勉強もさせんならん学校へも行かせんならん筈《はず》の綾子が、舞三味線の修行だけに打込んでいればよい他の四人と同じ仕打を受けていてよいものであろうか。岩伍のいう平等は健太郎の昔で懲《こ》りており、喜和はときどき、子等に混って尻《しり》をもっ立てて廊下を拭く綾子の背を突っついては、

「綾子は勉強しなはれや。ここはええ、ええ」

と岩伍の隙《すき》を見計らっては嗾《そその》かしたりする。綾子は不審げに、

「え？」

と問い返すもののすぐ母親の胸の内を読み取り、雑巾《ぞうきん》を捨てよか続けようか、といつも迷うふうであった。喧嘩の挙句のいい上げも、蔭《かげ》で見ていればときには四人が組んで綾子一人に掛かっている事もあり、たかが子供同士、とは思っても喜和は、負けてもいい上げなど決してしない綾子が四人に詰められるのは少々不公平とも考えられ些《いささ》か歯痒《はがゆ》

くも見える。綾子はそれを察しているからこそ一人二階で寝る、などと喜和の手前を繕っているけれど、ほんとうは皆と一緒に夜もふざけ合いながら賑《にぎ》やかに眠りたいのであった。

子供達の部屋の襖を開けると、鈍い豆電燈に照らされてこんもりと盛り上っている二つの寝床のうちの一つから、躰《からだ》をくの字に曲げた綾子の腰が突き出ているのが見える。寝相の悪いのは綾子の昔からの癖だから、今夜も自分から飛び出したに違いなかろうが、喜和の目で見れば一緒に寝ている芳子《よしこ》に突き出されたとも思われ、芳子の躰をずらせて綾子をたっぷりと蒲団《ふとん》に押込めるのであった。隣の綾子の部屋の寝床では、綾子に替って寝ている鼻の悪い君江の、引摺《ひきず》るような鼾《いびき》が聞えて来る。

喜和は子供達の寝顔を順々に見廻《みまわ》しながら、暫《しばら》くその場に立っていた。夜半の秋はもう寒さが身に沁《し》み、じっと立っていると爪先から水漬けにされているような震えが這《は》い上って来る。将来髷《まげ》を結って寝る為《ため》の稽古の高枕《たかまくら》も使わせず、いまだに楽な坊主《ぼうず》枕の、四布半《よのはん》もあるたっぷりした木綿蒲団に包まれて眠る子供達はそれぞれに健康で屈託ないが、この育ち盛りを悉《ことごと》く喜和に預けて岩伍はいったい何時《いつ》の日、この家に元通り落着いてくれるのであろうか。じっと考えれば考えるほどここ三月ばかり、岩伍が戻るたびに夫婦のあいだの溝《みぞ》は深まってゆくように思われ、それはふと、岩伍の蔭に喜和の知らない女がいるせいなのではあるまいかと思えて来るのであった。今までにもその疑いは始

終萌《きざ》しては消し、萌しては消ししていたが、前の月帰った際、岩伍が何ぞの序《ついで》に、

「事務所に電話が無《の》うては不自由でいかん。近々こっちのを向うへ持って行く」

といった言葉にはっと胸を衝《つ》かれ、慌《あわ》てて取縋《とりすが》るように口に出したのは途中経過をすべて飛び越してしまった最後の切札のような、

「以前から私、この商売を細めて貰いたいと思いよったに、電話まで持て行て事務所を太めるがですか」

と、強い響きを持つ訴えとなり、案の定、岩伍はみるみる不機嫌《ふきげん》になって、

「女子《おなご》の癖に何を小賢《こざか》しい事を。

全体お前は病気以来、つけ上っておる」

と、憎々しげ、とさえ見える口ぶりではっきりいい、喜和はそれを真向に受けて未《いま》だに頭痛のように疼《うず》かせている。

あれはそんな心算《つもり》じゃなかった、言葉だけが自分の心に叛《そむ》いて岩伍に刃向った、と喜和は悔いに心を嚙まれたけれど、その心の和らぎを見て貰いたくても相手は常住傍《そば》にいない人なのであった。今は確かに小賢しい、といわれれば小賢しいかも知れぬ、つけ上っている、といわれればそうかも知れぬ、と喜和は思う。以前は岩伍に向って固い唾《つば》を嚥《の》み下した後でないと口に出なかった言葉も、病気以来ものをいい易《やす》くなり、宿替えのような大事な話も自分から口にしたし、仕込みの子の入籍にも反対したけれど、しかし

女子の考える事は詰まるところ家の為を思っての故ではあった。考えてみれば十五の歳《とし》以来、ずっと押堪えて来た夫婦のあいだの語らいは、もうお互いに五十の坂の前後にいてこそ隔てなく出来ると思えるのに、それはいま岩伍だけの、喜和には充分呑《の》み込めぬ事情のために中断され、僅《わず》かに月一回、極めて短い時間、用事の遣取《やりと》りをするだけの間《あいだ》柄《がら》になっているのであった。

喜和の身にすれば一ヵ月三十日の日はまことに長く、その間に話したい事訴えたい事の数数は山のように溜まる。今度戻ったらこの話もあの話も、と胸算用していても、岩伍の腰の落着きのなさ、隙を見せぬ鎧《よろ》ったものいいに押され、つい慌てて自分にはない気負ったものいいともなり、岩伍からはそれが女子の道に外れた仕儀とまでいわれるのは少々心外、とも思える。

岩さんには自分の気持が真直《まっす》ぐに通うてはおらぬらしい、と喜和は一人悲しく思うのであった。若しも岩伍に女が居《お》ったとて、喜和はもう昔の自分とは違う、躰も弱り脇《わき》に綾子という者もある、怺《こら》えて怺えれぬ事はない、と考えるのに、岩伍は未だに昔、巳吉《ともきち》の件で逆上してしまった喜和を思っているのか、家を明け始めて以来、細々とした外の事は何一つ明かさず次第に心を縛ってゆくようであった。喜和の真実は、女の事よりもそれが元で行違ってしまうお互いの心が恐しく、その悪い想像は夜寒のせいばかりでなく、心の戦《おのの》きをそのままに小刻みな震えをいっそうひどくさせるようであった。

翌《あく》る朝、女中たちに介添えして貰いながら子供達が一しきり賑やかに茶の間で騒いだのち揃《そろ》って学校へ出掛けるのを、喜和は寝床の中で聞いていた。

昨夜、考えれば考えるほど心細さは限りなく、岩伍は戻らず綾子も自分の手から離れてゆく事を思えば安楽な眠りに陥ちるどころではなくなり、とうとう朝まで闇《やみ》の中で喜和は気を昂《たか》ぶらせたままであった。

しんしんと更《ふ》けてゆく夜の静寂の中に身を横たえていると、喜和の耳には確かに運命の不吉な跫音《あしおと》が聞えて来る。それは、貧乏のどん底にいた常盤《ときわ》町でも、死の近い龍太郎《りゅうたろう》の看病の中でも、またやっと命拾いをした病院生活でも曾《かっ》て聞いた事のない、強いていえば昔、巴吉の一件が起きる前に感じた故《ゆえ》ない怯《おび》えのようなものでもあった。あのときは身の廻りにいつも雑音が飛び交っていて、耳に入るも早かったけれど、今はこの家の静けさが災いして埒外《らちがい》に据《す》え置かれたような状態になっている。そのあいだに跫音は確実に一歩一歩近づいて来て、それは真直ぐこのまま避け得られぬ破滅へと至るのではないかという、身も怯《ひる》むような恐しさがあった。

その破滅とは何か、どんな形でやって来るのかは判《わか》らないが取り敢《あ》えず、今、眉《まゆ》に火の迫っている綾子の事を喜和が何の手も打たず一日置けば一日だけ危険は大きくなるように思える。こういうとき、家に父親さえいれば喜和が差出口を考えないでもいい訳だけれど、若し今岩伍がいたところで、複雑に絡《から》み合っているお互いの胸の内では、喜和の狼狽《ろうばい》を却《かえ》って小気味よげに見守るだけかも知れず、健太郎では眉を顰《しか》められるばかり、もう一人の、未だに「伝馬《てんま》のほや子」とじゃれ合う鉄砲町の伯父楠喜《くすき》では些《いさ》かの恃《たの》みともならぬ。寝床であれこれ考えていると、結局この人を措《お》いて縋る相手はほかにない、と思えるのは綾子の受持の井村先生なのであった。

井村先生は綾子が四年に上ったこの春から担任になったまことに温柔敦厚《とんこう》な人格者で、日頃から綾子に目を掛けて下さる上、よく授業を覗《のぞ》きに行く喜和とは充分顔見知りの間柄でいる。それだけに、ずっと実の子と思われていた先生に一挙に事実をぶちまけた上、「〝友達の家の事についてとやかくの噂《うわさ》をしたり揶揄《からか》ったりするのはよくない〟と、生徒の皆さんによくよくい聞かしてつかさいませ」

などと喜和の側一方の手前勝手なお願いをするのは如何《いか》にも気のひける事ではあった。緑町でも人の口に戸は閉《た》てられぬ、とは判っていたのに、まして考えをもたぬ子供達の口を塞《ふさ》ごうとは、普段の喜和なら思い及びもしない話でもあった。

喜和はしかし、その忖度《そんたく》も出来ないほど今は切羽詰まった思いに追込まれていて、綾子の身を守る為ならどんな手段でも摂《と》るほどに心が逸《はや》っている。本当なら緑町の家を虱《しらみ》潰《つぶ》しに尋ね歩き、三郎に話した張本人を捜し出して思うさま面罵《めんば》してやりたいところだけれど、それは一人思っては躰をふるわせるだけで、実際それがやれる喜和でもないのであった。先生の前で恥を搔いてもよいか、見栄《みえ》を捨てるか、と喜和はその決心の固まるまでなお閨《ねや》の中で考えていたが、愚図愚図している内には綾子も学校から戻り、例の、「お母さん何処《どこ》へ行く？　何しに？　何時戻る？」の執拗《しっこ》い質問に会い、質問に会えば今日ばかりは躱《かわ》し切れる自信もなかった。そう思えば喜和は猶予《ゆうよ》なく起き上り、鏡を覗いて頭の蓑《みの》の形を整えると厚い駱駝《らくだ》のショールを深々と掻き合わせて家を出た。もう凩《こがらし》めいた野分《のわけ》が、くおう、と乾いた唸《うな》りを上げている往来には小さな旋風《つむじかぜ》が道の埃《ほこり》を渦《うず》に巻き上げながら吹き過ぎてゆく。子方屋の岩津の角を北へ曲ってだらだら坂を下りると、新地遊廓《ゆうかく》の入口には葉の落ち尽した枝ぶりのよい大柳があり、大柳の脇から遊廓を斜交《はすか》いに突っ切って田の畦道《あぜみち》へ出ると明和小学校への近道になる。陽射《ひざ》しは強いけれど、裏作が出来ないまま放っておかれている広い湿田《はるた》の面《おもて》を渡って来る風は、もう痛いような冷たさであった。

風に逆らって裾《すそ》を抑えるとき、喜和は何気なしにふと今来た道を振返った。この田圃《たんぼ》から海岸通りまで畳み重なっている黒い甍《いらか》の中に、一際抽《ひときわぬき》ん出て枝ばかりの桜の大樹が天に向って伸びているのが見え、それが家の庭のあの吉野桜なのだとすぐ判る。宿替え当時、綾子が息せき切って帰って来て、

「お母さん、うちのあの桜、学校の帰り道の何処からでもちゃんと見えるよ」

とその大きさに驚いていたが、今思い返せばこの桜の下に茣蓙《ござ》を拡《ひろ》げ、亀《かめ》も女中も入れて一家揃って瓢箪《ひょうたん》酒を汲《く》み、烟月《えんげつ》のもとで花見をしたのは唯《ただ》一度だけであったせいか、

風の中に枝を張る桜は喜和の目に如何にもしょんぼりと淋《さび》しげに見えた。

これを植えてくれた植仙《うえせん》はあのとき、「お家の勢いがええきに、大丈夫ありつきやす」と保証したけれど、若しそれが主の居らぬ今の時期の移植だったら果して根を下ろしていたであろうか。花見をしたのは植えた翌年だったから花も極く少なく色も冴《さ》えなかったが、その後は次第に繁《しげ》り今年の春はほんわりと薄桃色の雲を被《かぶ》った趣になった。しかしこうなった時分にはこの家の主は居らず、主替りの女の子はまだ花を楽しむ器量もなくて、仕込みの子等と遊ぶゴム飛びのゴム縄《なわ》の片方をこの木の幹に繋《つな》ぐだけになっている此《こ》の頃を喜和は思うのであった。

小学校はもう昼の下校時刻なのか、この畦道を通って帰る子供達の高い笑い声が幾塊りか喜和と擦れ違って行く中で、

「あっ、うちのお母さんや。お母さん、何処へ行きよる？」

と駈《か》け寄って来たのは君江で、喜和は行先はいわず、

「今日の舞の稽古には洗張りが出来て来た銘仙を着《き》いて行きなはれや。鈴ちゃんにいうたら出してくれる筈《はず》やきに」

というと君江は無邪気に頷《うなず》き、友達とふざけ散らしながら遠ざかって行った。

畦道は電車道へ上り、電車道からは元の屠牛場跡《ときゆう》に建っている淡い鴇色《ときいろ》の明和小学校の全貌《ぜんぼう》が真直ぐに見通せる。学校が近づくにつれ、喜和の胸には、昨日の今日という話

ですぐ飛び出して来たのは少し軽はずみではなかったかという微《かす》かな悔いと、緑町の挑《ちょう》戦《せん》に向って先生の力を藉《か》りてでも応酬する以外、もう手はない、と自分を駆り立てる気持が交々《こもごも》入り乱れ、殆《ほとん》ど胸苦しいほどであった。

喜和は綾子の入学以来、明和小学校への道をこんな思いで辿《たど》った憶《おぼ》えは一度もなかったと思った。一年から級長を離さず、学芸会音楽会には花形として活躍、絵や習字の競技会には選手として数々の賞状を貰《もら》う子の母親として、内に子自慢の思いを抑えながら人の褒《ほ》め言葉に応《こた》えて鷹揚《おうよう》に挨拶《あいさつ》を返すときの快さ、先生方にまでちやほやとされる事を覚える昂ぶり、綾子とその同級生を見較《みくら》べるときの優越感、それは喜和にとって大きな生甲斐《いきがい》といってよく、その為にこそ、病弱故他出は取り止めても明和小学校にだけは繁々と足を運んでいるのであった。その楽しみも今日只今《ただいま》限り、綾子の身の安全と引替《や》えにきっぱりと捨ててしまわねばならぬ。いや、捨て去るだけなら易いけれど、その後の波紋の大きさまでも勘定に入れておかねばならないのであった。

先生はきっと、無学な喜和の告白を聞いて、綾子との母子関係に「矢張り」と深く頷かれる事であろう。明和小学校では一学年は男女各二組ずつに分かれており、魚屋の三郎は男子四年A組だから女子B組の井村先生だけに訴えたところで話は四男Aの先生にまで廻して貰わねばならず、そうなれば綾子の秘密は明和小学校二十六人の全先生の間に拡まってしまう事を喜和は思わねばならなかった。今後はもう肩振って職員室へ入る事も出来なくなり、そればかりか、家庭の複雑さは職業が原因、と綾子まで肩身が狭くなる。

それでは此処《ここ》で引返そうか、となずめば、今日にも緑町の噂を吹き込まれ、泣き喚《わめ》いて戻る綾子の姿が目に泛《うか》び、何とかして綾子を庇《かば》わねばならぬ思いが喜和の足を明和小学校に向けて急がせる。こんな、子供のいい上げに等しい駈込み訴えをしたところで、冷静な先生がどう反応されるか皆目判らないのに、綾子故の喜和の一途《いちず》さには誰が止めても止まらないものが籠《こも》っているようであった。

三

一柳《いちりゅう》さんについて喜和は何も知らないが、昭和十二年の春、益《まつ》さんが連れて店に来たとき、喜和はすぐこれは並みの妓《こ》とは違う、と思った。

第一、益さんが擦れた妓を見縊《みくび》って牛馬を追立てるように、「そりゃ、そりゃ」と叱《しか》く邪慳《じゃけん》さがないし、むしろ、一柳さん、と芸名を呼んで大事そうに扱う様を見ても判るけれど、喜和がいうのはこの妓が備えている人品の良さというか、卑《いや》しくないほどの愛嬌《あいきょう》というか、娼妓《しょうぎ》には滅多に見られない福があった。聞けば一柳さんは元扇亭の抱えで上下の遊廓を通じて随一の売れっ妓といい、その威勢は下手な芸者など足許《あしもと》にも寄れぬという。今回富田への滞在は、いい話で身請けが決まり、梅田橋に妾宅《しょうたく》の普請《ふしん》が出来上るまでの間、旦那《だんな》が好きに遊ばせてくれるのだそうであった。

喜和はそれほどの人なら粗略にも扱われまいと思い、二階の北の部屋に入れ、手焙《てあぶり》の火鉢《ひばち》に厚い紬座蒲団《つむぎざぶとん》も添えてやったが、昼間は子供達も居らず女中も階下で働くところから一人では淋しいといい、殆ど茶の間に下りて来ているのであった。触れ合ってみて、喜和がさすが売れっ妓になるだけの人は違う、と感じるのは十人並程度の器量ではなく、その賢さと勘のよさ、人触りのよさで、水商売には不馴《ふな》れな喜和には小さな事でもふと教えられるところも多かった。

朝起きて帯を結ぶとき、一柳さんは銀貨を入れた纏頭袋《ぽちぶくろ》を五つ六つ、さ、さと前に挟《はさ》み込む。決して人を無料《ただ》で使わず、旦那からの使い、荷物運びの人足、亀にいいつける走り使い、女中に頼む下着の洗濯《せんたく》などには必ず、「おおきに、御苦労さん」という言葉と共にその纏頭袋をそっと握らせる。茶の間で食べもの話に花が咲き、此の頃《ごろ》、電車着きの仕出し屋に蒸しずしという珍しいものを売っている由《よし》の噂が賑《にぎ》やかに盛り上って来ると、すかさず、

「さ、そんなら今、皆でそれを食べようよ。
　亀やん、これで足る?」

と大きい円札をさっと差出す。ほどの良さ、という褒め言葉はこの世界では最高のも

のだけれど、見ていると喜和はつくづく一柳さんのほどの良さが判る。

これは無論、旦那という金の後楯《うしろだて》があって出来るものの、人にそれぞれに頼み分けながらも自分も決して骨身を惜しまず、喜和の気持を損じぬよう気を遣い遣い銅壺《どうこ》をぴかぴかに磨《みが》き上げたり、廊下に糠袋《ぬかぶくろ》を掛けたりもする。日常の人付合いの上でも尖《とが》った顔を見た事がなく、些細《ささい》な用事でも混《こ》み入って来るとにっこり笑って宥《なだ》め役に廻るのであった。

あの、人を蕩《とろ》かす笑顔が出来上るまでにはさぞかし骨身を削っての苦労があった事、と思えば喜和はこの、我が子ほどの若い妓が何となく偉く見えて来る。扇亭の親方が日頃からこの妓を下へも置かぬほど大切に扱ったといわれるのも、それは稼《かせ》ぎのせいばかりでなく、この妓の了簡《りょうけん》の良さを頼もしがっていた事と推察も出来る。鉄鋼会社をやっている旦那は身請けの際に、盛大な引き祝いも含めて五千円の金を出したというのもそれはこの妓の身に付いた徳とも思えるのであった。

喜和は益さんから、「暫く預かってやって」とだけで一柳さんの生れも年も聞かされてはいないけれど、肌《はだ》の張りから見ればまだ二十代も半ば、と思えるのに、死んだ大貞《だいさだ》楼《ろう》の大貞を憶えているのは喜和と話を合すための巧者か、或《あるい》はひょっと、肌の張りは小まめな手入れの為で、実の年も案外三十近いものかとも思われる。一柳さんが来てから明け暮れ淋しいこの家も俄《にわか》に華やぎ立ち、仕込みの子等がせがんで開けるトランクの中の、浮世絵を手描《てが》きで染めた豪華な裾引きの座敷着や、しっとりと重い綴《つづ》れの丸帯や、いま流行《はや》りの絹レースのショールなど、衣桁《いこう》に掛け廻《まわ》しては皆で賑やかに品定めしたり、フランス製だという寝間香水を、しゅっ、しゅっ、と吹き掛けて貰ったりする。娼妓は芸無しでも通る筈だけれど、一柳さんほどの格ともなればその心得もあるのか、子供達の三味線を借りて一人「都々逸《どどいつ》」など弾いている事もあった。

一柳さんが一ト月ほど滞在のあいだに旦那は二度ほど呼び出しを掛けて来たが、一度はまだ早春の桂浜《かつらはま》行きとあって綾子を連れての綺麗《きれい》な遊びで、夕方綾子は波で革靴《かわぐつ》をしとしとに濡《ぬ》らしながらも、帰り京町へ廻って買って貰った大きなフランス人形を胸に抱き、にこにこしながら帰って来たのであった。

梅田橋の普請も出来上って富田を引揚げるとき、一柳さんは鈴や勝の端にまで荷の中のものをくれて行ったけれど、喜和が貰ったものは長い間知りたかった岩伍《いわご》の浦戸町の様子であった。

忘れもしないその日、早くから風呂《ふろ》を立てさせて一柳さんは髪を洗い、縁側で叮嚀《ていねい》に梳《す》いて肩に垂らしながら茶の間に入って来、熱い茶を一口啜《すす》って独り言のように呟《つぶや》いた。

「ああ、ええ気持。こんな寒い日の髪洗いは矢張り内風呂で無《の》うてはいきませんねえ。お照さんとこはまだに町風呂やから髪もゆっくり洗えなんだ」

お照さん、という名はふと喜和の胸に来るものがあり、しかしうっかりした事は口に

出来ぬという分別だけは働いて一柳さんの顔を瞠《みつ》めていると、続けて、

「大将もあんな狭い家で我慢しよるのも、よくよく姐《ねえ》さんを立てておる所でしょうねえ」

と、どちらへも心遣いのある一柳さんらしい言葉であった。

喜和はそれを聞いて、去年風呂場で綾子から緑町の噂を聞いたときほどいま自分が逆上しないのは、この事を疾《と》うに思いみていたせいか、と思った。それでも胸の騒ぎを胡魔化《まか》す為《ため》に小刻みに頷きながら、要慎《ようじん》深い一柳さんがぽっかりと今この話を出して来たのは、喜和がお照という女の件をすっかり呑《の》み込んだ上で岩伍の留守を預っているもの、と見ているせいであり、それは一柳さんだけに限らず、廻りはすべてもうそういう情勢になっていると見做《みな》さねばならない事を咄嗟《とっさ》に思った。

「まあねえ」

と喜和は曖昧《あいまい》に頷き、

「私も躰《からだ》が躰ですきにねえ」

と暈《ぼ》かしておくだけの才覚は働き、湯呑を掌で温めながら一柳さんの肩越しに硝子《ガラス》窓から庭の築山《つきやま》に目をやっていると、ふと、この利口な女《ひと》ならどう考える？と道を問うてみたくなり、相手の分別を恃《たの》む思いで、

「ねえ、一柳さん、あんたならこういうとき、どうします？」

と声を掛けてみた。年は若くても男の苦労は喜和などの幾層倍も踏んでいると思えるだけに一柳さんは悪びれず、

「そうですねえ」

とゆっくり引き、首を振って背中の濡れた長い髪を捌《さば》いてから、

「私がいうのは可笑《おか》しなもんですけんど、男というものは、立てて、頼って、縋《すが》って、信じてさえおれば、女子《おなご》を悪うには扱わんのと違いますか。まして大将は立派なお人やし、どう間違《まちご》うても本妻さんを粗末にするような事はあるまいと思いますよ。私もこれからはお照さんのような立場になりますけんど、心の中では本妻さんに手を合せちょります。それが副妻の心得じゃと思いまして」

姐さんも気をゆったりと持って、ねえ、と一柳さんは喜和の背を撫《さす》るように情の深いい様をするのであった。

「縁と浮世は末を待て」という通り、今日や昨日の事ではなし此処で焦立《いらだ》ってはいかん、と喜和にもそれは判《わか》る。昔、チョビ髯《ひげ》の寅《とら》に巴吉《ともきち》の事を注進され、その場で豊栄座へ走り込んだはあれは三十代の分別、いまは四十も後半ならそれなりの分別というものがなければならなかった。喜和は表面落着いて一柳さんの言葉に頷き、すぐ切返して、

「そのお照さんとやらが、お前さんのように果して見上げた心掛けでおってくれるもんですかねえ」

といおうとして口をふと噤《つぐ》んだ。

一柳さんはいま仲間うちの出世頭といわれ、人も羨《うら》やむ妾《めかけ》の座に納まる幸せに浸っているのに、喜和が口を開けば矢張り遠廻しにでもその事を非難する羽目となる。水商売の世界からいえば悋気《りんき》の強い本妻は一番の笑い物となり、出来た本妻は旦那に内緒で妾に手当てを渡すぐらいの弁《わき》えを持つのが褒められる。どれほど一柳さんが賢くても、所《しょ》詮玄人《せんくろうと》と素人《しろうと》とでは男に対する考え方も違うと思えば、此処は聞くだけ野暮というものかも知れなかった。

喜和が察するに、岩伍は最初一柳さんを浦戸町へ置く事にしたものの、狭くて不自由な為にこちらへ寄越《よこ》したものと見える。その処置の裏を考えれば、一柳さんの口からお照との同居が洩《も》れるは承知の上、と考えねばならず、岩伍がそこまで居直るには、二人の関係はあの事務所開設をいい出した頃からの、もう長い間柄《あいだがら》なのだと思われる。ここ一年半、喜和の愚痴を寄せ付けないような岩伍の固い態度も、お照が現れればすべて解け、益さん長さんの、「今度ばかりは滅多な口を利《き》かれまい」と要慎している態度も悉《ことごと》く合点が出来る。何故《なぜ》に自分を騙《だま》す？　と喜和の思いは其処《そこ》に引掛かる。こういう商売こそしていても、岩伍も喜和も曲った事は大嫌《だいきら》いで、それが為に世間の信用を得て今日《こんにち》がある筈なのに、喜和を騙してまで他所《よそ》へ女子を作る切羽詰った事情が岩伍の何処にあったであろうか。

昼間、喜和の廻りは子供達の世話で取紛れていても、夜になると胸の怨《うら》みは燐《りん》のように青く火が点《つ》き、躰中を駈《か》け廻《めぐ》り始める。青い燐は岩伍と共に過して来た年月の、憶えている限りの楽しい仲を照らし出し、今の身を先ゆき知れぬ闇《やみ》へ突き落す。今は昔のように、岩伍の裏切りを知っても浦戸町へ駈け込む事は分別の年が許さず、それに喜和は、お照の顔なぞ見とうもない、会いとうもない、と思うのであった。理非をいうなら、岩伍一人、此《こ》の家と喜和と綾子と、それに自分が宰領する筈の四人の子を残し、するりと突然脱け出して行ったもの故《ゆえ》、早う目を覚まして戻るべきだという拗《す》ね方がある。こちらから出向いて二人の前に頭を下げ、別れて欲しい元に戻って欲しい、とまで落魄《おちぶ》れてはおらぬ、という意地に似た思いの内には、一年半もの間この事実を知らずにいた自分の疎《うと》さを歯痒《はがゆ》がる気持もあり、また僅《わず》かながらでもこの家で見せた岩伍の、夫らしい父親らしい姿に頼る気持もあった。

寝て考えていれば怨みはあちこちに飛び火し、ここは岩伍の卦《け》にはひょっと鬼門に当ってでもいはすまいか、と戦《おのの》いたり、犬の那智《なち》の、目の上の茶色の斑毛《まだらげ》がもう一つの目とも見え、「四つ目の犬を飼うと家が乱れる」というい伝えさえ信じたくなるのであった。置き忘れられた道傍《みちばた》の石のような、こういう境涯《きようがい》に落ちれば思いはひとりでに陽《ひ》の差していた頃を手繰り寄せたくなり、もっと溯《さかのぼ》れば岩伍と馴れ染めの日も今は真直《まつす》ぐに懐《なつか》しく目に泛んで来る。喜和は岩伍と連れ立って江の口川の土堤《どて》を歩いた憶えはないように思えるのに、十五の年を思い出せば岩伍があり、岩伍を思い出せば不思議に江の口川の下の弥右衛門《やえもん》ケ淵《ふち》の藍《あい》の深さがすぐ目の前にあった。春になると目高《あぶらこ》がさらさらと泳ぐ江の口川も、河口に近いこの淵ではとろりと澱《よど》み、底の知れない不気味さがある故に人はここに猿猴《えんこう》が棲《す》んでいるという。猿猴とはどんなものか廻りの誰も説明してはくれないけれど、此処で泳いでいる子を水底に引張り込んでは肛門《こうもん》を抜くというい伝えから、喜和はいつの間にかそれを、恐ろしく手の長い猿《さる》のような怪物と想像しているのであった。猿猴が棲むと見れば淵の色はその吐く息で染められたかのように濃く妖《あや》しく、じっと瞠めているとひとりでに牽《ひ》き込まれるような魔物の蒼《あお》さを湛《たた》えている。蛍《ほたる》でさえこの淵の上にだけは大きな鬼蛍《おにぼうたる》が飛び交うというのも、怖いとは知りつつ魅入られたら逃れられぬ、その水の蒼さのせいなのかも知れなかった。

喜和は、岩伍はいま弥右衛門の猿猴に腕を取られ、水底へ水底へと誘われつつある所ではあるまいかと考えたりするのであった。喜和のように臆病《おくびょう》な人間なら、土堤に立って淵の色を覗《のぞ》いただけで行き過ぎるのに、若い頃は相撲の腕っぷしを誇り五十を過ぎた今でも股引《ばっち》ひとつ穿《は》かず、しゃんと背を伸ばして早足で歩く岩伍なら、自ら挑《いど》んで猿猴の正体を暴《あば》こうとする元気をまだ充分に持ち合わせている事でもあろう。あの頃は現在のように電気もなく、夜になれば土堤も町も真っ暗で不可思議《おかしげ》な話も随分多かったと思い、その暗い時代にまで身を逆行させて判らぬ話を考えるのはほんの僅かな喜和の救いでもあった。

喜和は、健太郎はこの話をどの程度知っているのであろうか、と思った。仕事は違っても父子とも陽暉楼《ようきろう》を足場にしているなら聞かない筈もなかろうが、勤務の合間に茶漬《ちゃづけ》を食べに寄ったり、涼しい二階で昼寝もして行ったりしてちょいちょい顔を合す健太郎の口からは喜和はその噂《うわさ》のかけらさえ聞いた事がないのであった。

健太郎は一日の勤めを了《お》えたあと、陽暉楼本店の車庫へ必ず車を入れに来るが、それはいつも山入れ後のため、逢《あ》うには早番の夜海岸通りの家へ寄って貰うよう、亀《かめ》を緑《みどり》町《ちょう》へ走らせて置かねばならなかった。早番とはいっても健太郎の仕事終《じま》いは十時を過ぎる。十時といえば富田ではもう深夜だけれど喜和は久々に遠来の客を迎えるような思いになり、旁《かたがた》日頃頼りにならぬを一人胸に呟いている後めたさもあって、灯を明るくして待ちまめまめしく茶を淹《い》れたりするのであった。

母子ではあっても自分の連合いの囲い女に関《かか》わる話はなかなか切出し難《にく》いもので、喜和は、

「子供等は元気かね。小夜子《さよこ》も変りないの？　緑町の皆は？」

などと周りの話ばかりする。健太郎は最初から察していたのか暫《しばら》くすると自分から、

「お母さん、今晩俺《おれ》を呼んだのはお照の話じゃろ？」

といい出して来た。お照、というその呼び捨ての仕方には喜和にとってふと胸もとの

明くような見下した響きがある代り、それだけに親しくも聞え、健太郎が岩伍の消息について詳しく知っているのはもう間違いないようであった。

「お前《ま》さん、それを何故早う私にいうてくれざった？　お父さんでさえ事務所を作るじゃいうて私を騙して」

「お母さん」

健太郎はワイシャツ姿で後手をついていた姿勢を立て直しエアシップの煙を立て続けにすぱすぱと吹いて、

「それをお母さんに話して何になる？　親父《おやじ》は此の頃また仕事が馬鹿《ばか》忙しゅうなって、手伝い手まで捜しよる。事務所というのも嘘《うそ》やないし、俺にも今年いっぱいで陽暉楼を止《や》めて家の仕事をするよう、話があった」

「お前さんが家の事を手伝う？」

喜和は、承服出来ぬ事を聞く思いで健太郎の目を瞠めると、健太郎は恐れ気もなく喜和の視線を撥《は》ね返して、

「お母さん、俺ももう来年は三十じゃきにねえ。子供も四人になった。いつまでも人に使われて運転手しよる訳にもいかんし、第一今の給料じゃあ、親子六人食って行ける道理がない」

以前の健太郎なら曖昧に頷《うなず》いていたところを、何とまあはっきりお銭の話まで自分からするようになって、と喜和はたじたじとなりながらもいわずにはおれず、

「健太郎、私はねえ。ずっと昔からこの商売はお父さん限りでええ、と思いよりました。運転手という仕事は構んものの、お前さんが陽暉楼へ勤めを持った事でさえ、私はどんなに嫌《いや》じゃったか……

今からでも、商売を細めるよう、私はお父さんにずっと願いよるに、またお前さんまで手伝うとは……」

「それよ、お母さん。何時《いつ》までも子供の寝言みたいな事いいよると、親父も次第に鬱陶《うっとう》しゅうなるよ」

と健太郎は喜和に向って逆さまな、説教染《じ》みた口調でぴしゃりと決めつけ、今年初めから大陸では間もなく始まるらしい戦争の動きを前にして日本人の進出が激しくなっており、それに伴う料理屋遊廓《ゆうかく》の大量移住で岩伍のところへも妓《こ》の注文は束にからげるほど来ているという。それも、これこれの妓を、という申込みでなく、妓なら芸者娼妓、慰安婦酌婦《しゃくふ》の区別なく何でも欲しがり、取引先はぐっと拡《ひろ》がって、牡丹江《ぼたんこう》、チチハル、ハルビン、吉林、奉天、新京、大連の満洲《まんしゅう》地区の大都市は無論、中国本土でも北京《ペキン》、天津《てんしん》、上海《シャンハイ》の日本人街、朝鮮でも大邱《たいきゅう》、京城、釜山《ふざん》など、夥《おびただ》しい取引店数、注文件数だという。妓達の中でも目はしの利くのは、

「支那《しな》へ行けば内地の十倍もの稼《かせ》ぎになる」

と聞き、根の深い借金を此の際抜こうと目論《もくろ》むのや、酌婦が娼妓に鑑札変えするのや、中には一旦落籍《いったんひい》た勤めに返り咲くのや、それぞれに荒稼ぎを目指して希望者も多いという。それでもどんどん増えつつある需要には到底追いつかず、八方奔走して五人、七人、とでも送り込めば楼主たちは大そう喜び、規定の手数料一割を遥《はる》か超えていまは三割が相場、人によっては五割も弾んで貰《もら》えるという。

健太郎のいうには、大陸へ妓を連れてゆくには日数がかかり、岩伍が家を明ければ仕事に支障を来《きた》し、益《まつ》さん長《ちょん》さんはもう昔ほど元気が無くて常時頼めず、また取引の銭目の高を考えれば他人よりは身内に岩伍は頼みたいらしかった。先頃も、大連の大斗楼へ妓十人を益さんが連れて行ったとき、益さんは楼主に下へも置かぬもてなしに預かり、仕事の後、十日も遊び呆《ほう》けてようよう戻って来たという。

健太郎は見違えるような雄弁さで熱心に細々と仕事について喜和に語り、十二時過ぎ茶漬を掻《か》き込んで帰って行ったが、喜和が一番聞きたい肝腎《かんじん》のお照については、

「あれは山出しで何の取柄《とりえ》もない女子じゃきに心配要らんよ、お母さん。以前、三人の子を連れて亭主に死なれ、困っちょった所を、親父が世話して上の娘を上海へ芸者に出し、お照を中店《なかみせ》へ入れたのが馴《な》れ染めらしい。いまは中店を退《ひ》いて親父の仕事の手伝いをしよる。大体、仲居が勤まるような敏《さど》い女子じゃないし、悪智恵《わるぢえ》の廻

るたちでもない。お母さんは親父に向って面倒臭い話は一切せず、知らん顔でおったが

「一番ええ」

とだけの話であった。

喜和は健太郎の帰ったあと、稀《まれ》に夜更《よふけ》まで気の昂《たか》ぶった話をした疲ればかりでなく、話の中身が一言一言、喜和の胸を刺し通すような驚きに充《み》ちていた事もあって、とうとう朝まで一睡も出来なかった。岩伍の留守を約《つま》しく守っているあいだに、身の廻りの人、物、世の中のすべてが先へ先へと行ってしまい、今は唯《ただ》一人取残されている淋《さび》しさが沁々《しみじみ》と身に迫って来る。殊《こと》に喜和がこたえたのは、お照が「親父の仕事を手伝いよる」の一言で、それは、「お母さんも何時までも子供の寝言みたいな事をいいよると、親父に嫌われる」という言葉の鮮やかな裏付けとなって泛《うか》んで来る。そうすると、今は人の頭も進み世間の誰もがこの商売を女衒《ぜげん》などといわず、未《いま》だにそれに拘泥《こだわ》る自分だけが子供だというのであろうか。喜和は新聞も見ずラジオもよくは判らないけれど、家の店の間で妓を前に置き、楼主と岩伍が互いに着物の袖口《そでぐち》を付合わせ、袂《たもと》の中へ手を入れては指先で身代金《みのしろきん》の交渉をし合う、あんな隠微なさまの商いを人に対して愧《は》じなくてもいいものであろうか。喜和は、人助けという理由に引かれて何とか堪《こら》えて来られた岩伍の商売も、今は自分にとって随分遠くなったように思った。今夜の健太郎の勢《きお》い立った話を聞くと、昔、裏長屋の救恤《きゆうじゆつ》から始まった岩伍の心意気は殆《ほとん》ど失われ、銭勘定の目だけが

敏く光っているように思われる。岩伍と違い健太郎は子供の時分からこの商売にどっぷり浸って育った子故《ゆえ》、無理もないかも知れないけれど、大陸へ妓十人を連れてゆけば一度で家が一軒買える、などというのを聞いていると、矢張り喜和が子供の時分最も忌《い》み嫌った女衒の匂《にお》いが目の前に漂って来る。岩伍がこの仕事を思い立った昔、力が全身に張《みなぎ》り溢《あふ》れていたように、今の健太郎も女房子を抱えた壮年の男が持つ逸《はや》りがあり、その気持は喜和に判らなくはないものの二人はまるで中身が違う、と思うのであった。

お照の件について、健太郎は親父は嘘を吐《つ》いたのではないといったけれど、話を聞けば確かに岩伍が向うへ移った理由は事務所開設が先で、お照との同居は後から起った事だと喜和にも頷ける。しかもお照という女が才走った若い娘ではなく水の垂れるような年増《としま》でもなく、健太郎の言葉を借りれば「山出しの不調法な女子《おなご》」だったのは喜和にとって意外ではあったけれど、一面考えれば、それは岩伍の内に何時も蠢《うごめ》いている人助けの虫が、またもや頭を擡《もた》げて来たせいとも思われる。きっと岩伍は、ぽっと出で町の暮しにも馴染めぬ子連れの後家を胸いっぱい酷《むご》く思い、出来る限り手を差しのべてやっているうちつい足を取られてしまったのだと喜和は想像出来るのであった。

あれは岩さんの病いよ、と喜和はそれを思おうとした。もうこの年になって惚《ほ》れた腫《は》れたの騒動でもないなら気質が根差す持病としか考えられず、病いなら傍《はた》からどんなに気を揉《も》んだところで、本人に恢復《かいふく》の兆《きざ》しが立たない限り無駄《むだ》だという諦《あきら》めは、長年岩伍に連れ添うて来た身なら判る。ここは健太郎もいう通り、くどい話を持ち出さずそっと待ってさえいればまた元通りにもなろう、という諦めはつけられなくもなかった。それに、健太郎の話では、お照も取るに足らぬ女子のようではあるし、一柳《いちりゅう》さんの口裏からもさして立勝《たちまさ》った様子とも思われぬ。二人の目は世間の目でもあり、世間がそうなら喜和が今騒ぎ立てるのは、人のよくいう「お鹿《しか》とお熊《くま》の喧嘩《けんか》」になり、もう長年富田を宰領して来た身が、そういう闘諍《とうそう》をして世間に嗤《わら》われたくはなかった。待つうちが花、待つうちが花、と喜和はひたすら胸を宥《なだ》め、お照はほんの女中代り、と思う事でこの場を切抜けようとする。

喜和はただ、先達ての健太郎の話の中で、健太郎が岩伍の道を踏む事だけは止めさせなければならぬ、と思っているのであった。健太郎には此の商売よりほか、外の世界の見えない憾《うら》みがあり、それをいって引止《ひきと》められるのは健太郎よりはもっと広い世間を知っている筈《はず》の親の岩伍以外には無いように思える。今、喜和は岩伍に向って、お照と別れてくれ、とはいえないけれど、健太郎を手伝わせる事だけは止めて欲しい、とそれだけはいえるように思えるのであった。また、是非いわねばならぬと思うのであった。

この年の秋は死んだ龍太郎《りゅうたろう》の七回忌に当り、岩伍も気に掛けているのか、十月初めに戻った折、喜和に仏壇の掃除と畳替え、当日の精進落ちの料理を細々といいつけ、十一月五日の命日の前夜には健太郎一家、鉄砲町、緑町の古い知合いも招いて心尽しの祭を行なった。

家の中は、喜和ばかりでなく亀も女中も目に見えていそいそと立働き、ここ一、二年澱んでいた隅々《すみずみ》の空気まで一度に吹き払ってしまうようであった。岩伍もこの日は早々と戻り、普段は亀の手に任せてある那智を受取って運動に出たあと風呂《ふろ》にも入り、店の机の前に坐《すわ》って溜《たま》った書き物などしている。家中に塵《ちり》ひとつ止どめぬ、こんな平和な収まりようが以前この家にも一年半は続いていた、と思うと喜和はふと、その平和が今度は永遠に戻ったような思い違いをしそうであった。

祭は夕刻から始まり、比島《ひじま》のお住《じゅ》っさんの叮嚀《ていねい》な読経《どきょう》が済むと仕出し屋から取寄せた皿鉢《さわち》で精進落ちが始まったが、七回忌ともなれば話題はもう湿っぽい故人の思い出話ではなく、この夏始まった大陸の戦争の、自分たちへの関わり合いについて専《もっぱ》ら熱っぽいものとなって来る。緑町の時計屋の兄さんは、寅年《とらどし》の姐《ねえ》さんがあちこちの千人針の奉仕で此《こ》の頃《ごろ》は始終飛び歩いているといい、千人針は普通一針ずつなのを寅年は年の数だけ縫わねばならぬところからもう四十八歳の姐さんは毎日肩が凝るほど縫うというのであった。在郷軍人会の分団長をしている坂本の兄さんは、最近学校の庭で夜間訓練が始まり、飯を日に四回食うようになったと皆を笑わせ、この八月土佐の朝倉連隊が出征して町内の誰それに皆で慰問袋を送った話、健ちゃんの兵種は何？　第二乙ならまだ御奉公には間があろうと、何時もの客なら皿鉢の向うとこっちに分れて勝手な話になるものが今日ばかりは皆一つに塊まり、日本軍破竹の進撃を語り合うのであった。

喜和は、話の途中何やら胸苦しくなり、人に知れぬようそっと座を外し台所に下りて水を飲んだ。子供の頃は怖々《こわごわ》戦争の話を聞くのも面白かったのに、近頃では前の道を埋めて日の丸の小旗の列が通るのを見てもすぐこういう具合になる。出征する兵士の見送りで益々《ますます》忙しくなる町内の国防婦人会に喜和が自分の代りに勝をやるのも、そこに戦争を感じるとすぐ、岩伍の商売に結びつけたくなり、商売の繁昌《はんじょう》を思えば動悸《どうき》は気味悪く昂ぶって来る。健太郎の話では、兵隊に蹤《つ》いて歩く慰安婦さえその不足は大変なものだというのに、この先戦争に勝って一般人もどんどん進出するなら色街はいっそう賑《にぎ》わい岩伍の仕事はさらに忙しくなる。今でさえ荷物かなんぞのように五人、七人と一絡《ひとから》げにして妓たちを大陸へ送り込んでいるのに、この先需要が増えればどんな具合になるであろうか。それは、考えただけで恐ろしいようなものであった。

喜和が台所から座敷に戻ると、岩伍が昔衛生兵として従軍した旅順の戦いの模様を話していて、

「儂《わし》はもう老骨で銃は執れんが、せめて自分の商売に励む事こそ最大の御奉公じゃと思うておる。戦争に勝つまでは内地の仕事は控えてでも、第一線の兵士達に満足して戦《たたこ》うて貰わんならんきに」

というと、同席の皆は口々に同意の相槌《あいづち》を打つのであった。

間もなくお住っさんが立ち、次いで外の客と鉄砲町が続いてどやどやと帰ってしまうと、残ったのは健太郎一家だけとなり、仕込みの子達と二階へ上ってしまった綾子《あやこ》を除いて久し振りで家中水入らずで顔を合せる形となった。孫たちは上の政彦《まさひこ》を除いてもう皆座敷のあちこちで寝入り込んでおり、喜和と小夜子はその一人一人に蒲団《ふとん》を掛けたり、まだ揺れている仏壇の灯《あか》りを継ぎ足したり、また皿鉢の組物を小皿へ取って食べたり、今ここにある時間ばかりは誰が見ても和やかなものであった。一家の話題はどうしても孫たちの事となり、さいさい虫を起す政彦の話やこの八月に生れた四番目の弘《ひろし》には小夜子の乳が足らぬ話、綾子の背合せの時の着物を麗子《れいこ》に譲る話など、岩伍も他意なく聞いて頷いている。

夜が更けて来ると健太郎と小夜子が背に一人ずつ背負い、亀がもう一人を背負って送りがてら七人は帰って行ったが、それを門口まで送って座敷へ戻ると岩伍でさえ帰り支度なのであった。思わず喜和は、

「あら、今晩はこっちかと思うちょりましたに……話もあるし」

と口に出すと、岩伍は立ったまま、

「話？　どういう話か知らんが早うしてくれ。今晩は用事が立て込んでおる」

と坐ろうともしないのであった。

まあ何というすげないいいよう、と喜和はずんと肚《はら》へこたえたものの、今日顔が合っ

たあと次は何時になるか判《わか》らぬ焦立《いらだ》たしさに追われ、下から見上げて、

「あの、健太郎に家の商売を手伝わす、と聞いたけんど、それだけは何とか思い止どまって貰う訳には行きますまいか。

若《も》し手が足らにゃあ、商売を細めてでも……」

急《せ》かされたいい方だったから喜和の言葉に角が立っていたのかも知れないけれど、それを聞いた岩伍は下の者の叛逆《はんぎゃく》を聞く険しさを憚《はばか》らず現わして、喜和の頭から怒鳴った。

「何度いうたら判る。

男の仕事に女子が口を出すなとあれほどいうてある。手伝い一つ出来んくせに。今度この俺に細工を突いた口利《き》くなら、俺にも考えがある」

と身を返そうとするのへ、喜和も皿鉢の前から立って小走りに後を追いながら、

「手伝いというのはお照の事ですか。

私にお照の真似《まね》をせよというがですか」

思わずいい募り、いうつもりではなかった言葉が口を衝《つ》いて出たとき、振返りざまものもいわずに張った岩伍の掌《て》が丁、と左頬《ひだりほお》へ来て喜和はその場に蹲《うずく》まり、頬を押さえて立上ったときには岩伍はもう店にも見えなかった。

喜和は、また行違うてしもうた、何故《なぜ》こうも互い違いになるのかしらん、と思いつつ、不思議と涙は出なかった。その胸の底を覗《のぞ》けば、商売についての口出しはつけ上りかも

知れぬ小賢《こざか》しいかも知れぬけれど、決して間違うてはおらぬという頑固《がんこ》な信じかたがあり、今は岩伍には耳痛い言葉ではあっても将来必ず考えてくれるに違いないという甘えに似た思いもあった。喜和の思いの底には、貧しくはあっても心なだらかに日を送れた常盤町《ときわ》の頃が雨上りのように明るく輝いて泛び上る折もあり、若し、この稼業《かぎよう》と貧乏とどちらかを執れ、と岩伍がいうなら、喜和は躊躇なく貧乏でも一家平安のほうがまし、といえるように思うのであった。

相手のお照とやらは、喜和同様無学の身でいながら、岩伍のいいつけ通り走り使いもし、妓達を連れて県外へも行き、楼主とも会い、益さん長さん並によく働いているという。喜和の手助けといえば家の内の宰領と、一つ踏出しても妓の親達への手入れでしかなかった事を思えば、お照の健気《けなげ》さは確かに岩伍の心をそそる姿ではあるかも知れぬ。喜和はしかし、それが果して岩伍の為《ため》になるものかどうかは、若い日から連れ添って来ている自分が一番よく知っていると思うのであった。世に男がいる限り料理屋遊廓の衰微はあり得ないかも知れないけれど、それは岩伍でもない健太郎でもない、喜和には目に遠い他の人がして欲しいように思える。紹介業に人助けの心意気が必要なのは判らなくはないが、人助けなら他にもあろう、素人《しろうと》の世界にこそ住んでおりたい、という喜和の思いは手近に仕込みの子を抱えてからというもの後戻り出来ぬ強さになっているようであった。

岩伍はしかし、この日を最後に月一度の帰宅も全くしなくなり、月々の手当ては中継ぎに健太郎が立って届けてくれるかたちとなった。が、その健太郎も予定通り暮一杯で陽暉楼《ようきろう》を退《ひ》き、正月からは緑町で営業を始めている。営業とはいってもまだほんの繋《つな》ぎの店ぐらいだから、健太郎は殆ど毎日岩伍のもとへ顔を出しているらしく、細々した用事の為にこちらへも頻繁《ひんぱん》に訪れる。喜和が好きだった以前の凜々《りり》しいワイシャツ背広はもう稀にしか着ず、大抵は着流しに雪履《せった》の鉦《かね》をちゃらちゃらと鳴らす、遊び人の風態《ふうてい》で現れては店の机の前に坐り、以前岩伍のしていたように机を高く開け閉《た》てしながら書類を書いたり、人と会ったりしているのであった。

喜和は、岩伍がもう遠篝《とおかがり》のように、遠くに燃えているのを見ているだけになった、と思った。遠篝は足許《あしもと》の案内ともならず、夫婦でいながらすべて用事は健太郎を通じてしかやりとり出来なくなっている仲を、どうしてこうなったやら、と喜和が一人胸に問うているうち、まもなく三月になると節子が六年を卒業し、去年卒業して一年間稽古《けいこ》の為に遊ばせてあった美代子と共に、予《かね》ての約束通り小万姐さんの妹分として陽暉楼から出る事になった。もう長唄《ながうた》の段物まで弾けるようになっていた十五の美代子は半玉《はんぎょく》として源氏名を小太郎、まだ十四で芸は充分でない節子は舞妓《まいこ》として名は小奴《こやっこ》、これは健太郎が岩伍の指図を受けて小万姐さんと相談の上で決めた。ただ、小万姐さんは置屋の鑑札が無く、同じ無鑑札なら富田のほうが通りもよかろうという話になって富田抱えの身柄《みがら》は小万預け、という変った形になり、披露目《ひろめ》の費用、座敷着一切は富田の掛かりとなって健太郎がその世話万端を引受け、それなりに金を使って二人が恥かしくないように仕立て上げる。

喜和はその役目から自分が外され、心からほっとした感じがあった。無論、やれといわれても喜和には出来ない相談だけれど、自分が一番怖《おそ》れていた玄人《くろうと》の世界へ世話した子を我が手で送り込むのは辛《つら》くて顔をそむけたい思いであった。

しかし美代子も節子もむしろ燥《はしや》いで健太郎に連れられて小万姐さんの家に行き、近い故もあって殆ど毎日のようにちらちらと戻って来る。そのうち二人共稽古髪を結い始め、固煉白粉《かたねりおしろい》の肌《はだ》に乗るよう糠袋《ぬかぶくろ》を使い始めるとみるみるうち、卵の殻《から》が剝《む》けたようにみずみずしく綺麗《きれい》に仕上ってゆくのであった。喜和は披露目には関《かか》わらなかったが、その日を境に、訪れて来る二人はもうすっかりこの世界の人となっており、美代子はたっぷりと黒い髪が鴇色《ときいろ》の飾りの結綿《ゆいわた》に、節子はやや薄い柔らかな髪が舞妓のたっつけ鬢《びん》によく似合い、これが綾子と真黒になって遊んでいた子か、と見違えるようであった。

まだ二人共、水商売という実感は殆ど持っておらぬようで、新しい座敷着を見せたくて、わざと、

「お母さん、お便所貸してえ」

だの、

「お母さん、一寸《ちよつと》水飲まして」

だの、長い袂《たもと》をひらひらさせながら僅《わず》かな隙《すき》を見て駈《か》け込んで来る。まだ家にいる君江、芳子《よしこ》は珍しげに傍《そば》に寄り、綾子まで手を伸ばして摘《つま》み細工の簪《かんざし》や、帯に挿《さ》している懐紙入れや、角絞りの帯揚げ、重い帯など恐々《こわごわ》触ってみたりする。喜和もときどきは衣《い》裳《しよう》の品定めをしてやりながら、二人の子の後に決して喜んではやれぬ運命の暗さを見るのであった。実の親たちはきっと、披露目の上は娘の躰《からだ》いっぱいの援助を望むに違いなく、その援助とは早くいい旦那《だんな》を見つけて貰《もら》う事かまたは、今の借金へ更に上乗せして何処《どこ》かへ仕替えを頼む事かの二つで、どちらに転んでも子供達はもう後戻り出来ぬ道を進むしか仕様が無くなる。

二人とも、緩い富田で育っていれば、いくら人柄がよいとは聞えても根っから玄人の小万姐さんの家では居辛い事もあろう、と喜和が察している通り折々は泣いて堪える日もあるらしいけれど、それはこの子たちの覚悟とでもいうべきものなのか決して他人には明かさなかった。陽暉楼の山入れはいつも午前三時で、それを過ぎるとまもなく、表の雨戸を遠慮勝ちに叩《たた》く、

「お母さん、お母さん」

という二人の声が前後して聞えて来る。

喜和が起き上って雨戸を細めに開け、「さ、ほら」と銭を差出してやると、

と礼をいうさえもどかしげに銭を受取り、その場で重い袘《ふき》の裾《すそ》をぱっと両手でからげると、二人共まるで運動会のように活潑《かっぱつ》に、ついそこに屋台の灯《ひ》を点《とも》している夜泣きうどん目指して駈け出してゆくのであった。ひだるい、とはいわないけれど、茶漬《ちゃづけ》一杯自由に食べられぬ二人を酷《むご》いものに思え、それを突き詰めて考えてゆけば喜和は自分も関わっている後めたさが思われて来る。

健太郎は転業以来、岩伍の片腕となってよく働いているらしく、岩伍が戻らなくなってこちらを訪れる客もなくなっていたのに、いまはまた、「健ちゃんに会いとうて」とか、「息子さんでええきに」とか名指しでこちらを訪れる客もぽつぽつ見えるようになっている。が、まだ健太郎一人の宰領ではやって行けないところから浦戸町へは頻繁に連絡を取っており、その仕事連絡の序《ついで》に、喜和がよく気をつけて見ていると岩伍の持物を少しずつ浦戸町へ運んでいるようであった。それは、帳簿であったり岩伍の使い馴《な》れた算盤《そろばん》であったりするうちは致しかたない、と思い、黙って見過してはいるものの、ときに、

「親父《おやじ》の帷子《かたびら》と絽《ろ》の単衣《ひとえ》羽織、出して」

とか、

「羽二重の長襦袢《ながじゅばん》と錦紗《きんしゃ》の帯」

とか、はっきり品名を名指して喜和に包ませるのは、そこに岩伍の強い魂胆を感じる。以前、事務所を拵《こしら》えるというとき、岩伍は喜和にいって、

「改まった席へ出る事が多いきに、羽織袴《はかま》は持って行く。他は家へ戻って着換えるきに向うでは要らん」

と安心させたのに、今は遠慮なく健太郎を通じて引上げてゆくのは、一旦《いったん》、喜和にお照の名を口に出された男の、もうこれ以上気を遣う必要もない図太さを感じさせられる。喜和は、いうまいとは思っても相手が健太郎ならつい口に出、

「こんなに何も彼《か》も持って行てしもうて、お父さんは家へは戻らんがかね?」

と問い詰めたい思いになるのを、男の健太郎は面倒だと思うのか、ときには一人箪笥《たんす》を掻《か》き廻《まわ》して荷をしてゆく折もあった。

喜和は、昔から伊達者《だてしゃ》ともいわれた岩伍《いわご》の着物を一枚ずつ向うへ運ばれるのは、自分の身の皮を剥《は》いでゆかれるように冷え冷えと寒く淋《さび》しかった。これでもまだ堪《こら》えんならんか知らん、まだ堪えんならんか知らん、と胸に問うているうち岩伍の箪笥は殆《ほと》ど空になり、家のうちに岩伍の匂《にお》いのするものは大抵姿を消してしまっているのであった。気が付《つ》いてみれば釣り道具一式も無くなっていて、夜、電燈を下げては天蚕糸《てぐす》を舐《な》め舐め釣りの小拵えしていた姿ももうこの家では見る事も出来なくなっている。喜和はときどき、堪え難く胸に怨《うら》みが盛り上って来る折には、

「まだ看板と仏壇がある」

と思って胸を宥《なだ》める。門に掛けてある看板は昔、開業の日、陽暉楼の大将が祝儀《しゅうぎ》に届けてくれたもので、以来岩伍が人に触らせず自分で朝夕の上げ下ろしをして来たものであった。家を留守にするようになってからは律義《りちぎ》な亀《かめ》が代って女子《おなご》に弄《いじ》かせぬそのしきたりを守っているが、看板が此処《ここ》にある限り富田の本家はこちらと考えてよく、その上に先祖代々の位牌《いはい》、龍太郎の魂を自分の手に預けてある限り、何時《いつ》かは戻る日の望みも繋げるというものであった。

しかし事情は少しも良くならず、去年秋の龍太郎の七周忌以来一度も顔を見せに戻らぬ岩伍からの、思い掛けないいい渡しを健太郎から喜和が受取ったのは、美代子と節子との披露目が済んだすぐ後の事であった。

話というのは、紹介業の仕事は時勢につれてますます忙しくなるばかりでなく、これまでのように紹介業規程などという業者間協定の曖昧《あいまい》な規則では事足りなくなり、其《その》筋からの命令で他の職業同様、事業内容と収入の細かな申告に次いで、極く形式的なものながら職業要員の資格認定まで難しいものが出来ているという。就いては、此の際、三軒に分れている家を整理し、本宅は浦戸町の隣の朝倉町へゆったりした家を借りてそこに定め、海岸通りの家へは健太郎一家が移ってこちらを支店にするという。健太郎宿替えに際し、税金の関係もあって、一、君江芳子は岩伍が本宅へ引取り、二、亀、鈴、勝は本人の希望を聞いて暇を取らせ、三、喜和は健太郎の扶養家族とし、四、綾子の諸費用は岩伍が送って寄越《よこ》し、五、商売上の利潤は税金を引いたあと、健太郎と岩伍が折半するというものであった。

喜和はそれをすらすらと告げる健太郎の口から一度聞いただけでは俄《にわか》に呑《の》み込めず、詳しく説明して貰ってから、あまりといえばあまりの仕打に涙が噴くように溢《あふ》れて来た。話の内容は仕事中心だけれど、これは岩伍が此処に戻る心算《つもり》のない事を露《あら》わにしている と同時に、喜和に隠居を申し渡している事ではないか。

男二人、親子力を合わせてこの好況に立向おうとする意気込みは察しられなくもないけれど、これでは喜和の手足を捥《も》いで押込め同様の刑罰を与えるに等しい。喜和は、岩伍が何から思い付いて突然こういう仕打を取るのか皆目判らない上に、それを鵜呑《うの》みにして戻る健太郎も健太郎、と目の前に居るだけつい詰《なじ》りたくなり、

「こんな大事な話を私に何の相談もせんとに。お前さん、お父さんに『お母さんにも一遍話した上で』と何故《なぜ》いえざったぞね」

と涙混りの声で責めてみるのであった。

が、健太郎には健太郎の思いがあるのか、気の昂《たか》ぶっている母親を宥めていう事に、富田の紹介業要員は岩伍健太郎のほかに益さん長さん、それにお照も名前を連ねている。税金関係で調べて貰ったところ、岩伍は益さん長さんを抱えている上にお照の二人の連

れ子の面倒まで見ているとすれば、喜和は健太郎の家族に入れた方が帳簿上都合もよく、また実際、

「これほど広い家じゃきに、お母さんも俺《おれ》等と一緒に居《お》ってのんびりと孫の守《も》りでもしてくれたらええじゃないか」

と健太郎はそれが喜和の為にもなる、と信じているようであった。ただ、綾子についてはあれは親父の子じゃきに、養育費を送るが当然、と涼しい顔でいうのを聞いて、喜和はこの子には何ひとつ判《わか》っておらぬ、ともどかしさに血が顳顬《こめかみ》に上るほどの思いになる。

「その話はねえ、健太郎、私が承諾せんとお父さんからお前さんにいうてつかはれ」

というなり立ち、納戸《なんど》の三畳へ寝床を敷いて入ってしまった。

待つうちが花、と思い、悋気《りんき》こきといわれまい為に瘦《や》せ我慢もし、そのくせ霊験《れいげん》あらたかだと聞く八頭《はちす》の縁の地蔵へ密《ひそ》かに亀を遣《や》って岩伍と自分には腰紐《こしひも》を、岩伍とお照には鋏《はさみ》を寄進して願を掛けてもいたのに、これが御利益《ごりやく》とは何と情ない御利益、と喜和は蒲《ふ》団《とん》を被《かぶ》り、躰を震わせて泣いた。この家に来て今日まで、陽《ひ》の射《さ》していた一年半を除きただ岩伍の戻るのを待って四人の仕込みの子を育てても来たし、留守宅を災難なく守って来てもいる。病弱の躰を励まし励まし、いつ岩伍が戻ってもいいよう家も汚さず看板も下ろさず勤めて来たのも、喜和の胸のうちにあの平和な親子三人の姿をもう一度見た

いと念じているからにほかなく、それをこれからは健太郎に養われ、愚図の小夜子《さよこ》が作る食事を当てがわれ、騒々しい孫たちを押しつけられ、この先の月日をどうやって生きてゆけというのであろうか。こんな罰を受ける悪事を、喜和は一体働いて来たのであろうか。

「病身ではあっても、私はまだ四十八」

喜和は口に出してそれを呟《つぶや》き、呟くとまた涙がじとじとと横臥《おうが》している耳の穴へ流れて来る。十五で嫁入り、十七からの子養いであったとはいえ四十八で隠居とは余りに酷すぎるように思える。この思いを喜和は岩伍に聞いて貰いたいと念じ、それが無理なら禿筆《ちびふで》取って提灯屋《ちょうちんや》のなぞり書きしてでも書き送りたいほどに思う。しかし同じ市内でいて、相手の傍にはお照がいる事を思えばここは自分の矜持《ほこり》、綾子の矜持もあろうかと騒がしい事起しはやはり思いとどまる事になる。綾子の身を思えば喜和は、父親に殆ど顧みられないこの子を一人前にする事にも今は歯を噛《か》み締めるにも似た思いがあった。

この春六年に進級した綾子は、以前喜和が恥を忍んで頼みに出掛けた井村先生の持ち上りになっており、喜和は先生に相談して県立第一高女を受けさせるべく、今は受験勉強に入っている。綾子の受験校を定めるとき、喜和は自分一人の思案に余る思いがして健太郎に言い、岩伍に聞いて貰うよう頼んだところ、健太郎はそれが癖の、鼻の頭に竪《たて》皺《じわ》を寄せて薄笑いしながら、

「この、仕事の忙しいに、親父は綾子の事どころじゃないよ」

と素気ないいいようであった。

喜和は綾子の事になると不思議に誰に対しても身構えようとする大人気ない自分を知っていながら、そのときも心の中で、

「ええ、綾子の事はお前さんには頼みますまい。私一人でやります」

と頑《かたく》なに呟き、綾子自身も希望するところから第一高女と決めたのであった。その綾子の大切な時期、四人もの孫の、あの玩具箱《おもちゃばこ》を引っくり返したような騒ぎの中でどうやって勉強させようというのだろうか。

喜和は考えれば考えるほど、筈《はず》の合わぬ岩伍の思惑が怨めしく、それはお照に対してももう緩い気持ではいられなくなって来る。健太郎の話の様子では二人の連れ子のうち、上の男の子はどうやら綾子と同《おな》い年らしく、三つ下の女の子共々、岩伍の事をお父っちゃん、と田舎風に呼んで、なついている風に見える。喜和はそれを聞いて、連合いを失って寄る辺ないお照一家の、挙げて岩伍に尽す意気込みが目に見えるように思った。

きっとお照は、気の利《き》かぬながらも一所懸命岩伍の顔色を窺《うかが》って日夜相勤め、岩伍の身の廻りの世話ばかりでなく進んで打って出て馴れぬ商売の手助けまでしている事であろう。その勤めようは、喜和よりはなお十《とお》近くも下だと聞く若さと健康が支えているとも、或《あるい》はまた、娘時代糸取り女工までしたという郷《ごう》の出の暮しが支えているとも思える

のであった。喜和は、こういうお照一家に取巻かれて暮している限り、岩伍がもうこの家に戻る望みは極めて薄いものと一人思えて来る。こちらではいつも青い顔に頭痛膏《こう》を貼《は》っている自分と、女の子ながら父親に向ってよく理屈を捏《こ》ねる綾子が作りなす家の風がもう固定しており、その上、喜和がこの商売を嫌《きら》っている事を今は隠さず口に載せるようになっている。居心地のよさからいえば確かにこちらには岩伍の居場所は無くなっているけれど、それは自分の留守が生んだ結果ともいえ、それをこういう仕打で喜和の座を狭めて来るのは何としても承服出来難い思いであった。

心配が昂《こう》じれば躰の具合も悪く、今は寝てこの事態に対するほか手段も知らない喜和の枕許《まくらもと》を健太郎は毎日覗《のぞ》いていたが、とうとう、

「親父が催促するきに、君江と芳子は今日向うへ連れて行く」

と足許から鳥の立つ慌《あわただ》しさであった。

向うへ行けば二人は間もなく中店《なかみせ》から出る事になり、喜和は自分の労をいうのではないけれど、男も顔負けの元気な君江、腰の重いのんびりやの芳子をこれまで三年間、追立て追立て舞三味線の稽古に通わせるのは並大抵でない気の張りようだった事を思えば、家の方針を立て直したからといってさっと引揚げられるのはやはり口惜しい思いにもなる。こちらに置いて本店から初店したところで美代子や節子を見ると同じく、苦い気持にも陥るけれど、預けてあった風呂敷《ふろしき》包みをでも取ってゆくように気軽く二人を連れ出

すについては喜和の廻りに余分なものは一つも置かぬという岩伍の声も聞え、矢張り一言ぐらいはいいたくもなる。二人が出たあと家の中はがったりと淋しくなり、殊《こと》に綾子はもう二階へ上らなくなって殆ど下の茶の間の飯台の上で宿題などしているのであった。健太郎は喜和の抵抗を気にしているふうもなく、話の序《ついで》には時折、

「お母さん、どう？　もう俺等がこっちへ替って来ても構わんろう？」

と催促する。その様子では喜和の反対を岩伍に伝えたふうではなく、よし伝えたとしてもこんな調子では父子とも喜和の胸の内を歯牙《しが》にも掛けていない証拠と見るよりほかはない。喜和が渋っているのを見て健太郎は、

「お母さんが意地を張りよると、俺達あ何時《いつ》までも借家暮しをせんならんようになる。そこを考えて早いところ家を片付けてや」

と極く胸の軽そうな様子なのであった。

喜和はこれまで、どんなに脇道《わきみち》に外《そ》れても一見頼りなく思えても我が子は我が子、と信じてもいたのに、今見れば健太郎は父親と肚《はら》を合せ喜和の立場など少しも考えてはいてくれぬように思える。二言目には、「お母さんもその躰じゃきに」といい、普通人の扱いから外そうとするけれど、この躰でも岩伍さえいて家の中が温かなら、ちゃんと当り前に料理も出来る、掃除も叶《かな》わぬ事もない、げんに〝その躰〟で仕込みの子を四人も見て来てさえいるのにそれはいわず、病人同様に押込めて……その挙句には、矢張り男

の子では女親の気持は判らぬと思い、目はひとりでにまだ幼ない綾子に向ってゆくのであった。

健太郎のいう〝家を片付けて〟とは、使用人の暇を出す事なのだけれど、これも喜和にはなかなかに苦しかった。健太郎は女中二人のうち、どちらでもよい一人は残して小夜子の手伝いにさせる、といってはいるが、緑町から引連れて来た二人は二人とも同じ年月富田でよく働いてくれただけに、改まった話をするときには喜和のほうから涙声になっているのであった。二十《はたち》のときこの家に来た鈴はもう二十六にもなり、今更嫁の貰い手もない、と赤い目をいっそう赤くして泣き、勝も四十という年の心細さをいって目を落していたが、若いだけに鈴のほうが早くふんぎりが着いたようであった。

鈴は一旦上《いったんかみ》の加江《かえ》の家へ戻ったのち、また何処《どこ》ぞへ女中奉公するといって、喜和が弾んでやった百円の円札を大切に胴巻に入れ、勝に見送られて足掛け七年にわたるこの家から去って行った。

喜和は、鈴と勝は最初から金で雇った奉公人なのだから先《ま》ず致しかたないとしても、亀だけはもう身内同様の身故《ゆえ》、手離したくない思いは強かった。考えてみれば常盤町から緑町へ宿替えの直後、何処からか迷い込んで来た野良犬《のらいぬ》のようにこの家にありつき、以来、男衆《おとこし》たちの中でも一番長く古く、富田の家の移り変りを見続けている。のろまで吃《ども》りで、岩伍の使いさえ満足に出来ないほどだけれど、喜和はそれだけに一番誠実なこの亀が好きであった。亀のほうでも、若い日の世馴《よな》れない喜和の姿、大きな出来事に遭って沈んでいる喜和の姿、大病にいためつけられた喜和の姿をそのときどきに見て叶わぬながらも懸命に助けて来てくれたように思える。そう考えていると、この男だけは生涯《しょうがい》をこの家で終らせたい思いが強く、健太郎に話してみたところ、

「本人が強《た》って、といいよりゃあ無理にとはいわんが……格別役に立たん者はこの際もう整理した方が家の為《ため》でもあるし……」

と同情のない返事であった。健太郎の為には役に立たぬかは知らないが、藁《わら》で束ねても男は男といい、女では出来ぬ仕事で亀の手を借りた事も多いものであった。

鈍いとはいっても、岩伍の戻らぬ家、芳子君江の引揚げ、鈴の解雇、とこの家の次第に変って行く様子に気付いているのか、亀は自分からいい出して伊予《いよ》との国境にある白滝村の実家に戻るという。亀が富田に来て二十年近い間、実家の話は一度も聞いた事がなければ無論音信もなく、そういう場所へいきなり帰すのは大へん心許ないものであった。亀は喜和に心配を掛けたくないのか、

「う、うちへ、い、去《い》んだら、お、甥《おい》も居るし、と、と、友達も居る。し、し、白滝は、こ、鉱山じゃきに、し、し、仕事もある」

と手を振って元気な様子を見せるけれど、坊主《ぼうず》刈りにしているその頭は何時の間にやら胡麻塩《ごましお》になっていて、もともと猫背《ねこぜ》だった背はのっそりとさらに曲ったようにも見え

る。年も本名も喜和は遂《つい》に聞かなかったけれど、これで案外喜和よりは年嵩《としかさ》の、もう五十の坂を越しているやも知れず、それを思うと今更宛《あ》てどない世間へ離すのは自分の事のように喜和は辛《つら》かった。かといって、これから先、この富田の家もどう変るものやら見通しもつかず、健太郎に養われる身に陥ちるとなれば矢張り亀の無事を祈って別れるほかはないのであった。

喜和はいまの自分に叶う限り手厚い荷をしてやり当座の金も持たせ、綾子と二人ハイヤーで播磨屋橋《はりまや》まで送って行った。こうして櫛《くし》の歯を引くように富田の古馴染《なじ》みも散り散りになって行く、と思えば喜和は一入《ひとしお》淋しく、二階の北窓から四国山脈の高い尾根を見上げては、別れの朝、蟹隈《かにぐま》取ったように顔を歪《ゆが》ませて泣いた亀の顔を目に泛《うか》べ、あそこ辺りが白滝村か、と思い起す日もあった。

亀の去った日を境に、富田はまるで空家のように寒々とした家になり、とくに男のいない広い家の夜の心細さはいい難いほどであった。二階の女中部屋から勝に下りて来て貰い、茶の間に三つ寝床を並べて敷いていても喜和はふと気に掛かり、夜半に起きてまた雨戸の桟《さん》を見に行ったりする。喜和が心づいてから、どの時代も戸締りは皆男手でやってくれていたから、夜が心配で眠れない話などなかったのに、いまはその気になれば何処からでも敵が忍び込める家の構造を考える夜も多い。往来に花見帰りの酔客が通れば通ったでまた恐ろしく、深沈と静かな夜は不気味で目は冴《さ》えて来る。傍《そば》の綾子も勝もよく眠り、喜和ひとり目覚めている夜中は、勢い先行きのおぼつかなさが頭に泛び、それは同時にまだ見た事もないお照への憎しみへと繫《つな》がって来る。

女三人、こんな夜を過したのは長いように感じても実際は指折り数えて十日余りであったろうか。岩伍も朝倉町とやらへ移り、こちらでも人の整理が出来た海岸通りへ幼稚園のように四人の子連れで健太郎一家が引越して来てからは、家の中の様子はまるで一変したものとなった。

喜和は予《あらかじ》めこの騒しさの中で暮せない頭痛持ちの自分が判っていたから、同居に当っては二階五室は喜和と綾子《あやこ》、下五室は健太郎たちに勝、とはっきり分けたい条件を出しており、それに対して健太郎は、

「そんな細かい事はどっちでもええよ、お母さん。どうせ一つ世帯じゃきに、好きなように暮したらええわ」

と例によって大雑把《おおざっぱ》な請合いようであった。

喜和は荷物を纏《まと》めて二階へ上り、一時一柳《いちりゅう》さんを置いた部屋に鏡台、三つ引出し、簞《たん》笥《す》を並べて自分の寝間としたが、いざ始めてみると健太郎との同居は堪《こら》え難い思いであった。

階下は店といわず茶の間といわずのべつ幕なし襁褓《しめし》や小さな衣類や玩具が足の踏み場もないほどに散らかり、乳の匂《にお》い、おしっこの匂いがむんむんする中で、子供の喧嘩《けんか》声、

赤子の泣声に混って大人たちの叱《しか》り声が絶え間なく聞えて来る。

小夜子は小柄《こがら》な割に息災で、一日中くりくりとよく立働いてはいるけれど、八つを頭《かしら》に二つ違いの子供が四人もの上に、元来ものには念を入れるたちと来ていれば休む暇なく奮闘しても手元の空いている事がなく、洗濯《せんたく》は夕方からやっと取掛かる、飯刻《めしどき》に飯の出来ていた例《ため》しはないという有様となる。かつて皆が当番を決め、糠袋《ぬかぶくろ》でてらてらと磨《みが》き上げた便所への長廊下は、スリッパの跡だけをレールのように残して真白に埃《ほこ》り、岩伍に次いで亀《かめ》もよく手入れした庭の築山《つきやま》のあちこちの枝を折られた植木の蔭《かげ》には、壊れた玩具が雨に叩《たた》かれて放《ほう》られてあったりした。障子や襖《ふすま》は繕う端からいつも破られていて、ラジオはたびたび毀《こわ》され、風呂場には夕刻になっても汚れ物が山と積まれている。

小夜子は緑町のあの張り充《み》ちていた空気の中に足掛け四年も一緒に居た筈なのに、それを忘れているのか気が付いていても手が廻《まわ》らないのか、この家の忌事《いみごと》はもう大抵破られ、今は土瓶《どびん》の口も始終北向き、箒《ほうき》は表に向って掃き出される。喜和は、夜も平気で子供の爪《つめ》を摘んでやっている小夜子を見ると、岩伍と自分が営々と積んで来た家風とは一体何であったろうかと思えて来るのであった。

こういう中で、何時《いつ》出来るとも知れない飯を待って騒々しく皆と一緒に食べるよりいっそ別釜《べつがま》のほうが気が楽だと喜和は思い、自分が寝込まない限り、飯刻が来れば綾子とふたりさっさと茶の間の長火鉢《ながひばち》の上で済ましてはすぐ二階へ籠《こも》る、という毎日がひとりでに出来上ってゆく。孫の守りも、相手が一人ならばともかく、連なっている子の一人だけ抜き取って来れば暴れて泣き、耳許で泣かれるとすぐ眩暈《めまい》がして胸が喘《あえ》いで来る。小さい時から兄妹の味を知らぬ綾子も小さい甥姪《おいめい》の守りは苦手なのか、一緒に遊んでいてもすぐ泣かし、泣声を聞くと我が子贔屓《びいき》の小夜子が飛んで来て、何となく二階と下との様子もおかしくなる。

今では小夜子も母親の貫禄《かんろく》が付いて据《すわ》りがよくなり、ときに喜和は気押されそうな自分を感じる事もあった。この空気は綾子も感じるのか、学校から戻るなり家中に響き渡ったあの「只今《ただいま》あ」をもういわなくなり、土間から真直《まっす》ぐに二階へ上って来る。大凡《おおよそ》覚悟は決めていたものの、この家の主《あるじ》はもう健太郎夫婦であり、喜和と綾子は二階へ追上げられた厄介者《やっかいもの》のかたちになっているのであった。

綾子が学校へ出たあと、以前は気晴しに庭に出たり家中を自由に歩き廻れた喜和も、今は二階からの景色を眺《なが》めるか、手間暇かけて薬湯を煎《せん》じるほかはする事がなくなり、考え込む時間が長くなると勢いこんな座敷牢《ろう》に押込められたような顚末《てんまつ》を、一日中幾度でも反芻《はんすう》する癖になって来る。

北窓の欄干《てすり》に肘《ひじ》を凭《もた》せて庭に目を遣《や》ると、また一層背が高くなったように思える吉野はもう黒々と濃い葉桜で、今年はこの花の芽も盛りも一切目に映らずに過したのを今更に思うのであった。堪え難いこういう日がこの先どれほど続けば春が戻って来るか、考えれば今は蝙蝠《こうもり》の飛び交う夕闇《ゆうやみ》の心地なのであった。気持も決して鷹揚《おうよう》でいられず、怨《うら》みも夜といわず昼といわず躰《からだ》の内で燃え熾《さか》る。健太郎の口から溢《こぼ》れ落ちるお照の様子を自分なりに拾い集め、喜和は此《こ》の頃《ごろ》、その面差《おもざ》しを密《ひそ》かに組み上げているのであった。それは岩伍が若い頃よく嫌った、「郷の者」の持つ鈍重さと野暮な気質の上に、野良仕事で鍛え上げた骨太の躰の、鉄板のように凹《へこ》まない神経を持つ女でなければならなかった。岩伍はそのお照をまるで道具のように使っているのではあるまいか、という想像は、はしたないと思いつつ喜和の胸を幾分軽くさせる。

この北窓からも見える、新地遊廓《ゆうかく》の入口の大柳には以前藁《わら》で拵《こしら》えた人形が釘《くぎ》で打ちつけられていた事があり、一しきり評判になって喜和も通りがかりに見た憶《おぼ》えがある。あれは病気の躰で無理に客を取らされる妓が楼主を怨んで丑満《うしみつ》参りをするのだとざわざわいっていたけれど、今柳の梢《こずえ》を眺めて藁人形をすぐお照に置き換えて思い出すほど喜和も苦しい思いに捉《とら》われている。若《も》し今お照さえいなければ岩伍は必ず自分の許へ戻る事を喜和は信じており、それを思い詰めていると昔、坂本の姐《ねえ》さんが子堕《お》ろしの御祈禱《きとう》師を勧めてくれたような、人にはいえない手段も闇に浮んだりする。

喜和はこういう事態になってからなおいっそう、綾子を自分の息杖《いきづえ》とも頼むようになっているのであった。いま、この家の中で自分の身を心から案じてくれる人間が綾子のほかに誰がおろうか、と思うと、相手がまだ十三の子供であろうと喜和はときどき要慎《ようじん》を解いて心の丈を話したいような思いになったりする。喜和が話さなくてもものの事を根問いする子なのだから、去年、上の兄の法事以来、すっかり姿を消した父親の変化に伴って使用人の整理、兄夫婦との同居については綾子は綾子なりにしっかり瞠《みつ》めているらしかった。

不自由な二階住居《ずまい》のうちに庭の葉桜は濃い蔭を作り、次第に夏らしい景に変って来ると、喜和はその上手持ちの金が無くなるという大きな心配も起きている。健太郎と岩伍の約束通り、喜和が二階に隠居同様になってからは、岩伍からの仕送りは綾子の学校用だけとなっており、健太郎は、病身で出歩く事もない喜和に金の要る筈《はず》がないと思ってか、月極《ぎ》めの手当てというものを渡してもくれなかった。時折、小夜子《さよこ》のいない場所で五円、十円の紙幣を膝《ひざ》に載せてはくれるけれど、それは機嫌《きげん》のいいときの気紛れで後が続かぬとあってはとても不安な金なのであった。

出歩かぬとはいっても喜和には常住手離せぬ血の道の煎じ薬が要り、ひどい肩凝りの為に按摩《あんま》の金も掛かる。下で一緒に食べたらええ、とはいっても、若い夫婦の油こい菜は喜和の口には合わず、新しい魚の夜《よう》売りもときには口にもしてみたい。もう八十を過ぎた鉄砲町の梅にも今までのようにたまには小遣いも握らせてやりたいし、高橋《たかばし》の元のきんつば屋で甘いものを買って行ってもやりたい。そういう細々《こまごま》とした要用《いりよう》の為に、喜和の持っていたまさかのときの用心金はずんずん減ってゆくのであった。いま富田は好景気に湧《わ》いていて、それは下の健太郎夫婦の暮しぶりを見てさえ判《わか》る。食べ物着る物のひとつひとつでなしに、主の健太郎からして身につける雰囲気《ふんいき》がひどく贅沢《ぜいたく》なものとなり、金の出入れに肝っ玉が太くなり、もの事が大雑把になってゆく。水商売の金というのはこんな入りかたをし、こんな出てゆきかたをするものだと、喜和はそれを見て思うくらいなものであった。

その健太郎に、昔からお銭の話は下品と思い込んでいる喜和がまして母子の間ならとくにし難《にく》く、健太郎を通り越して岩伍に話をつけて貰《もら》う事などなお出来ない相談であった。それに、つい先頃までねだられて小遣いを渡していた相手に、逆にねだる事などどうしても許せぬ親の沽券《こけん》というものもある。思案に暮れる喜和の様子を傍で具《つぶ》さに見ている綾子は、

「お母さん、お金ない？

ほんならこれ使およ」

と父親から渡される、「学用品代」と書いた封筒を指差していう。

この金は月々決して余分には入っておらず、鉛筆帳面の消耗品を一亘《ひとわた》り買えばあとは僅《わず》かに下着一枚、という程度なのを、喜和はそこに岩伍の自分への無情さをいつも嗅《か》ぎ取り、どう間違ってもこれは綾子のもの以外一銭たりとも手をつけまい、と心に決めているのであった。自分の事はいえなくても喜和は綾子の事となるといつも不思議に勇気

が湧き、封筒の中の金で足りない場合などは、強く健太郎にいって向うへいい送って貰う。例えば、この夏の七夕祭の行事に綾子が選ばれて踊を踊るとき、学校代表で衛戍《えいじゅ》病院へ慰問に行くとき、昔、大貞《だいさだ》が気張って、

「何でも綾子のものが一番ええもんでのうてはあかん、人に負けたらあかん」

と念を入れたように、いまも喜和にはそのふうが残っており、事あるときには綾子の着る物履く物際立《きわだ》てて行きたい欲が出る。綾子の費用を岩伍に請求するのはさまざまに勘ぐられる恐れもあったけれど、他の事なら前後思い患《わずら》う喜和もこればかりは健太郎の顔色さえ窺《うかが》いもしないのであった。

今喜和の内に残っている力といえば綾子に関《かか》わるものだけになってはいるが、それが気持の果てでもない陥込みへの歯止めとなって、喜和は自分の手で僅かながらでも金を取りたいという思いへ少しずつ気持が進んでいる。考えればこれが緑町に住んだ歳月の功《く》徳《どく》とでもいうものか、病身故《ゆえ》人並な事は出来ないけれど、緑町の裏長屋では家毎《ごと》手内職をしていて、軍手の指先縢《かが》りから妻楊枝《ようじ》削り、麦稈《ばっかん》編みから袋貼《は》りとさまざまな材料を座敷中拡《ひろ》げ散らし、ものをいう間も惜しんで手を動かしていた様が目に泛んで来る。

あの中で手先の小器用でない喜和が選ぶとしたら一番簡単そうな紙袋貼りがよさそうに思われ、それに目方の軽い事も持ち運びに便利なように見える。喜和はそれを綾子に相談すると綾子は飛び上って喜び、

「面白い、お母さん。面白い。うちもうんと手伝う」

と喜和の気を引立ててくれるのであった。

しかし決心はついても、ともかく女中まで使っている家の人間が内職に手を出す事の踏ん切りはなかなかつかず、今日こそ、と思い立っては挫《くじ》け思い立っては挫けしているうち夏は過ぎ、やっと気分を起して袋問屋を訪ねたのは綾子の夏休みも終った九月の半《なかば》頃であった。

紙袋問屋は、城見町二番小路の電車着きの真前にある。

此処《ここ》まで電車に乗ったのでは折角働こうとする金が生きぬ、と思えば歩かざるを得ず、歩くには人目を憚《はばか》って人通りの減った夜更《よふけ》を選ぶ事になる。喜和は問屋へ行ってみて、紙袋じゃきに軽い、と考えていたのも、昼間二、三時間やれば薬代にはなる、と考えていたのも、今まで自分の手で銭を稼《かせ》いだ事のない浅墓《あさはか》なもの知らずだった事がよく分った。紙袋の一枚は軽いけれども重いほど持たねば金にはならず、薬代まで稼ごうとするには朝、昼、夜の区別なく、あの裏長屋の連中がいっていたように、

「飯喰《く》う間も惜しい、小便する間も惜しい」

ほどに大格闘しなければならないのであった。

手間賃というのは千枚貼って小型で七銭、中型で九銭、大型は十一銭となると、一回分の荷はどうしても肩に喰い入るほど重いものとなり、足許《あしもと》の暗い夜道を蹌踉《よろ》けながら

往《ゆ》き帰りする。幸い、綾子はいつも必ず傍についていてくれ、無愛想な店員に意地悪くあしらわれているときも、嵩《かさ》高い番風呂敷《ばんぶろしき》をやっこらしょ、と肩に負うときも、それを揺すり上げ揺すり上げ歩くときも、手を助《す》けては、

「お母さん、重い？」

「お母さん、しんどうない？」

と脇《わき》から気を引立ててくれる。二人して戻る道の、寝静まった家の屋根から遅い月が登るときなど、これが若し一人ならどんなに辛く、どんなに堪え難かった事かと喜和は思うのであった。

荷を持って戻ると、この夏まで綾子の勉強机にしていた卓袱台《しっぽくだい》を北の部屋に据《す》え、その上に袋の原型に裁断されてある材料の紙を拡げ、煮た米糊《こめのり》を鍋《なべ》ごと載せて仕事が始まる。喜和が机に向い、斜に繰り延べた紙の底と脇に糊を刷《は》いて厚紙の原型を当て、右、左、底の順に紙を折るとさっと型紙を引抜いて袋を座敷に散らす。すると綾子は、座敷いっぱい散らされた袋を乾いた順に十枚ずつ重ね、古新聞の上に載せては茶碗《ちゃわん》の縁で折目をこすって落着かせ、百枚束にテープで締めては座敷の隅《すみ》に積み重ねてゆく。電燈の紐《ひも》を下げ、背を丸めては手許を急ぐ自分の襖の影にふと気付いて振返れば、喜和が自慢の髪を前に垂らし俯《うつ》むき込んでは綾子も一心に袋の数を数えているのであった。

手間賃が安ければ数でこなさなければならず、親子してものもいわず励んでも一晩や

っと千枚そこそこ、少し根を詰めて夜更まで貼った翌《あく》る日はてきめん肩凝りから頭痛がひどくなり、ときには熱を出して寝込む事もあった。

うとうとする夢見は騒がしく、必ずお照の顔が現われて喜和と激しい口諍《いさか》いとなる。罵詈《ばり》訕謗《せんぼう》の挙句全身汗に塗《まみ》れて目が覚め、醒《さ》めると必ず傍に大きな目を見開いて自分を瞠めながら額の手拭《てぬぐい》を取替えている綾子の心配そうな顔があった。熱にうかされ、定めし歯ぎしりしながらお照の名を口走っていたに違いないと思い、しかしさすがに綾子に向ってそれを問う勇気はないのであった。

二学期からは学校でも愈〻《いよいよ》受験勉強が始まり、綾子も毎日教室へ電気を点《とも》して居残るようになっていて、本当は内職の手伝いどころではない事は喜和にも判る。しかしまだ子供だとはいっても、綾子一人の手があるのとないのとでは随分と捗《はかど》り具合が違うもので、それに第一喜和の気力へ及ぼす力というものに大きな差違があった。喜和の胸の内が綾子にはそっくり判っているのか、此の頃ではときどき、

「お父さんに家へ戻って貰うよう、うちから手紙書こうか?」

とか、

「うち、朝倉町へお使いしてあげよか?」

とか、本来なら父親を毛嫌《けぎら》いしている筈の子がそれほどまでの情を見せてくれる。この子もおぼつかなさに心が震えている、と思えば二人して声を挙げて泣きたい思い

にもなるのであった。

この手内職で得た金は、緑町《みどりちょう》の裏町の連中のようにそのまま米に換わる重さはないかもしれないけれど、ある意味ではもっとずっと深い怨みが籠っているといえなくはない。何が気に入らないのか家を捨て女房を捨て新しい家を構えている男が、戦争の景気と共に仰山な収入を得ている蔭で、病気を劬《いた》わりながら千枚七銭の袋貼りをする惨《みじ》めさはいいようのないものであった。

綾子と二人、部屋の隅の蟋蟀《こおろぎ》の声に涙の滲《にじ》むような思いでさやさやと袋を貼っているかたわら、灯の明るい下の茶の間からはどっと賑《にぎ》やかな笑い声が聞えて来たりする。早仕舞いして活動へ行くらしい様子もたびたびで、一家打揃《うちそろ》って戻った夜は珍しいココアとかいう飲物を飲んでいるらしい香りが流れては来るけれど、下からはこちらを呼びもせずこちらもそれをよい事に、じっと袋貼りの手元を急がせるだけなのであった。

四

喜和は、二階へ籠り始めてからは専《もっぱ》ら北の居間にばかり坐《すわ》り、滅多に南の障子を明けて浦戸湾を眺める事も無くなっている。海は、躰《からだ》も息災で胸にたっぷり幸せな思いが溢《あふ》れているときは楽しいが、憂《うれ》いを託《かこ》つ者にとっては昼下りに必ず立つ三角波のように苛々《いらいら》と心細く淋《さび》しい。その点北窓の障子に映る朝影夕影は穏やかで、いまは障子を擽《くすぐ》って通る落葉の音が終日さやさやと鳴り、もう冬も間近い事を知らせてくれる。

喜和はときどき傍《そば》の火鉢《ひばち》に炭を継ぎ、袋貼りの手を休めては障子を細目に開けて庭を見下ろしてみる。毎年春には庭の桜の花吹雪を猪口《ちょこ》に掬《すく》って飯事《ままごと》し、秋になれば、庭に堆《うずたか》くなる落葉を竹箒《たけぼうき》で掻《か》き寄せ燐寸《マッチ》で火をつけると子供達はその廻《まわ》りに群がり、

「煙、煙、あっちいけ、火の玉、こっちい来い」

と賑やかに騒いでいたのを思い出す。岩伍《いわご》が戻らなくなってからも、簡単なものは喜和一人の手で挿木《さしき》して花壇いっぱい咲かせた菊の花を取り、長火鉢の下はいつも菊板の押し包みでいっぱいだった、と思いはひとりでに昔へ還《かえ》る。いまは手を下そうにもどこから始めていいか判らぬ荒れようで、根付きの草花など買って植えても半日と保《も》たず孫たちに挘《むし》られてしまう。じっと見下ろしていると庭の荒れようは自分の心の荒れようとも映り、つい切なくなって来て、またもとの袋貼りの座に戻るのであった。

こんな秋の日、健太郎がいうのに岩伍は近く看板を取りに一日こちらに戻るという。朝倉町の家では表の硝子《ガラス》戸に「紹介業」とだけペンキで書いて営業していて、今更、新顔の飛び込み客を必要ともしないところからそれで充分事足りてはいるのだけれど、岩伍は矢張り昔の看板が無ければ物足りないといっているそうであった。この看板の脇には町名と岩伍の名を書き込んであり、こちらへ宿替えの際、緑町の字を削って新たに

海岸通りを書き込ませたが、それもここ五年の間には字劃《じかく》だけが鮮やかに刻み上り、地の木目は風雨に曝《さら》され幾分摩滅して見える。今度、この海岸通二丁目は町名改革のために若松町二丁目と改まり、同じ書き換えするなら、岩伍が今、本拠と定めた朝倉町の名を刻むのだという。

健太郎はその話を何の感慨も無さそうに淡々と喜和に伝えたが、喜和は誰かに覚悟を促されたような、胸の冷える感じでその知らせを受取った。

この所、喜和は夜中に丁々《とうとう》と木《き》を伐るような音が枕《まくら》に聞え、暫《しばら》く頭を擡《もた》げて耳を澄ます。それは浦戸湾の波の、岸垣《きしがき》に砕ける音の取違えかも知れず、再び眠りに入ろうとするのだけれど、時によっては何時《いつ》までも執念深く耳に纏《まと》わりついて聞えて来る。喜和はある晩ふと、それは庭の吉野の倒れる音かも知れん、と思い、そこまで考えると恐怖の為《ため》に躰が固く凍りついてしまいそうに感じられる。宿替えの際、この吉野を植えた植仙《うえせん》の言葉の、

「生木というなあ、不思議なもんでがしてね」

という占いがまたもや鮮やかに浮んで来る故《ゆえ》であった。

富田は今隆盛で、時局に乗って開業以来の繁昌《はんじょう》を見せているものの、植仙のいう「家の運」をいうなら、木は枯れるどころか益々《ますます》枝を拡げるところだけれど、喜和の心はそうは受取れなかった。父子してどんなに荒っぽく金を取ろうと、年来連添う家女房と一

人娘をこのような境涯《きょうがい》に置いて家の隆盛があろう筈がないと思い込んでいる。喜和の胸中を譬《たと》えれば、衰運としかいいようがなく、衰運に見舞われている身で思えば、運命の手によって庭の吉野が伐り倒されてゆくのはさらに此の上の悲運に見舞われるかも知れぬと怯《おび》えるのであった。

こんな矢先、尤《もっと》もな理由がつくにせよ一家の顔だと聞かされている看板を朝倉町へ引揚げて行くというのは、喜和にとって命綱の一つが切れるほどの思いになる。他の道具の引上げは健太郎を使えば充分なのだし、また今までそうして来たのに岩伍自身出向くところに、岩伍でさえこの看板の大事な意味を考えている事が判る。

岩伍が戻るその日、下もさすがに緊張するのか小夜子《さよこ》は勝と共に尻《しり》からげになって座敷中を片付け、硝子まで拭《ふ》いて土間に打水をしている。掃除の終った店の間に喜和は物据えの埃《ほこり》を払って置き、その上に蘭《らん》の鉢を置いた。岩伍に忘れられた庭の盆栽棚《だな》の中から、この蘭と五葉の松だけは二階に上げて来て喜和がときどき水をやって世話をしていたものであった。岩伍がこの蘭の鉢に目を止め、喜和の気遣いを汲《く》んでくれるかどうか、心恃《だの》みの占いでもあった。

岩伍は昼過ぎに戻り、喜和にともなく小夜子にともなく、

「皆、変りないか」

と声を掛け、庭を一廻りするともう帰る気なのか早速表の看板を外し、店の間に上っ

て叮嚀《ていねい》に木綿風呂敷に包んでいる。その姿には蘭の鉢も喜和も目に入れる余裕もなく、蜻蛉《とんぼ》返りで慌《あわただ》しくここを出ようとしている急《せ》きかたが読み取れる。店の間に岩伍を追って行った喜和が見ると風呂敷は朝倉町から用意して来たものらしく、喜和が見た事もない鶴亀《つるかめ》染め抜きの紺木綿であった。何と水臭いこと！　うちにも風呂敷くらいはあるものを、と思った気持が、今日ばかりは平静に仲好《なかよ》う話をせんならんと決めていた覚悟をまたもや揺すぶり、喜和は思わず詰め寄る形となって火鉢の前に坐った。

「岩さん」

と久し振りで呼び掛けた声はうわずっていたかも知れないが、その後の、

「私がここの二階へこんなに隠居させられた訳を、事分けて聞かしてつかさいませや。私にも合点行かん事やし」

といった言葉は、嘆願のつもりであった。考えてみれば去年の法事に戻って以来、殆《ほとん》ど一年振りの岩伍の帰宅なのだから、その間に起った隠居いい渡しについて、喜和は聞きもしいいもしたい話は胸に溢れるほど抱えている。が、岩伍はどう受取ったのかきっと振返って、

「それは、お前の躰の事を考えての上じゃ。何時までも釜屋《かまや》の先遣りでおったら労がかかって良うならんと思うてのう」

「ほんなら」

喜和は自分の胸を宥《なだ》めるように掌《て》で火鉢の胴をなで撫《さす》りながら、あくまでも心に願って、

「私が快《よ》うなったらここへ戻って、元通りやってくれますの？ 私はもうおおかた快うなって、今は医者通いも止《や》めちょるし、薬も」

「そうはいかん」

岩伍は焦立《いらだ》たしそうに遮《さえぎ》って、

「商売というもんがある。今の商売は昔の商売とは違う。いろいろややこしい手続きやら書類も増えておる。忙しさも昔の倍じゃ。今の時勢を考えたら自分の事ばっかしもいうておれまい」

「そんでも」

喜和は、執拗《しっこ》いのが嫌いな岩伍を承知でいながらなおこの話は止められなかった。一緒にいる夫婦なら長い間に聞きもし、いいもして肚《はら》に入ってゆくものを、一年一度の僅かな時間の遣取《やりと》りでは焦《あせ》りが勝って口は思わず走ってしまう。

「君江やら芳子《よしこ》は中店《なかみせ》から働きに出よりますか。ああいう子までうちが抱えるきに、仕事が忙しゅうなるがやないですろうか。この家に戻って、ここで出来るくらいの営業をして貰《もろ》うたら、それほど忙しゅうも無かろうし……」

「お前は、またそれをいう！」

岩伍の声が昂《たか》ぶり、額の癇《かん》の筋が立って来るのを見て喜和は一瞬、あ、また喧嘩《けんか》別れになる！　と思い、悔いが真黒に目の前を過《よぎ》った。話を元に戻して穏やかに、と思うは心の内だけで喜和の怨色《えんしょく》を見て岩伍の声はさらに高くなり、

「男の仕事に口出しするなとあれほどいうてあるに、まだ判《わか》らんか」

「そんなら」

健太郎の立場も考えてこれだけはいうまいと思っていた事を喜和はときの勢いで口にし、

「私が一人、何で袋貼《は》りやらせんなりません？　受験勉強の綾子《あやこ》に手伝わせてまで、何で袋貼りやらせんなりません？」

「袋貼り？　何じゃそれは。俺《おれ》への当てつけか？」

「当てつけるなら、お照です」

いった途端岩伍の高い舌打ちがあり、火鉢越しに伸び上って喜和の頰《ほお》を殴ろうとしたその手許がどう狂ったか喜和の頭に掛かった。頭には蓑《みの》を着て束髪ピンで止めているのを、岩伍の指はその中に絡《から》まって抜けなくなり、喜和は頭を傾けて震えながら悶《もだ》え、岩伍は力任せに手を引く拍子にどういうわけか蓑はずるりと頭から抜け、畳の上にふわりと落ちた。病気以来、もうほんの数えるほどしかない自分の髪を誰にも見せず通して来

た喜和は、岩伍の指の間から落ちた黒い蓑を目の前に見て突然、涙が噴き上げて来た。自分をこんな哀れな姿にしたのは誰、と思うと、声を出すまい、と怺《こら》えても胸の内から大波打ってせくり上げて来る。

そのとき入口の戸が開いて誰かが入って来たようであった。止めようと思っても喜和の涙は止まらず、足音は土間で立止って中の気配を窺《うかが》っているようだったが、やがてそろりと障子を細目に明けて顔を覗《のぞ》かせたのは学校帰りの綾子であった。綾子は座敷の中の、荒い息をしている岩伍、泣き伏している喜和、喜和が誰にも触らせぬほど大切に扱っている蓑が剝《は》がれて無惨《むざん》にも目の前に落ちているのを一瞬目に止め、

「ひゃあ」

と、声にならない驚きの吐息を洩《も》らしたかと思うと、続いて提げている鞄《かばん》を思わずその場に取落す騒がしい音がした。

どう思ったのか綾子は一言もいわず、身を翻《ひるがえ》して二階へ駈《か》け上って行ったと思うと、やがてどどどっ、どどどっ、と梯子段《はしごだん》を踏み鳴して下りて来る激しい足音がし、綾子の姿を見たらしい勝の、

「きゃあーっ、誰ぞ止めて、止めて」

と叫ぶ悲鳴が響いて来た。

綾子が茶の間、納戸《なんど》と力任せに荒い音を立て、店の間の襖《ふすま》を最後に引開けて現われた

とき、喜和は何やら光るものに目を射《さ》され、それを手で除《の》けて綾子の姿を見定め息も止まるかと思うほど驚かされた。

手に、二階の刀架から引抜いて来たらしい不動義旨《よしむね》の抜身を提げている。南の硝子戸からの陽《ひ》を受け、綾子の顔は朱塗りの仁王のように真赧《まっか》であった。反りの浅い義旨はしたたかに重いのか右手を下げて蹌踉《よろめ》くたび、長い光芒《こうぼう》がずいっ、と鋭く走る。綾子は目に激しい色を燃やしながら、

「お父さん」

と岩伍を見据《みす》えて呼んだ。

「お母さんをこんなに苛《いじ》めるやったら、うちがこれでお前を殺してやる」

殺してやる！　といいながら、抜身を振上げるのにええいっ、という声は震えていながらも、岩伍目掛けて打下ろすのであった。

遉《さす》がに岩伍も色を引いて「何をするっ」と叱《しか》りながら苦もなく綾子を取押えて刀を捥《も》ぎ取ってしまったが、暫くは驚きが収まらない様子であった。綾子は忽《たちま》ち顔面蒼白《そうはく》になり、額に小豆粒の汗を噴き上げて気を失っていた。喜和は、自分も驚きの為に腰が立たずその場を這《は》い廻りながら台所で一塊りになって騒ぎを除《よ》けていた小夜子たちを大声で呼んで医者に走らすやら綾子の頭を冷やすやら、人の話に聞いた事もない辛《つら》い騒動を鎮《しず》めねばならなかった。

一人ものもいわず、店に坐って暫く息を整えていた岩伍は、綾子の容態が静まると小《こ》脇《わき》に看板を抱えて帰って行ったが、帰り際《ぎわ》、喜和に向って、

「綾子はもうお前に預けん」

と一言、険しい顔でいい残して行った。

綾子はこの後、高い熱を出して一週間学校を休み、その間子供の引付けのような症状を繰返しては喜和を安心させなかったが、喜和自身もまたこの事態を喜懼交々《きくこもごも》の思いで受取り、なかなか常の心地には戻らなかった。喜和の身の嬉《うれ》しさをいうならこれで綾子の心底悉《ことごと》く見えた思いがし、懼《おそ》れをいうなら夫婦の間の不和が如何《いか》にこの子の心を痛めているか、申訳なさで一杯になる。それにしても、喜和ならどう憎んでも相手を殺す、とまでは思い付かないものを、咄嗟《とっさ》に二階の刀に手を掛ける激しさは父親譲りとはいえ、実の娘に殺すとまでに立向って来られた岩伍の胸の内はどんなであったろうか。自分の身内を持たない故、人に意見などされた例《ため》しのない岩伍には、家中健太郎を始め犬猫《いぬねこ》の端に至るまで伏し靡《なび》き、誰一人逆らう者さえいないのに、まだ子供の、それも一人娘から激しい抵抗に遇《あ》ったとは、恐らく生涯で初めての強い衝撃であった事であろう。何事につけ忍耐の苦手な人なのだから、挑《いど》まれると倍にして返す強さはあるのだけれど、相手が綾子なら、今度ばかりは岩伍も歯軋《はぎし》りしながらその後の時間を過しているものと思われる。そう考えれば岩伍の前に胸を張る思いなど喜和に起ろう訳もなく、綾子とさえ

この日の出来事については触れもせず心の内へずっと押籠《おしこ》めているのであった。

この騒ぎに居合わさなかった健太郎はそれを岩伍の口から聞いたのか、喜和を窘《たしな》める口調で、

「今度の親父《おやじ》の怒りかたと来たら、唯事《ただごと》じゃない。困った事にならにゃあええが……」

といっていたが果して、その健太郎の口を通じて岩伍から喜和に離縁のいい渡しがあったのは、綾子の事件から半月ほど後の事であった。

健太郎はそれを、珍しく二階に上って来て座敷中に拡《ひろ》げてある紙袋を掻き分けて坐り、湿った声で喜和に告げた。喜和は袋貼りの手を休め、火鉢《ひばち》に手を翳《かざ》して硬《こわ》ばった糊《のり》を爪《つめ》の先で引剝がしながら、以前隠居をいい渡されたときほど血が沸《たぎ》り立たない事を思い、若《も》しかするともう何年も前から、夜毎《よごと》不吉な運命の跫音《あしおと》を聞いた頃《ころ》から、それを自分の躰《からだ》は知っていたのかも知れぬ、と思った。それでも使いに立っている子の健太郎の腑甲斐《ふがい》なさは問うておきたくもなり、

「健太郎、お前さんから見て私にどういう罪科《つみとが》がある？　お前さんも唯〝坊の使い〟であっちこっち往来するだけじゃ済みますまい？」

と詰《なじ》ると、健太郎も萎《しお》れた面持《おももち》でいう事に、

「それはお母さん、俺は俺なりに親父には意見もしたよ。しかし親父のいい分にも尤もな点も無い事は無いと思う」

といい、これは先頃岩伍が保養の為に買った五台山の山頂の家へ健太郎は、お照を交えず岩伍と二人だけで行き、一晩とっくり話し合った末に決めた話だという。

健太郎の言葉によると、喜和が岩伍の仕事を嫌《いや》がる様子を露《あら》わにするにつれ、岩伍は喜和を自分のよき協力者として見る事は出来なくなり、今では気持も遠く離れ去っているという。隠居の件は、富田家に於《お》ける喜和の長い間の労苦に対して岩伍の劬《いた》わりの気持で、このまま、穏やかに余生を過していれば岩伍も離縁とまでいい渡す気はなかったけれど、先日の、子にあるまじき綾子の言語道断の振舞いを見て、もうこれ以上、家風に合わぬ者は此処へ置いておく事は出来なくなったという。

綾子が、小さいときから父親に向って横柄《おうへい》な態度を取り続けてなつかないのも、一に喜和の教育に依《よ》るもの、と岩伍は受取っており、それは喜和が父親の職業について間違った教えかたをしているせいだというのであった。就いては今後、喜和の身の立ちゆくよう、充分な手当てをする故小笠原《おがさわら》家に戻って貰い、綾子は岩伍が引取って正常な躾《しつけ》をする、というものであった。

喜和は聞いているうち、長い長い道を歩き続けた果ての、これが自分に報われた仕打だったのか、と思った。

岩伍は離縁の理由を、喜和がこの商売を嫌《きら》う事を第一に挙げているけれど、今の商売は喜和の知っている昔とは違い売られる身の愚痴も涙も聞いてやらず、まるで貨物同然に大量に扱い右左動かしている。口を出せばつけ上りといわれても、そのお蔭《かげ》を蒙《こうむ》って暮しが成り立っている身ならときに一言、脇から口を出しても構いはすまいという甘えを、岩伍は許さぬというであろうか。男達は父子して喜和を子供だと笑うけれど、たとえ六十になっても喜和の気質が突然変る筈《はず》もないのは岩伍自身が一番よく知っているのではないだろうか。喜和はしかも、胸の内の長い不満を、綾子に向って口にした憶《おぼ》えなど皆目ないのであった。隠居を申し渡されたときも、二階で鬱塞《うっそく》の日を送るこの頃でも、袋貼りの白い紙袋の上にときに涕《なみだ》を濺《そそ》ぐ事はあっても、お父さん故にこの苦労、とは綾子の前でいえる道理はないし、胸断ち割って見て貰ってもそれを種に綾子を自分に引きつけようとする企《たくら》みなどどこにも隠してはおらぬ。それほどまでに勘ぐるのは喜和を出したさかと、向うの蔭にはお照がいるだけ却《かえ》って疑いさえする。喜和は、心に染まぬ隠居暮しにも渋々従っている無力な自分に対し、さらにこの上離縁とは三十年連添った岩伍の胸の内が判《わか》らぬ、それに加担する子の健太郎はなお判らぬ、と肚に据え兼ねる思いであった。

喜和は、健太郎の話をとても受付けられぬと強く弾《はじ》き返しながらも、ときどきがっくりと暗い洞穴《ほらあな》の中に陥込み、出口を見失って踠《もが》き廻っている自分を感じる事があった。連合いの商売を嫌って口を出したとて、それが夫婦じゃもの、女房じゃもの、と身を揉《も》んで抗議している反面、好き嫌いをはっきりさせていい出したら後へ引かぬ岩伍の恐《こわ》さも身に感じる。かたわらの寝床では、綾子がいつも寝相悪く眠っており、その顔を豆電球の灯《あか》りでじっと眺《なが》めていると、喜和は何時《いつ》の間にかまた涙で顔を汚している。この子は常に、弱い母親を庇《かば》わんならん庇わんならん、と思い、先に立って露払いをしてくれたけれども、皮肉なことにそれが原因となって離縁話が始まれば、孰《いず》れは誰ぞの口から喜和との生さ《な》ぬ仲の経緯《いきさつ》を聞かされる事であろう。それが恐さに緑町《みどりちょう》から逃れ、恥を忍んで学校へも駈込み訴えまでしたのに、秘密が割れるのが家うちの揉め事からだとは、喜和は思いもかけぬ無念さであった。離縁ともなれば綾子の少々の我儘《わがまま》は通らず、有無をいわさず今度こそ父親の許《もと》へ連れられて行く事と思われる。綾子という唯一《ゆいいつ》の守り刀を取上げられ、身に寸鉄も佩《お》びず世間に放《ほう》り出されようとしている喜和は骨身が砕ける思いなのであった。

喜和は、今一度、人を交えず二人だけでどうしても岩伍に会いたいと思った。これまでは怨《うら》みが先に立ち、会ってもつい高声になったこちらの態度も詫《わ》び、今度こそは自分の気持も素直に話し、綾子との別れを思えば膝《ひざ》を抱いての嘆願も厭《いと》わぬと思うのであった。喜和は健太郎にそれを幾度も伝え、健太郎も以前の隠居の際とは違って喜和の側に立ち岩伍に申入れてくれているようではあったが、しかし岩伍からは何の応答もなかった。反応のないのを「石に謎《なぞ》」というけれど、あのひとはもう石になったものと見える、と喜和は涙に昏《く》れながら思った。夜、夢に幾度も幾度も岩伍を呼んでいる自分の姿があり、とうとう声も嗄《か》れて力尽き、手足の脱力感とともに醒《さ》める。夫婦とはこんなに遠いものだったのか、と喜和は今更に思い、四つ橋の向うの朝倉町にお照一家と和やかに住むという岩伍の家が、今は遠い遠い天上とも思えるのであった。

しかし岩伍の意思は変らないのか、岩伍の依頼を受けて突然喜和の前に現れたのは、岩伍の古い友人の宮本武一であった。

宮本と知合ったきっかけは判らないけれど、岩伍の博徒時代からの友人で、東京の大学校を中途で止めて戻ってからはずっと代書屋《や》のような仕事をしており、自分から岩伍の「分別袋」などと称して緑町へもこちらへも折ふし訪ねて来た事がある。

喜和は昔からこの宮本を何となく好きではなかった。大男の癖に優しい声を出し、学問がどれだけあるのかは知らないが岩伍の前にわざと自分の貧乏をひけらかしているふしがあり、それは岩伍への卑《いや》しい媚諂《こびへつら》いとも受取れる。この人は男としての気《き》っ風《ぷ》の良さがなく、着物の着方からしてだらしない、と喜和が感じる通り、一度、女房を仲居に出したいと相談して岩伍に止《と》どめられ、多額の金を恵んで貰ったこともあった。宮本は喜和が袋貼りしている卓袱台《しっぽくだい》の脇に坐り、もう胡麻塩《ごましお》になっている坊主頭《ぼうず》をかりかりと爪先《つめさき》で搔《か》いて、先日健太郎から喜和が聞いた話を体裁良く言葉を繕いながら改めていい渡すのであった。

「儂《わし》は岩さんからこの話を頼まれたが、気持は姐《ねえ》さんの方に居るつもりじゃきに、味方と思うて儂には何でも話して貰いたい」

という口は明らかに、蝙蝠《こうもり》の口調、と喜和は信用していず、心を開く思いも無いまま袋貼りの手も休めなかった。

「宮本の兄さん、私は格別落度もないのに何で離縁されんならんか合点がいきません。これはまだ家同士《うち》の事じゃきに、話は健太郎にします」

「さ、その健ちゃんもじゃねえ。岩さんと姐さんの板挟《いたばさ》みになって辛がっちょる。こういう話は却って他人がよかろうと思うて」

「そんなら健太郎は私が富田を出されても構わんというがですか。あの子はこんな大事な話を他人のお前さんに任せて構わんというがですか」

喜和は相手が宮本だと思えば此の頃の心の苛立《いらだ》ちをそのままに突慳貪《つっけんどん》にいったが、その口ぶりを宮本は指摘して、

「姐さん、牝鶏《めんどり》うたえば家亡《ほろ》ぶといいましてのう。儂が見るところ、お前さんはこちらへ来てからというもの急に口が立つようになった。立て板に水、とまではいかんが、横板に雨垂れぐらいは行く。富田は今ますます隆盛じゃきに、お前さんのその口が岩さんもちっとうるそうなったと違うかねえ」

「兄さん、真実《まつこと》を話して頂戴《ちょうだい》や」

喜和は向き直っていった。

「岩さんも健太郎も、私を出すについてはいろいろな理由をつけるけんど、本当はそうじゃありますまい？　岩さんはあのお照を本妻に直したいが為《ため》ですろう？」

喜和が詰め寄ると宮本は手を挙げて、

「一寸《ちよつと》待ってみて、姐さん。それと今度の話とは違う。これははっきりしておる。岩さんの胸にはひょっとそんな考えがあるかも知れんが、それは健ちゃんが許すまい。健ちゃんは瘦《や》せても枯れても岩さんの跡取りじゃもの。姐さんの身を考えりゃ、姐さんがこの家におって嫌いな商売上の事を見聞きするよりも、岩さんから充分手当てを貰うてこの先の暮しを立てた方が却って躰の為に良うはあるまいか、といいよる。親父との縁は切れても母子の縁が切れる道理はない、というてねえ。

姐さんが継子《ままこ》の綾ちゃんを連れちょる事も苦労の種ではあるし」

喜和はそれを聞いて、健太郎の自分への心遣いを思うよりも、もうそこまで皆の間で話が進められている事に大きな驚きを持った。喜和は富田に根を下ろして来た年月を恃《たの》み、まだ少しも気持は揺らいではいないのに、男たちは喜和の処置を仕事と同じようにさっさと片付けようとする。喜和は其処《そこ》にこの家の女に対する辱《はずかし》めの伝習を見る思いがし、宮本との話を粘り強く続ける気力も萎《な》えてしまうように思うのであった。

宮本はその後も毎日のようにやって来てはくだくだしく遠廻《とおまわ》りな世間話をし、その挙句には喜和にこの家を出て新しい暮しを考える事を勧め、併せて綾子を手離すようお為ごかしをいっては帰る。喜和はまだ、身内同士で話しあってこの場を収めたい思いを捨て切れず、階下の便所への行き戻りに座敷を窺い、健太郎が居さえすれば二階に招《よ》んでは繰返し問い詰めたりくどく根問いしたりするのであった。宮本のいう通り健太郎はお照についてははっきりといい、

「あんな百姓上りの女を富田の籍へ入れる事は俺《おれ》が許さんよ。今、大目に見て何もいわんは、あれに親父の身の廻りの世話を頼んであるきにじゃ。お母さんもそれは安心しちょってええよ」

というものの、ただ綾子については、

「こんな向う見ずのお転婆《てんば》は早う親父の元へ返したがええ。それだけお母さんも苦労が減る」

というのであった。

此の家の難しさは皆それぞれの損得が違い、一家挙げて同じように行かない事で、ここで健太郎を立てようとすれば綾子に因果を含めねばならず、綾子と別れたくなければ健太郎の不機嫌《ふきげん》を買う。周囲みな心細くなってから喜和は健太郎に頼りたい心の弱りも出て、一概に自分のいい分ばかり通せない先ゆきも見えて来るのであった。岩伍はまた、喜和がどうしても綾子を渡さぬなら裁判にでも掛けて取る、とまでいっているという。

喜和は裁判の話は判らないけれど、出る所へ出れば血縁のあるなしで勝負はその場で決まると思われ、それを思えば綾子との別れはどう悪掻《あが》いても避けられぬものかと思われる。

離縁が決まれば、世間はどういおう、緑町はどう騒ごう、と思い悩み、それに鉄砲町の事を考えると喜和はもう老いた梅の顔をまともに見る勇気は自分にないように思える。嫁入りして二、三年の話ならこそ、孫の四人も生れ当り前ならこれから楽になろうという年になって、今更出るの戻るのの騒ぎになり、世間にも顔向けならぬ仕儀となり……と考えると、昔、夜中に駈《か》け込んで帰ったときの、楠喜《くすき》と梅の困り果てた表情が目に泛《うか》んで来る。きっと今度も、

「落度があったらようお謝って、土間の隅《すみ》へなりと置いて貰《もら》いや。それしか女子《おなご》の道はないぜよ」

と繰返しいう言葉は既に喜和の耳に届いているのであった。

喜和は、岩伍と違って淡泊な気質でない宮本の執拗《しつよう》な勧めを耳許で繰返されていると知らず知らず、この男には叶《かな》わぬと思い、ものに抗《あらが》う力を躰から抜き取られてゆくようであった。気を確かに持たなくてはならぬ、と首を上げている日は日中袋貼《は》りにも手が出るが、どうでもよい、成るようにしかならぬ、と諦《あきら》めが忍び寄って来る日は、袋貼りさえ何の意味もない。今一人だけ身を詰めて零細な金を得たとて何の慰めになろうかと

思えばこの鬱陶《うっとう》しい手仕事へ目を遣《や》るのさえ呪《のろ》わしい気持になる。此処《ここ》で気を確かに持っていなければ綾子との別れは忽《たちま》ちやって来る、と励ましても、それを除《よ》ける手段がない事を思えば、ただ冷たい涙を流しているだけなのであった。喜和が少しもはっきりしないまま、宮本の手によって廻りの話は進められているらしく、既に鉄砲町へも一日出掛けて楠喜に打明けた話も喜和は健太郎から聞いた。楠喜は聞くなり店を閉めて一日寝込み、梅は足許もうおぼつかないのに、信心している愛宕《あたご》不動に杖《つえ》をついて毎日詣《まい》っているという。

頼る健太郎は宮本立会いの上で岩伍と喜和の手当てについて話し合っているといい、先《ま》ず第一にお照の入籍、正妻としての扱いを認めぬという条件に対し岩伍は承諾しているそうであった。手当てについては一生捨て扶持《ぶち》を送るか、或《あるい》は躰に響かぬ程度の小商売が出来るほどの元手の金を渡すかは喜和の望みに任せる、という話を聞いたとき、喜和はうっそりと目を挙げ、黙って宮本の顔を見返したばかりであった。離縁の件がまだ決心がつかないのに、自分一人の将来について計画など立てられよう訳がないではないか。足許の砂からしてもう凹《へこ》み何も彼《か》も流されてゆく、流されてゆく、と喜和は胸の内で呟《つぶや》いていて、流されてゆく先の自分についてはまだ真暗闇《まっくらやみ》なのであった。

この騒ぎを喜和は綾子に話していないけれど、ふと、この子は全部知っていはすまいかと思われるふしもあった。

綾子が問い糺《ただ》そうと思えば、口こそ出さないもののこの成り行きをじっと見ている小夜子も勝も手近にいるし、宮本も折々は顔を合せる。父親が戻って来なくなってからの喜和の身の上を、我が事のように案じてくれる綾子だけに、或は喜和と父親との関係もその本能で嗅《か》ぎ知っているのかも知れなかった。気をつけて見ていると綾子は勉強を殆《ほとん》どしなくなっていて、学校の居残り勉強を外して突然早く戻って来たりする。どうして、こんなに早う？　と喜和が問うと、陽気に燥《はしや》いでみせるものの、ふと、

「また、お父さんが戻って来て、お母さんを苛《いじ》めやせんかと思うて」

と本音を洩《も》らすときもあった。

こんなに、骨がらみになっている母子を、誰が引離す事が出来ようか、と喜和はときに踏ん張ってみる反面、何といっても綾子もまだ子供故《ゆえ》、因果を含められれば案外岩伍のもとへ帰るのではあるまいか、と恐怖も過《よ》ぎる。

しかしそのうちにも離縁話は次第に具体的に進んで来て、この年内に綾子は朝倉町へ、喜和は鉄砲町へ戻る話は男たちの間で決められているようであった。

岩伍と健太郎、宮本に楠喜を入れての話合いの最後は海岸通りの家でという事が決まり、その席に綾子を呼んで岩伍からいい渡す、と喜和が聞かされたのはその前の日であった。喜和はずっと今まで、運命に引摺《ひきず》られ、何事も自分の肚《はら》が決まらないままにもの事が先に決まってゆく過去のいくつかの出来事を思い、今回もまたそうして自分は追わ

れるのだと思った。今はまだどんなに考え直しても綾子との別れがどんな形でやって来るか目に泛んで来ず、ましてその後自分がどう生きてゆくかなど想像のしようもない。

その晩、喜和はこの座を外すよういわれていたが、これだけは聞かず、店の隣の三畳に灯《ひ》をつけず一人坐《すわ》っていた。

店には正面に岩伍、その隣に宮本、健太郎と楠喜は少し離れて隅の机の傍《そば》に坐っている。甥姪《おいめい》たちと茶の間で食事をしていた綾子は宮本に呼ばれ、土間から廻って店に上って来たが、暫《しばら》く振りに顔を合す楠喜にちらと笑いかけ、

「伯父さん」

と呼んだようであった。が、帯の間に掌《て》を挟んで項垂《うなだ》れている楠喜は綾子に応《こた》えていつもの、「おい、玄米パン！」ともいわず、悲《し》しそうに目を落している。その様子を見て綾子は何かを悟ったのかさっと顔を引き緊め、身構えて立ったまま、皆の顔を一人一人眺め下ろす。誰も、この子が女の子ながら気の強い気質である事がよく判っており、それだけに今から始まるこの場の面倒さを思って口を出さないでいるのであった。

「綾子か、さ、ここへ坐って」

と岩伍が口を切り、火鉢《ひばち》の前の座蒲団《ざぶとん》を示して綾子を落着かせる。喜和が坐っている三畳と店の境の襖《ふすま》はどういう偶然か僅《わず》かに一寸ほど開いていて、喜和の場所からは座蒲団に坐った綾子のサージの襞《ひだ》スカートの端が見える。

張り詰めて岩伍の顔を見据《みす》えている綾子の目が喜和には手を取るように判り、暫くの沈黙ののち岩伍の、

「綾子、お前ももう六年じゃきにお父さんのいう事は判るろう。今度、いろいろの事情があってお母さんはこの富田の家を出る事になった。就いては、お前はお父さんの朝倉町の家へ帰りなさい。ええかね」

それは岩伍にしては出来るだけ気長く、優しい言葉ではあった。それに対して綾子はひとつ首を振ってから、学校で手を挙げて先生に質問するときのようにはきはきと臆《おく》せず、

「お父さん、今の事をもう一遍いうて下さい。意味がよく判りませんでしたから」

正面切って問い糺され、岩伍は一寸怯《ちょっとひる》んだが、すぐ顔色を和げて、

「お母さんはのう。鉄砲町へ去《い》ぬる事になったきに、お前はお父さんの許へ帰らんと不《い》可《か》んという事じゃ。判ったかね？」

綾子は真直《まっす》ぐ父親の顔を見ながら、すぐ切返していった。

「それはうち、絶対に嫌《いや》です。お母さんが鉄砲町へ行くやったら、うちも勿論《もちろん》鉄砲町へついて行きます」

「綾子、お前は何という事をいう」

岩伍は声を高くして叱《しか》りつけたが、その余りにもはっきりした綾子の声を聞いて、店の間の男たちの沈黙は余計重くなったようであった。満座の中でこの自分に恥を掻かせるか、この子は、と岩伍の焦《あせ》りは見えていて、

「何といおうと綾子、今はそういう事態になっちょる。荷物を纏《まと》めてお前は朝倉町へ帰りなさい」

「お父さんがどんなに勧めても、あのお照が居るような朝倉町へはうちは絶対に行きません。お母さんが可哀想《かわいそう》やから」

生意気にも胸を張ってお照、と見下げた呼びかたをする綾子を見て、岩伍《いわご》は、

「子供の癖に、お前は一体」

とその後に喜和の口調を見て怒りに顫《ふる》え、襖のこちらの喜和は綾子の勇敢さに心戦《おのの》く。これだけ自分に代って岩伍に抗議してくれる者が何処《どこ》にあろう、と思うと胸は溢《あふ》れ、それだけに怒り狂った岩伍から綾子はひょっと殺されはすまいかと悪い方向へ想像が走る。放っておけばこの子は果てもなく父親に楯《たて》つく、と見たのか脇《わき》から宮本が口を挟んで、

「綾ちゃんよ。

お前さんはまだ子供じゃきに、ここは親のいう事を聞きなさい。お父さんが折角、朝倉町の方へ親切に引取るというてくれよるきに」

「引取って貰わいでも、うちは結構です」

綾子は宮本の言葉尻《じり》を捉《とら》えて素早くやり返した。

「こりゃ小父《おじ》さんが悪かった。引取るじゃのうて、お父さんと一緒に暮すといういい方ならええろう。ねえ綾ちゃん、そうしなさいよ」

「うちは、小んまい時からお父さんは嫌《きら》いやった。お母さんを苛めるようになってから余計嫌い」

子供ながら綾子の目には憎悪《ぞうお》が沸《たぎ》るのを見て岩伍はもう嚇《おど》す以外手がないと見たのか、一層声を荒らげ火鉢の縁を掌で叩《たた》きながら、

「女の子の癖にお前は親に向って何という口を利《き》く。兄を見なさい。健太郎はどんなに儂《わし》に叱られようと一言のいい返しもした事はない。お前は女の子の癖に何故《なぜ》はい、といえん？

そんな横着者は、場合によっては勘当じゃぞ」

「勘当？　勘当されても構いません。うちはどうせお母さんに蹤《つ》いて行くがやから」

「綾ちゃんよ。そんなにぽんぽん口答えせんと、もう一遍よう考え直してみなさいや。お前さんは何というてもお父さんに付いて行た方が得じゃきに」

そういう宮本を綾子は蔑《さげす》み切った目で見て、

「こんな話に得や損やという事がある？　そんな事でうちの心を動かそうとしても無益よね。小父さん」

「綾子、あんまりじゃぞ。お前の為を思うならこそこれほど事分けて話しよるのに判《わか》らんか」

「うちの為を思うやったら放っちょいて頂戴。お父さんはこの家へ普段戻りもせんくせに、こんなときだけうちの為をいうてくれても有難うない」

この応酬を聞いていて、喜和は躰《からだ》の内から深い感動に襲われていた。短気な父親からどんな折檻《せっかん》を受けるか知れないのに、この子は断乎《だんこ》として母親と共に家を出ると頑張《がんば》っている。女のすまじきものに「抗《あら》がい木登り川渡り」といいそれを綾子にも教えて来たけれど、喜和は今日これまでを育てて来た甲斐《かい》があった、と涙が噴き溢れて来た。

堪《こら》え兼ねて喜和の啜《すす》り上げる涙声に綾子は振返り、

「いやっ、お母さん」

そんなところにおったの、と立上ろうとするのへ岩伍の一喝《いっかつ》が落ちて来て、

「綾子、お前は長い間喜和に仕込まれて根性が捻《ね》じ曲っておる。お父さんが鍛え直してやる。来い！」

周囲が止める間もなく、火鉢越しに綾子の手首を摑《つか》んだ。

「岩さんよ。綾子には手荒な真似《まね》はするまいよ」

と楠喜が弱々しく遠慮勝ちに止めているのへ見向きもせず、岩伍は綾子の手首を摑んだまま一旦《いったん》土間に下り、茶の間の脇を通って二階へ上って行く。

店に残った男三人は誰も何一ついわずじっと押黙っているが、その胸の内はお互いが察しているように、喜和もまた二階で何が行われているか判っていた。たかが子供、と思い、威《おど》せば靡《なび》くと思っていたのに、その手強《てごわ》さに手を焼いた上は、岩伍も最後の切札を出して綾子を納得させるしか仕様がないのであった。切札とは真実を明かす事であり、真実を明かせば綾子もこれ以上じたばたする事はあるまい、と誰しも考えている。この話合いの最初から岩伍がそれをいい出さなかったのは、綾子へのせめてもの思いやりだったのに、とうとう底割ってしまわねばならぬ無惨《むざん》さを思っているのであった。喜和はじっと首を垂れ、たとえここですべてが訐《あば》かれようと、もう心残りはないと考えている。あれだけ立派な綾子の啖呵《たんか》を聞いただけですべてが報われたと思い、これが罪もなく家を追われる自分への何よりの餞《はなむ》けだとも考えるのであった。

二階からはもの音も聞えず、暫く経《た》って先に下りて来た岩伍は土間に立ったまま、店の障子を開けて、

「儂《わし》は今晩、これで帰る」

と一言いい置いただけで、もう更《ふ》けた往来へ出、硝子《ガラス》戸の外にその下駄《げた》の音は次第に遠ざかって行くようであった。続いて下りて来た綾子は茶の間へ入ったらしく何やら軽い声で、「その蜜柑《みかん》、うちの」とか「ラジオつけよか」とか小夜子と話している声が聞えて来る。宮本は怪訝《けげん》な顔付きで腰を上げて綾子を呼びに行き、再び今度は岩伍抜きの

談合の座となった。

「それで綾ちゃん、二階での話はどうなった？」

と宮本が問うと、

「どうなったとは何が？」

と却《かえ》って綾子は不思議そうに問い返すのであった。

「その、綾ちゃんが朝倉町へ帰る事についてじゃが……いろいろお父さんと話した結果、綾ちゃんの決心がどうついたかを改めて皆に聞かせて貰いたいと思うて」

「小父さん、それはさっき、ここでうちはいいました。何処までもお母さんに蹤いて行く、というて」

「二階で、お父さんから話を聞いたろう？　綾ちゃんは」

「二階でもうちはお父さんにいいました。お母さんとは絶対離れん、と」

綾子はそれだけいうと立上り、さっと襖を開け放って喜和にいった。

「お母さん、火鉢の傍へおいでや。お父さんはもうおらんよ」

喜和はそれを聞いてとうとう堪え切れなくなり、声を挙げて畳に突っ伏した。

一時は裁判にまで掛けるといっていた岩伍も、頑強な綾子をこの上無理に、とでもいえば以前の抜刀狂乱の一件も思い出され、楠喜《くすき》の強《た》っての仲立ちもあってここは一旦喜和と共に家を出し、時期を見ていい聞かせる話になり、岩伍からは喜和に家中の道具の、何をどれだけ持って行ってもよい、好きなだけ荷をして師走《しわす》の月初めには鉄砲町へ帰るように、との最後通牒《つうちょう》があった。

別れは突然やって来る、と喜和は呆《ぼ》んやりした頭で健太郎の口からそれを他人事《ひとごと》のように聞いていながら、躰中の節々が抜けてゆくようにだるかった。もう三年間、胸を宥《なだ》め思いを延ばして待ち続けた身には日時まで取決めての去れとの命令は、全く唐突としかいいようのない横虐《おうぎゃく》と受取れる。堪え難い夜半には遠く岩伍の名を呼んで呼んで呼び通して来たのに、嗄《か》れた声は遂《つい》に岩伍の心に届かなかったものであろうか。夫婦はもともと他人、という言葉も女三世に家なしという譬《たと》えも、今は骨身に徹《とお》って儚《はか》なく思われる。以前巴吉《ともきち》の舞台を見て濡《ぬ》れそぼれ鉄砲町の家で現《うつつ》なく寝ていたとき、風の果てにふらふらとおぼつかなく揺れる蔦《つた》かずらの身を思って泣いたけれど、年月重ねても女は矢張り繊細《かぼそ》い蔦かずらでしかないのであった。それも連合いに飽きられればふっと断ち切られ、明日知れぬ風の中に放たれる。もう三十年の昔、岩伍との縁組も決まって江の口川に夕焼空を仰いだ日、誰がこの悲しい別れを思いみたであろうか。共に鶴《つる》の髪まで老い共に墓所に葬《ほうむ》られ、幸せな尉《じょう》と姥《うば》を行末描いていた故《ゆえ》にこそ思いもしっかり据えて来た身が、今更この嘆きに遇《あ》うとは仮初《かりそめ》の夢にさえ泛んだ事のないものであった。

喜和は、一日は廻《まわ》りに知れぬよう泣いて泣いて泣き暮し、一日は怨《うら》みを籠《こ》めて過ぎた日を手許《てもと》に手繰り寄せる。病身の躰で喜和が家の稼業《かぎよう》に邪魔立て出来る訳もなく、少々口出ししたところで、それが長い年月、この富田に尽して来た労を一挙に棒引するほどの罪だというのだろうか。考えられるのは、それはつけたりで、岩伍の本心は一に綾子を喜和から引離したく、二にお照を本妻の座に直したさに、こんな道理を押込めた無理を通そうとしているのではあるまいかとの推察も頭を掠《かす》める。それを許す廻りの人も人、世間も世間、と憤《いきどお》る心のかたわら、片頰《かたほお》でちらと笑う岩伍の馴染《なじ》んだ横顔にも喜和は未《いま》だに胸を揺すぶられるのであった。

考えれば運命とは皮肉なもの、と喜和には沁々《しみじみ》思える。巴吉が綾子を妊《みごも》った日からこの子を廻《めぐ》って夫婦のあいだには互い違いばかり生じ、三人巧《うま》く釣《つ》り合ったのは綾子十三年を通じて僅か一年半だけであった。しかも今回の破滅も、この子を我がものとしたい双方の募り合いが原因の大半と見るなら、罪も双方が分け持たねばならないように思える。喜和はしかし、こんな理詰めの反駁《はんばく》よりもあの日、二階で父親から喜和との真実を聞かされたにも拘《かかわ》らず、何の動揺も見せない綾子とこの先当分は一緒に居られる事に心を恃《たの》み、泣き沈んでばかりもいられぬと自分を励ますのであった。秋の短い日はすぐに暮れ、一日一日が砂時計の砂の落ちるように正確に時を刻んで過ぎてゆくと、家を出る日はもう目前に迫っている。

喜和は漸《ようや》く躰を起し、袋貼《は》りの仕事の後始末をつけ、物憂《ものう》い手を動かして身の廻りを片付け始める。蒲団衣類など日常のものから、滅多に使わないままに二階の蒲団部屋へ蔵《しま》ってあるさまざまな道具、それは正月用の重《かさ》ね重《じゅう》から小机、三つ引出しから客用の徳利、小皿まで、緑町《みどりちょう》のやっと楽になり始めた頃《ころ》からぼつぼつと揃《そろ》えて来たものだけに、どれ一つ取上げても深い思いが湧《わ》き上って来る。中でも八段重ね群鶴《ぐんかく》文様の重箱は春の花見には五目寿司《ずし》を満載し、暮の餅搗《もちつ》きには餡餅《あんもち》を入れて緑町町内を巡り廻った物だけに一入懐《ひとしおなつか》しく、まだつやつやと照りのよい黒漆、鶴の羽の金地の盛り上りを撫《な》でていると、これだけはどこまでも持って行きたい思いになる。

　喜和はしかし、思い出の深い道具類は一切手を触れず健太郎に引渡す事とし、遠い昔、兄の楠喜が嫁入道具として構えてくれた質素な箪笥《たんす》と小さな鏡台、細々したものはもう角の金巾《かなきん》も朽ち破れた支那鞄《しなかばん》に入れたほかは、綾子の勉強机の卓袱台《しっぽくだい》と青い紗《しゃ》を張ってある本箱など、ひとつひとつ思いを掛けながら荷を纏めてゆくのであった。小さな鏡台の荷作りをする日、喜和は色褪《いろあ》せた友禅の垂れを上げてその中を覗《のぞ》いた。鏡の中の青い口の脇の痣《あざ》に指先を宛《あ》て、やはり昔、遍路の占いは本当やったと思い返すのであった。剃刀《かみそり》で除《の》けたいと考えた胸の内は、岩伍に先立たれる事の不吉を避けたい思いだったのに、岩伍は息災でいて自分だけが後家になるという卦《け》に出ている。それを、お互い命のあるをまだしもの幸せ、というか、それ以上の不幸というか、喜和は呆んやりと考え込んだりする。綾子も喜和にいわれ、山のような自分の玩具類《おもちゃるい》を箱に選《よ》り分けたが、ときどき、「これは麗子《れいこ》にあげよか、どうしようか。ええわ、欲しかったらまた何時《いつ》でも取り来たらええきに」

と一人言をいいながらまた箱に蔵うのを見て、喜和はふと気を軽くさせられる事もあった。自分はこの家とはもう永の別れ、と思っているのに、この子は何処ぞへの一時引越しのように考えているふしがある。それは、〝何処へ行ても母子の縁は切れやせんきに〟といってくれた健太郎の言葉と共に僅かな喜和の内の慰めでもあった。

愈〻《いよいよ》家を出る日、喜和は下駄を穿《は》いて裏庭に出た。二階へ追上げられてからは滅多に庭へ下りた事がなかっただけに、ここ幾月も見なかった庭の模様は変り果てている。庭にはいちめん雑草が蔓延《はびこ》り、薪《まき》小屋への道を残して花壇との境目もなくなっている中に喜和は分け入り、支えもないまま地を這《は》いながらまだ花を残している小菊をひき起してやり、もう芽もつけなくなっている牡丹《ぼたん》の老木の廻りの草を毟《むし》ってやった。盆栽棚《だな》の鉢はすっかり乾上《ひあが》り、ときどきの猫《ねこ》の喧嘩《けんか》の為《ため》に鉢の土も細かく蹴散《けち》らされている。梅桃《ゆすらうめ》、桃、無花果《いちじく》の木々は健在だけれどこれも根元は枯葉と草で埋まり来年つける実はおぼつかない。庭をぐるりと廻って喜和は最後に吉野の幹に手を掛けて空を仰いだ。もうすっかり葉を振い尽した梢《こずえ》は気持よく透けて色紙のように濃い青の空が見える。枝は力強くぐっと手を張り、思いなしか幹にも艶《つや》が増しているよう感じられる。してみると、夜毎《よごと》聞えて来た木を伐る音はこの桜ではなく、別の世界の事だったかと思われ、桜は枯れず自分だけこの家を追われる寂しさが寒さと共に身に沁むのであった。

庭の咲き残りの菊を剪《き》り、喜和は仏壇の前で手を合した。仏壇がある、と最後まで頼っていたのにこれも桜同様、喜和の方から離れて行く身になった事を思い、位牌《いはい》の後に長年隠してあった龍太郎《りゅうたろう》の遺品《かたみ》の大正琴の撥《ばち》を取出し、そっと自分の蝦蟇口《がまぐち》の中に入れた。龍太郎の死んだ当時、このハート型に捺《お》された指の膩《あぶら》をいとおしみよく涙を滲《にじ》ませたものだったのに、今はもう跡さえ確かでなくこの子も遠くなっている。龍太郎が死んで八年、喜和は心を籠めて命日には必ず祀《まつ》って来たのに、これからは子沢山な小夜子《さよこ》の手では命日さえ忘れられ、掃除もおろそかになり、と思えば、岩伍がこれを朝倉町へ引揚げるのはもう時日の問題のように思われ、喜和は長いあいだ坐《すわ》って龍太郎のために祈るのであった。

その晩、喜和はもう涙は流さず落着いて店の間の火鉢《ひばち》に手をかざし、時刻の来るのを待っていた。

夜の更《ふ》けるに随《したが》って寒さはしんしんと押寄せ、炭籠《すみたご》から絶えず炭を継いでいる喜和の向うに、毛糸のハーフコートにガスの靴下《くつした》、という綾子が坐って火鉢の上で掌《て》を揉《も》んでいる。店の間には、二階から下ろして来た荷物が坐る隙《すき》さえないほどに立て廻し、僅《わず》かに隙間風の垣《かき》になってくれる。火を掻《か》き起してもぞくぞくと背筋に忍び込んで来る寒さを払い落すため、喜和も綾子もときどき身震いして居ずまいを正す。

健太郎はこの夜、よん所ない急ぎの用のため妓《こ》を連れて九州へ出ており、留守を預かっている小夜子と勝は、喜和に対してもののいい様もないまま、子供四人を寝させたあと茶の間で身を寄せ合っているらしかった。喜和は、両隣にも挨拶《あいさつ》の言葉もなく、密《ひそ》かな旅立ちだけにわざとこんな夜更けを選んだのだけれど、夜更ければ更けるだけ寒さは身をも心も嚙《か》んで来る。軈《やが》て、長い間見馴れた店の柱時計が緩く十二時を打つと間もなく、往来に乾いた車輪の音が軋《きし》んで、やっと頼んだ車力が来たらしかった。

喜和は重い気分を断ち切るようにして立上ると、その脇を擦り抜けて先に硝子《ガラス》戸を開けて飛び出した綾子が、

「まあ、綺麗《きれい》なお月さん」

と思いもかけぬ爽《さわ》やかな声を挙げたのを聞いて喜和はすうーっと心がほぐれ、奥へ向って、

「小夜子、車が来ました」

と低く、声を掛けた。

綾子の後を追って一足外へ出ると、初冬の月は凄《すご》い切れ味に冴《さ》え返っていて、日頃見馴れている筈《はず》の舫《もや》い船は見違えるほど垢《あか》を落して銀色に照り輝き、剣のように燦《きら》めく高い船のマストはどれも真直ぐに月の中天を貫いている。喜和は一瞬心を放ち、その景色

に目を奪われたが、もう二度とこの場所から浦戸湾を見る事もあるまいと思われるのに、目の前のたたずまいは余りにも平和で美しく、一方ではまだこれを夢の中の出来事と感じている自分もあった。

しかし夢でない証拠に、絵のように固定して動くものもないこの風景の中で、富田の家の戸口だけは白い息を長く吐きながら人が動いており、それは車力引に手伝って小夜子と勝が店の間の荷物を順に車に積み上げているのであった。誰も低い呻《うめ》くような掛け声しか出さず、この物音の為《ため》に近所を起す事のないよう気を使っている。

荷物を積み了《お》えると、車力引は太い綱を宙に投げ上げて掛けながら、

「これほど凍ったら、明日の朝はえらい霜ですぜよ」

と低く独り言を呟《つぶや》いた。それに相槌《あいづち》を打つ者は誰もいなかったが、喜和はその言葉でふと思い出し、

「一寸《ちよつと》待って」

と車力引の綱の手を止め、手近に積まれてある風呂敷《ふろしき》へ手を差入れ、手応《てごた》えに覚えのある柔らかいものを引出して、

「さ、綾子《あやこ》」

と手渡した。以前喜和が編んだ大きな襟巻《えりま》きであった。

綾子がそれを頭からすっぽりと被《かぶ》るのを見届けてから喜和も自分の駱駝《らくだ》の肩掛の前を

高く掻き合わせる。何度も揺り直し、足を掛けては綱を締め上げた車力引は手引棒の間へ我が身を入れ、厚い綿布の肩綱を右肩へ掛けると躰《からだ》を前に倒し、爪先《つまさき》で地を蹴るようにして弾みをつける。

車はまもなく水平に上り、ぎりり、ぎりり、と凍った土の上を二、三度軋んでから動き出した。

開け放したままの硝子戸の前に、灯を背に負うて言葉もなく立つ小夜子と勝に向い、喜和は、

「そんなら」

と、後の〝長い間おおきに〟は声に出さず、軽く頭を下げ、綾子は小さな声で、

「さようなら」

と口にした。

喜和も綾子も後を振返りはしなかった。

青く冷たい寒月の道を、喜和と綾子の全財産を積んだ車は、右に左に重くかしぎながらゆっくりと町なかを通り抜けてゆく。大戸を下ろした家々の、見覚えのある看板、軒燈《けんとう》の前を地上に黒い丸い影を引きながら車はときどき重そうに軋み、車力引の吐く白い息は後に蹤《つ》いて歩く喜和と綾子の前にまで流れて来る。

富田の家での長い長い三十三年がこれで消える、これで終ると喜和は考えながら、い

まま一足ずつ、一足ずつ、綾子と共に遠ざかって行くのであった。

五

その夜、車は真直《まつす》ぐ鉄砲町に行き、喜和と綾子の荷物は取敢《とりあ》えず店の古道具の脇《わき》に下ろされたが、夜が明けてみると喜和はこの家がたとえ短い滞在にせよ、もう居場所には出来ない事を一目で悟った。

六年前の喜和の大病以来、この鉄砲町との往来がぐっと減っている間に兄楠喜《くすき》は見るからにしょぼくれて老いており、手近にあるものを羽織り羽織りして寒さを凌《しの》ぐ物臭《ものぐさ》の為か、その装《なり》と来たら下からめりやすの股引《ばっち》、小倉のずぼん、膝《ひざ》の抜けた袷《あわせ》、綻《ほころ》びた袢纏《はんてん》、綿のはみ出たそうた、と見事な段々に着て恥じる様子もなく、水洟《みずばな》を掌で啜《すす》り上げる手つきは誠に貧相で、この人に今凭《よ》り掛れば共倒れしそうに心細かった。母の梅は喜和の話の心痛のせいかこの寒に入ってから老衰の為もう起き上れなくなっていて、ときどきは呆《ぼ》けた事を口にする。相変らず座敷中をゆらゆら歩く不具の甥《おい》たちも数えればこれも三十過ぎで、その世話だけで嫂《あによめ》はもう疲れ切っている様子であった。

楠喜も家の事情をことごとしく説明せず、翌《あく》る日綾子が学校へ出掛けてから気弱な声で、

「喜和よ。お前等二人は構わにゃあ、家の物置で寝起きするか」

といい、袖口《そでぐち》の切れたシャツの腕を組んだまま、ついそこの角を曲った北新町へ喜和を案内するのであった。

楠喜の商いも世につれて変り、店には道具置物類は影を潜め、その代り古蓄音機古レコードがもう色褪せた「寿々木米若・佐渡情話」「京山幸枝・会津の小鉄」のポスターなどと共に置かれてある。かたわら以前にはなかった、銭目が低くて扱いやすい襤褸《ぼろ》やら古新聞やらも売買しているのであった。物置とは、買取った古物の整理がつかないまま、片端から放《ほう》り込む為に以前から借りてある借家の事で、喜和は予《かね》て聞いてはいたけれどいざその家の前に立ってみると、これはまあ、と思った。入口の雨戸は破れ放題、軒が傾いているせいで一旦《いったん》開けた雨戸はなかなか閉らず、しかも間口いっぱい天井まで大小の襤褸の束、古雑誌を荒縄《あらなわ》で十字に絡《から》げた荷が奥の見通しも利《き》かないまでにぎっしりと固く詰まっている。楠喜は喜和の顔を見ぬよう気の毒そうに、

「中へ入って好きなように片付けて使いやのう。世帯《しょたい》に足らんものがありゃあ、さいさいうちへ取りに来たらええきに」

といい置くなり、逃げるようにして店へ帰って行った。

簾《すだれ》同様の雨戸をこじ開け一足敷居を跨《また》ぐと、山積みされた襤褸の荷からは異様な臭気が立っていて、それだけでもうたじろぐ思いになり、身を振った拍子に山の一角が崩れ

て濛々《もうもう》たる埃《ほこり》が立ったとき、喜和は思わず袖口で鼻を押さえ引返そうとした。が、すぐまた、今更引返す家が何処《どこ》にあろうか、と思い直せば、この恐しいような襤褸の山を突き崩して前へ進むしかないのであった。しかし長年放置されてある襤褸束は、古家の澱《よど》んだ湿気を吸っていて案外に重く汚なく、喜和はあっちを掻き分けこっちを掻き分けしていては息が詰まりそうになり、幾度か往来に飛び出しては深い息を吸い込む。それでも臭気と埃の中でやっと通路らしい隙間が出来ると、思い掛けず明るい光が向うから射《さ》して来て、伸び上って見ると奥に便所らしい屋根が見え、光はその前の土間の破れた屋根から斜めに照らしているようであった。

便所があるなら人の居間もある筈《はず》、となお通路を空け進めてゆくと、古雑誌の下辺りにどうやら三畳ばかりの座があるらしく、敷居と柱らしい手触りが襤褸の奥から確かめられて来る。それに力を得て、喜和はどれだけの時間、襤褸束と格闘していたであろうか。古雑誌の束を片端から土間へ投げ出し放り出ししてやっと目の前に畳らしいものを見た途端、不意にやって来た激しい眩暈《めまい》のあと気の遠くなるような虚脱感に襲われ、喜和は思わずその場にへたへたと突き坐った。

離縁話が始まって以来今日まで、喜和は知らないうちに自分以外の人の前では気を張り詰めていたのであろうか。蔭《かげ》では冷たい涙を流しながらも表では人と応対が出来ていたのは、あれは真実、もうこの年で男に捨てられた身のみじめさをいわれたくないという肩の怒《いか》らせようも手伝っていたものと見える。宮本と健太郎にこそ憾《うら》みは述べたけれど、それ以外の、小夜子や楠喜などの前では覚悟して長舌は慎しんだつもりであった。いま、その怒り肩をふっと落してみればこの窖《あなぐら》のような穢《きたな》い空家に、躰も一人前でない初老の女が誰からも見捨てられて一人ひっそりと蹲《うずくま》っているのであった。女の廻りにはもう昨日までの女房という厚い座もなく、暑さ寒さを除《よ》けた家の庇《ひさし》もなく、まして姐《ねえ》さん姐さんと立てられた内外からの賑《にぎ》わしさは潮のように引いて無くなり、あるのは真暗《まっくら》闇《やみ》に吹き荒れている激しい風の姿ばかりと思える。その中に立ってもう家累《かるい》を持たぬ女はあっちの風に嬲《なぶ》られこっちの風に苛《さいな》まれ、遂《つい》には身心共に一滴の余瀝《よれき》もなく木乃伊《みいら》のように乾き上り、そのまま野垂れ死にする運命のように思える。喜和は遠い昔、スペイン風邪に命を奪われた緑町裏長屋のお巻さんの最後の姿を目に泛《うか》べているのであった。いくら待っても何の幸せも訪れぬ死の床にいて、お巻さんの心の内は案外と安らかだったのではあるまいか。喜和も胸の火餤《かえん》収まれば、あの龍太郎を連れ去った死というものが思い掛けず目の前にいて、喜和を優しく手招いているように思われた。襤褸束と格闘して僅かな居場所を作る無意味さを思えば躰中もう何をする意志も力も無くなっており、それは痩《や》せさらばえて最後の水を飲む事も叶《かな》わなかったという、お巻さんの境涯《きょうがい》にひどく似ているように思えるのであった。

喜和はほんとうに、此処《ここ》でこのまま襤褸束に埋もれて息絶えてもよい、と思った。富田での長い年月、ただ人の為にだけ働いて来たような女が、突然その人垣を取払われて見れば為《す》る事とて何ひとつない、虚《むな》しい残りの生があるばかりであった。喜和の生はこの先どれだけ続くかは知らないが、孤独に充《み》ちたその時間を持て余し、恐らくのたうちながら生きてゆくほかはないように思われる。その苦しみを喜和に与えておいて岩伍《いわご》自身は酣楽《かんらく》の暮し、という矛盾を思いながら、喜和は空《うつ》ろな目を呆んやりと宙に放ち、身じろぎもせず長い長い時間じっとそうしているのであった。

夕方、綾子が学校から戻って来たときも喜和はまだそのままの姿勢でいて、鬱々《うつうつ》と眠ったり目を開けたりしている中で現《うつつ》に綾子の呼び声を聞いた。楠喜に此の場所を聞いてやって来た綾子は往来から大声を挙げて「お母さん、お母さん」と呼び続けている。喜和はもの倦《う》い目を上げ、ゆっくりと首を廻して戸口を見ると、さっきまで喜和が必死で搔き分けて作った狭い通路は、何時《いつ》の間にかまた両側から襤褸束が雪崩《なだ》れ落ちて来て元のように埋まり、綾子の声はその山の向うからくぐもった響きで聞えて来るのであった。

喜和はその声を耳にしながら、綾子に応えてやるだけの力がもう自分には無いように思えた。自分でも生きているのか死んでいるのか判《わか》らない場所にいて唇《くちびる》も躰も空気の抜けたゴム風船のように萎《しお》れ、自分の意志通りにはならなかった。

綾子はなお高い声で呼び続けていたが、答えがないと判ると自分から襤褸の山を鞄《かばん》の腹で叩《たた》き、突き崩し、その上に飛び上り這《は》い上り、跨ぎ越え、

「凄《すご》い！　臭い！」

を連発しながら、とうとう喜和の前に現れた。

「お母さん、どうした、お母さん」

綾子に強く肩を揺すぶられると、喜和はカラカラに乾いていた目の底に涕《なみだ》がじっとり湧《わ》いて来て人心地が戻り、やっと背を擡《もた》げた。

「凄いねえ、お母さん、ここ」

「ああ」

喜和は綾子を見上げ、不満を親に告げ口するような子供の調子で、

「ここには電気も無いよ。水道もない。御飯を炊《た》く竈《かまど》もないし、何にもない。寝る所やって、そら」

喜和は古雑誌を片付けた三畳の座敷を顎《あご》で指してみせたが、その三枚の畳は湿気でべとべとに膨れ上り、青黴《あおかび》が一面に這っていて一足踏込めばずぶずぶとのめり込みそうであった。

綾子はそれらを見廻《みまわ》していたが、ふと目を輝かして傍《そば》の古雑誌の縄を解き、その中の一冊を拾い上げて掌で埃をはたくと、

「お母さん、この家はええよ。一寸臭いけんど、うち好きや。ほらこんなに一杯本があ

るもの」

綾子は気にも止めない様子で、早速光線の射す土間へ襤褸束を持ち出して即席の腰掛けを作り、取出した雑誌をもう読み始める。

その綾子の屈託のない様子を見ていると、喜和は先程からの無力感が次第に影を潜め、替って生きる望みが少しずつ躰中を充たして来るのを覚えた。海岸通りの家で、岩伍が戻らない日々綾子だけが支えであったように、この子が居る限り少くとも孤独ではないし、ここで自分が間違った了簡《りようけん》でも起せばこの子がどれだけ傷つくか知れぬ。明日の日がどう明けようと綾子と二人今日を過してゆかねばならぬと思うと喜和は漸《ようや》く気を取直し、晩飯の支度のために兄の家まで水を貰《もら》いに出掛けるのであった。

気の持ちよう、というのは不思議なもので、ここではとても堪《こら》えられぬと思っても、綾子の「面白い、面白い」に励まされると、土下座させられていたような気分も徐《おもむ》ろに引起される。

喜和が萎《な》えそうになると綾子はすぐ明るい声で「お母さん」と呼び掛け、遠い昔、ゴム毬《まり》をつきながら喜和の教えてくれた数え唄《うた》の口真似《くちまね》をして、「いちれつ談判《らんぱん》破裂して、日露のせんそとなりにけり、さっさと逃げるはロシヤの兵、死んでも尽すは日本の兵、五万人を引きつれて、六人残して皆殺し、七月十日のたたかいに、ハルピンまでも攻め破り、クロパタキンの首を取り、東郷大将万々歳、十二の果てまで万々歳」と声高らかに歌う。喜和はそれを聞いていると何時のまにか江の口川の土堤《どて》で大声でそれを歌った子供の昔に還《かえ》り、気力も湧いて、人にはいえぬこういう暮しへの好奇心めいたものもちょっぴり生れて来る。飯は庭に出した七輪に小さな行平鍋《ゆきひらなべ》で一回一回炊き、夜は蠟燭《ろうそく》一本の灯《あか》りだけが頼りで、雨戸の破れから吹き込む寒風には襖《ふすま》、障子の代りに襤褸の山を積み上げて垣《かき》にする。綾子は庭に蹲って取る食事をままごとや、といって燥《はしや》ぎ、蠟燭の傍に宿題をひろげ、襤褸の山を搔《か》き分けて元気に出入りし、生れて初めて覗《のぞ》いた近所の銭湯を大そう珍しがっては長い時間遊んで来る。

喜和は、こうやって不自由を忍んだ暮しをしていると、いつも目近く緑町《みどりちょう》裏長屋の情景が付いて廻るのであった。あの人達は食うや食わずの暮しの中に己の安住を見つけ、あくせくせずにその日を過していたと思えば、この電気も水もない暮しはまだ命に関《かか》わってはおらぬ安堵《あんど》がある。

昔、長屋のイービーの先生が奢《おご》りを戒めて盈満《えいまん》の咎《とが》とよくいっていたけれど、喜和は自分だけを顧みれば長いあいだのものの満ち足りていた暮しへのこれが償いなのかも知れぬ、とそれなりの了簡も固めねばならぬと思えて来る。家を出された悲しみは一生消しようもないけれど、それについては息子の健太郎が控えていて、喜和の一生食い扶持《ぶち》は保証されている。世間には裸の裸足《はだし》で離縁の憂き目に遇《う》う不運な人もある事を思えば今の境遇の中からほんの一握りでも幸せを見つけねばならぬと素直な気持も生れて来るのであった。孤独と思えば口惜しいが、ここはこれから先、何をしてもよい、と考えれば気は幾分伸びやかになる。長いあいだ、岩伍の後に蹤いてしか歩けなかった人間が、ふいと風除けの躰を躱《かわ》されてみれば、目の前には広い広い世間というものが展《ひら》けていると思わねばならぬ、と漸く肚構《はらがま》えしつつあった。

喜和はこの空家から毎日綾子を学校へ送り出し、昼間は気晴しに鉄砲町の家へ出て梅の世話などしているうち、いつかこれから先の生きて行く手立てを考えるよう気持も固まりつつあった。

仲立ちの宮本は、喜和が家を出た直後二回ほど訪ねて来て、「金はこれこれ渡そう、これから先の相談にも乗ろう」といってくれたが喜和はまだその頃《ころ》は涙に暮れていてそれどころではなく、口を衝《つ》いて出る言葉は、女と新しい一家を構えている岩伍への生々しい怨《うら》みでしかないのであった。その際、喜和はいつも、自分の事はいうまい、自分の事はいうまいが血を分けた我が子をこれほど苦労させ、血の繋《つな》がらぬ他人の子に父親と呼ばせる岩伍の、理屈に合わないやり方をつい口に載せたくなるけれど、それだけはいってはならぬ、と最後のところで踏み怺《こら》える。それをいえば、綾子を囮《おとり》にして復縁を狙《ねら》うか或《あるい》は綾子を岩伍の許《もと》へ戻したい肚と誤解される怖《おそ》れもあり、忽《たちま》ち又修羅《しゅら》の場となって綾子の連れ戻しが始まる気配があった。仲立ちの宮本でも話の後では必ず、

「綾ちゃんは姐さんの足手纏《あしでまと》いよねえ。孰《いず》れは何とかせんと姐さんも困ろう」

と徐々に攻めている事でも判るのであった。

喜和は綾子を連れたこれから先を考えるとき、橋がなければ渡られぬと思い、その橋には素人《しろうと》家で一生ひっそりと一人住居《ずまい》の捨て扶持に泣く暮しよりも、少しでも何か心に張りを持つ暮しでいたいように思った。少々騒がしくはあっても、思い返せば緑町十七年の忙しさに立向っていた頃の自分が喜和には一番性分に合っていたように思える。そうなると、小商売でもして気を紛らすのも身を救う方法かと思われ、商いをするとすれば、小間物屋では目が利《き》かず荒物屋は男手がなくては心細く、下駄屋は緒をすげる手が無器用で炭屋のような力仕事は勤まらず、と考えれば味に難《やかま》しい岩伍の為《ため》に心を砕いてあれこれ料理した腕に今では自信めいたものがついており、それから考え進めてゆけば素人の商売ではその日限りで勝負のつく食べ物屋が一番やり易《やす》そうに考えられる。綾子と二人の今の小人数の日々でも、飯の菜を細々と考えるとき心は常に落着くのであった。

喜和はそれを楠喜《くすき》に話した上で宮本に伝えたところ、宮本も膝《ひざ》を叩いて賛成してくれ、早速に手を廻し市中に手頃の売り店を捜し始めた。そうなると喜和も物置の空家に手を束《つか》ねて怨みを反芻《はんすう》する時間は少くなり、自分でも売り店を捜しに出掛けたり、綾子の戻りを待ち兼ねては「湖月」「徳右衛門《とくえもん》」「十一屋」「一心」「やぶ」など味自慢の盛り場の店へ試しに出掛けるのであった。

食べ物屋と聞いて綾子は喜び、父親に似て舌の面倒な綾子の味見を恃《たの》みに、母子はい

ろいろな料理を注文しては、

「この店のうどんの汁は一寸甘口《ちよつと》」

やら、

「この親子丼《どんぶり》は海苔《のり》を散らしたらええ」

やら、頭をくっつけ合ってひそひそと囁《ささや》きながら品定めする。

軈《やが》てまもなく宮本が見つけて来てくれた店は、現在よく繁昌《はんじよう》してはいるものの主人夫婦に事情が出来て上方《かみがた》へ移る事になり、女子仕《おなごし》三人をつけて居抜きで譲りたいという。客もよく付いていて、料理場の万端はもう年寄りの女子仕が全部取仕切ってくれる故《ゆえ》、主《あるじ》は帳場に坐《すわ》っていればよいという、素人には願ったり叶《かな》ったりの話であった。しかも場所は、県立一中の斜め前、中之橋通りにあり、客の少ないといわれる季節でも一中への出前は年中絶える事がないという保証つきであった。一中は昔健太郎が通った学校であり、月日は廻《めぐ》っていまその学校を得意客に持つ食堂の商売に就こうとして喜和は廻り合せの不思議さを思うのであった。

一日、店を見に出掛けるとそれは角地にあってとても位置が良く、思ったよりも店構えは大きかった。創業五十年、というだけ染め抜きの紺暖簾《のれん》はもうすっかり古びて、店の中の十基のテーブルと腰掛もそれなりに時代もついている。喜和は一目見るなりこの店の地味でいて落着いた様がすっかり気に入ってしまい、自分から進んで宮本に承諾の返事をしたのであった。

襤褸束《ぼろたば》の空家からこの、家号〝八幡家《やはたや》〟へ移って来たのは暮の二十日で、それからは喜和はもう惹き込まれるように何も彼《か》も夢中であった。喜和が一番心配したのはうどんのだしの取りかたであったが、この八幡家に創業以来伝わった方法があり、削った鰹節《かつおぶし》と昆布《こんぶ》を分量に配し女子仕のおけいさんがちゃんと煮出して拵《こしら》えてくれる。しかし喜和はそれにもじき馴《な》れ、長三角に縫った大きな白木綿の袋へ鰹節を詰めて一人でやれるようになった。うどんの大釜《おおがま》の燃料は安くて長保《ながも》ちする鋸屑《おがくず》を使い、勝手口の入口には鋸屑の山を囲う為の簡単な廂《ひさし》が取付けてある。鋸屑は昔常盤《ときわ》町の頃の氷会社の脇《わき》にいつも沢山こぼれていたのを思い出し、今はそれを買って燃料にする毎日となった。

朝、目が醒《さ》めると飯に向う暇もなくうどんのだし取りから薬味の用意、丼物の洋食の夕ネ合せから飯炊き、煮物、その間には御用聞きやら配達やらとの応対もあり、朝のうちすべての手筈《てはず》を調えておかない事には早昼のためにやって来る客をみすみす断わらねばならなくなる。早昼から八つ下りまでがこの店の一番忙しい時で、それが一段落ついたあと喜和と女子仕三人は替り合って長火鉢《ながひばち》の前で遅い昼飯を食べる。夕飯刻からまた映画館のハネたあとまで引続き休む暇もないのであった。

おかしなもので、こんなに忙しい生活が始まってからというもの、喜和のあの執拗《しつこ》い眩暈《めまい》は忘れたように遠退《とおの》いてしまっている。客が立て込んで騒々しいときにも逆上《のぼせ》は来ず、殆《ほとん》ど一日下に水の流れる料理場に木履《ぼくり》を穿《は》いて立っているのにさして冷え込みもしないのは余程気の張っているせいなのであろう。しかし長患《ながわずら》いも気分によって本当に病み捨てた気配で、青づいて死人のようだった頬《ほお》には仄《ほの》かに赤味が差し、肥《ふと》り肉《じし》でも病的な水肥えだった躰《からだ》にはしっかりと実が入って着物の衿元《えりもと》もふっくらと合わさるようになっている。

喜和は、調理用の大きな俎《まないた》に向って葱《ねぎ》など刻んでいるとき、ふと、岩伍の晩飯のたたきの為にそれをしているような錯覚に浸っている事があった。今にもちょちょらの米《よね》が炭俵を燃して作った金串《かなぐし》の上の鰹の切身を捧《ささ》げて現われ、

「姐さん、さあ出来た、出来た。葱と大蒜《にんにく》、酢《す》醤油《じょうゆ》はどこ？」

と賑やかに喚《わめ》き立てている声まで聞えるような気もする。しかしそれ以上、昔を懐《なつか》しんで気を滅入《めい》らせる暇はなく、代っておけいさんの、

「女将《おかみ》さん、木《こ》の葉《は》丼《どん》一丁、親子丼二丁」

の威勢のいい声が背中へ絶間なく浴びせられる。

こちらへ移るとき、宮本は、

「お喜和さん、この店では新米のあんたが古狸《ふるだぬき》のおけいさん等を使うのがなかなかの骨じゃよ。儂《わし》は商売よりもその方がもっと苦労じゃと見ておるがねえ」

といったが、緑町海岸通りを通じ何時とても家族以外の他人を多く使って来た身では、

たった三人の、それも通いの女子仕などさして難しいものとは思われなかった。

考えてみれば、長い間、岩伍から渡されるたっぷりの金を好きなように使い、富田の本妻としての面目を保って来た身が、日々五銭拾銭の金の出し入れをしながら商いする事の変りように自分ながら驚かぬでもなかったけれど、いまはこれが生きてゆく手立てだと思えば商いへの腰も据《す》わり、面白味も湧いて来る。それに、喜和は、もう目の前で女の躰の売り買いを見なくなったのも一つの安堵でもあった。店の客の往来を見ていると、八幡家のうどんが贔屓《ひいき》だという古い馴染みのほか、如何《いか》にも物堅そうな家の人のたまさかに天丼を奢《おご》る姿や、物売りに町に来た人の弁当を使う姿に混って、胸を拡《ひろ》げて子に乳を飲ませている若い母親の姿もあり、喜和はそういう人達に陳列棚《だな》の菜の皿や関東煮《だき》の串を取って勧めながら、心から寛《くつろ》いだ感じであった。これですっかり素人の世界に戻ったといえば思い上りになるけれど、玄人《くろうと》社会の小粋《こいき》さとは前を張る一方である事を考えれば、野暮といわれてもこういう裏のない商売の方が喜和にはずっと息がし易く思われる。昔に較《くら》べて今が幸せとまでの気分にはまだ到底立ち到らないけれど、「日が薬、年が薬」という大貞《だいさだ》の言葉は今も胸に生き少くともこれなら堪えられそうであった。

八幡家の二畳の帳場は昼でも電燈を点《つ》けなければならぬ暗さだが、二階はうどんを温める大釜の脇の狭い階段を登ったところに、明るい六畳が二間あった。二階を使う商売ではないから、二間あれば母子二人には充分で、一間には道具類、一間には綾子の勉強の為のものを並べ、母子は一つ蒲団《ふとん》にくるまって寝ている。

喜和はこの商売に就いてからというもの、もうゆっくり綾子の相手をする暇はなくなっており、気に掛かりながらも慌《あわただ》しく日が過ぎてゆくのであった。店は十一時過ぎに火を落すが、そのあと近所の風呂屋《ふろや》へ行くと帳付けするのがようやっとという有様で、もうぐっすり眠り込んでいる綾子の脇に倒れるようにもぐり込むとすぐ深い眠りに陥ちてしまう。

朝、綾子は目覚しで起きると一人下に降りて大釜の残り湯で顔を洗い、ガスで茶を沸かして喜和が前夜用意した長火鉢の脇の食事をして学校へ行く。帰りは補習授業で陽《ひ》は暮れ、電車の停留所から家まで灯《ひ》の明るい町なかを通り抜け、鋸屑の山を廻って裏口から戻って来る。綾子が戻る時間、店はいつも夕飯の客で立て込んでいて、喜和はものをいう暇もない忙しさの中から店の品の一つ二つを見繕って長火鉢の上に載せると、綾子も追われるようにそれを掻き込んでは早々に二階へ上って行くのであった。

喜和は、岩伍《いわご》との離縁話が始まった頃からもうずっと学校へは行っておらず、いろいろな様子はこの頃さっぱり判《わか》らないけれど、県立第一高女の入試は徐々に近づき、受験生全体最後の追込みに掛かっている事だけは察しがつく。綾子も何となく苛立《いらだ》っているふうで、ときには喜和が店仕舞いして二階へ上って行ってもまだ机に向っている折もあった。そんなとき、喜和はここが盛り場である事を今更のように思い、窓硝子《ガラス》に反射しているネオンの点滅や、酔払いの放歌や、乗物のけたたましい警笛に眉《まゆ》を顰《ひそ》めてみるのだけれど、それにも増して階下の客の混雑が一番この子の勉強の邪魔をしているのであった。

喜和は、家の揉《も》め事が始まってからとくに綾子を心の内で高く祀《まつ》り上げ、夜な夜な紙袋貼《は》りを手伝わせても、父親と争って家を出ても、檻褸の山に埋もれて不自由な暮しをしても、秘《ひそ》かに済まぬと思うかたわら、綾子の事じゃもの、成績が落ちる筈はない、と信じ込んでいるふしがあった。この店に移って来たときも、壁に貼ってある物代《ものしろ》の短冊《たんざく》を見て、

「うちが書き直してあげよか」

と絵具で叮嚀《ていねい》に新しく書いてくれたが、

「こんな事しよっても、勉強の邪魔にはなりゃあせんかねえ」

といいながらも矢張り凭《よ》り掛かり、ときには帳付けまで目を通して貰う事もあった。今では、綾子の「うちがお母さんを庇《かば》わんならん」は喜和にとっても「庇われたい」甘えになっていて、綾子にその負担が掛かるのはつい見落し勝ちとなっている。綾子の口から、喜和も顔見知りの親しい友達の誰彼は家庭教師までつけて日夜勉強に励んでいる話を聞けば胸は痛むけれど、綾子はそこまでしなくても立派に県立高女も受かるだけの力がある、と疑いもしないのであった。

商売は元日さえ休まず、一月にはまた温い食べ物のよく出る忙しい季節だったが、その月の半ばになって、喜和は綾子の口を通じて受持の井村先生から呼出しを受けた。井村先生は綾子四年のときからの持ち上りで、以前、喜和は魚屋の三郎から手戯《てが》われた件がきっかけとなって家の事情はすべて先生にお話し申上げてある。そのせいかどうかは知らないけれど、先生は一級六十二人もの中でいつも綾子には特別に目を掛けて下さっているように思われ、喜和にとっても満更の他人とは思えない方であった。

学校からの呼出しを、喜和はきっと近づいた受験についてのお話であろうと思った。綾子によれば入試は今年度から筆記試験が廃止となり、口頭試問の算術読方常識の三課目に絞られるという。綾子たちの年廻《としまわ》りの子は何時《いつ》も何かの変り目に差し掛かっていて、一年入学のときも読方は昔の「ハナハトマメ」から「サイタサイタ」の色付き読本となり、今また珍しい口頭試問になるという事を聞き、以前の喜和なら判らぬながらも綾子の受売りで人と話も出来たのに、この商売ではそういう暇も気分のゆとりもない悲しさをまた井村先生に聞いて頂こうと思うのであった。

先生は、八つ下りから夕飯刻までの店の空きな時間を見て駈《か》けつけて来た喜和を劬《いたわ》って、応接室でなく南校舎二階の裁縫室へ座蒲団を敷いて下さった。お話というのは、この三学期が始まって以来、二度ほど岩伍が自身出向いて来て去年秋以来の家の事情を率直に話し、井村先生の口から綾子が朝倉町の家に戻るよう説得して欲しいという事であった。喜和は膝《ひざ》に手を重ねてじっと聞きながら、これは富田の家を出るときから予《あらかじ》め覚悟していた事とて今更愕《おどろ》きはしないけれど、そのあと続いて先生の仰《おつしや》られた言葉は胸に徹《とお》って辛《つら》いものであった。

過日、内申書を書くための下調査として家庭環境調査のカードを作り、それを受験生一同に渡して、先生は「お家の方に出来るだけ詳しく書いて貰《もら》いなさい」といっておいたところ、綾子が提出したカードには自分の手で鉛筆書きで、保護者の欄に「小笠原《おがさわら》喜和」と書き職業は「食堂」と書いてあった。井村先生は胸を衝《つ》かれ、綾子を呼んで聞いてみると、

「うちの保護者はお母さんですから、本当の事を書きました」

と胸を張って答えたという。

その上綾子は去年の夏頃から急速に成績が落ちはじめ、宿題のプリントは殆ど白紙のまま、とくに積み上げの必要な算術について力が無く、このままでゆけば県立第一高女の水準には届かなくなる恐れがあるという。家の事情をよく御存知の井村先生は喜和の顔を見ないよう遠慮深そうに、

「富田さんは実力のある人ですからね。落着いた環境でじっくり勉強すればこの遅れはすぐ取戻すと思いますが……」

と望みは繋いで下さり、また、自分の身分で差出口は控えたいが、と前置きしながら

も、第一高女は家庭環境を難しくいう学校故《ゆえ》、保護者が女親でしかも姓の異なる上、盛り場の飲食店とあればそれだけでもう問題になる、と仰るのであった。喜和は問うだけ野暮とは判っていながらもなお未練がましく、

「そんなら先生、何で御座いましょうか。綾子は朝倉町へ帰さんと県立へは受からんというがで御座いますろうか」

と繰返し取縋《とりすが》ると先生も繰返し、

「この場合は矢張り、富田さん自身の幸せを考えてあげるのが一番いいように思います」

という返事なのであった。

綾子自身の幸せ、という言葉の前に喜和はいい返す術《すべ》はなく、打ちのめされ項垂《うなだ》れてしおしおと先生の前を引退《ひきさが》るしかなかった。いまの先生のお話の中で喜和が一番こたえたのは綾子の成績が著しく落ちているという点で、それは喜和の、綾子に対して長い間持ち続けていた心恃みを打砕くのに充分なものであった。一年から六年まで、いつも学年初め真先に級長を貰い、級友に人望もあり、学校の催しものには必ず花形で、と信じ切っていた綾子が、いまは県立第一への入学も危ぶまれるという。してみると、抜刀してまで父親を殺そうとした心の衝撃や、袋貼りの手伝い、父母の争い、環境の変化はこの子に矢張り大きな傷を与え、勉強に打込む事が出来なかったかも知れぬ、と今頃にな

子を学業一途《いちず》に励ますについては既に健太郎で失敗《しくじ》っているのに、いままた、綾子がここで挫《くじ》けてしまったらどういう事になる、と喜和は思った。綾子を自分が引連れ、誇らかに暮していられるのもこの子が学校でもよく出来る故であって、それがみるみる零落《おちぶ》れてゆくとすれば、喜和の身で世間に対して言訳が立たぬと思えて来るのであった。考えてみればこの落胆は、喜和よりも当の綾子のほうがもっとひどいのではあるまいか、とも察せられる。勝気で情の深い子故、成績が落ちたなどとは口が裂けても喜和に打明けはすまいけれど、一年のときから見下していた級友の誰彼に席順を追抜かれ、先生の仰ったように、ときには三十点、五十点の試験の点を貰った折のこの子の無念さは喜和には容易に想像出来る。

それでいて家に帰れば、

「宿題があるきに、そういう用事は後廻し」

などとは決していえず、喜和を助けて何でも力を藉《か》してくれるのであった。

綾子はきっと、「母親を庇わんならん」思いの余り、例の家庭環境調査カードも一人で考えながら書いたものであろう。友達が笑いさざめきながら学のある父親にペン字で立派に認《したた》めて貰って提出するかたわらで、鉛筆書きの、保護者とは姓の違うカードを掌で掩《おお》いながら差出す綾子の姿が目に泛《うか》んで来る。

先生のいう「綾子自身の幸せ」を突き詰めて考えるなら、ここは覚悟を定《き》めて綾子に因果を含め、父親の許《もと》へ帰すべきであろうか。しかし喜和は、岩伍の家も、決して先生のいういい環境だとは思えなかった。喜和のようにいつまでも紹介業に拘泥《こだわ》るのは世馴れぬ子供のいい草かも知れないけれど、かつて健太郎の一中へ呼ばれたとき、先生も明らかに蔑《さげす》みを込めた口つきで、「お宅の職業柄《がら》」と繰返しいわれた憶《おぼ》えもある。岩伍はそこを衝くと必ず怒りを噴き上げるが、学校の先生方は喜和と同じく、女の身売りに従事する商売を、褒《ほ》めた話ではないとお考えなのだと判る。それからいえば喜和の〝八幡家〟は天地に愧《は》じる事なく顔を上げて出来る商売の筈であった。喜和は店に酒も出さず白粉《おしろい》の女も置かずまことに素っ気ない商売のつもりだけれど、第一高女の校風からいえば、盛り場の飲食店の姓の異なる母親との同居は、女を扱う紹介業よりももっと下だと見做《みな》されるのであろうか。

それにもう一ついえば、お照と二人の連れ子のいる朝倉町のあの家が、綾子にとって果して住み易い家なのかと喜和には疑えるのであった。長い間手を掛けて育て、冬、水で顔を洗わせた事もなく、手ずから魚の小骨を取らせた事もなく、自分で髪を洗わせた事もなく、脱いだ衣服を一人で畳んだ事もなく、まして炊事洗濯《せんたく》何ひとつ知らない綾子が、父親以外他人ばかりのあの家で果して落着いて勉強出来るものであろうか。健太郎に聞けば女中は一人だけ居るものの、家事廻し一切はお照がやっている由《よし》だけれど、その女中をどれだけ綾子の為に使い廻せるか、考えれば不安なものであった。

喜和はしかし、こんな自分の心配のし過ぎがいまの綾子を仕立て上げた、といいたいような先生の素振りも判ってはいた。女の子なのに雑事は爪《つめ》の垢《あか》ほどもさせず、自惚《うぬぼれ》と高慢ばかりを培《つちか》った結果が父親に刀を振上げる子に育っている、責任は喜和にある、と言外に匂《にお》わせるのへ喜和は喜和なりに言訳もしたく反論もいいたいけれど、それが岩伍ではなく井村先生であるところに、何やら相手のいい分が正しいような退《ひ》け目があった。先生はきっと、綾子を普通の家庭の、正常な子に戻しなさいと暗に喜和に勧めたものであろうか。

喜和は、此処《ここ》で綾子を手離せば一生の別れになる事を思うのであった。綾子の躾《しつけ》をしなおす、といっている岩伍が、喜和に綾子を今後は触らせる筈もあるまいし、往《ゆ》き来さえ許す筈もない事は察しがつく。喜和は今、自分のこの暮しから綾子を取上げられたらどうなる、と思えば目の前が真暗になる思いであった。この商売で金を拵《こしら》えようとか商売を太めようとかいう卑《いや》しい根性は持っていないが、今のように順調ならば岩伍の援助がなくても綾子を家庭環境をうるさくいわぬ私立の女学校に通わせ、人並に娘らしく着せる事ぐらいは何とか出来る見通しもある。綾子と二人、綾子と二人、と思うは心の暖まる幸せだけれど、長い目で見ての綾子の為をいうならば、私立の女学校出のうどん屋の娘というのは酷《むご》くもあり、綾子が第一その恥には堪えられまいと思うのであった。

喜和は一晩、店仕舞いのあとまだ机に向っている綾子の傍《そば》に坐《すわ》り、

「此処においてはお前さんが第一高女へは取れん、と井村先生も仰りよる。お父さんも朝倉町へ戻ってから試験を受けるよう、先生にお願いに行たらしいが……どう？　綾子、あっち へ去《い》ぬるかね？」

綾子は驚いた目をして喜和を瞠《みつ》め、一度も別れを口にした事もなかった母親の折れようをじっと眺《なが》めていたが、

「うちは此処に居るよ、お母さん。入学試験のときだけ二、三日、向うへ去《い》んでもええけんど」

と固い覚悟の様子であった。

喜和は、この子は自分の事よりも母親への劬わりのため或《あるい》は目標さえ枉《ま》げてしまうかも知れぬ、と思った。喜和が勧めたのでは遂《つい》に、

「うちは女学校へは行かいでもええ。お店の手伝いしてあげる」

などといわせる羽目になるかも知れぬと思うと喜和は背筋の寒くなる思いがし、この上は井村先生にすべてをお任せ申上げるしかない、と肚《はら》を決めるのであった。

喜和はまた店の空きを見ては明和小学校に赴き、今度はこちらからお願い申上げても う此の上は愈々《いよいよ》一人で生きてゆく臍《ほぞ》を固めねばならぬ事を考える。この十三年、伝馬《てんま》といわれた綾子を離れては何事も自分を考えられなかっただけに、その覚悟は定めるに辛

く、また難しいものであった。

綾子は井村先生と話し合っているのか連日遅い帰りが続いていたが、その顔色は思ったほど悪くは見えなかった。気に掛かりながら喜和も店にばかり手を取られ、暖簾《のれん》を仕舞って二階に上るともう綾子は眠っていて話し合う暇もなかったけれど、一日、折を見つけて綾子がいう事に、

「お母さん、うち二月一日の晩、朝倉町へ一度帰って来る。井村先生はあっちに二日こっちに三日、というふうにしておったら内申書も巧《うま》い事書いてくれると仰ったから」

と晴々しい声音であった。

喜和は立ちどころに、それが井村先生の方便であると思ったが、綾子はしっかりと信じていて何の不安も感じないらしかった。二月一日、といえばもうあと三日しかない、と胸算用する身の内はとうとう長い十三年間の最後に来た思いが駈け廻《めぐ》っている。喜和はその日から、店の暇を見つけては自分の箪笥《たんす》に一緒に蔵《しま》ってある綾子の晴着やら帯、草履の類《たぐい》を分けてトランクへ詰め始めた。綾子は見るなり、

「そんなもの、持って行かいでもええよ、お母さん。うちの荷物はおおかたこっちへ置いちょいて頂戴《ちょうだい》」

と止めようとしたけれど、再び戻る日もあるまい事を思えば喜和は何とかいくるめて一つ一つ荷を拵えてゆくのであった。

喜和はトランクの底にナフタリンを撒《ま》き、ジョーゼットの夏服、富士絹の合服、花飾りのついた夏冬の帽子、ガスの靴下《くつした》、新聞紙に包んだ革靴と入れたあと、ふと思い付いて薄桃色の真綿を紙に包んで隅《すみ》にそっと忍ばせた。冬、真綿を引伸ばして背に負うところほど温いものはなく、喜和は鉄砲町の母親譲りのこの防寒法を綾子にもずっと押付けて過して来たのを思い出す。学校に身体検査のあった日、綾子は泣きながら喜和に訴えて、〝こんなみっともないもの背中に止まらせていたのは、〝うち一人やった、うち一人やった〟と口惜《くや》しがったけれど、喜和は怯《ひる》まず、冬の朝の支度には綾子の背を追掛け廻すのであった。

真綿は果てしなく伸びやかでいてまことに繊細《かぼそ》く、弄《いじ》る人の手の荒れを極度に嫌《きら》う。綾子の成長に従って喜和の手の皹皸《ひびあかぎれ》もひどくなり、その丸い塊りを引伸ばそうとして指に引っ掛かり悩みあぐねる手付きは師走《しわす》の餅《もち》を捏《こ》ねるさまにそっくり、とよく皆に笑われたものであった。ほんの拇指《おやゆび》ほどの塊りでも、一方の端を握って綾子が拡《ひろ》げてゆけば座敷いっぱいの広さになり、その刷毛目《はけめ》の雲のような薄い膜を煽《あお》ってふざけた日も今は悲しく思い出される。喜和は自分がものを憶えて以来、これほどまでに辛い別れもまたと無かった、と思った。逆縁で今生の別れとなった龍太郎《りゅうたろう》のときも、酷さ悲しさは果てないように思えたけれど、今思えば別れの覚悟は長患《ながわずら》いのあいだに徐々に固められつつあり、それに相手が病人の故に、喜和の気持が少しも凭《よ》り掛かってはいなかった事の救いがあった。

岩伍《いわご》との別れは悲しいとばかりで片付かない複雑な思いがあって、喜和はいま以《もっ》てこの思いは不消化なまま胸に沈んでいる。綾子との場合は、双方生身でいてしかも綾子に気取《けど》られないよう自分だけ身を退くかたちとなるため、辛さは倍になって掛かって来る。血の繋《つな》がらない母娘とは悲しいものよ、ここで別れれば十三年の歳月もただ真水のように後も残さず流れてゆく、と思えば、喜和はときどき荷作りの手を止めて大声で泣き出したい衝動に取憑《とりつ》かれる。

二月一日のその日、喜和は保《も》ちこたえられなくなってとうとう八つ下りから商売を休んだ。商いは年中無休であってこそ客も付くという原則は充分心得ていて、元旦《がんたん》も戸を下ろさなかった喜和だったけれど、綾子のいうように、

「送らいでもええよ。ハイヤーへトランク載せてくれたら、うち一人で行けるから」

とは気軽に送り出せなかった。

綾子は普段と変らず、二言目には、

「明日はこっちへ戻る」

をいい続けているけれど、そのいい分が通らない事は目に見えている。強く当って挫けない綾子なら、井村先生の説得を通じて、入学試験を切札に岩伍は足止めをするに違いなかった。お照との同居について綾子は格別気にする風もなく、今までの鈴や勝に対

すると同じに見ているらしいふしも窺《うかが》える。喜和はしかし、贔屓目《ひいきめ》を差引いても綾子がお照に苛《いじ》められるような子とは決して考えられなかった。小さい頃《ころ》から大人達を呼び切りにして使い廻していた子なのだから、今更岩伍が威圧しても、お照に屈服して下に従うとはどうしても思えぬとそれだけは頼もしく信じている。

夕方学校から戻って来た綾子を連れて喜和は外へ出、湖月で天丼《てんどん》を奢《おご》ってから閉めた店へまた帰った。呼んであったハイヤーは八時かっきり店の前に止り、止った車の後を上げて道具類を積み込み、座席には通学鞄《かばん》を抱えた綾子と、ショールで顔を掩った喜和が乗込む。

月も星もなく霙《みぞれ》でも降り出しそうな暗い夜で、やがて動き出した車の中まで二月の寒さはしんしんと忍び込んで来るようであった。刃物のように冷たい夜の凩《こがらし》に軒のビラが吹き上げられている商店街を通り抜け、車はそろそろ大戸を下ろそうとしている電車通りの灯《あか》りの中を東へ向って速度を早める。綾子が窓枠《まどわく》に頤《あご》を乗せるようにして窓外の灯《ひ》を見ているのへ、喜和は何か明るい調子で話し掛けてやりたかったが、唇《くちびる》が硬《こわ》ばって動かず、無理に口を開こうとすれば升の縁すれすれほどに盛り上っている涙がどっと一時に噴き溢《こぼ》れそうに思えた。

夜寒の始まった季節、荷のすべてを車力に乗せて海岸通りを出たのはいまから三ヵ月前であり、今はまた、その荷を分けてもと来た方向へ引返している。考えてみれば儚《はか》なく慌《あわただ》しい流転《るてん》で、しかも母娘は今日限りで母娘ではなくなる筈《はず》であった。

喜和は外の景色を窺っていてから運転手に、

「あの四つ橋の南の橋の上で止めて頂戴」

と、低く沈んだ声でいった。

その橋の上に立てば確か岩伍の家の灯が望める筈であり、健太郎に書いて貰った地図を懐《ふところ》から取出さなくとも喜和ははっきりとよく憶えている。

街燈も人通りも全く無い、厚い闇《やみ》の畳み重なっている四つ橋の南の橋の上にすうーっと車が止まると、喜和は綾子に向って、

「お母さんは此処で下りるぞね。

風邪引かんよう、よう気を付けて」

綾子はさすがに悲しそうな顔で頷《うなず》き、閉めてある窓硝子《ガラス》を内側から下ろして、

「お母さんは今から何処《どこ》へ行く？」

と心配そうに訊《き》いた。冷たい不気味な闇の底に一人下り立つ母親の行方を確かめておきたいらしかった。喜和は一寸《ちよつと》考えてから窓に顔を寄せ、

「此の橋の上に立って、綾子の車を見送ってあげる。

それから鉄砲町へ行くつもり」

鉄砲町と聞いて安心したのか、綾子は深く頷いて硝子戸を引上げた。

喜和が立っている前を、車は一旦《いったん》後へ下ってから納屋堀《なやぼり》川に面した広いアスファルトの道を、南を指して音もなく滑ってゆく。

黒い水が満々と充《み》ちている納屋堀川の岸には枝ばかりになった栴檀《せんだん》の疎らな並木が続いていて、並木の間からは、もう眠りに入ろうとしている暗い家並が見えている中に一軒だけ煌々《こうこう》と明るい灯を硝子戸に映している家があり、その硝子戸のかたえには見覚えのある赤樫《あかがし》の看板が下っているのが、喜和の立っている橋の上からははっきりと見える。

あれが岩伍と新しい家族の住む家なのだと思うと、その蔭《かげ》に泣いている喜和の胸の内も知らぬげなあたたかさがぐい、と刺すように胸に来たが、その思いを踏み消すように綾子の車が滑って行って灯りの前で停車した。車の音を聞きつけたのか同時に硝子戸はいっぱいに開かれ、橙《だいだい》いろの灯が暗い路上に斜めに落ちる。家の中からは黒い人影が三、四人わらわらと群れて出、綾子の荷をてんでに家の中に運び入れる。灯に向う綾子は、ちらと暗い橋の方を振返ったかに見えたが、じき黒い人影に囲まれて家の中へ迎えられ、車が南へ通り抜けたあと、硝子戸は元のようにまたぴったりと閉じられた。

喜和はその硝子戸の閉まる音を、確かに耳に聞いたと思った。これだけ距《へだた》っているのに、敷居のレールの上を滑車の走る、重い冷たい響きを間違いなく捉《とら》え得たと思った。

あの音で綾子との長い十三年はもう遠く引離されたと思い、凭《よ》り掛かっていた橋桁《はしげた》からものうげに躰《からだ》を離そうとして喜和はふと、後の闇の中に遠い昔の巴吉太夫《ともきちだゆう》が、舞台姿のままじっと立ってこちらを瞠めているような気がした。喜和はその幻に向い、生れたばかりの綾子を手離す辛《つら》さより、十三年間手塩に掛けた綾子を手離す辛さがどれだけ深いか、涙混りにどっと掻《か》き口説こうとしたが、次の瞬間、幻は儚なく消え、橋の上にはもとの濃い闇があるばかりであった。納屋堀川から吹き上げる冷たい風に、ショールの裾《すそ》を嬲《なぶ》られながら喜和は闇の道をゆっくりと歩き出した。

解説

加賀乙彦

この小説の冒頭に、高知の町に夏の初めにやってくる楊梅《やまもも》売りのことが出てくる。町の雰囲気《ふんいき》がいっぺんに描出されるあざやかな場面である。「軒の詰んだ狭い往来」を主人公の喜和という女性が見下ろしているが、そこには一日中もの売りの声が流れている。高知の下町のしきたりを守る感情と初夏の季節感と女性のこまやかな感性とが、物売りの声で読者にじかに納得される。こういうさりげないが、無駄《むだ》のない書き出しが読者を小説の世界に一気に引き込んでしまう。私のように東京生れの人間にはこういう地方色ゆたかな風物の描写が珍しく、引きつけられてしまう。土佐を出自《しゅつじ》とする宮尾登美子という作家の余人にはできぬ芸である。

作家として彼女が世に出た作品は、一九六二年「婦人公論」女流新人賞を受けた『連』であったのだが、出世作と言えるのは、一九七三年太宰治賞を受けた、この『櫂《かい》』であったと言っていいと思う。私自身もこの作品を読むことによって宮尾登美子という独自の小説家の存在を知ったのであった。この作品以後、彼女は堰《せき》を切ったようにつぎつぎに小説を発表して作家としての地歩を揺るぎのないものにしてきた。

岩伍《いわご》という男のもとに十五歳で嫁いできた喜和は龍太郎《りゅうたろう》と健太郎という年子を生んで育てるが、渡世人の夫はいつも出歩いてばかりいて家に帰ってくれば簞笥《たんす》の内をさらって子供の物まで博打《ばくち》のかたにしてしまう男であった。途中から岩伍は芸妓《げいぎ》紹介業を始め、しだいに店を大きくしていく。この過程で、病気しがちの龍太郎を育てる辛労、他人の子をあずかり芸妓に仕込んでいく気骨の折れる毎日で、喜和の苦労は絶えない。激しい気性の夫と柔和で辛抱強い妻との生活が、高知の下町の土地柄《がら》を丹念にえがき込んでいく手法によって、その土地ならではの雰囲気のなかで展開していくところが、小説の前半の読み所であろう。四季おりおりの風物詩と、人をそらせない、和文脈のなめらかな語り口に乗って、小説は、淀《よど》みなくしかも哀切な余韻を漂わせながら進行していく。

転機は、岩伍が娘義太夫《ぎだゆう》の巴吉《ともきち》といい仲になり、妾《めかけ》として囲っていることを喜和が知ることで訪れる。しかし相手が夫とのあいだにできた赤ん坊を引き取ることを喜和は頑《がん》強《きょう》にこばむ。それまで夫に忍従していた内気で寡黙《かもく》な女性がにわかに頑固で強い意志の女に変身するあたりの描写は、物語の転回点をしたたかに印象づけて読者を驚かせ、さらに女の奥深さをかいま見させてくれる。

喜和は家に連れてこられた綾子《あやこ》という赤ん坊に徹底した無関心を示す。が、赤ん坊が過失で瀕死《ひんし》の有り様になったとたんに自分で養育をし始め、こんどは自分の子にもまさる愛情をそそいで育てるようになる。小学生になった綾子の髪を洗ってやる喜和の様子など、実にこまやかな心遣いに満ちている。

息子の龍太郎は結核で若死にするが、健太郎のほうは頭がよく世渡り上手な反面、大の放蕩者《ほうとうもの》になり、結婚してからは、無学な母親を踏みつけにするようになり、喜和は二階に追いやられる。息子から十分な生活費ももらえず、生活にも困るようになった彼女が、それを夫に告げると岩伍は叱《しか》りつけ、そんな父親に綾子は刀で「殺す」と突っかかっていく。紆余曲折《うよきょくせつ》のすえ離縁された喜和を慕っていくのは、実の子ではなく継子《ままこ》の綾子である……。

私は別に小説の筋を明かしているのではない。ここまでなぞったのは小説のほんの骨格にすぎず、こうして筋のおおまかな起伏を示すことで、この小説がじつに巧みな語りの、読んでいて、先へ先へと興味を引っ張られていく牽引力《けんいんりょく》を備えていることを証明したかったまでである。細部のいきいきとした心理描写、土佐弁を縦横に使った血の通った会話、なによりも人物像をきっかりと彫り込むような文章は、これは小説をじっくり読んでいかないとつかめないし、また楽しめない。

たとえば、喜和が成さぬ仲の綾子の存在を知る場面。こっそりと秘密を打ち明けるのは裏長屋に住む自称大工の寅《とら》というお調子者である。

……寅に限らず、こんな風に持込んで来る話には碌《ろく》なものがなく、大抵は小遣銭欲しさにそこら辺りの人のありもしない蔭口《かげぐち》を告げる絡繰《からくり》は、喜和にも読めている。その手には乗るまいとしている喜和に、寅は慌《あわ》てた風もなく、右の人差指と中指の腹で自慢の髯《ひげ》を撫《さす》りながら、半ば独り言のように、

「此《こ》の町内、誰もが知っちょることで……姐《ねえ》さんにはいわれん、姐さんにはいわれん、と皆がいいよることで……

それを若《も》し姐さんが知ったら、一体誰が喋《しゃべ》った、という詮議《せんぎ》になりやすきに……」

喜和はそれを聞くと、熱い血が一時に顳顬《こめかみ》に上って来る思いがした。（第二部　五）

その人にとってもっとも重大な秘密が、えてしてその人だけには伝えられないという世間の事情。それを明かすのが無責任な軽薄男であるという設定。冷静一方の女が一時に興奮してしまう結末。この瞬間に小説の世界が、蝶番《ちょうつがい》をきしませながらぐるりと回転していく趣きをこの地の文と会話は、簡潔ながら見事に示している。この語りの堅実さが、精選された木綿糸で織られた布のように小説世界をくっきりと描いていくのが宮尾登美子の小説の持ち味である。

綾子はついに家を出て継母の喜和と一緒に住むが、綾子が女学校に進む段になって、継母だけの保護者では見識の高い女学校に合格しないという問題がおこる。喜和は綾子

の進学のために、あえて、綾子と別れる決心をする。『櫂』の終りの部分は綾子を見送る喜和の悲しい愛情に満ちた場面となっている。

人物がそれぞれ独特で面白い。とくに喜和という女性が、女の弱さと強さと、嫉妬《しっと》と愛と、喜びと悲しみをそなえて、忘れられぬ造形となっている。夫の岩伍は、短気な乱暴者で博打にふけり家をかえりみない極道者だが、どこか憎めないこっけい味のある男である。綾子の先生たちや友人たちも、それぞれに陰影深く描けていて、作品の奥行きを増す役目を十全にはたしている。長編小説を読む喜びを、この作品は存分にあたえてくれる。

『櫂』は宮尾登美子の小説を読む入り口として恰好《かっこう》の作品である。というのは、この小説は、『春燈《しゅんとう》』、『朱夏』、『岩伍覚書』と四部作を形成しているからである。この四つの作品は、視点や方法や時代や場所が少しずつ異なっていて、おのおのが独立した作品でありながら、全体を一つの長編とみなすことも可能なのだ。

四作品に一貫して登場する綾子を中心として考えれば、『櫂』は継母の喜和の視点で描かれていて、大正の末から昭和にかけての高知を舞台に展開する物語である。もっとも厳密に言えば、父岩伍の視点が一部分混入しているけれども。

『春燈』は『櫂』の後日譚《ごじつたん》であって綾子の視点から書かれてある。幼い綾子が、小学生、女子師範付属高等科生、山間の小学校の代用教員と成長していき、三好《みよし》という教員から求婚されるまで、昭和のはじめから昭和十九年までで、昭和十四年に綾子が喜和と別れて岩伍の家に行くまでは、『櫂』と年代が重なっている。

そのつぎに来るのが『朱夏』で、結婚した綾子が満州に渡り、敗戦後、無一物になり、散々に苦難の道を歩みながら昭和二十一年に引き揚げてくるまでが綾子の視点で描かれている。

『岩伍覚書』はこれら三作品とは違った趣向で書かれていて、父の語る四つの事件という体裁となっている。喧嘩《けんか》早く、人を刺して警察沙汰《ざた》をおこしたり、やくざ同士の血の斬《き》りこみ騒動があったり、『櫂』でお馴染《なじ》みの岩伍の隠れた剛直な側面が浮かびあがってくる。

『櫂』を出発点として、四部作を読みおえると、複雑に入り組み、さまざまな人物が活躍する大長編小説の世界が開けてくるので、私は『櫂』を宮尾登美子の世界の入り口と呼びたいのである。

ところで『櫂』を私は完全なフィクションとして読んできたし、今もそう思っているので、そこにどの程度作者自身の自伝的事実が投影されているかについては、何も知らない。それでも、高知に生れ育ち、高知を舞台にする数々の作品を書いてきた宮尾登美子という作家と、諸作品のなかに登場する綾子という聡明《そうめい》な女性とを重ねあわせて、作品を読むのは、これは読者の特権だと思う。綾子は大正の終りに生れ、昭和の激動の時代を生き、戦争や海外からの引き揚げを体験した。その時代を小説に定着させていく作者の執念が、この『櫂』という秀作を創《つく》りあげたこと、これだけはたしかである。

（一九九六年八月、作家）

本書の文字づかい等について

この作品は初刊の筑摩書房版単行本（上・昭和四十八年十二月刊、下・昭和四十九年三月刊）において歴史的仮名遣いで刊行されたが、後に中公文庫版（昭和五十三年四・五月刊、平成二年四月改版）では現代仮名遣いに改められた。

本文庫の本文は中公文庫版に従い、『宮尾登美子全集』第一巻（平成四年十一月、朝日新聞社刊）所収の本文（歴史的仮名遣い表記）を参照して校訂した。

文字づかいその他は、原則として底本の表記を尊重したが、新たに多くの振り仮名を付し、また著者の諒解のもと、一部以下のように改めた。

一、特定の語彙の漢字表記を仮名に改めたものがある。（その例は左記のとおり）

或（る）→ある　云う→いう　（…して）居《お》る→おる
呉れる→くれる　而も→しかも　了う→しまう
…に就て→…について　…に取って→…にとって　取分け→とりわけ
兎も角→ともかく　乍ら→ながら　（…する）程→ほど
又／亦→また　迄→まで　儘→まま

一、主として複合動詞等の送り仮名を補ったものがある。（その例は左記のとおり）

浮上る→浮き上る　…売→…売り　着換→着換え
垂下る→垂れ下る　突掛る→突っ掛かる　飛上る→飛び上る
成立つ→成り立つ　振掛ける→振り掛ける　持続ける→持ち続ける
矢張→矢張り　呼出す→呼び出す　読書き→読み書き

この作品は上下二巻本として、上巻は昭和四十八年十二月、
下巻は昭和四十九年三月、それぞれ筑摩書房より刊行された。

宮尾登美子著
朱夏

まだ日本はあるのか……? 満州で迎えた敗戦。その苛酷無比の体験を熟成の筆で再現し、『櫂』『春燈』と連山をなす宮尾文学の最高峰。

瀬戸内寂聴著
わかれ

愛した人は、皆この世を去った。それでも私は書き続け、この命を生き存《ながら》えている——。終世作家の粋を極めた、全九編の名品集。

瀬戸内寂聴著
夏の終り
女流文学賞受賞

妻子ある男との生活に疲れ果て、年下の男との激しい愛欲にも充たされぬ女……女の業を新鮮な感覚と大胆な手法で描き出す連作5編。

瀬戸内寂聴著
女徳

多くの男の命がけの愛をうけて、奔放に美しい女体を燃やして生きた女——今は京都に静かに余生を送る智蓮尼の波瀾の生涯を描く。

瀬戸内寂聴
瀬戸内晴美著
わが性と生

私が天性好色で淫乱の気があれば出家は出来なかった——「生きた、愛した」自らの性の体験、見聞を扮飾せずユーモラスに語り合う。

瀬戸内寂聴著
烈しい生と美しい死を

百年前、女性たちは恋と革命に輝いていた。そして潔く美しい死を選び取った。九十歳を越える著者から若い世代への熱いメッセージ。

高樹のぶ子著
光抱く友よ
芥川賞受賞
奔放な不良少女との出会いを通して、初めて人生の「闇」に触れた17歳の女子高生の揺れ動く心を清冽な筆で描く芥川賞受賞作ほか2編。

加賀乙彦著
宣告
日本文学大賞受賞（上・中・下）
殺人を犯し、十六年の獄中生活をへて刑の執行を宣告される。独房の中で苦悩する死刑囚の魂を救済する愛は何であったのだろうか？

山崎豊子著
白い巨塔
（一〜五）
癌の検査・手術、泥沼の教授選、誤診裁判などを綿密にとらえ、尊厳であるべき医学界に渦巻く人間の欲望と打算を迫真の筆に描く。

山崎豊子著
女系家族
（上・下）
代々養子婿をとる大阪・船場の木綿問屋四代目嘉蔵の遺言をめぐってくりひろげられる遺産相続の醜い争い。欲に絡む女の正体を抉る。

山崎豊子著
華麗なる一族
（上・中・下）
大衆から預金を獲得し、裏では冷酷に産業界を支配する権力機構〈銀行〉――野望に燃える万俵大介とその一族の熾烈な人間ドラマ。

山崎豊子著
ムッシュ・クラタ
フランスかぶれと見られていた新聞人が戦場で示したダンディな強靭さを描いた表題作など、鋭い人間観察に裏打ちされた中・短編集。

宮本輝著
幻の光
愛する人を失った悲しい記憶を胸奥に秘めて、奥能登の板前の後妻として生きる、成熟した女の情念を描く表題作ほか3編を収める。

宮本輝著
錦繍
愛し合いながらも離婚した二人が、紅葉に染まる蔵王で十年を隔て再会した――。往復書簡が過去を埋め織りなす愛のタピストリー。

宮本輝著
ドナウの旅人（上・下）
母と若い愛人、娘とドイツ人の恋人――ドナウの流れに沿って東へ下る二組の旅人たちを通し、愛と人生の意味を問う感動のロマン。

宮本輝著
夢見通りの人々
ひと癖もふた癖もある夢見通りの住人たちが、ふと垣間見せる愛と孤独の表情を描いて忘れがたい印象を残すオムニバス長編小説。

宮本輝著
優駿
吉川英治文学賞受賞（上・下）
人びとの愛と祈り、ついには運命そのものを担って走りぬける名馬オラシオン。圧倒的な感動を呼ぶサラブレッド・ロマン！

宮本輝著
螢川・泥の河
芥川賞・太宰治賞受賞
幼年期と思春期のふたつの視線で、人の世の哀歓を大阪と富山の二筋の川面に映し、生死を超えた命の輝きを刻む初期の代表作2編。

新潮文庫最新刊

あさのあつこ著
ハリネズミは月を見上げる
高校二年生の鈴美は痴漢から守ってくれた比呂と打ち解ける。だが比呂には、誰にも言えない悩みがあって……。まぶしい青春小説！

恒川光太郎著
真夜中のたずねびと
震災孤児のアキは、占い師の老婆と出会い、星降る夜のバス停で、死者の声を聞く。闇夜の怪異に翻弄される者たちの、現代奇譚五篇。

前川裕著
号泣
女三人の共同生活、忌まわしい過去、不吉な訪問者の影、戦慄の贈り物。恐ろしいのに途中でやめられない、魔的な魅力に満ちた傑作。

坂本龍一著
音楽は自由にする
世界的音楽家は静かに語り始めた……。華やかさと裏腹の激動の半生、そして音楽への想いを自らの言葉で克明に語った初の自伝。

石井光太著
こどもホスピスの奇跡
新潮ドキュメント賞受賞
必要なのは子供に苦しい治療を強いることではなく、残された命を充実させてあげること。日本初、民間子供ホスピスを描く感動の記録。

石川直樹著
地上に星座をつくる
山形、ヒマラヤ、パリ、知床、宮古島、アラスカ……もう二度と経験できないこの瞬間。写真家である著者が紡いだ、7年の旅の軌跡。

新潮文庫最新刊

原武史著
「線」の思考
―鉄道と宗教と天皇と―
天皇とキリスト教？ ときわか、じょうばんか？ 山陽の「裏」とは？ 鉄路だからこそ見えた！ 歴史に隠された地下水脈を探る旅。

柳瀬博一著
国道16号線
―「日本」を創った道―
横須賀から木更津まで東京をぐるりと囲む国道。このエリアが、政治、経済、文化に果たした重要な役割とは。刺激的な日本文明論。

奥野克巳著
ありがとうもごめんなさいもいらない森の民と暮らして人類学者が考えたこと
ボルネオ島の狩猟採集民・プナンには、感謝や反省の概念がなく、所有の感覚も独特。現代社会の常識を超越する驚きに満ちた一冊。

D・R・ポロック
熊谷千寿訳
悪魔はいつもそこに
狂信的だった亡父の記憶に苦しむ青年の運命は、邪《よこしま》な者たちに歪められ、暴力の連鎖へ巻き込まれていく……文学ノワールの完成形！

杉井光著
世界でいちばん透きとおった物語
大御所ミステリ作家の宮内彰吾が死去した。『世界でいちばん透きとおった物語』という彼の遺稿に込められた衝撃の真実とは――。

加藤千恵著
マッチング！
30歳の彼氏ナシOL、琴実。妹にすすめられアプリをはじめてみたけれど――。あるあるが満載！ 共感必至のマッチングアプリ小説。

櫂《かい》

新潮文庫　み-11-51

平成　八年十一月　一日　発　行
平成十七年十一月　十日　十六刷改版
令和　五年　五月　十日　三十三刷

著者　宮《みや》尾《お》登《と》美《み》子《こ》

発行者　佐藤隆信

発行所　株式会社 新潮社

郵便番号　一六二―八七一一
東京都新宿区矢来町七一
電話　編集部(〇三)三二六六―五四四〇
　　　読者係(〇三)三二六六―五一一一
https://www.shinchosha.co.jp

価格はカバーに表示してあります。

乱丁・落丁本は、ご面倒ですが小社読者係宛ご送付ください。送料小社負担にてお取替えいたします。

印刷・錦明印刷株式会社　製本・株式会社植木製本所

ISBN978-4-10-129308-0 C0193